제9판

교수모형
MODELS OF TEACHING

Bruce Joyce · Marsha Weil · Emily Calhoun 지음
박인우 · 이용진 옮김

Ⓟ Pearson   아카데미프레스

Models of Teaching, 9th Edition
by Bruce R. Joyce, Marsha Weil, Emily Calhoun

역자 머리말

Bruce Joyce, Marsha Weil, 그리고 Emily Calhoun이 집필한 ≪교수 모형(Models of Teaching)≫은 수업(instruction)이 아닌 교수자의 행동인 교수(teaching)에 초점을 맞춰서 교수-학습모형을 체계적으로 소개하고 있다. 이 저서는 예비교사를 대상으로 한 대학의 교수법 수업에서 교재로 사용되었으며, 초·중등 교육현장의 수업 방법에 대한 연구에 지대한 영향을 끼쳤다.

역자들이 학교 다닐 때와 지금의 학교에서 이루어지는 수업을 교수법 측면에서 보면, 변한 것을 찾기 어렵다. 수업을 시작하면서 교사는 배워야 할 내용을 알려 주고, 교과서를 중심으로 교사의 설명이 장황하게 이어진 다음, 설명한 내용을 이해했는지 확인하는 질문이 제시되거나 설명 중에 학생이 가진 질문을 하도록 하고, 마지막에 수업 내용을 요약한다. 이를 전통적 교수법, 또는 설명식 수업이라고 한다.

문제기반학습, ICT 활용수업, 협동학습, 거꾸로 학습 등과 같은 교수 모형이 도입되기도 한다. 그렇지만, 교육현장에서 이러한 형태의 수업은 연구적 목적이거나 시범적으로 실시되어, 대개 짧은 기간 지속되는 것을 종종 볼 수 있다. 그리고 나면 수업은 다시 전통적인 설명식 수업으로 돌아온다. 사실, 다시 되돌아온 수업 방식도 자세히 들여다보면, 딱히 설명식 수업이라고 할 수 없다. 그저 교사가 자신이 교육받았던 방식대로 답습하고 있을 뿐이다.

교사가 단순히 그러한 경험에만 의존하기보다, 체계적인 모형에 따라 수업을 할 때, 학생이 주어진 학습목표를 달성할 수 있을 가능성은 높아진다. 이 책은 교사가 수업에서 활용할 수 있는 16개의 교수 모형을 제시하고 있다. 저자들은 교수 모형을 잘 이해할 수 있도록 실제 수업 중에 모형이 활용되는 모습을 시나리오로 제시한다. 이어서 모형에 대한 설명과 실증 연구 결과를 논의하고, 최종적으로 모형의 구조와 활용할 때의 주의사항 등을 제시하고 있다.

이 책에 제시된 교수 모형은 저자들이 무수히 많은 모형 중에서 선택한 것이다. 최근 우리나라에서 정보매체의 발달과 함께 유행처럼 등장한 교수법은 어느 것도 이 책에서 찾아볼 수 없다. 이 책에서 저자들은 가장 기본 모형들을 선택하였다. 교수에 대한 기초적인 원리와 실천적 전략에 초점을 둔 기본적인 교수 모형인 것이다. 따라서 이 책은 교수법을 처음 접하는 이들에게 입문서로 적합할 것으로 본다. 더불어, 각 모형의 소개와 함께 제시되어 있는 참고문헌과 자료를 추가로 살펴봄으로써 교수에 대한 이해의 폭을 넓힐 수 있을 것이다.

이 저서는 고려대학교 교육학과 교육공학 전공 학생들과 함께 공부하면서 번역되었다. 이은혜, 권회림, 문은경, 백송이, 이성신, 이경숙, 이은주, 박유진, 신동미, 윤가영 등이 원서의 초기 번역에 참여하였다. 비록 번역을 배우는 목적으로 시작하였지만, 번역서 발간 자체에 크게 기여하였다. 저작권을 비롯하여 출판에 이르기까지 모든 것을 시의적절하게 해결해 준 아카데미프레스 홍진기 사장님을 비롯하여 출판사의 모든 분들에게 감사드린다.

2017년 봄
박인우, 이용진 씀

이《교수 모형》은 교사, 학교 및 지역 행정가, 수업 코치, 직업 적성 개발 프로그램 전문가, 대학 교수 등의 교육 관계자들에게 연구를 바탕으로 정교하게 개발된 교수법들을 소개한다. 이 교수 모형들은 이론적 근거를 가지고, 다양한 연구에서 적용되어, 학생들에게 기대되는 학습 사례를 보여 준다. 이러한 모형들은 수많은 교육자들의 실제적 경험을 바탕으로 알려진 것들이다. 따라서 이러한 교수 모형들은 '전문적인' 교수를 가능하게 하는 기반이 된다─여기서 '전문적(professional)'의 의미는 '연구를 토대로 실제를 이끌어 간다'는 의미이다.

수년 전 많은 교육자들은 교수에 대한 연구를 통해 모든 유형의 교육 목표에 가장 잘 부합되는 하나의 단일한 모형을 만들 수 있을 것으로 기대했다. 그러나 Bruce Joyce가《교수 모형》을 집필하기 시작할 당시에도, 그리고 지금도 이는 어려운 과제다. 훌륭한 교수(Teaching)는 특정한 목적에 잘 부합하여, 학생들을 위한 최적의 학습 환경을 만들어 낼 수 있는 여러 모형들의 조합으로 이루어진다. 즉, 교수는 1차원적 활동이 아니다. 교수는 다양한 학생들을 대상으로, 다양한 분야에서 이루어지기 때문에, 그에 부합하는 다양한 교수 전략과 학생들을 대하는 다각적인 방법의 표준이 필요하다.

오늘날에도 정책 입안자 중 일부는 효과적인 교수의 특성들이 연구를 통해서 소수의 원리로 요약될 수 있다고 기대한다. 사실 우리 모두 교사로서 해야 할 것과 하지 말아야 할 것은 있을 수 있다. 학생들에게 가장 큰 영향을 주고, 평생 학습을 위한 기술을 알려 주는 그러한 교수의 유형들이 교수 전략 또는 모형에 포함된다.

여러 다양한 전문 분야를 의학과 비교한다는 것이 다소 진부하긴 하지만, 의학과 교육 간에는 중요한 유사점이 있다. 의학에서는 하나의 항생제, 하나의 식이요법, 한

가지 유형의 검사에 의존하지 않는다. 전문 의료분야에서는 예방과 치료를 함께 고려한다. 예방적 조치와 치료가 어떠한 효과를 가져왔는지 평가하기가 어려운 것은, 예방과 치료 간에 나타나는 상호작용의 가능성 때문이다. 비만은 심장에 나쁘지만, 몸이 마른 사람들 중에 심장에 문제가 있는 경우도 있다. 교육에서는, 보다 분명하게 사고하는 방법, 정보를 보다 잘 구성하는 방법, 확고한 자신감을 갖는 방법을 학생들이 배우는 데 도움이 되는 모형들이 있다. 하지만 의료적 치료와 마찬가지로, 교육적 처방도 개연적인 것이다. 교육은 공을 제대로 맞추면, 예상했던 자리로 항상 공이 굴러가는 당구 게임이 아니다. 대부분의 경우가 그러하다.

지난 30년 동안 세 가지 측면의 중요한 발전이 이루어지면서 교수를 향상시켰다. 첫째, 개별 모형들에 대한 연구가 지속적으로 이루어지고, 새로운 모형들이 개발되었다. 모형의 효과성을 높이는 방향으로 개선이 이루어져 왔다. 둘째, 모형들이 교육과정에 적용되면서 상당한 영향력을 확보하게 되었다. 셋째, 전자 기술의 발전으로 도서관이 확대되었고, 어린이들의 교실 수업에서도 방대한 양의 정보가 활용될 수 있게 되었다. 현대의 교실에는 소설이든 비소설이든 수백 권의 도서들이 학생들을 둘러싸고 있다. 이러한 인쇄 매체로부터의 상당한 진보를 대변하는 전자 매체들은 방대한 양의 자료에 접근할 수 있는 백과사전과 사전들을 제공하고 있다. 인터넷은 현대의 교실을 글로벌 네트워크로 이끌었다. 역사 수업의 경우, 미국 의회 자료실(www.loc.gov)에 접속하면 사진 100만 장 정도의 그래픽 자료를 포함한 원본 자료들을 쉽게 찾아볼 수 있다. 미국 항공우주국(NASA)의 경우, 10여 년 전에는 소수의 내부자에게만 공개하던 우주탐사 정보를 제공하고 있다. ScienceFriday.com은 단원 및 과목에 맞는 시뮬레이션 자료를 제공하고 있어 학생과 교사 모두에게 좋은 반응을 얻고 있다. 이메일은 우리의 교실을 세계 많은 나라의 교실과 연결시킬 수 있다. 어린이들은 인터넷을 통해 Jane Goodall의 업적을 알 수 있다. 그녀의 초기 연구에서부터, 더 나은 세계의 환경을 만들기 위해 어린이와 어른이 함께 일하는 국제 기구의 설립에 이르기까지 말이다.

이제, 정보통신 기술(ICT)의 가능성과 우려에 대해 살펴보자. ≪The Shallows≫ (Carr, 2010)와 ≪Smarter Than You Think≫(Thompson, 2013)를 읽으면, ICT를 이해하는 데 도움이 될 것이다. Carr는 ICT가 특정 기술과 습관에 매우 부정적인 영향을 미칠 것이라고 우려했다. 예컨대, GPS 내비게이션을 사용하면 지도를 이해하고 사용하는 기술이 약화되는가? 습관적으로 웹서핑을 하고, 트위팅을 하며, 메시지 보내기를 하면, 목적 없이 즉각적으로 충족감을 느끼고 싶은 마음이 커질까? 아니면, 예전에는 하지 않던 이런 새로운 활동들이 새로운 기술이나 지능을 창출할까? 이 논쟁은 당분간 지속될 것이다.

우리의 경우, 책을 집필할 때 노란색 메모지에 손으로 원고를 써서 타자기에 옮겼는데, 이 때 수정액을 손에 잔뜩 묻히기 일쑤였다. 이후 문서편집기와 그림 파일로 작업을 해 편집자들과 소통을 했다. 지금 이 인쇄본은 전자책으로도 제작되며, 웹사이트(www.modelsofteaching.org)는 교수지와 학생에게 자료를 제공한다. 또한 교수 모형을 시연한 동영상, 교수 모형을 배우는 데 필요한 요령에 대한 설명, 파워포인트 교재 등을 독자들에게 제공한다. 오늘날에는 그냥 글 쓰기만 하는 게 아니라, 글 쓰는 방법을 다시 배워야 하는 것이다.

우리는 교사로서 학생들에게 학습 모형을 가르칠 필요가 있다. 학생들이 웹사이트의 정보를 이해하고 활용하며, 스스로 정보를 얻기 위해 통신 수단을 활용하고, 다른 사회 및 문화와의 상호작용이 새로운 규준이 되는 글로벌 네트워크를 창조해 낼 수 있도록 학습하는 방법을 가르쳐야 할 것이다.

새롭게 개발된 과학적 체계와 문해 능력에 대한 표준들은 과거에 비해 크게 발달되어, 유치원부터 중고등학교(K-12)에 이르는 교수 · 학습의 방향성을 제시했다. 인쇄 매체나 전자 매체 모두를 포함하는 교수 · 학습 자료들이 풍부해지면서 기존에 개발된 교수 모형들은 더욱 효과적으로 적용될 수 있다.

그러나 현재 교육 분야는 역사상 매우 신랄한 비판을 받고 있다. 정부 기관들은 전례 없는 힘으로 학교를 압박하고 있다. 현재 학생들의 학습에 대한 평가, 특히 교육적 성과에 대한 국가 연구들이 심각한 문제들을 지적하고 있기 때문이다. 그 하나의 예로, 미국 학생의 3분의 1 이상이 효과적으로 읽고 쓰지 못한다는 평가가 있었다. 교수 전략과 학습 자원이 이토록 잘 발달된 시기에 이게 가능한 일이란 말인가?

이런 결과가 나온 데에는 효과적인 교수 모형들이 많은 교육자들에게 아직 알려지지 않았기 때문이기도 하다. 이것이 교수 모형들이 알려지고 활용되어야 할 이유다. 이 책과 부록 자료들을 통해 교사들은 자신들의 교수 목록을 확장하고, 풍부한 교육과정을 개발하며, 학생들의 성공적 학습을 이끌 수 있다. 이 모형들은 영어에 대한 배경 지식이 부족한 학생들에게도 적합할 것이다. 우리가 교수 모형을 알리고자 하는 이유는 이러한 열정 때문이다. 교육은 현재의 삶일 뿐 아니라 미래의 삶이기도 하다. 시간이 흐름에 따라 모든 교수 모형들은 더 나은 모형으로 변화되거나 대체될 수도 있다. 현재까지 우리가 알아낸 최고의 것을 학생들에게 알려 주고자 한다.

오늘 학생들이 배우는 것은 장기적으로 그들의 삶에 영향을 미친다. 아이들에게 읽기를 가르칠 때 우리는 아이들이 평생의 독자가 되도록 돕고 있는 것이다. 아이들은 함께 일하는 것을 배울 때 협력을 아는 민주시민으로 자라게 된다. 아이들은 과학을 배울 때 스스로 탐구해 나가고 현재와 미래의 문제를 해결하기 위한 기술과 습관을 개발해 간다. 가르치는 것은 사람들이 스스로를 창조하도록 돕는 과정이다. 한 교사의 가르침은 학생이 정규 교육을 마친 이후에도 오랜 시간 계속적으로 영향을 미치게 될 것이다.

9판에 새롭게 도입된 것

9판에는 생산적인 변화를 반영하는 내용을 강화하고 교수·학습 과정을 행동으로 묘사하는 그림을 추가했다. 또한 내용에 따른 시연 동영상을 포함하여, 멀티미디어적 차원에서 이전 판보다 향상되었다.

추가된 멀티미디어 자료

- 교수 모형의 통합 시연. 동영상은 실제 교실에서 전문 교사들이 학생들에게 교수 모형들을 활용한 모습을 담았다. 이 자료는 필요로 하는 교사들과 학생들 모두가 사용할 수 있다.
- 웹사이트(www.modelsofteaching.org)에는 파워포인트 설명, 응용 매뉴얼, 화상채팅 등 교수 모형을 배우는 데 필요한 추가적인 지원이 포함되었다.

추가된 본문 내용

- 새롭게 개발된 연구 분석과 모형의 적용. 내용의 약 30%가 9판에 추가되었다.
- 학교 개선을 위한 현재의 정책에 적합한 응용. 이 책에 소개된 모형들은 새로운 '공통핵심학습기준(Common Core State Standards)'을 실행하는 데 중점을 두고 있다.
- 이 책이 '전문 학습 및 학교 개선(Professional Learning and School Improvement Initiatives)' 프로젝트의 핵심 교재로 사용되도록 갱신했다.

● 교육과 관련된 연구 분야의 참고문헌을 책과 www.modelsofteaching.org에서 확인할 수 있다. 9판은 교육학 전공 대학원생들에게 광범위한 지침을 제공한다.

감사의 인사

다음 분들에게 매우 깊은 감사의 마음을 표한다.

Lisa Mueller는 훌륭한 파트너 역할을 해 주었다. 전문적인 학습 기회를 제공해 주고 동영상 시연을 담당했다. 우리는 Lisa Mueller의 멋진 시연으로 동영상을 제작했고, 이 동영상들은 전문적 학습 프로그램에 사용되고 있다. Lisa Mueller는 이 책의 9판에 영감을 주었다.

Brendan Joyce는 개인적으로 친분이 있는 멋진 동료로, 자신의 기술 역량을 우리에게 아낌없이 제공해 주었다. 웹사이트 www.modelsofteaching.org에는 매뉴얼, 동료코칭 가이드, 참고문헌, 그리고 이 책과 관련된 여러 주제의 논문이 담겨 있다. 이 웹사이트에서 동영상 시연과 링크로 구성된 우리의 저장고로 접속할 수 있다. 이 온라인 자료들과, 독자들과의 소통이 가능한 우리의 블로그가 만들어지기까지 그의 공이 컸다.

Lori Kindrachuk, Ralph Kindrachuk, Marilyn과 Walter Hrycauk, Ed Witchen, Jim Jutras, Kim Newlove는 전문적 학습을 통한 학교 선진화와 관련하여 캐나다 견학을 잘 조율해 준 멋진 동료들이다.

Grant Dougall, Sharon Champ, Mary Bishop은 멋진 친구이자 동료로, 동영상을 비롯한 여러 자료를 이들과 함께 개발했다. Mary Bishop의 저서 중에 *Tunnels of Time*(2000)을 읽어 보길 바란다.

Maureen Bezanson, Jordan Carlson, Tracy Poirier, Nicole Simon은 여러 모형과 'Read to Succeed' 커리큘럼을 연구하면서 우리에게 많은 것을 가르쳐 주었다. 교수 모형을 많은 교사들에게 소개하는 과정에서 이들과 함께 일하는 동안 이 분야에 관한 이해의 폭이 넓어졌다.

출판사 Pearson으로부터는 9판의 책임을 맡은 편집자들의 지원을 많이 받았다. Linda Bishop과 Meredith Fossel은 편집자로서 《교수모형》이 마치 자신들의 새 저서인 것처럼 헌신적으로 일해 주었다. Janet Domingo는 상당한 지식과 기술을 바탕으로 친절하게 제작을 관리해 주었다. 또한 Electronic Publishing Services Inc.의 Katie Watterson

과 활발히 교류하며 작업을 조율해 나갔다. 교열을 담당한 편집자 Heather Gauen Hutches는 글의 내용과 문체를 모두 검토하고, 원고 조판도 담당했다. 모든 면에서 진정한 편집자였다.

Bruce Joyce
Emily Calhoun
Saint Simons Island, GA

2000년의 초기 역사

이 글은 보편적인 공교육의 발전이 비교적 최근의 일이며 아직 완성되지 않은 상태라는 것을 상기시키는 요약문이다. 공교육의 출현은 공평한 학습 기회를 추구하는 문화를 조성해 온 사회 사상가들과 이상주의자들의 업적에 의해 이루어졌다.

공교육의 발전은 언어의 발전에도 의존해 왔다. 비록 언어가 개발되기 오래 전부터 의사소통과 가르침은 있었지만 말이다. 부모, 친척, 부족원들은 도구들과 전통 문화에 대한 구전 지식을 가르쳤다. 근친상간과 같은 금기들 역시 문화가 되었다. 하지만 글을 읽고 쓰게 되면서 많은 문화적 요소들은 기록될 수 있었고, 보다 균일하게 전파되었다. 대부분의 시민들이 문맹이었던 시기에도 기록된 글이 그들에게 말로 읽힐 수 있었다. 필경사들은 정치 및 종교 지도자들의 연설들을 글로 옮겼고 이러한 글들은 당시의 사람들뿐 아니라 이후 세대에까지 전해질 수 있었다.

읽기, 쓰기 그리고 일부 형태의 공교육은 사회에서 소수만이 문해력을 가졌던 매우 오래 전부터 발전되기 시작했다. 이집트 알파벳은 BC 3500년부터 시작된 것으로 추정되며, 중국의 문자는 BC 1200년 정도에 약 2500자 정도의 글자를 갖추고 있었다. 인도의 방대한 글로 된 작품들은 BC 800년경부터 시작된 것으로 추정되며, 히브리어는 기원전 수세기 전부터 사용되었다.

서양 교육의 공식적인 문헌들은 고대 그리스 및 로마 교육자들에 의해 시작되었다. 아직까지도 유용한 일부 모형들은 수세기 동안 지속되어 왔다. 플라톤과 아리스토텔레스는 오늘날까지도 유효성을 갖는 소크라테스 대화법과 귀납적 접근법 등 각각의 교수 모형을 개발했다. 그들의 시대부터 오늘날까지의 문헌들을 조사하다 보면 교수 및 학습과 관련하여 유용한 개념들을 만들어 낸 여러 혁신적 교육가들을 찾을 수 있다. 글로 된 유산을 남길 수 있었던 지도자들은 소수이기는 하나 어떤 시대에도 그러한 업적들을 확인할 수 있다. 그 당시 사회의 교육적 필요에 대한 성찰과 이를 충족시키기 위한 논의들은 오늘날까지도 이어지고 있다. 다음 세 가지 사례들을 고려해 보자.

- John Amos Comenius(1592~1670)는 개인들의 수준 높은 삶과 집합적 지식의 발전을 위해 보편적 교육을 지지했던 체코의 종교 및 교육 지도자였다.
- Jean-Jacques Rousseau(1712~1778)는 프랑스 철학자로서 모든 시민들의 잠재력 도달과 사회 개선을 향한 강력한 기반 구축을 위해 모든 시민들을 대상으로 한 교육을 지지했다. 그의 저서 《Emile》은 오늘날에도 유의미하다. 또한 동시대 인물 Voltaire의 풍자적 저서인 《Candide》(1759)는 소설의 발전을 불러왔다. 두 사람 모두 영향력 있고 생산적인 음악가들이었다.
- John Locke(1632~1704)는 중요한 영국의 과학자이자 철학자, 정치활동가였다. 그는 또한 사상과 지식을 검증하기 위해 실증적이고 논리적인 사고와 과학적 방법을 사용한 사람이었다. 교육을 옹호한 그의 사상은 독재 국가가 아닌 민주주의적 방식이 사회 계약을 구성해야 하며 대중적 교육이 모든 민주적 행동과 기관들의 버팀목이 된다는 그의 신념과도 밀접하게 연관되어 있다.

미국에서는 독립과 헌법 제정을 이끌었던 시기 동안 교육에 대한 다양한 목소리들이 존재했다. Benjamin Franklin과 Thomas Jefferson은 작지만 중요한 집단을 대표했다. 이들의 논의는 오늘날까지도 지속되고 있다. 두 사람 모두 교육의 보편성을 주장했다. Jefferson은 교육의 단계에 대한 진전이 개인의 실력에 기반을 두는 매우 구체적인 틀을 제시했다. 흥미롭게도, 우리가 지금까지 언급한 모든 인물들은 당대의 사회에서 교육과 학습에 접근할 수 있었고 가장 잘 교육받은 사람들이었다. 이들의 진정한 민주주의 사회에 대한 신념은 보편적 교육이 민주주의의 필수적 조건이라는 생각과 밀접한 연관성이 있다. 이들은 지식이 이성적 주장과 실증적 논의에 기반을 두어야 하고, 미신이나 관행, 미사여구 등에 의존해서는 안 된다는 자신들의 입장을 견지했다. 이러한 생각들은 국가와 지역사회의 교육 시스템을 생성하는 정치적 행동의 기반이 되었다. 마침내 보편적 교육은 활성화되기 시작했고 이러한 과정은 현재도 진행 중이다.

　교육자들이 학습할 만한 공식적인 교육 문헌의 발전은 1800년대에 시작되었다. 미국의 공립학교가 본격적으로 발전되기 시작할 때인 1830년대에 대부분의 공교육에서는 아동기에 대한 비교적 침울한 견해가 지배적이었다. 반복 학습형 교육과 "매를 아끼면 아이를 망친다"는 식의 신념이 만연했던 시기였다. 다수의 초기 교육 문헌이 이러한 불쾌하고 비효율적인 교육 관행에 반대해 나타났다. Horace Mann(1796~1859)은 보다 긍정적 관점을 가진 영향력 있는 인물이었다. 그는 교수법이 지식이 생성되는 과정과 보다 조화를 이루어야 하며, 민주 사회적 삶과 연계된 사회 프로세스들을 통합해야 한다고 보았다.

　Henry James(1842~1910)와 John Dewey(1859~1952)의 업적은 교육 분야에서의 근대적 연구와 발전의 토대를 마련했다. 의사이자 생리학자였던 James는 심리학의 아버지로 간주되기도 한다. Dewey는 자신의 철학과 다른 학자들의 업적을 통합하여 교육의 또 다른 비전을 만들어 냈다. 이는 과학적 논의와 학문적 담론을 기본적인 학습도구로서 활용하고 특히 학습자들을 일종의 협력적 집단으로 구성하여 미래의 시민을 교육하는 일이었다. 이 두 학자는 교육 분야에서의 공식적인 탐구 및 연구의 시작을 대변하며 이들의 업적은 오늘날까지도 그 영향력을 찾아볼 수 있다.

현대 실증적 교육 연구: 교육과정과 수업에 대한 모형의 형성과 평가

1920년대까지, 교육과 철학 분야의 연구자 집단이 교육 연구를 하나의 학문 영역으로 수립했다. 1950년대 후반까지는 교육과정과 교수 모형을 입증하기 위해 실증적 방식들을 사용한 상당수의 연구자들과 개발자들이 존재했고, 사회 및 행동 과학은 개발된 새로운 모형을 평가하고 보다 효과적으로 만들 수 있게 하는 방법론적 측면에 기여했다. 현재의 교수와 학습에 대한 접근법의 대부분은 지난 90년 동안 이루어졌던 실증적 업적과 사유들에 기반하고 있다. 그러한 실증적 업적들 또한 그 이전 시기의 사상과 탐구적 연구들의 영향을 받지 않았다고 할 수는 없다.

　현재의 교수 모형들은 이른바 교육 연구의 근대라 할 수 있는 1930년대 중반부터 오늘날까지 수행된 기본 및 응용 연구에 기반하고 있다. 학문적 분야, 특히 과학과 수학 분야에서 교수 모형을 개발하고자 하는 움직임을 바탕으로 일련의 연구들이 수행되었고, 귀납적 사고과정은 연구의 주요한 관심사로 오늘날까지 이어지고 있다. 다수의 모형들이 귀납적 사고과정에 대해 설명하고 있으나, 각 모형은 각기 독자적인 탐색의 방법들을 가지고 있다. 우리는 이러한 연구적 관점을 선택했고, 이후 각 장에서 논의할 것이다. 상당한 분량의 교수 및 교육과정 연구들이 특히 생물학, 물리학, 사회과학 등의 학문 분야들에 연결되어 있으며, 3단계에 걸친 학문 개혁 운동의 측면에서 우리는 혁신적인 활동과 연구를 확인할 수 있다. 학문 개혁 운동은 과학적 개념과 과정을 교육 영역의 핵심 요소로 들여온 것이다. 1단계는 시기적으로 1950년대 후반에서 1985년까지이다. 2단계는 1985년부터 2008년까지이며, 1단계를 기반으로 하고 있다. National Research Council이 2012년 초 · 중등학교 과학 표준의 틀을 발표한 이후 현재는 3단계에 진입하고 있다. National Research Council은 National Academy of Sciences, National Academy of Medicine, Institute of Medicine 등의 단체의 회원들로 구성되어 있다(www.nap.edu). The National Academy는 과학 지식을 정책입안자들에게 알리고 대중에게 정보 제공을 목적으로 1960년대에 수립되었다. 1단계 학문 개혁 운동에서 영향력 있던 사람들은 오늘날 3단계에서도 주도적 역할을 하고 있다.

1단계 학문 개혁 운동

중등 과정에 대한 연구

과학 교육과정 및 교수법에 대한 300여 개 이상의 연구들에 대한 일련의 메타분석이 University of Colorado(Anderson, Kahl, Glass, Smith, & Malone, 1982)에서 수행되었다. 과학 수업에 대한 연구가 복잡하고 연구들이 그 목적과 수행 방법에서 상당한 차이를 보인다는 점을 고려하여, 연구의 지속적인 초점은 협동적/귀납적 탐구로서 특징 지어지는 노력들의 결과와 영향에 맞추어졌다. 특히 '학생들이 정보를 습득하고, 데이터를 구성하고 연구하며, 그 데이터에서의 정보를 조직하고 분석함으로써 개념을 형성하고, 일련의 조사 활동(질문 생성, 방법 고안, 결과 연구)에 참여하는가'라는 질문이 제기되었다. 다시 말해, 학생들이 실증적 방식으로의 과학 내용들을 공부하고 여러 교과과정 영역에서 귀납적 사고과정을 경험함으로써 문제 해결을 위한 학문적 내용과 과정을 학습했는가의 질문이다.

미국 University of Colorado의 과학 및 수학 교육 연구소의 수석 연구원인 Ronald

D. Anderson(1983)은 일련의 연구 결과들을 다음과 같이 간결히 요약하고 있다. "네 개의 메타분석의 관련 정보들이 여기에서 논의되고 있으며 일반적으로 탐구 학습에 대한 긍정적 측면들을 가리키고 있다"(p. 500). 그러나 Anderson은 탐구 학습 방식이 장기적 교과과정에서 실제로 이행되는 범위에 대해 우려했다. 그는 Shymansky, Kyle, Alport(1983)의 105개의 연구들에 대한 메타분석(줄잡아 1천 개 교실의 15만 명의 학생들 대상)에서 탐구 방식 학습의 활용 정도가 사실상 어떠한 차이를 생성하지 않았다는 점을 지적했다. 그러나 통제 집단 내에서도 모든 연구된 교육과정들은 과학 내용 및 과정에 기반했으며 대부분의 연구들은 6개월 혹은 그 이상의 기간 동안 수행되었기 때문에 차이의 정도는 크지 않을 수 있다.

초등 과정에 대한 연구

미국 University of Colorado의 일련의 연구들에 추가로, Bredderman(1983)은 초등 교육 단계에서의 탐구 기반, 실천적 과학 교과과정 연구를 수행했다. Bredderman은 연방 기금의 후원을 받아 교육학자, 과학자, 교사들이 수립한 세 개의 "활동 기반(activity-based)" 프로그램들에 대해 연구하고 있다. 세 개의 프로그램들은 그 구조에 있어 서로 상당한 차이를 보였다. 초등 과학 연구(Elementary Science Study)는 가장 개방형 구조를 가졌고, ≪과학: 과정적 접근법(Science: A Process Approach)≫은 가장 구조화된 형태였다. 세 개의 프로그램은 어느 것도 초등 과학 교과서를 중심으로 구성되지는 않았다. 학생들은 주로 관찰과 실험을 통해 자료를 획득했다. 세 개의 프로그램에 대해 5년에 걸쳐 900개의 교실과 13,000명의 학생들을 대상으로 57개의 통제된 연구들이 수행되었다. 이 연구의 3분의 2는 10개 혹은 그 이상의 교실들을 대상으로 했다. 연구 중 절반은 연구기간이 1년 혹은 그 이상이었고, 대부분은 2년 혹은 그 이상 지속되었다.

과학적 과정 학습에 대한 평균 효과 크기는 0.52였다. 과학 교과내용에 대한 효과 크기는 0.16이었다. 과학 및 과정에 대한 태도는 0.28이었다. 창의성에 대한 효과(0.42)와 지능에 대한 척도(0.48)에 대해서는 보다 작은 하위집단이 검토되었다. 계산 및 수학적 이해도는 다소 증가했으며, 총 평균 효과 크기는 0.30이었다.

교과과정이 아이디어, 귀납법 및 기타 과학적 사고과정, 지적 역량과 창의성에 목표를 두어야 한다는 생각은 학생들에게 기본적 정보와 기술들을 주입하는 것이 교육의 근본적인 목적이라는 입장과는 매우 다른 것이다. 활동 중심 프로그램에 대해 우리가 종종 듣는 반응들 중 하나는 우리가 내용 학습을 희생시켜 가면서 과학적 사고과정에 너무 중점을 둔다는 것이다. 그러나 표준화된 성취도 검사에서 전통적인 과학 프로그램과 비교할 때 활동 중심 프로그램들에 대한 우려는 그 근거가 희박한 것으로 드러났다. 내용 학습의 성취도는 어떠한 방식으로든 부정적인 영향을 받지 않았다. 이는 교과서 프로그램을 활동 중심 프로그램과 비교한 연구들만을 놓고 보았을 때도 마찬가지였다(p. 512).

2단계 학문 개혁 운동

1단계 이후 20년간 탐구 학습 연구는 지속되었으며, 2010년에 Minner, Levy, Century는 1984년부터 2012년까지의 138개의 연구들을 종합했다. 거의 2,000개의 교실과 40,000명의 학생들이 연구에 포함되었다.

27년 전의 Anderson의 연구와 유사하게, Minner, Levy, Century는 우리가 2단계 학문 개혁 운동이라 특징짓는 기간 동안 탐구 기반의 과학 교과과정의 효율성에 대한 명확하고 결정적인 의견을 내놓았다.

연구 결과들은 탐구 기반 수업의 실천에 명확하고 긍정적인 동향, 특히 학생들의 적극적인 사고와 데이터에 기반한 결론 도출을 강조하는 수업들의 경향들을 강조한다. 과학 탐구를 통해 학생들을 학습 과정에 적극적으로 참여시키는 교수 전략들은 단순히 수동적 기술에 의존한 전략들보다 학생들의 개념적 이해를 증가시킬 가능성이 높다(p. 474).

일반적인 관점에서 Minner, Levy, Century의 종합적 연구 결과는 학문 개혁 운동과 연관된 연구 결과들에 비해 다소 규모가 크다. 이는 아마도 교과과정과 수업의 보다 향상된 개선의 결과일 것이며 우리는 그 이상을 기대할 수 있다.

3단계 학문 개혁 운동: 초기

《초 · 중등 과학교육의 기틀: 실천, 개념, 핵심 아이디어》(National Research Council, 2012)는 향후 과학 교과과정의 개념적 근본을 제공하며, 제3단계 학문 개혁 운동을 주도할 것이다. 공학과 과학적 테크놀로지를 교육과정에 포함시킴으로써 교육내용과 교과과정을 강화시키게 된다. 지난 40년간의 연구 결과들을 토대로 우리는 교수-학습 과정이 새롭게 개선될 뿐 아니라 학생들의 학습 역시 새로운 단계로 진보할 것임을 예측할 수 있다.

저자들은 이전보다 좀 더 강력한 교과과정을 권장한다. 학교 안팎에서 상호작용적 전자 매체의 활용을 높이고 정보통신 기술을 끌어들인 혼합적 교과과정의 개발은 탐구 및 조사 활동을 교과과정의 일환으로서 더 강조하게 될 것이다. 교육과정에서의 정보통신 기술의 성공은 교수와 학습 모형에 달려 있다는 충분한 증거들이 존재한다.

차례

이 책은 교수(Teaching)에 대한 주요 연구를 기반으로 교수 모형을 배울 수 있도록 지원하는 멀티미디어 시스템 내의 핵심 요소이다. 이 시스템은 부가적으로 두 가지 요소를 더 포함하고 있다.

웹사이트 www.modelsofteaching.org는 온라인 강좌에서든 개별 학습을 위한 것이든, 수업에서 책이나 동영상을 사용할 수 있는 방법을 제안하고 있다. 그리고 각 모형을 위한 파워포인트들과 다양한 자료들이 제시되어 있다. 이러한 자료들은 교수자와 학습자 모두를 위해 고안되었고, 온라인이나 오프라인 수업, 개인 학습을 모두 지원할 수 있도록 했다.

제1부

교수 모형: 현장 전문가를 위한 레퍼토리   31

1부에서는 실제 교실과 학교에서 학습 공동체를 어떻게 형성할 것인가에 대한 아이디어를 바탕으로 각 모형들을 간략하게 소개한다.

1장

교수 모형은 어디에서 왔는가
학생들이 지식과 기술을 구성하도록 돕는 지식과 기술 구성하기   33

우리의 학생들을 위한 최적의 학습 환경을 구성할 수 있도록 교수 모형을 형성하는 데에는 교사 및 연구자들의 연구가 기초가 되었다. 그리스 로마시대 학교에서부터 교사들은 학습과 교수에 대한 혁신적인 접근 방법들을 고안해 왔다. 이후 세대를 거치면서 학생들이 학습할 수 있도록 돕는 부가적인 방법들이 생성되었다. 교사로서 우리는 이러한 연구물들과 고안된 모형들을 학생들이 효과적이고 창의적인 학습자가 될 수 있도록 돕기 위해 적용해야 할 것이다.

2장

우수한 학습자 공동체 형성
학생들의 학습 능력 활용하기   53

우리는 학습에 대한 사회적 지지의 효과를 기대한다. 수업에서 학생들은 학습 공동체로 발전할 필요가 있으며, 우수한 학습자가 되기 위한 학습 모형을 필요로 한다. 우리는 교수-학습의 혼합적 방식을 개발하는 것과 함께, 학교 내 수업에서 활용된 ICT 자원을 가지고 이러한 학습 공동체를 어떻게 형성하는지 연구한다. 점차 이러한 학습 공동체는 전자메일을 통한 의사소통으로 연계되어 도처에서 온 학생들로 구성될 수 있다.

제2부

정보처리 교수 모형   71

어떻게 우리가 정보를 가장 잘 습득하고, 조직화하고, 설명할 수 있을까? 2부에서는 새로운 교육과정 기준에 직접적으로 연관된 몇 가지 모형이 제시된다. 그러한 교육과정 기준은 학생들에게 훈육의 방법으로 가르치는 것을 포함한다.

이러한 모형의 주요한 결과는 정보를 수집하고 확실하게 접근할 수 있고, 하나의 학습 공동체를 형성하기 위해 서로 협력하는 등의 학습 역량을 계발하는 것이다.

정보를 찾고 처리하는 과정에서 학습한 도구들은 사회적, 개인적, 행동적 교수 모형군을 뒷받침한다. 정보처리 모형은 사회적 모형에 학업적 실체를, 개인적 탐구 모형에는 사고의 방식을, 행동적 모형에는 학습 목표를 제시해 준다.

3장

귀납적 학습방법의 학습
기본적인 교수 모형　　　　　　　　　　　　　　　73

인간은 개념을 형성할 수 있는 존재로 태어난다. 영아들은 주변을 기어 다니면서 사물을 느끼고 그것에 부딪치기도 한다. 생득적으로 주변 사람들의 행동을 관찰하고, 소리를 들으면서 정보를 습득하는 것이며, 습득한 정보는 변화되고 조직화되면서 개념적 구조를 형성하게 되고, 이는 우리의 삶을 이끌어 가는 것이다. 귀납적 모형은 인간이 주변 환경에 대한 정보를 조직화하고 개념의 분류를 형성하며 검증하는 생득적인 능력을 강조한다. 형성된 개념의 분류는 그 사람의 세계를 보다 잘 이해할 수 있고, 예측할 수 있도록 하는 것이다.

귀납적 학습 모형은 2부의 첫 부분에서 설명된다. 다른 많은 모형들이 귀납적 학습 모형에 근거하고 있고 이 모형이 사회적 모형(예를 들면 집단 조사)과 같은 다른 모형과 결합될 때, 학생의 학습은 보다 극적으로 발전할 수 있기 때문이다.

4장

과학적 탐구
조사활동 중심 학습　　　　　　　　　　　　　　111

아리스토텔레스 시대부터 과학을 가르치는 교육자들은 소수의 사실들을 가르치고 최상의 것을 기대하기보다는 사실을 찾아 만들어 내는 과정을 강조했다. 이 장에서는 발달 과정에 있는 과학으로서의 교수 모형 하나를 소개하고자 한다. 오늘날 학생들은 연구나 문제의 영역을 알아내고, 그들 자신의 조사 연구를 수행하며, 웹사이트에서 검색할 수 있는 연구물들을 탐색할 수 있어야 한다. 가상의 조사 연구와 시뮬레이션은 시간을 절약하게 할 수 있고, 학생들이 멀리 있는 복잡한 장치나 환경에서 실험이나 현장 연구를 수행할 수 있게 한다.

획득 모형은 학생들이 개념을 학습하고 활용하며 개발하고 가설을 검증하는 방법을 가르치는 데 초점을 둔다. 연구자들은 이 모형에 대한 변인들을 개발하고, 그러한 변인들을 교육과정 영역에 적용하는 데 상당한 역할을 해 왔다. 이 모형은 모든 학년의 학생들과 교사를 위한 중요한 산물이고, 특히 개념 학습을 중심으로 하는 온라인 수업의 설계에 특히 도움이 될 것이다.

7장

창조적 사고법(시네틱스)

창의적 사고는 특별한 소수에게만 유전적으로 주어진 것이어서, 일반적인 우리들은 갖기 어려운 것으로 종종 여겨져 왔었다. 그러나 사실 그렇지 않다. 창의적 사고법(시네틱스)은 모든 학생들이 창의적 사고의 기반이라고 할 수 있는 은유적 사고를 발달시킬 수 있도록 돕는다. 그 사고 모형은 우리가 유추를 개발하고 해체하는 것을 더 많이 학습할수록 더 잘 이해하게 되고 문제를 해결하게 되는 것처럼 계속적으로 발달해 가는 것이다. 중요한 것은, 학생이 미래의 삶과 관련한 새로운 아이디어를 생성해 내고, 문제들을 해결하는 방법을 학습할 수 있도록 하는 장기적 효과가 나타나야 한다는 것이다.

8장

암기

암기는 주로 잘 설계되지 않은 교과서나 강의, 고달픈 연습시간 때문에 나쁜 것처럼 인식되어 왔다. 그러나 최근 연구들과 혁신적 교사들은 암기의 효율성을 증진시키는 방법뿐만 아니라 암기하는 과정을 즐겁게 만드는 방법들을 고안했다. 이러한 연구들은 중요한 정보의 장기 기억과 파지를 돕기 위해 설명식 수업, 읽기, 원격 수업, 학교 내 탐구조사 수업 등에서 다양한 방법을 제공하고 있다.

9장

설명식 수업 설계를 위한 선행 조직자의 활용
강의에서의 비계, ICT, 원격 수업   **259**

설명식 수업을 통한 학습은 암기에 의한 학습으로 나쁘게 치부되어 왔다. David Ausubel은 강의와 설명식 수업이 학습자의 활동을 증진시키고 결과적으로 학습을 높이게 한다는 이론적 체계를 개발했다. 비계는 학생들이 자신의 학습과 진전의 과정을 조직화하고 평가하도록 하는 자료의 인지적 지도(cognitive maps)를 제공하는 것이다. 이것은 원격 학습에 대한 설계에서 특히 유용하게 활용될 수 있다. 학생들은 그들의 탐구 활동의 일환으로 비계의 개발을 학습할 수 있는 것이다.

10장

탐구 훈련 모형
직접적으로 탐구 기능 훈련하기   **277**

본 장에서 제시하는 모형은 처음엔 혼란스럽고 복합적인 상황으로 시작하여 학생들이 질문하고 그들이 얻은 답들을 분석하도록 연습시키는 방향으로 이어지는 매우 잘 구조화된 모형이다.

제4부

사회적 교수 모형   **297**

협업하는 것은 우리 모두를 강화시키는 것이다. 사회적 모형은 작든 크든 민주적 인간관계를 형성하고 함께 협업하는 것을 포괄한다. 학습 공동체의 형성은 모든 학생들의 학습을 극적으로 증진시킬 수 있다. 소셜 미디어의 발달과 함께 종종 목격되는 것처럼, 여러 상황에서 사람들 간의 협력은 긍정적인 효과를 나타낸다. 학문적 협력 학습과 관련하여, 사람들이 자신의 관심사를 공유할 수 있는 동료를 찾고자 할 때 광대한 네트워크 시스템은 빠르게 발달하게 된다.

11장

학습 동료
모두 참여시키기

두 명의 학생들이 짝을 이루면 학습은 더 효과적이다. 학생들은 프로젝트에 대해 협업할 때 사회적, 학문적 기술을 더 발달시킬 수 있다. 대부분의 학생들은 협업을 위한 훈련을 통해 이득을 얻을 것이다. 협력적 교실은 비생산적이고 쓸데없는 행동을 줄이고 과제에 집중하여 생산적인 학습을 하도록 돕는다. 협동 학습 모형은 유치원부터 중고등학교에까지 적용할 수 있고, 모든 교육과정 영역에서 사용할 수 있다. 본 장에서는 협동 학습을 위한 기초적이고 적용하기 쉬운 교수 유형을 살펴본다.

12장

집단 조사
민주적 과정을 통한 철저한 탐구

학생들이 민주적 학습 공동체에 소속되어 과학적인 방법을 그들의 학습 과정에 적용하는 것을 학습할 수 있다. 집단 조사 모형을 활용하여 학교교육을 재설계하고, 개인적, 사회적, 학문적 학습을 증진시키며, 학습자와 교사 모두를 만족시킬 수 있다. 프로젝트법은 학생들을 특정한 사회적 문제를 탐구하도록 집단으로 조직하는 최근 방법이다. 방대한 웹자료들이 복잡한 사회적 모형들과 관련한 새로운 유형들을 제공하고 있다. 온라인 강좌들이 설명식 수업이나 단순한 단계적 연습으로만 되어 있지는 않다. 원격 수업도 적극적인 협력 학습 모형을 적용하여 설계될 수 있는 것이다.

13장

역할극
가치 공부하기

가치는 우리의 행동에서 핵심적 역할을 하여, 행동의 방향을 결정하도록 하고 다른 사람을 이해할 수 있도록 한다. 정책적 쟁점들은 가치를 이해하고, 특정한 해법의 선택과 관련한 비용과 이득을 이해하는 것과 관련되어 있다. 현재 우리 사회가 당면한 쟁점에 대해 생각해 보자. 우리가 함께 잘 살아가는 것은 물론이고, 세포에 대한 연구, 국제적 평화, 에이즈와의 전쟁, 가난, 임신과 낙태에 대한 결정 등 여러 이슈에 대한 사고과정에서 가치는 핵심적인 것이다.

학습자들이 학습을 할 때, 학습자들의 성격은 학습 환경과 상호작용하게 된다. 학습자의 성장을 촉진시킬 것이라고 생각되는 과제들을 제시하여 학습자가 그 과제에 대해 반응하면서 성장해 가도록 시도할 때, 우리는 어떻게 그 학습자가 핵심적역할을 하도록 할 수 있는가? 어떤 방법으로 온라인상의 네트워크를 형성하여 학생들이 논쟁할 수 있도록 하고 성찰과 성장을 할 수 있게 할 것인가? 어떤 원격 상담 과정은 꽤 도움이 되기도 한다. 온라인상의 가상적 상담은 발전 과정에 있는 영역이다.

우리 자신을 한 인간이자 학습자로 생각해 보자. 학생의 성격과 감정이 고려되는 교육과정을 어떻게 조직할 수 있는가? 학습자를 교육의 과정 중심에 놓고 생각해보자.

비지시적 교수법은 원격 교육에서도 적용될 수 있다. 학교교육 기간뿐 아니라 졸업한 후에도 학생들은 교사 및 상담가와 잘 연계될 수 있고, 그들 자신에 대해 성찰하면서 스스로의 자존감과 사회성을 발달시킬 수 있도록 도움을 받을 수 있다. 학생들이 온라인 강좌나 다른 종류의 원격 수업과 같은 ICT 자원들을 가지고 연구를 수행할 때 그들이 필요로 하는 많은 지원은 비지시적 양상으로 제공될 수 있는 것이다.

15장

긍정적 자아 개념의 개발
내적 자아 찾기와 자아 실현 학습하기   **379**

만일 당신이 자신에 대해 긍정적인 생각을 갖는다면, 당신은 더 나은 학습자가 될 수 있을 것이고, 대체로 더 높은 질의 삶을 영위할 수 있을 것이다. 그러나 당신 자신에 대한 생각은 지금 현재의 당신의 모습에서 시작한다. 캔사스의 SIM그룹에 의한 연구에 따르면, 학생들이 긍정적인 자기 이미지와 성취에 대한 신념을 갖도록 돕는 것은 가능하다.

우리 자신의 자아 개념은 우리 자신이 행동하는 바를 반영한다. 그러면 우리가 보다 생산적인 행동을 하는 것을 어떻게 배울 수 있는가? 본 장에서는 심리학의 혁신적 전성기에 활동한 심리치료 전문가인 Abraham Maslow, Carl Rogers, Erich Fromm, Karen Horney 등에 의해 제안된 다양한 주제를 탐색할 것이다.

제6부

행동주의 모형   **393**

과제, 수행, 긍정적 혹은 부정적 반응 등의 세계에 들어가 보자. 행동이 어떻게 습득되는지에 대한 연구는 훈련에 대한 매우 다양한 접근 방법을 이끌어 내었다. 6부에서는 주요한 행동주의 모형들을 다룰 것이다.

16장

명시적 수업
읽기에서의 이해와 쓰기에서의 작문   **403**

오랫동안 이해력에 대한 교수는 명확히 규정하기 어려웠다. 이해가 없는 읽기란 제대로 읽은 것이 아니다. 연구자들은 전문적인 독서가들이 사용하는 기술을 연구하기 시작했고, 모든 학생들에게 그러한 기술을 가르치는 방법들을 고안해 내고자 했다. 그 결과가 명시적 전략 수업이라고 칭하는 모형이다.

17장

완전 학습
아주 조금씩, 점차로, 완전 학습에 다가가기   **415**

이 모형은 새로운 내용과 기술이 소개되고 이해되도록 하며, 연습하여 작업 레퍼토리로서 저장되도록 하는 훈련을 위한 기본적 모형이다. 완전 학습 모형에서 계획과 평가는 복잡한 부분이지만 잘 이루어지면 매우 효과적인 수업이 될 수 있을 것이다.

18장

직접 교수
응용 심리학의 적용   **425**

어떤 것을 직접적으로 다룰 수 있는데 왜 주변만 둘러대는가? 직접적으로 다뤄 보자. 그러나 그러기 위해서는 적합성이 반드시 요구되며, 본 장에서는 그것을 다룰 것이다. 기본적인 모형은 사회적 학습 이론에 근거했다. 원격 교육 모형들은 온라인의 다양한 기능을 바탕으로 직접적 교수인 경우가 많으나, 때로 학생들은 학습 전략을 어떻게 사용할지에 대해 배울 필요가 있어 원격 수업에서는 더 잘 설계되어야 한다.

제7부

학습의 조건, 학습 양식, 개념적 수준   **437**

어린 아동들도 여러 교수 환경과 상호작용하면서 학습 양식을 발달시킨다. 새로운 학습방식을 알아채고 습득하는 것과 같은 주요한 학습의 유형은 어느 정도 불편함을 포함한다. 새로운 자료를 학습하는 것은 학교교육 환경의 산물이어서, 학생들은 다소 불편함을 감수하고서 배우려고 하거나 아니면 회피하려 한다. 7부에서는 개념적 체제 이론을 사용하여 학생들에게 적합한 모형을 설명하며, 학습을 위한 정보를 통합할 수 있도록 비계를 제공할 것이다.

7부는 모든 교사들이 현장 연구적 관점에서 가르침으로써 제안하거나 실천할 수 있는 여러 연구들과 방식들을 설명한다. 또한 교육과정 연구에 적용할 수 있는 Robert Gagné의 업적에 대해서도 논의한다.

19장

교육과정의 개발
학습의 조건   439

Robert Gagné의 이론은 효과적인 교육과정 개발에 대해 주요한 함의점을 준다. 그의 업적은 학습의 수준과 유형에 대한 연구와 인간이 어떻게 사고하고 지식을 구성하는가와 관련한 수업 설계의 문제를 접목시킨 것이다.

20장

한계의 확장
불편함을 생산적으로 만들기   453

개념적으로 학습은 전에 해 보지 않았던 것을 알기, 생각하기, 수행하기 등을 필요로 한다. 교육과정과 수업은 우리를 이전에 경험하지 않았던 것으로 안내할 수 있도록 형성되어야 하는 것이다. 재미난 것은 우리가 그러한 행동을 하도록 이끌지만 당황스럽지는 않은 최적의 부조화를 만들어야 한다는 것이다. Vygotsky는 근접발달영역이라는 용어로, 현 발달 수준 이상이지만 습득할 수 있는 내용과 개념적 이해, 기술, 과정 등을 설명했다. 편함의 수준 내에 있는 내용과 과정들은 성장을 위한 어떤 자극도 되지 않기 때문에 이 최적의 부조화와 관련한 개념들은 매우 중요하게 고려되어야 한다.

제1부

교수 모형:
현장 전문가를 위한 레퍼토리

제1장에서는 교수-학습 모형의 개념과 그러한 모형들이 본 교재에서 어떻게 선정되었는지를 살펴본다. 우리는 교수 모형들이 어디에서 유래했는지에 대한 연구로부터 시작하여, 흥미롭고 효과적인 도구들에 대한 탐색을 준비할 것이다. 제2장에서는 학습의 사회적 측면을 밝히고자 한다. 효과적인 교수는 학습 공동체의 성장을 이끌고 그 안에서 학생들이 학습하는 방법을 갖출 수 있도록 하여 학교에서도 그리고 졸업 후의 사회에서도 높은 질의 삶을 영위할 수 있도록 하는 것이기 때문이다.

교수 모형은 어디에서 왔는가

학생들이 지식과 기술을 구성하도록 돕는 지식과 기술 구성하기

학생들의 학습을 돕는 방법을 신임교사들이 학습할 수 있도록 돕는 것은 매우 가치 있는 일이다. 성장을 저해하는 장애물이 단지 상상에 의한 것이거나 자기가 임의로 부여한 것이라는 걸 깨닫게 되고 그 장막이 걷혔을 때 얻는 만족감은 이루 말할 수 없이 크다. 이는 마치 종의 탄생을 지켜보는 것과 같다.

— *Fritz Perls*가 *Bruce Joyce*에게

| 핵심 아이디어 |

효과적인 교수는 학생들에게 다가가는 방법과 학생들이 지식, 기술, 가치 등의 저장고를 구성할 수 있도록 돕는 도구들로 이루어진다.

▨▨▨ 시나리오 ▨▨▨

SIMONS 초등학교의 3A 섹션의 하루 일과

8:30. Traci Poirier 선생님의 3학년 학생들은 그들의 책상이 큰 말굽 모형으로 배열되어 있는 곳에 자리를 찾아 모여 앉았다. 이번 주에는 한 그룹을 3명으로 구성했다. 각 그룹의 구성원들은 어제 방과후의 일이나 생각에 대하여 토론한다. 몇몇은 그들이 읽은 책, 영화, 텔레비전 프로그램에 대해서, 그들이 갔던 곳, 혹은 그들의 가족 간의 대화에 대해서 공유한다. 모든 학생들은 최근의 새로운 사건에 대해 공유할 책임이 있다.

8:45. Traci 선생님은 그룹의 대화 내용 중에 학급의 다른 학생들과 공유하고 싶은 내용이 있는 학생이 있는지 물어본다. Nancy는 Billy가 홍콩의 Taipei Market School에 있는 그의 펜팔로부터 이메일을 받은 것을 이야기했다(최근 그들이 미국에서의 삶과 홍콩에서의 삶에 대해 알아보기 위해서 채택한 수업이다). Billy의 펜팔은 그들에게 몇 명의 형제, 자매가 있는지 궁금해했다. 모든 학생들은 그들의 형제, 자매의 인원수를 적어 주었고 Billy는 이에 대답할 수 있었다. Andy는 Sharon이 그의 자매가 토요일에 결혼을 하며, 반 친구들이 그녀에게 결혼축하 카드를 보내줄 수 있는지 궁금해하는 것을 이야기했다. 그들은 그렇게 하기로 동의하고 Andy가 그들에게 보낼 카드를 만들기로 자원했다.

9:00. 수업은 작문공부로 시작했다. 첫 번째 조사는 Taipei Market의 사진에서 정보를 얻는 것이었다. 수업의 학생들은 교대로 사진 속의 항목들을 확인한다. Traci 선생님은 사진에서 확인된 항목과 주변에 붙인 큰 종이에 선을 긋고 해당 물건의 단어를 쓰고 말하며, Andy는 그 단어들을 컴퓨터에 입력한다. 다음으로 그들은 각 학생들을 위한 카드에 입력된 단어들을 인쇄한다. 거의 30개의 항목이 확인되었고 12개의 질문이 만들어졌다.

단어들은 그들이 사는 지역 시내의 사진으로부터 모아진 항목들과 비교되었다. 놀라운 점은 각 사진으로부터 확인된 약 20개의 단어가 동일한 것이었다. 다른 것보다는 공통적인 것이 많았다. Taipei Market 사진 속의 6개 항목만이 그들에게 친숙하지 않은 것이었다. 비록 그들의 묘사가 달랐을지라도 몇몇 항목은 비슷했다(중국어와 영어로 쓰인 것은 영어로만 쓰인 것과 비교했다). Traci 선생님은 이에 대해 확인받기 위해 사진 위에 동그라미를 하여 홍콩 교실로 이메일을 보냈다.

9:30. 개별 독서 시간이다. 이 시간에 대부분의 학생들은 Traci 선생님이 표시해 둔 웹 사이트로부터 정보를 읽고, 백과사전을 통해 홍콩에 대해 살펴보고, 메모를 하고, 질 문에 응답하고, 조사를 위한 새로운 질문을 만든다. Traci 선생님은 두 명의 학생의 유 창성과 이해도를 측정하기 위해 Grey Oral Reading Test를 실시했고, 이것을 통해서 다 음 수업에서 전체 학생들의 이해력에 대한 단서를 얻고자 했다.

10:00. 본시는 글쓰기 시간으로, 학생들은 두 개의 사진을 통해서 확인했던 단어들을 사용하여 두 도시를 비교한다. Traci 선생님은 제목과 문단의 첫 행이 어떻게 주제와 화제를 만들어 가는지에 초점을 맞춰 문단을 시작하는 문장 사례를 학생들에게 보여 준다. 선생님은 일반 책에서 문단의 시작 문장을 분류했던 이전 시간을 언급한다. 내 일 학생들은 자신들의 지역과 홍콩을 비교함으로써 정보 수집과 토의를 계속할 것이 고, 창조적 사고법(7장 참조)을 사용하여 글의 구조를 형성하기 위한 유추를 탐색할 것이다.

비록 10시 30분밖에 되지 않았지만, Traci 선생님은 이미 협동 학습 전략, 그림–단 어 귀납적 모형, 집단 조사, 귀납적 모형 등을 활용한 활동을 설계했고, 창조적 사고 법을 사용하여 다음 시간을 계획했다. 계속해서 선생님은 과학적 탐구 모형(4장)을 통해 주변 식물에 대한 단원으로 시작해서 숫자체계의 특성에 대한 단원까지 다루게 될 것이다. Traci 선생님은 꽤 방대한 교수 모형의 목록을 갖고 있다. 선생님은 각 교 수 모형에 내재된 학습 모형을 학생들이 완전 습득한 정도에 그들의 학업적 성공이 달려 있다고 생각한다.

─────────────────────

교수에 대한 고전적 정의는 *학습을 촉진하는 환경을 조성하는 것*이다. 교수 모형은 학생들을 위한 하나의 양육과 자극의 생태적 체계를 형성하는 방식이다. 그러한 생 태계 내에서 구성요소들과의 상호작용을 통해 학생들은 학습하게 된다. 다양한 모형 은 지식, 가치, 기술과 같은 특정 유형의 내용으로 학습자들을 이끌고, 개인적, 사회 적, 학문적 영역에서 그들의 역량이 성장하도록 이끌어 준다. 우리는 수업, 단원, 교 과과정의 계획과 실행에서부터 멀티미디어 프로그램을 포함하는 교수매체 설계에까 지 모형을 다양한 방법으로 활용한다. 이 개념은 학생들이 인지적 연료를 채우기 위 해 거치는 "교육 주유소" 이미지로 표현된다. 이는 교수를 나타내는 다소 오래된 방 식으로, 학생들에게 말하고 촉구하고 훈련함으로써 지식이나 기술을 전하는 전형적인 모습을 강조한다. 좋은 강의를 설계하고, 실행하며 학생들에게 동기를 부여하여 효과적인 훈련을 이끌어 내기 위한 모형들이 있다. 전통적인 방식의 전달 형식을 사용할 필요가 있을 때에도 우리는 학습 경험을 가능하게 하는 최적의 모형을 사용해야 하고 어떤 접근방식이 목표를 달성할 수 있는지에 대하여 항상 주지하고 있어야 한다.

≪교수 모형≫의 첫 판을 집필했을 때만 해도 꿈속에서만 존재할 것 같았던 수많은 교수방법들이 최근 몇 십 년 동안 학습 환경을 강화하기 위하여 새롭게 고안되어 왔다. 우리는 학교와 교사양성 프로그램에서 영화 필름, 동영상, 모의실험, 슬라이드, 수많은 교수 모형, 다양한 테크놀로지를 사용해 왔다. 이러한 미디어들은 여전히 중요한 것이지만, 학교에서 제대로 사용되지 못하는 경우도 있다. 이전 시대의 최고의 교수 모형은 몇몇 새로운 방법들과 마찬가지로 오늘날에도 여전히 효과적이고, 정보통신기술과 디지털 교육 도구를 통해 그 효과성이 향상되었다.

우리의 개인적이고 전문적인 유산

1960년대부터 현재까지 많은 교육자들이 다양한 교육적 접근과 문헌연구 개발을 통해 충분한 연구를 했다. 이 장에서는 이 중의 일부를 간략히 다룰 것이다. 이를 위해 우리는 학교들과 교실을 방문했고, 교수와 학습에 대한 연구 동향을 연구했다. 또한 학교교육(K-12)뿐만 아니라 기업, 군대, 스포츠 등의 상황에서 이루어지는 교수에 대해서도 살펴볼 것이다.

우리는 다방면으로 풍부하게 교수 모형을 찾았다. 모형의 일부는 광범위하게 적용되고 있고, 또 다른 일부는 특정한 목적을 위해 설계되어 적용되고 있었다. 이에는 즉각적으로 결과를 도출하는 직접적인 과정의 간단한 모형부터 학습자가 서서히 습득하는 복잡한 전략 모형까지 있다.

이 ≪교수 모형≫에서는 학교교육을 위한 기본적인 레퍼토리로 구성된 모형들이 선정되었다. 이러한 모형들을 통해 일반적인 학교 목표와 학습 기준에 대부분 도달할 수 있을 것이다. 한때는 우수한 학교의 뛰어난 학생들만이 성취했던 학습 목표들을 일반 학교의 학생들도 성취할 수 있다. 모형을 조합하여, 학년 수준, 교육과정, 교과목, 단원에 따라 설계할 수 있다. 모든 모형의 경우는 아니지만, 선정된 모형의 대부분은 교수와 학습에 대한 주요한 철학적 기반과 심리학적 개념을 포함하고 있다. 이러한 모형들은 목표를 성취할 수 있는 근거로서 체계적인 이론적 배경을 포함하고 있다. 또한 선행연구에서 광범위하게 실행되었다. 이러한 과정을 통해 개선된 모형이기 때문에 교실이나 다른 교육 환경에서 안정적이고 효율적으로 활용될 수 있다. 또한 이 모형들은 학생의 학습양식과 교육과정 내의 필수 이수사항에 따라 적용될 수도 있다. 어려운 학습 목표와 기준을 설명하는 효과적인 모형들을 잘 정리하여 새로운 핵심 교육과정의 표준으로 적용될 수 있도록 하는 교육이 필요하다.

덧붙여 모든 모형은 공식적인 연구와 과학적 절차에 따른 현장연구를 통해 긍정적 효과에 대하여 검증되었다. 관련 연구의 양은 소수에서부터 수백 가지의 항목을 연구한 모형까지 다양하다. 이 책에서는 각각의 모형에 대한 논의에서 핵심적인 연구 문헌들과 관계성을 제시했다―일부는 문헌연구로서 제공했고, 흥미로운 연구의 일부는 좀 더 많은 설명을 통해 논했다. 교수 모형들은 학습자의 긍정적인 학습 효과를 위해 설계되었고, 우리는 명확한 근거와 논리적 분석을 통해 연구에서 제시된 모형의 효과를 분명하게 제시하고자 했다.

모형에 나타난 공통적 특징

교수 모형의 분류에 대해 살펴보기 전에, 선정된 모형의 특징에 대해 논의할 필요가 있다. '학습'은 모든 모형이 존재하는 이유이다. 또한 모형에서 나타난 교수적 입장에는 공통적이고 종합적인 특징들이 있다.

학습자가 학습방법을 배우도록 돕는다

선정된 모형은 각각의 방식으로 학습자의 학습전략 레퍼토리가 향상되도록 돕는다. 어떠한 모형을 사용하든지, 교사는 학생이 배우는 방법을 연구하고, 학생이 학습할 수 있는 능력을 향상시킬 수 있도록 돕는다.

● **학습자가 자신의 학습과 노력에 대한 책임감을 갖도록 돕는다.** 새로운 학습방법을 소개하여 학습자에게 직접 가르칠 경우에도, 학습자 스스로가 학습에 대해 보다 높은 책임감을 갖는 것이 중요하다. 이는 학생들이 직접적으로 코칭을 받는 것에

서 학생들 스스로가 자신을 코칭하는 상황으로 바뀌어야 하는 것이다.

● **학습자가 새로운 지식, 기술, 자기 이해에 도달할 수 있도록 돕는다.** 학교 안 · 밖에서 학습의 본질은 새로운 인지, 능력, 감성과 가치관까지 얻는 것이다. 교수의 주요한 부분은 학생들로 하여금 현재의 수준을 넘어서도록 학습을 도와주는 것이다. 예를 들어, 6살 아이가 "난 읽는 것을 좋아하지 않아요."라고 말했을 때, 기저에 있는 정서는 아마도 학습의 어려움을 극복하는 동안에 겪은 당황스러움이나 읽기 학습의 수고로움을 피하고 싶어하는 것이다.

구성주의적 지향

교수 모형은 학생들의 지식, 기술, 가치관 등의 형성을 촉진하는 것에 목적을 둔다. 여러 모형의 교육적 목표는 학문적 영역과 관련하여 구성주의적 관점에 기반을 둔다(Vygotsky, 1962). 예를 들어, 귀납적 탐구(3장)는 학습자가 개념의 범주를 구성하고 확인하며, 그 분류를 바탕으로 추론과 가실을 생성하고 추가직인 김증을 이끌이 가도록 하는 환경을 설계한다. 이와 다른 비지시적인 교수 모형(14장)은 학습자가 스스로의 지식 체계를 구성하여 더 잘 이해하도록 돕고, 개별적 · 사회적 · 학문적 영역의 목표를 설정할 수 있도록 설계된다.

학습과정에 대한 비계설정

이 책의 교수 모형들은 학생들이 어려움을 극복하는 능력을 향상시키고 학습의 다음 수준에 들어갈 수 있도록 촉진하는 수단을 제공한다. Vygotsky는 "근접발달영역"을 추구하는 과정을 기술했다. 근접발달영역은 학생들이 대처할 수 있는 수준을 지나치게 넘어서지는 않으나 학생들이 안정적으로 수행할 수 있는 영역의 수준을 한 단계 정도 상위하는 학습 과제를 수행하도록 하는 것을 말한다. 개념적 체계 이론가들은 학생들을 자신의 능력을 상당히 넘어선 수준에 처하게 하는 "최적의 불일치"를 제공하는 것으로 근접발달영역을 설명한다(20장 참고). 예를 들면, "훈련" 모형(18장)에서와 같이 새로운 기술을 가르칠 때 하나의 기술을 설명하고, 시범을 보인 후 학생들로 하여금 그 기술을 시도해 보도록 한다. 이때, 소극적인 학생의 경우에 용기를 북돋워서 시도할 수 있게 하는 비계를 제공한다. 아마도 더 자세한 설명이나 또 다른 시연을 보이는 것이 그 비계가 될 수 있겠으나, 성공과 좌절의 차이는 동기를 유발하는가에 달려 있다. 캠퍼스에서 교사에 의해 제공되는 비계는 온라인 학습을 수행하는 학생에

게 중요한 지원이 될 수 있다. 점점 더 학생들은 원격교육을 통한 학습의 이점을 얻고
자 한다. 자료를 내려받는 것이나 온라인 게임에 매우 익숙한 학생들도 더 많은 정보
를 내려받을 때 도움이 필요할 수 있다.

형성평가와 조정

형성평가를 통해 어떠한 지원이 필요한지를 결정하는 것은 비계설정과 밀접하게 관
련되어 있다. 가끔 다른 교수 모형으로 바꾸는 것은 학습을 위한 도구를 학생이 찾을
수 있도록 돕는 것이다. ICT는 학습에 있어서 진척이 빠른 학생을 돕거나 개인지도를
필요로 하는 학생에게 도움을 제공하는 등 수업에서 매우 중요한 자원이 되고 있다.
학생들이 자신의 진행 상황과 필요한 것을 인식할 수 있도록 하는 것은 형성평가의
중요한 요소이다. 부모들 또한 학생들을 도울 수 있는 과정을 인식할 수 있게 된다.

모든 교수 모형은 교사와 학생에게 학습의 진행 상황을 연구할 수 있는 기회를 제
공하고 효과적인 것을 지속시키고 적절하지 못한 과정을 대체하거나 변경함으로써
조정하는 것을 가능하게 한다.

21세기의 기능

교육을 발전시키려는 개혁의 움직임은 글로벌, 디지털 세계가 도래하면서 전면에 등
장하는 전문성의 유형인 *21세기 기능*을 강조했다. 아마도 "필요한 지식과 역량의 영
역"이 "기능"보다는 더 정확하고 유용한 용어일 것 같지만, 전문성은 분명 그러한 기
능에서 찾을 수 있다(Kay, 2010; Joyce & Calhoun, 2012 참고).

21세기 기능의 일부는 역량으로 간주되어 왔던 것들이다. 일부는 주정부의 새로운
핵심 기준에서도 강조되어 왔던 것이고, 일부는 디지털 시대에 등장한 것들이다. 이러
한 기능은 단순히 컴퓨터 혹은 ICT 기술의 집합체가 아니다. ICT 활용능력의 중요성
과 함께, 탐구하는 방법을 학습하는 것, 아이디어를 생성하고 검증하는 것, 유목화하고
종합하는 것 등의 인지적 기능이 중요해졌다. 이러한 기능들은 활용하는 기회가 많아
짐에 따라 필수적이고 중요한 기능으로 간주되어 온 것이다. 이제는 모든 사람들이 워
드 프로세스를 사용하고, 그래픽, 사진 혹은 비디오 등의 편집을 위한 소프트웨어를 사
용하며, 원격 교육에서 웹사이트를 찾아 정보를 습득하는 기술을 필요로 한다. 교사들
은 스마트보드의 사용 기술을 습득하는 것이 점점 더 중요하게 되었다. 21세기 변혁에
따라 강조되는 다른 영역들에 대해서도 살펴볼 필요가 있다.

문화 문해력과 국제 감각

정보통신 기술의 급속한 발전에 따른 가장 큰 변화는 국가 간의 경계를 넘어선 글로벌 문화의 형성과 그 영향력이다. 이러한 영향력은 사회의 본질을 변화시키고, 상호의존성을 확대하며, 문화 간 이해의 필요성을 증대시킨다. 개인적 차원에서 거의 모든 사람들과 연계가 가능한 것처럼, 국가적 존속과 복지가 국가 간 상호의존성을 높이고 경제 구조의 통합이 증대되고 있는 것은 분명하다.

협력과 협동 기능

우리는 서로를 필요로 한다. 우리는 다른 사람과 협동하지 않고서는 지속적으로 유지할 수 없다. 학교는 학생들이 함께 일하고 노는 것을 가르치는 문화를 발전시키고자 한다. 사실 학교는 어린 학생들에게 주요한 사회적 실험실이 되기 때문에 미래에 매우 중요한 장소가 될 것이다. 학생들이 사이버 공간에 들어가 글로벌 사이트로부터 많은 정보와 아이디어에 접속할 때 서로의 관점들을 필요로 하게 된다. 더 간략한 협동 학습 모형이 학교에서 활용되어야 하고, 협동/탐구 모형이나 집단 조사 모형 등과 같은 가장 복잡한 모형들이 주요한 문제들을 주도해야 한다. 사회적 매체들은 전 세계 사람들의 삶에 엄청난 영향력을 미치고 있다.

교사들은 International Association for the Study of Cooperation in Education에 가입할 필요가 있다. 학회의 소식지로부터 많은 정보를 얻을 수 있을 것이다.

창의성

수렴적 사고는 학생들로 하여금 외부의 지식과 기술에 집중하고 습득할 수 있도록 유도한다. 발산적 사고는 정보, 개념, 그림, 소리, 사물 등을 가지고 작업하는 것이다. 대상은 주변에서 갑작스럽게 나타난다. 과정은 Bill Gordon이 *심각한 장난(serious playfulness)*이라고 불렀던 것이며, 은유적 사고의 핵심을 담은 모순적 용어이다. 다른 인지 구조에서 생성된 아이디어들은 서로 근접해 있다. 유추로 표현된 환경은 학생을 발산적 사고의 한 형태로 유도한다. 개념이 생성되는 것이다.

이 책에서 선정된 모형들은 이러한 특성과 목표를 가지고 있다.

교수 모형군

인간이 어떻게 학습하는가에 대한 기저 관점에 따라 네 가지 모형군으로 구분했다.

- 정보처리 모형
- 사회적 모형
- 개인적 모형
- 행동 체제적 모형

네 가지 교수 모형군의 각 강조점, 그 모형의 이론과 이를 발전시킨 학자, 그들의 연구, 옹호자들 등에 대해 살펴볼 것이다. 독자들은 교사로서 광범위하게 적용할 수 있는 소수의 모형 사례로 시작해서 보다 구체적인 목표에 접근하는 여러 모형들을 살펴보게 될 것이다.

정보처리 모형

정보처리 모형은 정보를 수집하고 조직하며, 문제를 인식하여 해결책을 생성하고, 개념을 개발하고 언어를 통해 전달하는 것을 통해 세계에 대해 알아가는 인간의 생득적인 욕구를 강화하는 방법을 강조한다. 그런 모형들은 학습자가 정보를 발견하고, 개념과 가설을 형성하도록 돕는다. 또한 어떤 모형들은 직접적으로 개념을 가르칠 것을 강조한다. 창조적 사고를 만들기도 하고, 주요 주제들의 기저에 있는 원리들의 과정을 가르친다. 모든 모형들은 일반적 지능을 발달시키기 위해 설계된 것이다.

8개의 정보처리적 모형들은 2부와 3부에서 논의된다. 2부에서는 일반적으로 적용될 수 있는 3개의 모형들을 다루었고, 3부에서는 보다 구체적인 특정 목적에 초점을 둔 모형들을 다루었다. 표 1.1은 각 모형의 이름과 개발자를 정리하고 있다. 경우에 따라서는 수많은 연구자와 실무자들이 특정 교수 모형의 개발과 수정에 관여했다.

귀납적 사고(3장)

정보를 분석하고 개념을 생성하는 능력은 일반적으로 기본적인 사고 능력으로 간주된다. 이 모형은 고대에서부터 논의되어 왔으나, 현대의 이론들은 학생들에게 정보를 수집하고 구조화하며 가설을 세우고 검증하는 것을 가르치는 방법에 대해 연구한 현대 학자들과 Hilda Taba(1966)의 업적에 영향을 받았다. 이 모형은 다양한 교육과정 영역에서 활용되어 왔으며 다양한 연령의 학생들에게 적용되어 왔다. 발음과 구조 분석은 문법 학습과 마찬가지로 개념 학습에 달려 있다. 이론적 구조는 분류학에 근거를 둔다. 개념 학습이 사고의 발달에 있어 핵심적 요소가 아니라 할지라도, 정보의 구조화는 귀납적 사고가 교수-학습 모형으로 중요시되는 교육과정 영역에서는 매우 기본적인 부분이다. 이러한 모형은 최근 Joyce와 Calhoun(1996, 1998)에 의해 적용되었고, Joyce, Hrycauk, Calhoun(2001)이 학생의 학습 능력을 가속화하기 위해 설계한 프로그램에서 적용되었다.

이 모형은 귀납적 과정이 인지적 능력에 있어서 매우 중요하고, 협동적 연구와 활동을 유도하며, 다른 모형과 결합시킬 수 있기 때문에 정보처리 모형군에서 첫 번째로 고려된다.

과학적 탐구(4장)

국립과학원은 미래의 초, 중고(K-12) 과학 교과과정과 교수를 위한 기틀을 마련하고자 연구 문헌들을 생산하고 있다. 이러한 자료는 범위가 포괄적이고 읽기에 용이하여 모든 과학 분야의 모든 학년을 담당하는 교사들에게 좋은 자원이 된다. 공학과 기술 분야에서 통합된 자료들은 응용 과학을 과거보다 더욱 두드러지게 했고, 여러 학문을 넘나드는 "통합적 개념"들이 교육과정에 대한 논의에서 중요하게 자리잡았다. 사이트 http://nextgenscience.org는 좋은 참고가 될 것이다.

사회과학에서도 교육과정과 교수에 대하여 유사한 접근을 한다.

그림-단어 귀납적 모형(PWIM)(5장)

Emily Calhoun(1999)에 의해 개발된 이 모형은 학생들이 인쇄물의 문장을 해석하는 능력을 어떻게 습득하는지, 어떻게 듣고 말하는 어휘들을 발달시키는지에 관하여 연구하면서 고안되었다. PWIM은 학생들이 단어, 문장, 그리고 단락을 공부할 때 필요한 귀납적 사고와 개념 획득 모델을 포함하고 있다. 이 모형은 매우 효과적인 몇몇 교육과정들의 핵심이 된다. 유치원과 초등학교의 학생들이 읽는 것을 배우고, 초보적 수준의 읽기 쓰기 능력을 가진 학생들이 보다 상급의 초, 중등학교 읽기 쓰기 학습을 위한 "안정망(safety net)" 프로그램에 참여할 수 있도록 해 주는 효과적인 주요 교육과정에 이 모형이 적용된다(Joyce, Calhoun, Jutras, & Newlove, 2006; Joyce & Calhoun,

〈표 1.1〉 정보처리 모형

모형	개발자(재개발자)	목적
귀납적 사고* (분류)	Hilda Taba (Bruce Joyce)	분류능력의 개발, 가설을 수집하고 시험, 그리고 콘텐츠 영역의 개념 이해를 어떻게 구축하는지 이해
과학적 탐구*	Joseph Schwab과 관련 학자들	학문적 분야의 연구 시스템을 배우기-지식의 생산과 구성 방법
그림-단어 귀납적 학습*	Emily Calhoun	읽고 쓰기, 언어 조사 배우기
개념 획득*	Jerome Bruner Fred Lighthall (Bruce Joyce)	개념과 전략 학습을 적용하고 달성하기 위해 배우기, 가설을 수집하고 시험하기
창조적 사고법*	William Gordon	문제 해결에 도움을 주고 주제에 대한 새로운 관점을 얻을 수 있기
암기법*	Michael Pressley Joel Levin (와 관련 학자들)	정보, 개념, 개념 시스템을 획득할 수 있는 능력, 정보처리 능력의 초인지적 통제
선행 조직자*	David Ausubel (와 다수의 학자들)	강의와 읽기 학습에서 정보를 흡수하고 구성하는 능력을 증진하기
탐구 훈련*	Richard Suchman (Howard Jones)	정보 수집, 개념 구축, 가설의 설정과 검증을 어떻게 하는지에 대해 인과 추론 및 이해하기
인지 발달(認知發達)	Jean Piaget Irving Sigel Constance Kamii Edmund Sullivan	일반적인 지적 발달을 증진하고 지적 성장을 촉진하기 위해 설명을 조정하기

* 이 책에서 다루어지는 모형이다.

2010, 2012). 정보통신 기술(ICT)은 PWIM에 사용될 수 있고, 학습을 위한 조사 연구를 지원하는 그림 자료들의 거대한 저장고에의 접근을 가능하게 해 준다.

개념 획득(6장)

개념 획득 모형은 Bruner, Goodnow, Austin(1967)이 수행한 연구를 중심으로 만들어진 후 Lighthall, Joyce 등이 교육에 맞춰 응용시킨 모형으로 귀납적 모형과 밀접한 관련이 있다. 하지만 학생에게 개념 형성을 지시하는 귀납적 모형과 달리 개념 분석은 학생이 다른 사람들이 발전시킨 개념을 획득하도록 이끈다. 교사는 개념의 특징을 잘 나타내고 있는 사례들과 개념의 특성을 가지고 있지 않은 것들로 구성된 자료군을 개발한다. 그러고 나면 학생들은 그 개념이 분명해질 때까지 대조적인 품목들의 쌍을 검토해 본다. 이 모형은 모든 발달 단계에 있는 학생들에게 넓은 범위의 주제들에서 나온 조직된 정보들을 제공하며, 더 효과적인 개념 형성을 가능하게 하는 효율적인 방법이다. 짧고 간결한 설명은 온라인에서 이용 가능하다(www.modelsofteaching.org).

창조적 사고법(7장)

창조적 사고법은 처음에는 신업 현장에서 "창의적 집단"이 시용할 수 있도록 히기 위하여 개발된 것이었다. 이를 William Gordon(1961)이 초등학교와 중학교 교육에서 사용할 수 있도록 개조시켰다. 창조적 사고법은 사람들이 문제 풀이와 서술하는 활동을 분리시키는 것과 다양한 분야의 주제들에서 새로운 관점을 획득하는 것을 돕기 위해 고안되었다. 교실에서 이 모형은 학생들이 개별적으로나 협동적으로 이 절차들을 적용할 수 있을 때까지 학생들에게 일련의 회기를 거쳐 소개되고 있다. 비록 창조적 사고법은 창의적 사고를 위한 직접적 자극으로 고안된 것이기는 하나, 협동적인 작업과 학습 그리고 학생들 간의 동지애를 촉진하는 부수적인 효과를 수반하기도 한다. 몇몇 최근 연구와 Keyes(2006)와 Glynn(1994)의 개발로 인해 이 모형은 새 국면을 맞이하고 있다.

암기법(8장)

암기법은 정보를 기억하고 동화시키기 위한 전략이다. 교사들은 그들의 설명 자료를 보여 줌으로써(학생들이 쉽게 정보를 흡수할 수 있도록 가르치는 것) 암기법을 사용할 수 있다. 그리고 학생들이 정보와 개념을 그들의 개인적, 협동적으로 학습하는 것을 향상시키기 위하여 사용할 수 있는 장치들을 가르치는 데 사용될 수도 있다. 또한 이 모형은 다양한 연령과 특성을 가진 학생들과 많은 교육과정 영역을 통해 검증되어 왔다. 여기서는 Pressley, Levin, Dalaney(1982), Levin과 Levin(1990)에 의해 변형된 것들과 Lorayne과 Lucas(1974), Lucas(2001)의 유명한 적용들을 다룬다. 때때로 암기법은 모호하고 난해한 용어나 사소한 정보를 반복적으로 무턱대고 외우는 학습과 혼동되기 때문에, 사람들은 암기법이 가장 낮은 수준의 정보만을 다루는 것이라고 가정한다. 이것은 사실이 아니다. 암기법은 사람들이 흥미로운 개념을 숙달하도록 돕는 데 사용될 수 있으며, 매우 재미있다.

선행 조직자(9장)
David Ausubel(1963)에 의해 만들어진 이 모형은 지난 50년 동안 다량의 연구를 축적시켜 왔다. 이 모형은 강의, 읽을거리, 그리고 다른 매체들을 통해 제시되는 자료를 이해하기 위한 인지적 구조를 학생들에게 제공하도록 설계되었다. 이 모형은 모든 연령의 학생들을 대상으로 거의 모든 학습 내용에 적용되어 왔다. 선행 조직자는 다른 모형들과 쉽게 통합될 수 있다. 예를 들어 자료를 제시할 때 귀납적 활동과 혼합되어 제공될 수 있다.

탐구 훈련(10장)
이 모형은 학생들이 변수들 간의 인과관계를 찾을 수 있도록 훈련시키는 직접적이고 재미있는 방법이다. www.modelsofteaching.org에서 인도 학생들의 실례를 보라.

사회적 모형
우리는 함께 일할 때 시너지라고 불리는 집합적 에너지를 만들어 낸다. 교수에 대한 사회적 모형은 학습 공동체를 구축함으로써 이 현상의 장점이 나타나도록 구성되어 있다. 근본적으로 학급 경영은 교실에 협동적인 관계를 개발시키는 것이다. 긍정적인 학교 문화를 개발하는 것은 통합적이고 생산적인 상호작용 방식과 활발한 학습 활동을 지원할 수 있는 규범들을 개발시켜 가는 과정이다. 표 1.2에서 사회적 모형들과 각 모형의 개발자들을 확인할 수 있다.

학습 동료(11장)
협동적 학습의 개발을 위한 연구들은 상당수 이루어져 왔으며, 학생들이 함께 효과적으로 작업하는 것을 돕는 전략들을 개발하는 데 있어 큰 발전을 이루었다. 세 연구 팀의 기여(Roger와 David Johnson의 연구, Robert Slavin의 연구, 그리고 Shlomo Sharan

〈표 1.2〉 사회적 모형

모형	개발자	목적
학습 동료	David Johnson Roger Johnson Elizabeth Cohen	사회적 상호작용에 대한 상호의존적인 전략의 개발; 개인-타인 관계와 감정 이해
구조화된 사회적 탐구	Robert Slavin과 동료들	학문적 탐구와 사회적, 개인적 발달; 학문적 연구에 접근하기 위한 협동적 전략
집단 조사*	John Dewey Herbert Thelen Shlomo Sharan Rachel Hertz-Lazarowitz	민주적 과정에서의 참여를 위한 기술 개발; 동시에 사회적 개발, 학문적 기술, 개인적 이해 강화
사회적 탐구	Benjamin Cox Byron Massialas	협동적인 학문적 연구와 논리적 추론을 통한 사회적 문제 해결
실험실 방법	National Training 연구소의 연구자들	집단 역동, 리더십, 개인 양식의 이해
역할극*	Fannie Shaftel George Shaftel	사회적 상호작용에서의 가치와 그들의 역할에 대한 연구; 가치와 행동에 대한 개인적 이해
법학적 탐구	James Shaver Donald Oliver	법합적 틀을 통하여 정책 문제 분석; 데이터 수집, 가치 문제와 위치 분석, 개인적 신념 연구

* 이 책에서 다루어지는 모형이다.

의 연구)가 특히 주목받을 만하며, 모든 협력적 학습 공동체가 정보와 기술을 교환하고 연구를 실행하고 분석하는 일에 활동적인 모습을 보여 주고 있다(예를 들어 Johnson과 Johnson, 2009). 그 결과, 학생들이 함께 작업하기 위해 조직화하는 상당히 많은 효과적인 수단들이 만들어졌다. 이러한 수단에는 학생들이 짝을 지어 단순한 학습 과제를 수행하도록 가르치는 모형에서부터 학급을 조직화하고 더 나아가서는 학습 공동체 속의 전 학교들을 조직화하는 복잡한 모형까지 다양한 모형들이 포함되어 있다.

협동적 학습의 절차들은 모든 교육과정 영역, 전 연령, 학문적 학습 목표에 걸쳐 학습을 가능하게 하며 자긍심, 사회적 기술, 연대 의식의 학습도 가능하게 한다.

집단 조사(12장)

John Dewey(1916)는 민주주의 사회에서 교육은 민주적 과정을 직접적으로 가르쳐야 한다는 생각(훌륭한 많은 교사에 의해 확장되고 정제된, 그리고 Herbert Thelen(1960)에 의해 강력한 개념으로 형성된)의 주요 대변인이었다. 교육의 상당 부분은 중요한 사회적, 그리고 학문적 문제들을 협동적으로 탐구하는 가운데 이루어져야 한다. 또한 이 모형은 많은 다른 모형들이 적절히 사용될 수 있는 사회적 구조를 제공한다. 집단 조사는 전 연령의 아이들에게 모든 영역에 걸쳐 사용되어 왔으며, 심지어 전체 학교를 위한 핵심적인 사회적 모형으로 사용되어 왔다(Chamberlin & Chamberlin, 1943; Joyce, Calhoun, & Hopkins, 1999). 이 모형은 학생들이 문제를 정의하고, 문제에 대한 다양한 관점을 탐구하며, 정보, 아이디어, 기술을 숙달하기 위해(동시에 그들의 사회적 기능 개발) 함께 학습할 수 있도록 이끌어 주기 위해 고안되었다. 교사나 조력자는 집단 과정과 집단 규율을 조직하고, 학생들이 정보를 찾고 조직할 수 있도록 도우며, 활발한 수준의 활동과 담론이 이루어질 수 있도록 한다. Sharan과 그의 동료들(1988), 그리고 Joyce와 Calhoun(1998)은 이 모형을 확장시키고 모형을 탐구적인 집단의 개발에 대한 최근 연구 결과와 결합시켜 왔다.

역할극(13장)

역할극 모형은 학생들이 사회적 행동과 사회적 상호작용 속에서의 그들의 역할, 그리고 문제를 더 효과적으로 해결하는 방법을 이해하는 것을 도울 수 있다는 점에서 여기에 포함되었다. 구체적으로 역할극은 학생들이 사회적 가치를 학습하고 성찰하는 것을 돕기 위해 Fannie와 George Shaftel(1982)에 의해 설계된 것으로, 학생들이 사회적 쟁점에 대한 정보를 모으고 조직화하며, 타인에 대한 공감을 개발하고, 그들의 사회적 기술을 향상시킬 수 있도록 돕는다. 게다가 이 모형은 학생들에게 갈등을 "연출할 것"을 요구하는데, 이를 통해 학생들은 타인의 역할을 학습하고 사회적 행동을 관찰할 수 있다. 적절히 조정하면 역할극은 모든 연령의 학생들에게 사용될 수 있다.

개인적 모형

궁극적으로 인간의 실재는 우리 개개인의 의식 속에 존재한다. 우리는 독특한 성격을 계발하며, 우리의 경험과 지위의 산물인 관점으로 세상을 바라본다. 상식은 개인들 간의 협상의 산물이며, 그러한 개인들은 함께 살아야 하고, 함께 일해야 하며, 가족을 만들어야 한다.

학습에 대한 개인적 모형은 개인의 개성에 대한 관점에서 시작된다. 개인적 모형은 우리가 우리 스스로를 더 이해하고, 우리의 교육을 책임지며, 현재 수준의 개발을 넘어서 더 강하고, 민감하며, 창의적인 높은 질의 삶에 도달할 수 있도록 하는 교육을 형성하려고 시도한다.

개인적 모형들은 개인적 관점에 많은 주의를 기울이고 있으며, 사람들이 점차 자기를 인식하고 그들 자신의 인생을 책임질 수 있도록 하기 위한 생산적인 독립성을 장려하고 있다. 표 1.3은 이 모형들의 일부와 개발자들을 보여 주고 있다.

비지시적 교수(14장)

심리학자이자 상담사인 Carl Rogers(1961, 1982)는 지난 30년간 교사가 상담자 역할을 하는 수업 모형을 대표하는 권위자였다. 상담 이론에서 발전된 이 모형은 학생과 교사 간의 동료의식을 중요시한다. 교사는 학생 자신의 학습 방향을 정하는 데 중요한 역할을 하도록 도와주고자 한다. 예컨대, 학생이 목표를 세분화하고 이 목표를 성취하기 위한 방법을 개발하는 데 참여하도록 하는 것이다. 교사는 성취 수준을 알려 주고 학생이 문제를 해결하도록 도와야 한다, 그러나 학습의 주도권은 학습자가 갖고 교사는 학습자의 연구과정을 촉진할 뿐이다. 비지시적 교사는 능동적으로 학생이 문제를 해결하는 과정에서 요구되는 이러한 동료관계를 만들고 필요한 도움을 제공해야 한다.

〈표 1.3〉 개인적 모형

모형	개발자	목적
비지시적 교수*	Carl Rogers	개인적 발전, 자기 이해, 자율성, 자부심을 위한 능력 확립
긍정적 자아 개념*	Abraham Maslow	개인적 이해의 개발과 발전 능력
인식 훈련	Fritz Perls	자기 이해, 자부심, 탐구 능력의 증가; 개인 간 민감성과 동감의 개발
교실 수업	William Glasser	자기 이해와 책임의 개발
개념 체계	David Hunt	정보처리와 상호작용에 있어 개인적 복잡성과 융통성의 증가

* 이 책에서 다루어지는 모형이다.

비지시적 수업 모형은 여러 방식으로 사용된다. 첫째, 가장 일반적인 수준에서 비지시적 수업 모형은 전체 교육 프로그램의 운영을 위한 기초 모델로 사용된다(Neill, 1960). 둘째, 학생과의 관계 형성을 위해 다른 모형들과 조합하여 사용된다. 이러한 기능은 교육적 환경을 조절하는 것과 관련이 있다. 셋째, 학생이 독립적이고 협력적으로 공부 계획을 세울 수 있게 하는 데 사용된다. 넷째, 학생 상담 시 주기적으로 사용되는데, 사고와 감정, 그리고 학생이 해야 할 것을 이해하도록 돕는다. 이는 자기 이해와 독립성을 촉진시키기 위한 것이지만, 넓은 범위의 학습 목표에 도움이 될 수 있는 것이다. Cornelius-White(2007)는 학습자 중심의 교사-학생 관계에 관한 많은 연구들을 분석한 결과(300,000여 명의 학생이 포함된 119편의 연구), 인지적, 정서적, 행동적 학습 성과에 대한 효과를 확인했다. 중요한 것은, 교과 내용과 관련하여 적용했을 때, 내용지식의 습득 효과는 자아 개념을 포함하여 정서적인 효과와 관련되어 있다는 긍정적인 결과를 보고한 것이다.

긍정적 자아 개념 개발(15장)

교수에 있어서 가장 어려운 일은 실패로 인해 무기력에 빠져 있어서 자신감을 잃은 학생을 돕는 것이다. 이런 학생은 학습과정에 두려움을 갖고 해야 할 과제를 회피한다. 4학년에서 12학년에 이르는 학생들이 두려워하는 읽기 학습에 직면하고 학습에 성공하도록 다차원적인 접근방식을 제시한다. Abraham Maslow는 지난 50년 동안 자존감과 자아실현 능력을 확립하는 프로그램을 설명하는 데 영향을 미쳤다. 우리는 학생들이 갖고 있는 자기 이미지가 가능한 한 잘 기능할 수 있게 하면서 학생들과 어떻게 협력해 갈 수 있을지에 대한 교사 행동의 원리를 탐구하고자 한다.

교사들은 교사에 대한 연구를 받아들이면서 자신의 교수 모형 레퍼토리를 확장해 갈수록 학습 양식과 학습 과정을 연구할 수 있는 수단을 더 얻게 된다(Joyce & Showers, 2002). 교육의 개인적, 사회적, 학문적 목적은 서로 양립한다: 개인적 교수 모형군은 학생의 자존감과 자기 이해의 욕구, 그리고 학생들 간의 지지와 존중감을 어떻게 세울 것인가에 대해 직접적으로 설명해 주는 교수 모형의 본질을 제공한다.

행동체제 모형

이 모형군은 보통 *사회적 학습 이론*이라고 불리기도 하나, 행동 수정, 행동 치료, 사이버네틱스 모형과 이론적 기반이 동일하다. 이 이론은 작업이 성공적으로 처리되는 방식에 관한 정보에 반응함으로써 행동을 수정하는 자가-교정 의사소통 체제라는 입장을 취한다. 예를 들어 어두운 곳에서 익숙하지 않은 계단을 오르는 사람을 상상해 보자. 처음 몇 걸음은 주위를 살피기 위해 더듬어 보는 것이다. 너무 높게 발을 내디디면, 허공에 내딛어 계단에 닿기 위해 발을 아래로 내리는 피드백을 하고, 너무 낮게 발을 내디디면, 발이 계단의 수직면에 닿게 되는 피드백을 갖는다. 점차적으로 이러한 피드백에 부합하는 과정에서 계단을 편하게 오를 수 있도록 행동이 적응되어 간다.

과제와 피드백에 반응하는 방식에 관한 지식을 활용함으로써, 심리학자(특히 Skinner, 1953)는 인간의 자기 수정 능력이 작동하기 쉽도록 과제와 피드백 구조를 조직하는 방법을 연구해 왔다. 그 결과로 혐오감을 줄이고, 읽기와 산수를 학습하고, 사회적, 신체적 기술을 개발하며, 걱정을 안식으로 전환하고, 비행기나 우주선을 조종할 수 있는 인지적, 사회적, 물리적으로 복합적인 기술을 학습하는 프로그램이 개발되었다. 이런 모형은 연구에 기반을 두고, 관찰 가능한 행동과 분명하게 정의된 과제, 학생과 의사소통하는 기술에 집중한다. 행동 기법은 모든 연령의 학습자와 다양한 교육 목표에 적용될 수 있다.

명시적 수업(16장)

이해 없이 읽는 것은 실제로 읽기라고 할 수 없지만, 이해 전략에 관한 명시적 수업이 미국 학교에서 통상적으로 이루어지지는 않는다. 그러나 연구와 개발, 실행, 그리고 결과는 사용할 만한 모형이다. 모든 교사가 이 모형의 유용성을 알게 될 것이다.

완전 학습(17장)

학문적 학습 목표에 대한 행동주의 이론의 가장 일반적인 적용은 완전 학습 형태로 이루어진다(Bloom, 1971). 우선, 학습 자료는 간단한 것에서 복잡한 단위로 나누어진다. 자료는 적절한 매체(읽기자료, 오디오-비디오 테이프 학습 활동 등)를 통해, 개별적으로 학습하도록 학생에게 제공된다. 학생이 성공적으로 학습 자료를 공부해 나가면서 지금까지 학습한 내용을 확인할 수 있는 시험을 치른다.

이 모형에 기반한 교수 체제는 교과의 기초 지식부터 고도의 복잡한 자료에 이르는 분야까지 모든 연령을 가르치는 데 사용된다. 적절하게 변형하여 영재 학생, 정서적 문제 학생과 운동선수, 우주비행사 교육에도 사용되어 왔다.

〈표 1.4〉 행동적 모형

모형	개발자	목적
사회적 학습	Albert Bandura Carl Thoresen Wes Becker	행동 관리: 행동의 새로운 형태를 학습; 혐오나 다른 역기능적 형태를 감소시키 고, 자기-조절 학습하기
명시적 수업*	P. David Pearson과 Margaret Gallagher Ruth Garner Gerald Duffy Laura Roehler 등	전략적 읽기 학습
완전 학습*	Benjamin Bloom James Block	모든 형태의 학문적 기술과 내용을 완전 히 익히기
프로그램 학습	B.F. Skinner	기술, 개념, 사실정보를 완전히 익히기
직접 교수*	Thomas Good Jere Brophy Wes Becker Siegfried Englemann Carl Bereiter	넓은 범위의 학습으로 교과와 기술을 익 히기
시뮬레이션	수많은 개발자들 Carl Smith와 Mary Foltz Smith는 1960년대에 설계 에 대한 안내서를 내었다.	넓은 범위의 학습으로 복잡한 기술과 개 념을 익히기
불안 감소	David Rinn Joseph Wolpe John Masters	혐오적 반응을 제어; 회피와 역기능적 반 응 패턴에 대한 처치와 자가-처치에 적 용하기

* 이 책에서 다루어지는 모형이다.

직접 교수(18장)

직접 교수 패러다임은 유능한 교사와 그렇지 않은 교사의 차이에 관한 연구, 그리고 사회적 학습이론 연구에 기반을 두었다. 직접적인 목표 진술, 목표와 분명하게 관련된 일련의 행동, 학습 과정에 대한 관찰, 성취에 대한 피드백, 그리고 효과적인 학습 전략 등이 학습을 촉진하기 위한 안내지침에 제시된다. 훈련에 관한 두 가지 접근은 행동주의 사이버네틱스 이론으로부터 발전되어 왔다. 하나는 이론-실행 모형이고 다른 하나는 모의실험이다. 이론-실행 모형은 하나의 능력이 완성될 때까지 시연, 연습, 피드백, 조언하는 기술에 관한 정보가 혼합되어 있다. 예를 들면 산술 능력이 목표인 경우, 설명되고 시연되고, 실행 시 정확한 피드백이 주어지고, 그리고 학생은 동료학생이나 교사의 도움을 받으면서 실제 적용한다. 이 모델은 운동 훈련에 주로 변형하여 사용된다.

모의실험은 실제 상황에 대한 기술로부터 이루어진다. 실제 환경을 교수적 상황으로 만드는 것이다. 때로 실행과정이 정교하다(예를 들면, 비행 혹은 우주비행 모의실험이나 국제관계 모의실험). 학생은 모의실험의 목표를 성취하기 위한 활동에 열중한다(비행기를 이륙시키거나, 도시 지역을 재개발한다). 그리고 현실적 요소를 다루어서 목표를 완수한다.

요약

이상에서 간략히 소개된 모형은 여러 가지 모형들 가운데 선정된 것이다. 이 모형은 교실이나 온라인 수업에서 사용될 수 있다. 모형의 효과는 선행 연구에서 입증되었다. 나중에 살펴보겠지만, 이러한 모형을 습득하는 데는 연습이 필요하다. 교사들이 팀을 구성하여 함께 모형을 이해하고 실행할 수 있게 되는 과정에서 성찰과 동료의식을 공유할 수 있을 것이다.

제2장

우수한 학습자 공동체 형성

학생들의 학습 능력 활용하기

학교에서의 가르침은 세 가지로 분류된다: 무엇을 가르치는가에 따라, 어떻게 가르치는가에 따라, 어디에서 일어나는가에 따라.

—*Lawrence Downey(1967)*

이상적으로는 아이들이 유아기부터 성인이 될 때까지 그들을 가르치고 양육하는 방법에 대해 우리가 완벽한 지혜를 갖춘 상태로 어른이 되어야 할 것이다. 적어도 우리는 양육과 관련된 지식과 이에 수반되는 기술을 잠재적으로 가지고 있다가, 우리가 자녀를 갖게 되거나 혹은 교사가 되었을 때 끄집어 낼 수 있는 준비가 되어 있다고 생각한다. 그러나 현실 세계에서 우리는 그렇지 못하다. 대부분은 아이를 돌보고 가르치는 방법에 대해 배워야만 한다. 그러한 방법에 대해 우리가 의식적으로 찾으려 한다면, 우리가 필요한 것은 우리 안에 존재한다. 교수-학습 모형은 흥미를 자극하고 긍정적인 모험을 불러일으키도록 설계되었다. 특히 ICT(information and communication technologies)는 우리와 우리의 아이들, 그리고 학습자들에게 더욱 밀접한 정보와 아이디어를 제공함으로써 도움이 될 것이다.

삶에 생기를 불어넣는 것: 선천적 학습 능력, 호기심, 창의력

태어날 때부터 우리는 생물이든 무생물이든 관심을 보이게 되어 있다. 우리가 우리의 베개, 담요, 장난감들을 얼마나 사랑했는지 생각해 보자. 우리는 그것들을 사랑했을 뿐만 아니라, 그것들이 우리에게 되돌려주는 사랑으로 물들어 있었다. 외로운 상황에서 아기는 자기 손에 쥐어진 것이 막대기 하나든 돌멩이 하나든, 매우 소중하게 여길 것이다. 애완견을 기르는 사람들은 애완견이 사랑과 동정심에 대한 우리의 능력을 발전시키는 데 얼마나 좋은 기회인지를 알게 된다. 언젠가 Bruce가 고양이에게 무슨 말을 하느라 전화통화를 삼시 중난한 적이 있나. 그러자 통화 중이던 상대방이 이렇게 말했다. "괜찮아요. 나는 우리 강아지랑 항상 얘기하는 걸요."

　우리 자신 이상으로 무언가를 사랑하고 돌보는 방법을 안다는 것은 우리의 삶을 시작함에 있어 아주 훌륭한 도구이다. 우리는 우리뿐만 아니라 다른 생명체들도 관심과 애정을 필요로 한다는 것을 알고 있다. 그리고 우리는 태생적으로 가지고 있는 자기중심성을 이겨 내면서까지 그들에게 애정과 사랑을 제공하는 방법을 알고 있다. 반면 우리는 영악함이나 잔인함을 가지고 태어나지 않았으며, 그런 것들을 그릇된 환경에서 배우게 된다.

　사람들은 또한 선천적으로 과학자이다. 우리는 태어날 때부터 보고, 만지고, 조작하는 것들에 무슨 일이 일어나는지를 일상 속에서 수시로 살펴본다. 우리는 아무것도 할 수 없으면서도, 우리의 세상이 어떻게 돌아가는지 알고 싶어 한다. 우리가 막 전기시스템이나 오븐에 다가가려고 하면, 우리를 돌봐주는 사람들은 우리를 들어 올려야만 한다. 그때 우리는 한 손에 잡힐 정도로 작다. 그러나 우리는 무슨 일이 일어나고 있는지 알아내기 위해 계속해서 세상을 연구하고, 그 주변을 기어 다니고, 찔러 본다.

　아이들이 단순히 정보를 모으기만 하는 것은 아니다. 그들은 정보를 조직하기도 한다. 우리는 자연스럽게 개념과 일반화를 형성한다는 점에서 선천적으로 학자이다. 우리는 사물을 구별하고 온갖 종류의 물건들을 범주화하는 선천적인 능력을 가지고 태어난다. 유아기 때, 우리는 딱딱함과 푹신함, 편안함과 불편함, 거칠음과 매끄러움, 시끄러움과 조용함 등의 기준으로 사물을 분류했다. 우리는 엄마와 아빠, 고양이와 고양이가 아닌 것, 고양이와 털이 많은 장난감 등을 구별하는 것을 배웠다. 또한 우리는 단어를 배웠다. 유창하게 듣고 말하는 것은 쉽지 않은 일이다. 우리가 Da를 발음하며 Dad에 접근해 가고, Baa를 발음하며 Bottle에, Ju를 발음하며 Juice에 접근해 가듯이, 우리를 둘러싼 세상에서 어떤 소리를 들었을 때, 순식간에 통제하고 선택하면서 단어를 배웠다. 청각장애 아동들은 수화가 존재한다는 것을 알았을 때 기뻐서 어쩔 줄을 모른다. 그리고 보청기의 발달이 소리의 세계를 그들의 마음과 심장에 전달했던 때보다 더 짜릿했던 순간은 없었다.

초기 언어 습득은 우리가 타고난 언어학자들이기 때문에 쉽다. 일단 우리가 약 50개의 단어만 습득하게 되면, 처음엔 두세 단어로 된 문장을 만들기 시작한다. 우리의 마음은 세상의 이치를 쫓아가기 때문에, 우리는 어떤 것에 어떤 단어를 사용해야 옳은지를 이해해 간다. 우리가 어디에 있든지, 우리는 듣고 나면 말하는 것을 배운다. 그리스에서는 그리스어를, 태국에서 태국어를, 아르헨티나에서는 스페인어를 배운다. 스위스에서는 어쩌면 프랑스어, 독일어, 이태리어까지 한꺼번에 배울지도 모른다. 우리가 대략 4세쯤 되면, 언어의 구조를 알게 되고, 수천 개의 단어를 이해하고 말할 수 있게 되는데, 이는 우리가 일생 동안 듣고 처리할 기초 지식의 근간이 된다.

언어 발달을 연구하는 학자들은 영유아의 언어 발달을 연구할 때마다 끊임없이 놀라움을 금치 못한다. 유아들은 첫 단어를 내뱉는 순간부터 급격하게 발전하는데, 약 2세 정도에 표현할 수 있는 어휘가 평균적으로 500~600개 수준이 된다. 5세쯤 되면 평균적으로 약 5,000개의 어휘를 표현할 수 있으며, 그때쯤이면 아이들은 문장구성법 같은 언어의 기본 구조를 사용하게 되고, 음소와 음운에 대한 인지가 상당부분 형성된다. 물론 큰 편차가 있기는 하나, 연구된 바에 의하면 2,500~7,500개 범위가 일반적이다(Biemiller, 2010).

우리는 가정과 유치원이 왜 그렇게 큰 영향을 미치는지에 대해 보다 잘 이해하게 되었다. 주요 요인은 가정, 어린이집, 유치원에서의 대화의 양인 것으로 나타났다 (Barnett, 2001; Dickinson, McCabe, & Essex, 2006; Hart & Risley, 1995). 만약 언어가 밀도 있고 풍부하게 다루어지는 환경이라면, 선천적인 언어학자인 아이들은 그것들을 받아들이고 더 많은 단어와 언어의 구조에 대해 배우게 된다. 모든 환경에서 언어로 유아들을 에워싸는 방식으로 훌륭하게 가르치는 유치원에서 아이의 언어 능력은 효과적으로 발달하게 될 것이다. 그러나 5세쯤 되면, 언어적으로 열악한 가정의 아이들도 적절한 교수 모형을 통해 읽기를 배울 수 있다. 초기 학령기(K-2)에서는 단어를 읽고 쓰는 것뿐만 아니라 듣고 말하는 것도 증진시킬 필요가 있다. 2학년 때 측정된 전체 어휘는 11학년 때 독해 능력의 30%의 변화를 예측한다(Cunningham, 2009; Graves, 2006 참조).

언어 학습이 선천적인 능력인 것처럼, 사람들은 인류학자로 태어난다. 우리는 주변 사람들을 관찰하고 따라 함으로써 우리 문화의 규범들을 빠르게 배운다. 사람들이 먹으면 우리도 무언가를 먹을 것이고, 사회적으로 기피하는 음식은 우리도 피하게 될 것이다. 우리는 대부분 우리가 처해 있는 세상의 관습을 흉내 내고 따른다. 사람들이 인사할 때 악수를 한다면 우리도 악수를 하고, 사람들이 포옹을 하거나 절을 한다면 우리도 그를 따라 할 것이다. 중국에서는 중국 예절을 배울 것이며, 영국에서는 곧 영국 사람처럼 말하고 영국 사람처럼 보일 것이다.

부모, 친척, 이웃, 예비 교사, 베테랑 교사 혹은 교육자로서, 이처럼 경이로운 인간의 능력을 강화시키고, 양성하고, 전달하기 위해 우리가 무엇을 할 수 있을까? 우리의 역할과 책무는 무엇일까? *첫 번째 원칙은 선천성을 따르는 일은 배우고, 선천성에 반하는 일은 피하는 것을 배우는 것이다.* 만약 우리가 사람들의 선천적인 방법을 따르는 방식으로 교실과 학교 환경을 구축하는 것에 대해 배운다면, 아이들의 선천적 학습 능력이 우리를 훌륭한 교사와 부모로 만들어 줄 것이다. 귀납적이고 효과적인 다른 교수 모형들에 내재된 전제 중의 한 가지는 우리가 학생들에게 언어, 과학, 사회, 수학 등의 지식을 직접 떠먹여 줄 필요가 없다는 것이다. 그보다 우리는 학생들이 그들의 학습 능력을 신장시키도록 도울 뿐이다. 만약 우리가 탐구나 주제별로 학생들을 뽑아서 학습 공동체를 만들고 학생들이 개념적으로 공동체에 참여하도록 돕는다면, 그들은 어떤 주제이든 숙달할 것이다. 그리고 그 학생들은 우리가 정해 놓은 교육과정 과목 이상으로 학습하게 될 것이다: 그들은 훨씬 더 강력하게 *학습하는 방법을* 배우게 될 것이다. 왜냐하면 그들은 그들의 사고를 연습하고 있으며, 더 많은 지식을 갖고 있으며, 그 지식들을 이용하고 있으며, 학습과 이해가 만족스럽기 때문이다(The introduction to the new science and English language arts standards for an elaborate affirmation of this position: National Governors Association Center for Best Practices & Council of Chief State School Officers, 2010; National Research Council, 2012 참고).

학생들이 스스로를 교육시키면서 그들의 능력을 풍성하게 만들어 주는 교육적이고 흥미를 유발하는 환경으로서, 학습 공동체를 형성하는 과정에 대해 알아보자.

우수한 학습자 공동체 형성하기

이 책의 제목은 "학습 모형"이 되었어야 했다.

— Emily Calhoun이 Bruce Joyce에게 한 말

우선, 개학 첫날 9시에 1학년 교실 두 곳과 10학년 교실 두 곳을 방문해 보자. 모든 교사들은 교수/학습 모형을 활용하고 있다. 각 시나리오의 첫 부분은 학교 현장에서의 교수/학습 모형을 설명하고 있다. 즉, 각 시나리오는 한 학교의 한 교실에서 이루어지고 있다. 그리고 나서 우리는 웹상의 자료들에 접속하는 방법과 정보를 획득하고 다루는 방법을 추가적으로 설명한다. 결국 학교 현장에서의 적용과 웹 자료의 활용이 함께 작용하게 된다.

▨ 시나리오 ▨

1학년 첫 번째 수업시간

1학년 교실에서 아이들이 양초와 병이 놓인 테이블 주위에 모여 있다. Jackie Wiseman 선생님은 양초에 불을 붙이고 1~2분간 활활 타게 한 후, 조심스럽게 병으로 덮었다. 촛불은 점점 약해지더니 깜박거리다 꺼졌다. 선생님은 또 다른 양초와 더 큰 병을 사용해서 같은 활동을 반복했다. 촛불은 그전보다 더 천천히 꺼졌다. 선생님은 크기가 다른 두 개의 양초와 병으로 같은 활동을 반복했고, 다시 불꽃이 천천히 꺼졌다.

"자, 이제 방금 전에 무슨 일이 일어났던 것인지 생각해 봅시다."라고 선생님이 말했다. "양초와 병, 그리고 여러분이 관찰한 것에 대해 질문해 보세요." 학생들이 질문을 시작한다. 선생님은 학생들이 자신의 질문을 다듬거나 실험을 계획하도록 도와준다. 한 학생이 "더 큰 병을 사용하면 초가 더 오래 탈 수 있나요?"라고 물었을 때, Jackie 선생님은 "우리가 어떻게 그걸 알아낼 수 있을까요?"라고 대답한다. 선생님은 주기적으로 학생들에게 그들이 알고 있는 것과 그들이 가지고 있는 질문을 쓰라고 요구할 것이며, 학생들이 언급한 것을 소식지에 적을 것이다. 학생들이 사용한 어휘들은 그들의 첫 읽기 학습의 내용이 될 것이다.

Jackie 선생님은 추가 정보를 학생들에게 제공해 줄 수 있는 또 다른 실험이 준비되어 있음을 아이들에게 알린다. 모니터 같은 전자칠판을 사용해서, 선생님은 학생들을 The Naked Scientists(www.thenakedscientists.com)라는 웹사이트의 "Kitchen Science" 페이지에서 "Losing Air"라는 항목으로 안내한다.

선생님은 실험을 준비하면서 실험에 필요한 재료들을 시작으로, 실험에 대한 안내서를 학생들에게 읽어 준다. 재료들은 다음과 같다.

- 투명한 강화유리 그릇 1개
- 물에 뜨는 양초 1개
- 뚜껑이 없고 입구가 넓은 1쿼트짜리 병 1개
- 물에 가라앉을 정도로 무거운 컵받침 3개

그러고 나서 Jackie 선생님은 그릇에 약 1.5inch 높이로 물을 붓고, 그릇 바닥에 컵받침들을 놓은 후, 물 위에 양초를 세우고 불을 붙였다. 불이 잘 타오르는지 확인한 후에, 선생님은 양초를 덮도록 병을 컵받침들 위에 내려놓았다. 그림 2.1을 보면 마치 그릇 위를 직접 보는 것처럼 이 실험의 배치를 볼 수 있다.

무슨 일이 일어났을까? 우선, 공기방울이 병을 탈출해서 물 위로 올라온다. 그러고 나면 불이 꺼지고 병 안으로 물이 차오른다.

Jackie 선생님은 학생들에게 재료와 실험 배치, 그리고 양초에 불이 붙은 후로 일어난 일에 대해 설명해 보라고 한다. 선생님은 학생들의 대답을 칠판에 적고, 재료들

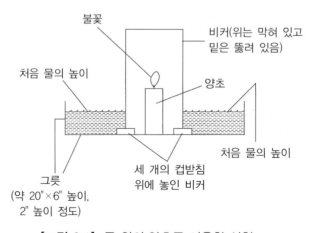

[그림 2.1] 물 위의 양초를 이용한 실험

을 잘 알고 있는지, 사건이 순서대로 설명되었는지를 살펴본다. Jackie 선생님이 각 설명을 읽으면, 학생들이 다 함께 그 설명을 한 목소리로 따라 읽는다.

그리고 나서, Jackie 선생님은 학생들에게 공기방울의 발생부터 병 안에 물이 차오르기까지 일어난 일들에 대한 설명을 해 보라고 요구한다.

Jackie 선생님은 *탐구 훈련*(10장)이라고 부르는 교수 모형으로 한 해를 시작하고 있다. 선생님은 우리가 *과학적 탐구*라고 부르는 모형을 전이시키고 있는 것이다. 모형은 무엇이 곤혹스러운 상황이 될지를 맞닥뜨리게 하는 것부터 시작한다. 그런 후 질문을 하면서 마치 여러 크기의 항아리를 탐색해 보는 것과 같이 다른 조사를 함으로써, 학생들은 아이디어를 세우고 그것을 검증한다.

탐구활동은 사서인 Cathy Rodelheimer가 있는 학교 도서관에서도 계속된다. 그녀는 학생들에게 ≪Being a Scientist≫라는 Natalie Lunis와 Nancy White가 쓴 책을 보여 준다. 이 책은 약 14×20인치 크기의 매우 큰 책이고 아주 많은 사진들로 묘사되어 있어 Jackie 선생님이 학생들에게 읽어 줄 수 있다. Jackie 선생님은 책을 읽으면서 학생들이 글과 함께 제시된 풍성한 사진자료에서 본 것들을 묘사하게 한다. Jackie 선생님은 또한 화이트보드에 학생들이 배우고 싶어 하는 단어들, 예를 들면 "you", "yes", "scientist"와 같은 몇 개의 단어를 적는다. Jackie 선생님은 화이트보드에 단어를 쓰면서 각 단어의 철자를 알려 주고 학생들에게 따라 읽게 함으로써 그 단어들의 철자를 말하게 한다.

각각의 쪽을 읽은 후, 선생님은 학생들이 요약본을 읽게 하거나 본문에 게시된 질문에 대한 답변을 제공한다. 선생님은 화이트보드에 사진자료들을 게시하고 그가 쓴 것을 학생들이 큰 소리로 읽게 한다. 예를 들면, 측량에 대한 개념을 하나의 사진으로 설명한 다음, 한 소녀가 케이크를 만들기 위해 재료를 섞고 있는 사진과 밀가루의 양을 측정하기 위해 비커를 사용하고 있는 사진을 보여 준다. 본문에서는 소녀가 밀가루가 얼마나 필요한지를 어떻게 알 수 있을지에 대해 질문한다(Lunis & White, 1999).

탐구는 거대하고 새로운 글로벌 도서관을 이끌어 낸다. 글로벌 도서관이란 정보나 아이디어를 웹상에 게재하는 것을 의미한다. 화이트보드에 연결되어 있는 컴퓨터에는 Encarta, Compton, 그리고 Britannica 사전들이 포함되어 있다. 따라서 Jackie 선생님의 도움을 받아 학생들은 궁금증을 해결하기 위해 컴퓨터의 글로벌 도서관을 찾는다. 이 프로젝트에서 가장 중요한 것은 Jackie 선생님이 학습 공동체를 구축하고 있다는 점이다. 그 공동체에서 학생들은 읽고 쓰는 것을 배우고, 사회학, 과학, 수학을 탐구했던 것과 같이 함께 공부할 것이다.

이 양초 프로젝트는 어떻게 새로운 핵심 교육과정 기준에 부합할 수 있을까? 과학 교과 기준은 학생들이 직접 경험하고 지식이 어떻게 생성되는지를 알아가는 방식으로 내용을 학습하기를 제안한다. 또한 과학적 핵심 영역은 지속적이고 직접적인 체험적 경험을 통합한다. 유치원에서 고등학교까지의 모든 학생들은 과학 분야에서 조사를 실천해야 하고 과학의 실험과 개념을 모두 다루는 프로젝트에 참가해야 한다. 경험의 학습은 학생들이 마주친 복잡하고 추상적인 원칙을 이해하기 위한 구체적인 기반을 제공한다. 뿐만 아니라 실현 가능한 생활에의 적용도 제공한다. 공통 핵심 교과 기준(The Common Core State Standards for English Language Arts & Literacy)은 과학에서의 문해 능력을 강조한다. Jackie 선생님이 책과 웹, 직접적인 경험에서 정보를 어떻게 모았고, 이것이 1장에서 언급된 이론적 근거에 어떻게 기반을 두었는지를 주목할 필요가 있다.

사회적 연구도 이와 비슷하다. 직접적인 사회 환경을 연구하는 과정에서 지식과 아이디어를 정립하는 방법을 배우는 것이다(국립 사회과학연구원이 편찬한 ≪Social Education and Social Education for the Young Learner≫ 참조).

Jackie의 교실에서 정보통신 기술(ICT)은 다양한 방식으로 활용된다. Tumblebooks (www.tumblebooks.com/library)의 웹사이트를 통해 책을 읽어 주며, "Life in Space"에서 가져온 짧은 동영상으로 국제 우주 정거장을 소개한다(www.discoveryeducation.com).

시나리오

자기장을 연구하는 옆 교실

옆 교실에서는 학생들이 짝지어 앉아 있다. 각 짝들 앞에는 큰 못, 전선 그리고 전지와 함께 작은 물건들의 묶음이 있다. Jan Fisher 선생님은 앞으로 자기장을 배울 것이라고 설명한다. "각 조별로 우선 못을 자기 앞에 놓인 각 물건들에 가까이 놓아 보세요. 그리고 나서 우리가 무엇을 알게 되었는지 얘기해 봅시다."

학생들은 차례대로 못을 각 물건에 대 보았다. 학생들은 못을 물건 근처에 가져가거나 건드려도 아무 일이 일어나지 않았음을 발표했다. 작은 물건들의 묶음은 중간 사이즈의 종이 클립이었다. Jan 선생님은 학생들의 발표 내용을 화이트보드에 적었다.

그러고 나서 선생님은 그들에게 절연 처리가 된 전깃줄을 못 주변에 어떻게 감싸는지를 보여 주고 절연 처리되지 않은 한쪽 끝을 배터리에 연결하고 스위치를 켰다. "자, 이제 여러분 앞의 물건들에 가까이 가져가거나 건드릴 때 어떤 일이 일어나는지 살펴보세요. 어떤 일이 일어나는지에 따라 물건들을 분류해 보세요." 학생들은 곧 그들 앞의 물건들을 두 종류로 분류했다. 하나는 못에 끌려온 물건들, 다른 하나는 끌려오지 않은 물건들. 모든 종이 클립은 못에 붙었다. 한 학생은 그의 못이 종이 클립을 줄줄이 달고 있을 거라고 발표했다. 다른 학생들은 그것을 확인했다. 결론은 못이 약 여섯 개의 클립을 매달고 있다는 거였다. Jan 선생님은 그들의 발표 내용을 기록했고 학생들은 선생님과 함께 기록을 읽었다. Jackie와 같이 Jan 선생님 역시 www.thenakedscientists.com 사이트의 "The Naked Scientists' collection"으로부터 이 실험을 가져왔다. 그녀 수업의 제목은 "당신만의 전자기석을 만들어라"이다. 그녀는 이 모음집이 일상적인 재료로 다양한 과학 주제들을 어떻게 탐구할지를 알려 주고 또한 더 많은 궁금증에 대한 설명과 방법을 제공한다고 말한다.

Jan 선생님은 소위 *귀납적 사고*(3장)라 부르는 모형을 시작했다. 이 모형은 학생들에게 자료를 제시하고 그들이 자료를 구축하게 한 뒤 그들이 자료를 갖고 항목들을 연구하도록 도우며 그러한 항목들을 분류하도록 한다. 그들이 범주를 발전시킬 때—이 경우에는 어떻게 물건들이 전자기장에 반응하느냐에 대한 관찰—그들이 검증할 가정을 세울 것이다. Jan 선생님은 그들이 귀납적 사고 공동체로서 여러 영역에서 학습하는 것을 돕기 위해 어떻게 학생들이 사고하고 무엇을 보고 무엇을 보지 못했는지를 연구할 것이다.

Jackie 선생님처럼 Jan 선생님은 ≪Being a Scientists≫를 학생들에게 읽어 주고 학생들은 책의 내용과 사진에 대해 토론한다. 이는 Natalie Lunis의 ≪Discovering Electricity≫에 따르는 것이며 이 책은 전자기장에 대한 내용을 포함하고 있고 전자기장을 어떻게 활용하는지에 대해서도 설명하고 있다. 마침내 그들은 인터넷에서 간단히 검색을 하고 인터넷에서 Jackie 선생님은 약 200년 전 전자기장의 발견을 언급한 글의 첫 단락으로 학생들을 이끌 것이다(http://physics.kenyon.edu/EarlyApparatus/Electricity/Electromagnet/Electromagnet.html).

두 선생님 모두 학습 공동체를 만들고 학생들에게 학습 모형을 소개하기 시작했다. 이 두 선생님들은 이러한 공동체에 대한 탐구심이 많다. 학생들의 발표 내용과 질문을 적어 놓음으로써 그리고 그 기록을 학생들과 함께 읽어 봄으로써 선생님들은 읽고 쓰는 것이 처음부터 강조될 것임을 시사했다.

각 선생님은 직접적인 설명을 아끼고, 인쇄된 단어카드를 고른다. 그리하여 학생들은 각자 단어카드에 제시된 단어들의 목록 한 권을 가질 수 있다. 후에 우리는 이러한 수업을 다시 살펴보게 될 것이고 이 단어카드로 무엇을 했는지를 알게 될 것이다.

Jackie 선생님의 수업처럼, Jan 선생님의 학생들은 "Tumblebooks"를 알게 되고, 탐구 과정으로서 "Discovery Education"(www.discoveryeducation.com)을 통해 새로운 주제를 가져올 것이다.

▓▓▓ 시나리오 ▓▓▓

현대 사회의 쟁점을 통한 고등학교 수업의 시작

Jackie와 Jan이 가르친 초등학교로부터 약 1마일 정도 떨어진 곳에 Marilyn Hrycauk 선생님의 10학년 사회 연구 수업이 비디오테이프를 보며 시작하고 있다. 비디오테이프는 캘리포니아의 법정에서 촬영된 것이며, 엄마가 아빠와 12살 아들이 함께 생활하는 것을 막고자 하는 것에 대한 소송이 이루어지고 있었다. 부모는 이혼했고 아들에 대한 공동 양육권을 갖고 있으며 아들은 엄마와 함께 살고 있다.

비디오는 이 사례에서 논쟁의 시작을 보여 준다. Marilyn 선생님은 학생들이 그들 자신이 본 대로, 개별적으로 쟁점을 만들도록 했고 그 상황에 대한 더 많은 정보를 조사하라고 했다. 그리고 나서 Marilyn 선생님은 학생들에게 자신들의 생각을 공유하라고 했으며 각 학생들이 공유한 생각을 "쟁점"과 "질문"이라는 제목하에 목록으로 정리하도록 했다. 그들은 생각을 공유하면서 "입장과 가치부여"라는 다른 범주를 만들어야 할 필요가 있음을 알았다.

수업은 비디오테이프의 더 많은 부분을 보면서 계속될 것이다. 그리고 여러 가지 유사한 사례의 추상성을 분석할 것이다. 그러한 유사한 사례는 Marilyn 선생님이 수업을 위해 골라왔다. 사례 중 하나는 학생들의 첫 번째 과제이다. 점진적으로 시간이 지남에 따라 Marilyn 선생님은 학생들이 정책적 언명을 발전시킬 수 있도록 이끌고, 시행 가능한 다양한 정책들을 이해할 수 있도록 이끈다. 연습이 진행될수록, Marilyn 선생님은 학생들이 어떻게 사실을 구분하고 가치를 구분하며 유사한 반대 가치와 정책적 입장의 차이를 논할 수 있는지에 대해 탐구할 것이다. 또한 선생님은 학습 탐구를 개발하기 시작하고, 자신이 학생들의 학습에 대한 조사 연구원이 될 것이다. 학생들의 탐구는 "www.courts.ca.gov/selfhelp-custody.htm"과 같은 도움이 되는 정보 자원의 웹사이트를 필요로 한다. 학생들은 또한 James W. Stewart 판사의 ≪The Custody Book≫ 그리고 James C. Black과 Donald Cantor의 ≪Child Custody≫와 같은 책들을 살펴볼 것이다.

Marilyn 선생님은 공공정책에 관한 쟁점과 그것의 가치에 대한 탐색을 유도하는 법리적 교수 모형(11장)으로 수업을 시작한다.

▨ 시나리오

10학년 수업에 적합한 또 다른 사회적 쟁점 수업

Marilyn 선생님의 수업에서 이제 Shirley Mills 선생님의 영어 수업으로 옮겨가 보자. 이 수업은 "The Milagro Beanfield War"라는 영화의 한 장면으로 시작한다. 학생들은 설정, 연기, 등장인물에 대한 자신들의 생각을 공유한다. 학생들이 자신의 해석을 변론하거나 다른 사람의 의견에 대한 반대를 주장하고자 할 때, Shirley 선생님은 학생들 간의 차이점에 대한 논쟁을 잠시 보류하고 학생들이 좀 더 그 문제에 대해 탐구하기를 바란다고 말한다. 그리고 나서 선생님은 John Nichols라는 작가가 쓴 똑같은 제목의 소설을 복사하여 나눠 준 후 읽게 한다.

한 주 동안, 선생님은 학생들이 책과 영화에서 언급된 사회적 이슈를 탐구하도록 하고 작가와 영화 제작자에 의해 사용된 장치들을 비교하여, 어떤 쟁점과 장치들을 찾아내는지, 그렇지 못한지 면밀하게 관찰한다. 조사는 민주적인 정보를 바탕으로 뉴멕시코의 도시들과 마을 공동체에 의해 개발된 웹사이트로 시작하고, 학생들은 남서부 지역에서의 생활에 관한 조사관이 되는 것이다. 학생들은 "www.50states.com/newmexico.htm" 사이트를 탐색하기 시작한다. 그들은 뉴멕시코의 평균 해발 고도가 1,737미터라는 것과 200만 명의 1/3 이상이 제1언어로 스페인어를 쓴다는 것, 나바호와 푸에블로의 인구는 30만 명까지 증가하고 있다는 것을 알고 놀랄 것이다.

Shirley 선생님은 학생들에게 *집단 조사 모형*(12장)을 소개했다. 이 모형은 효과적인 협동 학습 모형으로 선생님이 수업에서 계속 사용해 왔던 모형이다. 이 모형은 학생들이 지역에 대한 의문의 정보들에 먼저 맞닥뜨리게 함으로써 시작한다. 그런 후 탐구가 진행됨에 따라 학생들은 인식의 유사함과 차이점을 써 보고, 그들 자신이 인식한 세계에 관해 연구하는 것이다.

학생 이해하기와 공동체 만들기

교육은 지속적으로 아이디어와 감정을 생성해 간다. 끊임없는 의식은 교육의 과정에 그것의 특징적인 성격을 부여하고 교수와 학습을 마치 경이롭고 변화무쌍한 과정으로 만든다. 아이들은 그들의 머리와 가슴에, 그리고 성숙해 가면서 갖추게 될 행동양식을 경험으로 가득 채워 학교에 온다. 교수 모형은 교사들의 산물이다. 교사들은 우리가 탐구를 시작할 수 있는 현장의 상황과 방법을 통제하고 분석해 보고 경험해 왔다. 모든 교사들은 학생들과 상호작용하고, 학생들을 위한 환경을 조성하면서 자신만의 교수 레퍼토리를 만든다. 이러한 레퍼토리 중에는 공식적인 연구의 대상이 된다. 교사들의 레퍼토리는 연구되고 정련되어서, 교사의 교수 역량에 대한 전문적인 기술을 개발하기 위해 사용할 수 있는 교수 모형이 되는 것이다.

모두가 배울 수 있는 학교

다양한 교육과정 목표들(읽기, 계산하기, 수학적 체계 이해하기, 문학 이해하기, 과학, 사회적 세계, 미술과 체육 활동에 참여하기)을 성취할 수 있도록 하고, 학생들이 학습자로서의 능력 함양을 돕도록 고안된 교수 모형들이 있는 학교를 떠올려 보라. 학생들이 지식과 기술을 습득한 결과 학습된 각각의 경험들은 학생들이 배운 내용이며, 스스로를 위해 미래의 학습 과제에 접근하고 학습 프로그램을 만들 수 있도록 향상된 능력이다.

학교에서 교사가 학생들이 필요로 하는 교수 모형들을 사용하므로 학생들은 다양한 학습 전략을 획득한다. 학생들은 어떻게 개념을 획득하고 발명하는지 배운다. 학생들은 가설과 이론을 세우는 것과 이를 검증하기 위해 과학 도구를 사용하는 것을 연습한다. 학생들은 강의와 발표로부터 정보와 생각을 어떻게 추출하는지, 어떻게 사회적 쟁점을 연구하는지, 그들이 속한 사회의 가치를 분석하는지 배운다.

또한 학생들은 훈련을 통해 이익을 창출하는 방법과 신체적, 예술적, 수학적, 사회적 기능을 훈련받는 방법을 안다. 학생들은 글 쓰는 방법과 명쾌하고 창의적인 문제 해결 방법을 안다. 아마 가장 중요한 것은, 학생들은 개인적 연구를 계획하면서 자주성을 기르는 방법을 알고, 다른 사람들과 연구의 협력적 프로그램들을 수행하고 실행하는 방법을 알게 된다는 것이다. 학생들은 다양한 학습 양식을 가지고 있어서, 학습 목표를 달성하기 위해서 다양한 방법으로 가르칠 수 있다. 따라서 이들을 가르치는 것은 도전적이고 즐거운 일이다.

앞의 네 가지 교수-학습 시나리오에서, 우리는 교사와 학생들이 한 해 동안 함께 할 학습 공동체를 만드는 것을 시작하는 것을 보았다. 학교와 학급은 학습 공동체로서, 학생들이 함께 세계를 탐험하고, 생산적인 방향을 찾는 방법을 배울 수 있도록 한다. 우리는 이 학습 공동체에 큰 기대를 가지고 있다. 우리는 구성원들이 높은 문해 능력을 가지고, 탐독하고, 섬세하고 숙련된 작문을 할 수 있기를 기대한다. 우리는 그들이 사회적 세계를 이해하고, 자신들의 발전을 위해 헌신하며, 개인의 삶의 질을 높이기 위해 존엄성, 자부심, 효율성 등을 발전시킬 수 있기를 기대한다.

이러한 기대는 교수법에 대한 연구의 핵심이자 학생들에게 학습 도구를 제공하고 연구하도록 자극하는 수많은 교수 모형들을 만들어 낼 수 있는 연구로 이끈다. 우리가 이런 학교와 교실을 디자인할 수 있을까? 우리는 분명히 할 수 있다! 우리가 이 일을 공식처럼 개발된 교수 전략을 사용하면서 할 수 있을까? 아니, 그렇지 않다! 우리가 학생들의 대답을 연구하고 가르치는 방법을 지속적으로 조정해야만 할까? 우리는 분명히 할 수 있을 것이다. 따라서 우리는 연구를 계속해야 한다. 이러한 점을 준비하면서, 학습 공동체를 조직하기 시작하는 교사들의 사례를 만나 보자.

▒▒▒ 시나리오 ▒▒▒

읽어라! 그냥 읽어라! 분위기는 만들어졌다!
수업에서 학생들과의 처음 몇 분 동안이 교실의 분위기를 만든다.

Evelyn Burnham 선생님의 5학년 학급은 개학 첫날 교실에 들어갔다. 학생들은 모든 컴퓨터가 켜져 있는 것을 발견했다. 모든 화면에는 똑같은 메시지가 써 있었다: "학급 도서관에서 책 한 권을 가져오세요. 책상을 선택해서 잠시 동안 조용히 책 읽기를 시작하세요. 이해할 수 없던 단어를 이해할 수 있게 되면, 그 단어를 여러분의 〈Word to Learn〉 상자에 넣거나 구어사전을 찾아보세요."

아이들은 잠시 혼란스러워하지만, 교실을 돌아다니면서 "학급 도서관" 이름표가 붙어 있는 책장을 찾는다. 아이들은 선반의 카드를 찾아 기록하고, 책상을 찾아, 읽기 시작한다. Evelyn 선생님은 교실로 가서, 학생들에게 자신을 소개하고 이름표를 만들어 준다.

시나리오

단어 조사하기 첫날

Bonnie Brigman 선생님의 2학년 학급은 개학 첫날 교실에 늘어갔다. 학생들은 이름이 써 있는 자신의 책상을 찾아, 책상 위에 찾은 것을 게시판에 기록하고, 책상의 문장을 읽기를 시작한다. Bonnie 선생님은 아이들이 발음하거나 이해하기 어려워하는 단어를 쓰도록 요구했다.

Evelyn 선생님과 같이 Bonnie 선생님은 교실로 가서 아이들에게 자신을 소개한다. 두 선생님은 학부모를 초대해, 유인물로 나누어 준 Just Read 프로그램의 설명을 읽게 한다.

15분이 지난 후에, Bonnie 선생님은 아이들이 읽기에 어려움이 있었던 단어들을 공유하도록 했다. 한 아이가 단어를 가리켰을 때, Bonnie 선생님은 얼마나 많은 아이들도 그 단어에 어려움을 느끼고 있는지 질문했다. 선생님은 클립보드를 무릎 위에 올려 학생들의 이름을 적고, 어려움을 느끼고 있는 단어들을 기록한다. 문장들은 많은 음성 결합을 대표하는 단어를 포함하도록 구성되어 있고, 각 문장들은 선생님이 학생들에게 새롭게 읽어 준 단어를 포함하고 있고, 학생들은 문맥의 단서를 통해 그 단어를 이해해야 한다.

▩ 시나리오 ▩

Gandhi와 함께 시작하기

Bruce Hall 선생님의 8학년 사회 연구 교실은 개학 첫날 학교에 들어간다. 학생들은 책상의 이름표를 찾고 자리를 잡는다. 선생님은 앉을 시간을 주고, 소개하고, DVD 플레이어를 누른다. 간디 영화의 한 장면이 나타나고, 학생들은 간디가 소극적 저항을 하는 유명한 연설을 본다. 장면이 끝나고, Bruces 선생님은 학생들에게 인상 깊었던 것을 쓰도록 했다. "나는 여러분이 세계에 대한 우리의 연구를 시작했으면 합니다. 또한 여러분들이 어떻게 쓰는지 볼 수 있길 바랍니다."

"이 수업이 영어 수업인가요?" 한 학생이 물었다.

"음, 이 수업은 사회 연구이지만, 모든 수업들에서 글을 읽고 쓸 줄 아는 능력이 필요해요. 이번 학년에서 우리는 쓰기를 많이 하게 될 것입니다."

일반적인 원리들

위 시나리오의 세 선생님들은 다른 연령의 학생들을 대상으로 공통적인 것들을 한다. 세 선생님 모두 과제를 통해 학생들이 특정한 학습 환경에 있다는 것을 알도록 한다. 선생님들은 설명을 해 주고 즉시 학생들이 수행할 수 있게 한다. 그들은 학생들이 어떻게 행동해야 하는지 이야기하는 것에 시간을 소비하지 않는다. 학생들은 바로 작업을 시작한다. 학생들은 지체 없이 학습 과정에 들어가며, 호의적이고 긍정적이다. 세 선생님은 교실에 들어가는 순간부터 학생들을 연구한다. 그들은 학생들이 무엇을 할 수 있고, 어떻게 그것을 하는지에 대한 정보를 모으면서 조절을 준비하는 것이다.

세 선생님은 모두 학생들이 자신의 활동을 주도하고, 책을 빌려와서 자기 주도적으로 읽을 수 있으며, 주어진 주제에 따라 글 쓰기를 해낼 수 있다고 가정한다. 세 선생님은 학생들이 독립적으로 읽고 쓸 수 있기를 기대하며, 따라서 개학 첫날부터 Just Reading 프로그램을 시작한다(Joyce, Calhoun, & Hrycauk, 2003 참조). 학생들은 매 주마다 읽었던 책들을 기록하고, 앞으로 읽을 글들의 유형과 목표량을 설정한다. 학급 전체는 읽은 책의 수를 기록하고, 목표를 설정하여, 목표가 달성되었을 때를 위한 행사를 계획한다. 프로그램은 표준화된 규준참조검사의 이해 점수에서 분명한 효과를 나타내고, 일반적으로 학생들의 독서량이 네 배가 되는 성과를 보인다.

세 선생님 모두는 자기 자신과 학생들을 신뢰하고 있다. 교수-학습 과정에서 교사는 성인으로서 역할을 하지만, 모든 것을 아는 전능한 신처럼 가식적으로 행동하지는 않는다. 만약 학생들이 학습에서 어려움에 놓였을 때, "음, 그럼 다른 것을 시도해 보자. 그것이 효과가 있는지 알아보자"라고 말해 준다. 이 교사들은 학생들이 자신을 학습자로 여길 수 있도록 돕는다.

형성평가

어떤 종류의, 혹은 어떤 정도의 지원이 더 필요한지를 결정하기 위해 지속적으로 학습에 대한 형성평가를 하는 것은 비계설정과 밀접하게 관련되어 있다. 기본적으로 교사는 학생들의 학습을 면밀히 관찰하고 특정한 과제 수행에 대한 독려나 개인 지도와 같은 지원을 한다. 때때로 다른 교수 모형으로의 전환은 학생들이 유용한 학습 방법을 찾도록 도와줄 수 있다. 우리가 제시하는 각 모형의 사례는 간략히 설명되나, 그 모형이 어떻게 효과를 나타내는지를 보여 주는 데 도움을 줄 것이다.

▓▓ 시나리오 ▓▓

자료와 의사결정

5학년 교사(12장의 Traci Poirier 선생님)가 학생들의 연산 지식에 대한 연구를 한해 동안 지속했던 사례를 떠올려보자. Traci 선생님은 곱하기와 나누기의 예시가 포함된 시험지를 학생들에게 나눠 준다. 이 시험은 시간을 재는 것이 아니고, 스피드가 중요하다고 말하지 않았음에도 불구하고, 학생들의 연산 속도에는 꽤 차이가 있다. 게다가 계산 속도가 느린 학생들은 더 많은 실수를 한다. Traci 선생님은 곱하기에 대한 지식 검사를 학생들에게 실시하기로 결정하고, 화이트보드에 예시를 보여 주어 아이들이 각자의 책상에 나머지를 쓰도록 한다. Traci 선생님은 학생들의 답지를 거둬서 점수를 매겼다. 25명 중 10명의 학생들은 모든 예시에서 정확하게 대답했고, 8명의 학생들은 60~70 정도로 정확하게 대답했고, 7명은 구구단 6단과 9단에서 주로 실수를 하여

40~59 정도이다.

선생님은 다음 2주 동안 이 점수에 기초하여 학생들을 세 그룹으로 나누기로 결정한다. 예시 모두를 정확하게 답한 학생들은(선생님은 이들을 "ten 그룹"이라고 부른다) 지식을 발전시키고 한계를 시험할 수 있도록 고안된 과제에 참여할 것이다. 우선 선생님은 학생들에게 9의 배수와 9로 나누었을 때 나머지 없이 나누어지는 숫자로 9의 특성을 설명하게 한다. "Ten" 그룹 학생들은 특성을 알아내고 그것을 다른 학생들 앞에서 발표한다. 더불어 그 학생들은 매일 Chicago 대학의 Everyday Math group 사이트에 접속하여 실제적인 문제에 수학적 지식을 적용할 수 있는 "곱셈과 나눗셈 이야기"라는 단원을 학습한다.

"Almost" 그룹은 짝으로 나누어져 그들이 선택한 특정 방법에서 모든 수학적 사실을 학습할 수 있도록 서로를 돕는다. 또한 Traci 선생님은 이 학생들을 "A place for numbers"라고 불리는 PBS 온라인 사이트에 접속하게 하고, 이를 통하여 측정을 위한 주요한 주제에 대한 설명을 제시했다(www.pbslearningmedia.org).

"Worker bees" 그룹도 짝으로 구성되어 학습해야 할 사실들을 공부하고 PBS 사이트에 접속했다.

Traci 선생님은 모든 학생들이 곱셈 행렬을 가지고 연습하게 했고, 행렬표에서 규칙성을 발견할 수 있게 했다(3단 행렬에서 "3, 6, 9"의 형태가 나타나는 것과 같이).

몇 주 후 선생님은 "Ten" 그룹을 위해 지식을 재평가하고, 연산을 필요로 하는 문제들을 추가적으로 제시했다. "Almost" 그룹은 이제 "Ten" 그룹이 되어 Everyday Math group 사이트의 "곱셈과 나눗셈 이야기"를 학습한다. 그 결과를 바탕으로 Traci는 학생들에게 곱셈을 더 학습하게 하고 숫자체계의 특성에 대해 강조한다. 이 수업의 목표는 모든 학생이 95퍼센트 이상의 학습 성취를 얻는 것이다. "Worker bee" 집단은 10분 동료 동료학습 시간을 통해서 매일 "Ten" 그룹 학생들과 학습할 수 있게 했다. 선생님은 "Worker bee" 학생들의 학부모들에게 학생들이 학습해야 할 수학적 사실들에 대한 목록과 함께 Everyday Math 사이트의 링크를 이메일로 보냈다.

비계를 설정하는 것은 학생의 발달 과정을 추적하고, 중요하면서도 기본적인 정보와 기능을 완전하게 숙달할 수 있도록 수업을 조정하는 것이다. 학생들이 그들의 발달과정과 필요를 이해하고 부모가 그 과정에 도움으로 참여하는 것은 중요하다.

<u>요약</u>

모든 교수 모형은 교사와 학생이 학습 과정을 연구하고, 효과적인 것을 계속적으로 수행하며, 부적절한 것을 대체하거나 보완함으로써 조정할 수 있는 기회를 제공한다. 잘 가르친다는 것은 이와 같이 학생들의 지식, 인지, 정서가 환경과 상호작용하는 법을 배워 가고, 그 과정을 변화시키는 방법에 대해 이해하는 여정을 포괄하는 것이다. 잘 가르친다는 것은 끝이 없는 연구를 계속적으로 한다는 의미이다. 우리의 이러한 탐구의 여정은 끝나지 않을 것이고, 추론을 만들어 내는 과학과 예술에 만족하지 않으며, 계속적인 기대와 추측으로 학습과 교수의 모형을 구성하는 것을 지속할 것이다. 어니스트 헤밍웨이가 글 쓰기에 대해 말했던 것처럼, 우리는 교수(teaching)에 대해 이렇게 말한다. "우리 모두는 기술에 있어 그 누구도 달인이 될 수 없는 견습생일 뿐이다."

제2부

정보처리 교수 모형

개념적 사고는 어머니 뱃속에 있을 때부터 프로그램화되어 있다. 우리는 태어나자마자 우리 주변의 대화를 지배하는 개념을 알아내고, 그 대화에 가담하면서 언어를 배우기 시작한다. 우리는 주변을 살피고, 각각을 구별한다. 우리를 둘러싸고 있는 환경을 개념적으로 이해하는 과정에서 우리는 식물, 사물, 몸짓을 구분한다. 수세기, 실제로는 천 년에 가까운 기간 동안 학자들은 자연이 제공하는 것을 능가할 수 있는 방법을 알아내고자 노력해 왔다.

이 점에서, 교수-학습에 대한 정보처리 모형은 오래된 철학적 지지 기반 및 근거를 가지고 있다. 지난 80년 동안 교수에 대한 과학적인 연구가 이루어지면서, 탄탄한 연구들이 축적되었다. 이러한 연구들은 인간의 환경을 이해하는 타고난 능력을 활용하여 이론적 기반을 검증하고 학습을 향상시키는 새로운 방법을 만들어 냈다.

귀납적 모형과 이와 관련된 정보처리 모형은 학교 수업의 핵심 방법이 될 수 있다. 이 모형들은 대개 온라인과 오프라인의 '혼합형(hybrid)' 교과 수업에 정보통신 기술(ICT)을 통합하는 데 활용할 수 있는 최적의 방법이며, 다양한 온라인 환경을 포함한 원격 수업을 설계하는 데도 사용될 수 있다. 학교와 교실에서 ICT 활용은 매우 중요하다. 웹에서 정보가 쏟아져 나오고 있고, 현대의 정보 흐름은 매우 빠르며, 이 흐름은 생산적으로 관리될 필요가 있다. 정보처리 모형은 협력적이고 투명하게 이루어지는 탐구 상황에서 이러한 과정을 설명할 수 있는 것이다.

정보처리 모형의 독특한 특성은 각 모형들이 모두 특정한 방식으로 정보의 탐색과 조작을 강조한다는 것이다. 이러한 모형 대부분은 자료군의 개발과 사용을 중시한다. 특정한 탐구 활동으로부터 얻어진 정보는 군(群)으로 체계화된다. 학생이 정보를 수집하거나 기존 자료군이 학생들에게 제시될 수도 있다. 학생들은 자료군 내에 있는 자료의 속성을 분석하고 비교하고 대조하는 과정을 통해 자료를 체계화하고, 범주를 개발하며, 관계를 찾아낸다. 학생들은 귀납적·과학적 탐구 모형에서처럼 가설을 세우기 위한 질문을 만들어내고 조사 활동을 하면서 정보를 습득한다. 이 모형은 그림-단어 귀납적 모형과 더불어 제2부에서 제시된다. 이 모형들은 수업, 과목, 교과과정 설계뿐 아니라 학교 설계에도 광범위하게 적용될 수 있기 때문이다. 특수 목적 모형들은 제3부에 제시되어 있다.

또한 이 모형들은 학생들에게 웹에서 찾을 수 있는 막대한 양의 정보를 관리하는 데 있어 강력한 도구를 제공한다. 이 모형은 정보, 아이디어, 절차 등을 학교에서 활용할 수 있도록 하는 온라인 수업 및 프로그램과 같은 원격 강좌의 설계를 가능하게 한다. 몇 년 전까지만 해도 교실의 학생들에게 제공된 교육 자료는 대개 학교 도서관에 비치된 사진 필름과 비디오테이프 등이 전부였다. 현재, 학교에서의 면대면 교육은 ICT 자원과 혼합('하이브리드 방식'이라 일컬어짐)되거나 원격 프로그램과 혼합되고 있다.

예전과 달리, 개인차는 더 많은 학습 지원을 받거나, 해당 학년의 기대 수준보다 훨씬 앞서 배우는 것과 관련하여 다뤄지고 있다. 오늘날 미국에 이민 온 학생들은 영어를 배우는 것과 동시에, 이전에는 대학에 들어가야 배울 수 있었던 수준의 수학을 스스로 학습하고 있는 것을 볼 수 있다. 제 기능을 하지 못하던 오래된 교과서는 근본적인 변혁을 맞게 되었다. 학생들은 교사의 도움을 받을 뿐만 아니라 비계가 설정된 수업 환경에서 웹의 도움을 받을 수 있다. 예컨대, 연산을 학습하는 데 어려움을 겪는 학생이라면 필요한 영역의 온라인 모듈을 살펴볼 수 있다. 해당 학년의 통상적인 성취 수준을 훌쩍 넘어선 학생이라면 자신에게 맞는 원격 수업에 참여하면 된다.

교육의 진수는 언제나 자율학습(self-education)이었다. 우리 교사들은 교수자인 동시에 안내자이다. 학습자로서 학생들의 역량을 구축하는 것이 학교교육의 주요한 유산이라는 사실이 그 어느 때보다 명확해지고 있다.

제3장

귀납적
학습방법의 학습

기본적인 교수 모형

연구자는, 초보자와 우수한 학자 모두, 정보를 포함한 탐구를 추구한다.
정보는 체계화될 때 그 성격이 변한다.
범주화를 통해 자료가 풍부해지고, 그것을 체계화하는 생각도 풍요로워진다.

기억의 길고 짧음. 정보가 계속 존재하고 살아 있으려면,
생각 속 범주 안에 정보가 둥지를 틀어야 한다.

—사색적 관찰자

| 핵심 아이디어 |

정보를 담고 조작할 수 있도록 하는 범주화는 우리가 지능이라고 여기는 것의 기본 요소
일 것이다. 한 장면을 보고, 개별적인 항목들 이상으로 각 항목들의 관계를 보는 것, 그것
이 우리에게 의미하는 바가 무엇인지 생각해 보자.

▨▨▨ 시나리오 ▨▨▨

개별 조사 활동: 무엇이 전기를 만드나?

Seamus(8세)는 부엌에서 놀고 있다. Seamus 앞에 접시 여러 개가 있다. 한 접시에는 감자가 네 조각으로 잘려져 담겨 있다. 다른 접시에는 사과가 역시 네 조각이 나 있다. 나머지 접시에도 여러 과일과 채소가 담겨 있다. Seamus는 구리판과 아연판을 감자 조각들에 꽂고, 이것들을 작은 백열전구에 연결시킨다. 전구에 불이 들어오자 Seamus는 고개를 끄덕이며 만족해한다. 그 다음, 전구를 분리하고 전압계를 연결하고는 잠시 바라본다. 그러고는 전구를 다시 연결한다. 이번엔 사과로, 전구와 전압계를 사용해 다시 한 번 같은 과정을 되풀이해 본다. 그런 다음 산딸기, 레몬, 당근 등으로 다시 반복한다. 아버지가 방에 들어오자, Seamus는 아버지를 올려다보며 말한다. "제 생각대로 산딸기는 잘 됐어요. 배터리처럼 이용하면 되겠어요. 그런데 다른 것들은…"

지금 Seamus는 과일과 채소를 금속과 반응하여 전류를 생성하는지를 기준으로 분류하고 있는 것이다.

▨▨▨ 시나리오 ▨▨▨

1학년 조사 활동 수행

캐나다 학교 1학년 반에서 Lisa Mueller 선생님은 학생들에게 다음 프로젝트인 식물의 재생산 체계에 대해 이야기한다. 선생님은 여러 식물의 씨앗, 구근, 덩이뿌리가 담긴 통을 보여 주고 학생들에게 특성에 따라 식물을 분류해 보라고 할 것이다. 학생들은 특성에 따라 씨앗, 구근, 덩이뿌리를 칸이 있는 상자에 나눠 넣게 된다. 그러고 나서 선생님은 학생들에게 범주에 관해 질문을 하게 할 것이다. 마지막으로, 학생들에게 씨앗을 심을 용기와 흙을 주고 조건을 다르게 해 씨앗을 심은 뒤, 싹이 트고 줄기와 잎이 자라는 것을 관찰하라고 할 것이다. 그림 3.1에는 통과 상자가 제시되어 있다. 선생님이 사용법을 설명하고, 학생들이 분류한 식물을 친구들에게 설명하고 있는 장면이다. 그림 3.2에 보이는 화이트보드에는 학생들이 언급한 특성과 학생들의 질문이 적혀 있다. "씨앗이 크면, 자라고 나서도 클까요?", "구근이 보라색이면, 자라고 나서도 보라색일까요?" 등의 질문이 적혀 있다.

학생들은 실험을 계획하고 가설을 검증해 나가기 시작하면서, 자신들이 제공하는 조건을 변경할 수 있는 방법을 생각해 본다.

a.　　　　　　　　　　　　　　b.

[그림 3.1] a. 자료와 상자 설명하기 b. 분류하기

● 빛을 더 받게 하거나 덜 받게 하면 식물이 자라는 데 차이가 있을까?

● 물의 양을 다르게 주면 식물이 자라는 데 차이가 있을까?

● 얼마나 깊게 심느냐에 따라 식물이 자라는 데 차이가 있을까?

선생님은 이런 질문들을 기록하고, 각각의 학생에게 자신들이 생각해 낸 조건들을 기록할 수 있게 도구를 준다. 학생들은 용기에 이름표를 붙이기 시작한다. 식물 기

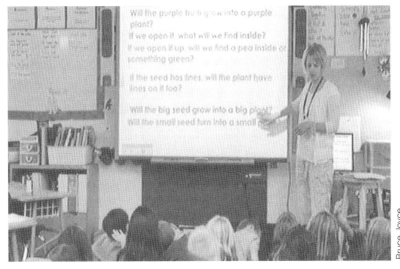

[그림 3.2] 질문하기

[그림 3.3] 씨앗, 구근, 덩이뿌리 심기

[그림 3.4] 학생들이 심은 씨앗, 구근, 덩이뿌리

르기가 취미인 교감선생님이 반 아이들에게 빛의 강도를 조절할 수 있도록 자외선 기구를 준다.

그림 3.3은 식물을 심는 장면이다. 그림 3.4는 이름표가 붙은 용기들이다.

학생들이 각자 심은 식물을 돌보고 그 결과를 관찰하는 도중에 교사는 학생들이 웹에서 자료를 찾아 자신들이 심은 씨앗, 구근, 덩이뿌리에 대한 정보를 얻을 수 있게 도와줄 수 있다. 예를 들어 The Better Homes and Gardens Plant Encyclopedia(www.bhg.com/gardening/plant-dictionary), 미국 농업부에서 제공하는 식물 데이터베이스(http://plants/usda.gov) 등이 있다.

한 가지 기억해야 할 점이 있다. 실제로 수행하지 않고 웹이나 인쇄 자료만 보면 피상적인 학습에 그칠 수 있다. 아이디어의 기반이 되는 정보 없이 남이 만들어 놓은 답을 보게 되면, 잘못 이해하거나 깊이 없는 이해에 그칠 수 있다. 직접 조사 활동을 하면, 학생들은 지식이 창출되는 방법에 대한 감각을 익히게 된다. 우리 저자들은 실험 경험이 교과서나 웹으로 제시된 자료를 구체화한다는 Academy of Sciences가 만든 표준에 전적으로 동의한다(National Research Council, 2012).

협동적/귀납적 탐구 교수–학습은 선 학년, 전 교과 영역에서 유사하다. Lisa Mueller 선생님의 1학년 수업은 고학년 및 중등 과정의 학생들에게도 적용될 수 있다. 영문학 시 분류도 식물을 이해하고 분류하는 활동과 크게 다르지 않다.

시나리오

입학 첫날 구근 심기

Diane Schuetz 선생님의 수업도 Lisa Mueller 선생님의 1학년 대상 탐구 활동과 같은 맥락의 조사 활동이다. Diane Schuetz 선생님 역시 1학년 학생들에게 (그것도 입학 첫날) 튤립 구근을 주고 분류해 보라고 했다. 학생들은 크기, 구근 두 개가 함께 달린 것 ("새끼 구근이 달려 있어요."), '코트'를 입고 있는 듯한 모양의 구근, 구근 앞 부분이 뿌리처럼 보이는 것 등을 기준으로 조를 나눴다. 이제 학생들은 구근을 심으며, 자신들이 구분한 속성들에 따라 튤립의 자란 모습이 어떻게 다를지를 알아보고자 한다 ("구근이 크면, 자라서도 클까?", "어린 구근이 스스로 자랄까?" 등). 선생님은 범주 만들기, 예측하기, 타당성 검증하기 등의 기본 탐구 과정에 중점을 두고 과학 교과과정을 설계했다.

학생들은 천성적으로 개념화하는 성향을 가진 인간임을 명심할 필요가 있다. 인간은 사물, 사건, 감정 등 모든 것을 비교 및 대조하면서 항상 정보를 구성한다. 우리는 이와 같은 타고난 성향을 활용하면서, 개념 형성과 활용의 효율성을 높이기 위해 학생들에게 학습 환경을 마련해 주고, 과제를 부여하고, 학생들이 그렇게 하기 위한 기능을 개발할 수 있도록 의식적으로 도와준다. 우리는 수년간 개념 형성을 촉진하는 환경 및 과제를 구성하기 위한 지침을 마련해 왔다. 학생들이 귀납적 학습에 보다 숙련되면서, 우리는 교수행위를 조정하여 학생들이 적절한 환경과 과제를 조성할 수 있도록 도와준다. 귀납적으로 생각하는 법을 배우는 것이 중요한 목표이므로 학생들은 그것을 통해 그저 안내되는 것으로 그치지 않고 실천해야 한다. 우리는 최신의 교수-학습 모형을 구성하면서 다행스럽게도 수많은 연구의 도움을 받을 수 있었다. 그 결과로 다년간의 학교교육을 통해 경험된 많은 조사를 통해 중요하고 복잡한 과정을 가르치는 직접적인 방법이 어느 정도 분명해졌다. 이러한 탐구를 설계하는 지침은 명확하다.

첫째, *조사에 집중한다*─아이디어를 생성하는 데 능력을 충분히 사용할 수 없을 정도로 학생들을 지나치게 제약하지 않으면서, 학생들이 숙달할 수 있는 영역(탐구 영역)에 집중할 수 있도록 돕는다. 우선, 차시 또는 단원의 초점이 될 영역의 정보를 제공하는 자료군을 학생들에게 제공하고, 학생들에게 자료군 내에 있는 항목들의 속성을 살펴보도록 요청한다. 간단한 예로, 유치원생들 또는 1학년 학생들에게 알파벳의 글자가 인쇄된 카드를 나누어 주고, 카드를 면밀히 조사하여 카드의 속성을 조사하도록 한다. 또 다른 사례로, 5학년 또는 6학년 학생들에게 세계의 일부 지역─예를 들어, 라틴 아메리카─국가에 대한 통계 자료를 포함한 자료군을 제공해 주면서 각 국에 대한 데이터를 세심하게 살펴보도록 하는 것이다. 여기서 영역은 *라틴 아메리카의 국가들*이며, 통계 자료는 하위 영역에 관한 것이다.

둘째, *개념적 통제를 추구하도록 한다*─그 영역의 개념을 숙달하도록 학생들을 돕는다. 알파벳의 경우, 글자를 서로 구분해서 전부는 아니지만 다수의 공통적인 속성을 지닌 글자를 집단으로 묶음으로써 범주를 개발하는 것이 목표이다. 학생들은 알파벳을 유사성 및 차이 측면에서 보는 것을 배울 것이다. 또한 단어에서 그러한 글자를 알아볼 수 있을 것이며, 동일한 모양을 가진 글자 범주를 만들었을 때(6개의 B를 함께 모았을 때) 그 글자의 이름도 알게 될 것이다. 교실에서 글자는 그 글자를 포함하는 단어와 함께 괘도 위에 제시될 것이다. 라틴 아메리카 국가의 경우, 학생들은 인구와 1인당 소득과 같은 단일 속성 범주로부터 교육수준, 출산율, 소득과 같은 변수들의 관련성을 살피는 것과 같은 다중 속성 범주를 고려하면서 자료군에 들어 있는 인구통계학적 자료를 사용하여 국가들을 분류할 것이다. 학생들은 이러한 범주의 관점에서 라틴 아메리카를 볼 수 있을 것이다. 자료군에 자료를 더 추가하여 보다 더 나은 범주를 개발함으로써 개념적 통제의 그 다음 단계로 나아가게 되고, 개념의 위계를 개발하여 그 영역에 대한 숙달 수준을 고양함으로써 통제 수준을 한 차원 높일 수 있을 것이다.

셋째, 개념적 이해를 기능으로 변환한다─알파벳의 경우, 글자와 소리의 관계, 읽기와 철자에서 이 관계를 사용하는 방법을 탐색하도록 한다. 이 과정을 통해 인지는 단어 식별에서 의식적인 적용으로 진화하게 된다. 라틴 아메리카 국가의 경우, 다중 속성 범주를 생성하고, 가설을 생성 및 검증하는 것(1인당 소득이 출산율 또는 교육 수준과 관련 있는지 여부를 살펴보는 것)이 이러한 기능에 해당된다.

학습 환경에서는 학습 공동체 구성, 자료군 생성 및 학습과제─가설의 분류, 재분류 및 개발─등이 모두 중요하다. 또한 교사는 학생들을 관찰하면서, 개념을 다듬고 확장하도록 도와주는 것으로 탐구를 지원한다. 알파벳 사례에서, "어느 글자가 'A'와 가장 비슷하며, 가장 헷갈리는가?"와 같은 과제가 생성될 것이다. 라틴 아메리카 사례에서는 "어떤 변수가 문해 수준과 관련될 수 있을까?"와 같은 과제가 생성될 것이다.

학생들이 범주(개념)를 구축하고 확장하는 법을 알게 되면서, 이 과정에 대한 책임을 더 많이 지게 된다. 예를 들어, 학생들은 학습 중인 영역과 관련이 있는 자료군을 구축하는 법을 배우게 된다. 유치원이나 초등 1학년생들은 자신이 작성한 글자 도표를 사용하여 자료군을 개발할 때 처음에는 명시적인 안내("여기에 동일한 글자로 시작하는 단어가 세 개 있습니다. 이 목록에 단어를 추가할 수 있어요?")를 받게 되고, 나중에는 목록을 보고 단어의 시작과 끝이 어떻게 되어 있는지를 고려하여 독자적으로 단어를 분류한다. 라틴 아메리카를 다루는 어린 학자들은 원 통계 자료와 백과사전과 같은 해설 자원을 사용하여 데이터베이스에 변수를 추가하는 법을 배운다. 학생들이 국가에 대해 공부할 때면 전체 지역을 비교 및 대조하게 해 주는 자료군을 만들 수 있게 될 것이다.

귀납적 모형은 학생들이 정보를 수집하여 면밀하게 조사하고, 정보를 개념으로 조직하고, 그러한 개념을 조작하도록 한다. 이 전략을 정기적으로 사용하면 학생이 개념을 효율적으로 형성하는 능력을 향상시키고, 정보를 볼 수 있는 관점의 폭을 확장시킬 것이다.

지적, 사회적 및 개인적 성장

귀납적으로 탐구하는 법을 배우면 범주화할 수 있는 타고난 능력이 향상된다(Klauer

& Phye, 2008). 학생들은 지식을 구성하고(Vygotsky, 1986 참조), 교사는 학생들의 탐구를 촉진(지원)한다. 학생들이 개념을 형성하는 법을 배우면 정보, 개념 및 기능에 대한 학습도 향상된다. 또한 개념 수준―정보를 수집 및 통합할 수 있는 능력―도 향상된다(Hunt & Sullivan, 1974; Joyce, Weil, & Calhoun, 2009 참조).

아리스토텔레스는 이것을 잘 알고 있었다. 인간은 적절하게 훈련된 탐구를 통해 배울 수 있다. 교육과정과 수업에서 환경을 살피고, 정보를 구성하고, 조사를 수행할 수 있는 타고난 능력을 활용하면 인지 능력도 증가된다. 다른 모형과 모형군들도 효과적이며, 같은 목표를 중에 일부를 달성한다. 이러한 모형들도 여기에 포함시킬 필요가 있다.

학생들은 주제를 공부하거나 문제를 해결할 때, 자료를 수집하는 법을 배운다. 학생들은 자료를 구성하고 그 본질―학생들이 수집한 정보의 속성―을 공부하는 법을 배운다. 학생들은 더 나아가 자료를 범주에 따라 조직하고, 그러한 범주에 대한 명칭을 개발하고, 가설을 세우고 검증하며, 종종 풍부한 탐구가 되도록 하기 위해 더 많은 자료를 찾는다. 이러한 과제는 어느 것도 복잡하지는 않지만 배워야 한다. 피상적인 분류는 탐구에 있어 진전을 보이지 못하게 할 뿐만 아니라, 실제로는 탐구를 방해할 수도 있다. 우리가 Lisa Mueller 선생님의 1학년 탐구수업에서 볼 수 있듯이, 유치원이나 초등 1학년 수준에서조차 중요한 개념은 대부분 다양한 속성을 지니고 있다.

초등학교 학생의 귀납적 탐구와 고등학교 이상에서의 귀납적 탐구의 차이는 그 과정보다 다뤄지는 내용의 복잡성과 학생들의 성숙도에서 찾을 수 있다. 1학년 학생들에게 국가를 분류하라고 시키는 것은 무리이다. 단어, 문장과 문단을 분류할 수 있는 능력과 마찬가지로 주변에 있는 식물을 분류하라고 하는 것이 그 학생들의 능력 수준에 맞다. 하지만, 학생들을 과소평가하고 싶지는 않다. 1학년과 2학년 학생들은 처음에는 웹에서 그리고 나중에는 특정 국가에 사는 정보원이 제공하는 자료를 사용하여, 자신의 이웃과 다른 나라의 이웃을 비교함으로써 국가에 관한 정보의 세계로 들어갈 수 있다. 학생들이 씨앗, 구근 및 덩이줄기를 분류했던 이전의 시나리오에서, 학생들은 인도 델리 소재의 한 학교 1학년 학급과 연결된 적이 있었다. 양쪽 환경의 학생들은 배운 것을 이해하기 위해, 상대방 사회에서의 생활에 대한 정보를 수집했다.

귀납적 탐구를 통한 웹과 인쇄자원의 활용

정보통신 기술(ICT)은 누구나 동의하듯이 교사와 학생이 이전 세대에서는 절대 경험하지 못했던 정도로 정보를 접할 수 있도록 하고 있다. 웹은 기존의 도서관이 진화한 새로운 도서관으로 자율학습 기회를 놀라울 정도로 향상시키고 있다. 그러나 여기에는 두 가지 주의사항이 있다. 첫째, 교사와 학생이 검색하는 정보를 구성하고 사용할 도구를 갖추지 않는다면, 그들의 머릿속은 단순한 자료 덩어리로 홍수가 나게 될 것이다. 교육의 발전 가능성이 이 정도로 좋았던 적이 없었지만, 학생들이 개념을 구축하고 탐구를 조직하는 방법을 모른다면 이 가능성은 사라지고 말 것이다. 학생들이 새로운 테크놀로지를 활용할 수 있도록 돕는 것은 학생들이 기본적인 귀납적 과제에 관련된 정보를 면밀히 조사해서 개념으로 구성하는 법을 배우도록 하는 것이다. 이러한 첫 번째 과제는 귀납적 탐구를 통해 이룰 수 있는데, 개념을 구축하게 되면 정보를 관리, 보유하고 사용할 수 있기 때문이다. 이것이 21세기 기능, 다수의 고차원적 사고기능 중에 가장 기본적인 유형일 것이다(Joyce & Calhoun, 2010, 2012 참조).

전국의 학교에서 교실에서의 상호작용과 웹 자원을 모두 활용하는 교과목이 개발 및 적용되면서, 귀납적 교수-학습 모형은 전자도서관, 원격수업, 캠퍼스 내 하이브리드 교육과정 등에서의 학습을 위한 중요한 열쇠이다.

ICT에 대한 두 번째 주의사항은, 디지털 세계의 정보의 풍요로움을 누릴 수 있으려면 읽기 역량의 수준이 높아야 한다는 것이다. 교사는 학생들에게 이러한 장애를 극복할 수 있도록 단어와 개념 구축을 가르치는 데 귀납적 모형을 사용할 수 있다.

하지만, 교수-학습에 관한 모든 정보처리 모형과 사회, 행동 및 개인적 모형은 교수-학습에 대한 구성주의 관점을 공유하고 있다. 즉 학생들이 정보를 수집하고 사용해서 개념을 구축하고 활용하도록 요구한다. 어떤 모형에서든지, 학생들은 내용에 대해 인지적으로 통제하고, 학습할 수 있는 능력을 갖추기 위해, *학습을 하는 동안* 아이디어를 구축하고, 검증해야 한다.

학생은 학습을 한다―이에 비해 우리는 가르친다. 우리는 학생들이 배울 수 있도록 환경을 설계한다. 우리는 학생들을 집단으로 구성하고, 자원을 모으고, 과제를 제공한다. 우리는 학생들이 이러한 집단 안에서 활동하고, 그러한 자원을 사용하고(우리 자신을 포함해서), 그러한 과제를 수행하도록 함으로써 가르친다. 우리는, 우리가 환경을 설계하고, 학생을 구성하고, 재료를 준비하고, 어떤 종류의 과제를 어떤 순서로 제공할지를 결정하는 데 있어 여러 가지 교수 모형의 도움을 받는다. 우리는 언제나 학습 목표—우리가 일어나기를 희망하는 학습의 종류—를 염두에 둔다.

귀납적 모형은 범위가 넓은 단원, 간단하고 집중적인 차시, 또는 단기간의 여러 차시를 설계하는 데 사용될 수 있다. 그러나 다음과 같은 중요한 장기적 학습 목표가 항상 교수-학습 과정을 안내하게 된다.

- *귀납적으로 사고하기.* 모든 귀납적 경험은 학생들이 더 효율적으로 공부하는 법—정보를 수집해서 구성하고, 범주와 가설을 형성하고, 기술을 개발하고, 지식과 기술을 적절하게 사용하는 것—을 배우도록 도와주어야 한다. 이러한 경험을 통하여, 학생들은 정보를 구성하고 사용하는 방법을 배우고, 동시에 이것을 수행하는 기능을 의식적으로 개선한다. 따라서, 이 모형은 학생들에게 학습을 위한 강력한 도구가 되며, 학생들이 입학할 때부터 사용할 수 있고, 생애 내내 학생들에게 도움이 된다. 우리는 가르칠 때 학생들이 사고에 의한 학습에 더 능숙해지기를 원한다. 기본적으로, 우리는 학생들이 자신들의 지능을 증대시킬 수 있도록 돕기를 원한다.
- *협력적으로 탐구하기.* 범주는 각 사람의 생각에 따라 형성되는 것이다. 우리는 자신의 생각에 따라 자료에 대해 범주를 만든다. 하지만, 우리 마음은 사회적 진공 상태로 존재하지 않는다. 학생들이 다른 학생들과 함께 아이디어를 구성하고 검증하는 것을 배우도록 학습 환경이 작동되어야 하며, 서로 돕고 자신의 마음을 다른 사람의 아이디어와 견주어 검증해 보도록 해야 한다. 이 점에서, 우리는 개별 학생들이 각자의 탐구 결과를 공유하고, 집단 및 전체가 조사를 함께 계획하는 교실 안에 학습 공동체를 구축하고자 한다.
- *학습 자원에 있는 아이디어 사용하기.* 책과 전자매체는 학습자를 정보 및 아이디어에 대한 다양한 자원과 연결시켜 준다. 학생들은 정보에 대한 자원을 탐색하는 법과, 아이디어를 발견하고 검증하기 위해 자원을 사용하는 법을 배워야 한다. 탐구자는 임차인이 되고, 웹은 열정적인 임대인이 되는 것이다.
- *학습 영역에 대한 개념적 제어 구축하기.* 귀납적 과정은 정보를 조직하고, 집단화 및 재집단화하여 개념을 형성하도록 학생들에게 요구함으로써, 아이디어가 분명해지고 가설과 기능이 개발 및 검증될 수 있도록 한다. 영역을 숙달하겠다

는 목표가 마음 속에 유지되어야 하는데, 급하고 피상적으로 범주를 형성하는 것은 적절한 과정이 아니다.

- *정보와 기능 획득 및 보유하기.* 귀납법은 정보를 수집 및 구성해서 정보를 장기간 보유할 수 있도록 하는 개념구조를 구축하는 것을 기반으로 한다. 자료를 구성하고, 가설을 구축하고, 정보를 기능으로 변환하는 과정은 학습된 것이 "배운 대로 유지될" 가능성을 증대시키는 방향으로 설계된다. 이 여름 동안 너무나 아쉽게 정보를 손실한 것은 쉽게 설명이 가능하다―상실된 것은 장기 기억 속에 남아 있지 않았다. 단기 기억 속에 있는 내용은 빠르게 사라진다.

귀납적 과정의 구조

교수 모형들은 특정한 구조를 가지고 있어서, 각 모형의 주요 요소와 단계가 있고, 특정한 방식으로 결합되어 있다. 개념 획득과 같은 일부 모형은 최상의 효과를 위해서 요소나 단계의 일부가 반드시 순서대로 이루어져야 하는 다소 고정된 구조를 갖추고 있다. 단계가 순환적으로 되어 있는 원형 또는 파도 같은 구조로 된 모형도 있다. 귀납적 모형은 점차적으로 진화해 가는 원형적인 구조로 되어 있다.

귀납적 과정은 여러 가지 유형의 탐구가 상당히 많이 겹쳐지는 형태로 진행된다.

- *학습 영역―탐색할 개념적 또는 실제 분야를 포함하는 영역―식별하기.* 이 장의 시작부분에 제시된 시나리오에서 식물의 재생산 체제 영역이 교사에 의해 선택되었고, 교사는 학생들이 이를 명확하게 이해하도록 하는 시간을 가졌다.
- *탐구 영역 또는 분야에 관련된 정보를 수집하고 고르기.* 앞의 시나리오에서 씨앗, 구근, 덩이뿌리가 하나의 군이 되었다.
- *주제/주제들에 대해 개념적으로 통제할 수 있도록 하는 아이디어, 즉 범주를 구성하기.* 앞의 시나리오에서는 크기, 색상, 구성요소의 개수, 질감 등이 도출되었다.
- *영역 내에서 관계를 이해하거나 문제에 대한 답을 제시하기 위한 아이디어 또는 인과적 가설을 창출하기.* 앞의 시나리오에서 학생들은 "작은 것은 작은 식물로 자랄까?", "햇빛의 총 양은 성장에 영향을 줄까?" 등과 같은 아이디어를 만들

어 냈다.

- *아이디어와 가설을 검증하고, 실제 적용 가능한 지식을 기능으로 전환하기. Lisa 선생님의 교실에서 씨앗, 구근, 덩이뿌리를 심고 성장의 특징을 관찰하는 것이 이에 해당된다.*

- *개념과 기능을 형성하고, 연습하고, 실제 활용이 가능하도록 개념과 기능에 대한 실행력을 개발하기. 최소한 학생들은 귀납적인 과정에 좀 더 유능해져야 하고, "작은 씨앗으로부터 큰 호박이 자라났는가?"와 같은 질문을 통해 학생들이 식물의 삶을 바라보는 관점에 영향을 주어야 한다. 복도 끝에 있는 도서관과 웹을 통해 탐구를 더 확대할 수도 있을 것이다.*

이상의 인지적 조작의 흐름에서 귀납법의 정의를 찾아낼 수 있다. 학생들은 이러한 유형의 탐구에서 지식을 구성하고 자신의 지식을 경험을 통해서 그리고 전문가들의 지식과 비교하여 검증한다. 정보 분석에 근간을 두는 귀납법은 먼저 사고를 통해 지식을 형성하고 이론적 근거를 통해 추론해 나가는 연역법과 주로 대비된다.

자료 수집과 조직화로 시작하여 범주를 형성한 후, 가설의 생성과 검증, 그리고 대개 기능의 계발로 이어지는 전형적인 탐구방식을 쉽게 쉽게 떠올리지만, 귀납적 과정은 어느 단계에서든지 시작할 수 있고, 탐구자는 되돌아가서 자료를 추가하거나 범주를 다시 만들 수도 있다. 그럼 귀납적 과정의 단계를 다시 살펴보자.

귀납적 모형의 단계

1단계: 영역 식별

탐구를 시작하게 하기 위해서는, 학생들을 개념상 관련된 정보로 이끌어 간다. 학생들이 공부에 집중하기 위한 구역이나 경기장을 만들어 주거나, 학생들이 직접 만들 수 있게 도와주어야 한다. 이러한 구역을 탐구 영역(탐구를 위한 영역)이라 부른다. 영역은 학습을 위해 임의적으로 설정된 경계에 의해 구분되며, 그 범위가 매우 다양하다. "도심지 내의 모든 것을 공부해 보자"와 같이 지리학적으로 한정될 수 있고, "전 세계의 경제 체제, 아시아 국가의 정치 체제, 중국인 여성이 작년에 작성한 시"와 같은 학문 영역 내에서 선택될 수 있으며, "정보 조각들에서 아이디어를 좀 더 명확하게 조직화하는 것을 배워야 한다"는 학생들의 활동에서도 끌어낼 수 있다. 이것들은 오늘날 북아메리카에 사는 포유류처럼 매우 광범위할 수도 있고, 의인화와 암시와 같은 특정 문학적 표현같이 매우 좁은 범위일 수도 있다. 초등학교 학생들이 글이나 개요의 구조를 공부하는 것과 같이 실용적이고 즉시 적용이 가능한 것일 수도 있고, 나중에 이 학생들이 세계 종교의 교리를 공부하는 것처럼 추상적일 수도 있다.

내용을 선택하고 수업을 위해 조직할 때, 학생이 심도 있게 공부한다면 세상에 대한 개념적 통제를 행사할 수 있는 영역, 또는 세상을 살아갈 때 필요한 기능을 고르기 위해 노력한다. 예를 들면, 의사소통 기술의 변화가 우리가 하는 일에 어떻게 영향을 끼치는지를 이해하는 것, 그리고 훌륭한 문학작품을 쓰는 능력을 계발하는 것이 각각에 해당된다. 근본적으로 우리는 학생들을 특정 학문의 표준에 비춰 중요하거나 실제적인 유용성이 있는 영역으로 이끌기 위해 노력한다.

이 단계에서 교사가 가지고 있는 교육과정과, 개별 학생 및 학습 공동체로서의 학급이 지속적으로 공부해야 할 지식은 중요한 역할을 한다. 교육과정과 자원에 대한 지식은 귀납적 모형의 다른 단계에서도 역시 중요하다. 그러나 우리가 수년간 경험한 바에 의하면, 집중적으로 공부하기 위해 선택된 핵심영역이나 분석을 위해 선택된 좋은 자원은 교사들도 학생들과 함께 배울 수 있다. 이러한 것이 잘 이루어질 때, 귀납적 교수 모형은 오랫동안 이해되기 어려웠던 개념과 개념 간의 관계를 명확히 이해하도록 이끌어 줄 것이다.

특정 학문 내 교육과정(예를 들어, 음성분석, 수의 특성, 글 쓰기의 질에 대한 연구, 지리·기후·천연자원의 관계, 낭만주의 시인, 광학, 대수 방정식—방대한 목록의 일부분)으로 수년에 걸쳐 발전되어 온 학문적 영역은 전 학년에 걸쳐 학문적 탐색을 심도 있게 할 수 있는 풍부한 자원이 된다.

탐구를 위한 영역 선정은 교육과정의 관점에서 이루어져야 한다. 교육과정 영역에서 해당 학년의 학습을 구성할 때, 우리는 학생들이 공부해야 할 분야와 영역을 식별한다. 학년의 교육이 진행되면서, 다른 영역이 주요 영역과 관련하여 일련의 탐구 형태로 포함될 수도 있지만, 이러한 영역은 해당 학년도의 장기 계획 맥락 안에 있어야 한다.

특정 자료군을 분류하는 것이 탐구로 이어질 수도 있다. 작문 수업을 시작할 때 학생에게 책의 첫 줄에서 저자가 사용한 스타일이나 전략을 찾아보게 하고, 학생 자신이 글의 단락이나 첫 문장을 쓸 때 이러한 표현을 사용하는 것에 대한 의견을 물을 수 있다.

2단계: 자료 수집과 배열

자료 수집

탐구의 과정에서 학생들은 영역을 구성하거나 주어진 영역 혹은 범위 안에 있는 정보로 안내된다. 학생들에게 정보를 보여 주거나, 자료를 모으거나 생산하도록 도와주는 것으로 시작할 수 있는데, 이는 귀납적 조작이 자료의 조직화, 분해, 재조직을 통해 아이디어를 찾는 것이기 때문이다. 따라서 자료가 먼저 수집되면, 탐구 도중에 새로운 자료가 추가되거나 삭제되기도 한다.

분석을 위해 어떤 학문에서, 어떤 형태의 정보가 수집되어야 하는가? 어떤 자료가 학생들을 탐구에 뛰어들도록 만드는가? 일련의 단어들, 시, 그림책, 책이나 잡지 글의 시작 문단, 만화, 수학 문제, 그림, 지도, 다양한 종류의 동물에 대한 정보인가?

귀납적 교수 모형 안에서 제시되거나 수집된 정보는 자료군으로 불린다. 이러한 *자료군*은 정보의 집합체이다. 정보는 사물, 문학, 다양한 형식의 산문, 실험 결과, 지각, 다양한 형식의 조합 등 수많은 형태로 존재한다. 모든 것이 자료군으로 결합될 수 있다. 대부분의 관련된 정보의 묶음(1부터 100까지 숫자, 운송방식, 주요 도시와 그 위치, 발전소와 그 위치, 사고 발생률과 그 위치, 특정 직업과 민족적 편견, 별들과 그 위치)은 자료군이 될 수 있다. 이 단계에서 학습자에게 자료를 제공한다.

학습자와 자료가 상호작용하면서 예상된 결과와 예상되지 않은 결과가 모두 발생할 수 있다. 우리는 지각하는 것들을 분류하려는 욕구와 능력을 가지고 태어나고, 모든 종류의 것들 사이의 *관련성*을 찾는다. 별자리는 별빛을 생물과 전설에 연결함으로써 만들어졌다. 어떤 면에서 있을 수 없는 연결 같지만, 이는 인간의 이해하고자 하는 본성을 잘 보여 준다. 학생들은 자료에서 교사가 본 적 없는 것들을 보거나, 유용성이 적은 연결을 만들어 냄으로써 불가능해 보이는 연결들을 수없이 만들 것이다. 예를 들어, 시에서 학생들은 노란색으로 쓰여진 글자의 수, 언급된 해외 도시의 수, '언제'라는 글자로 시작된 글의 수 등에 주목할 수 있다. 학생들은 교사가 놓친 정보를 찾거나, 알아보지 못한 유용한 관계를 만들어 내기도 한다.

엉뚱한 관계를 찾아내는 학생들의 자연스런 능력을 억제하고 싶지는 않지만, 탐구를 위해서 학생들을 조직할 때에는 찾는 정보의 범주를 설정해 주어야 한다. 따라서 우리는 학교 수업을 위해 선정된 영역의 자료군을 만들어 제시하거나, 학생들이 만들 수 있도록 도와야 한다. 예를 들어, 작문시간에 고학년 혹은 중간 학년의 학생들이 은유적 표현법을 배우기로 했다면, 은유의 범주를 이해해야 하고 직접 글쓰기를 통해 은유적 표현을 작성해 볼 수 있으며 그러한 표현의 효과를 가늠해 볼 수 있다. 그리고 자료군에는 은유 표현과 함께 다른 표현법들이 들어 있는 예시를 포함하여 은유를 구별할 수 있도록 해야 한다. 이러한 자료군을 만들기 위해서 은유와 의인화법, 과장법 같은 표현법을 사용한 저자의 글 또는 문장을 사례로 사용했다.

이와 마찬가지로 전치사구를 작성할 수 있게 하기 위해서는 전치사구에 대한 이해와 고차적 학습 목표인 전치사구를 작성해 보는 경험이 필요할 것이다. 자료군에는 다수의 전치사구와 더불어 절과 같은 전치사구와 구별되어야 하는 다른 구조도 포함되어야 한다.

지금까지 논의한 영역 식별과 자료 수집 두 단계를 초등학교 저학년과 고학년에서 그리고 중등학교에서 어떻게 진행 가능한지 살펴보도록 하자.

초등학교 저학년

1학년에서, 음성 구조의 영역으로 이끌어 갈 때, 문자 C가 포함되어 발음되는 단어들을 학생들에게 제시한다. 문자 C의 소리법칙에 대해 이해하고 읽기와 철자 내에서 그 규칙을 사용할 수 있도록 한다. 이 활동의 예는 다음과 같다.

cat	city	cake
catch	canyon	cotton
ice cream	october	nice
Carl	ceiling	cabl
Christine	choo-choo	cement
race	accident	act
face	duck	cold
mice	bookcase	luck
chicken	coat	actor

또는 그림 동화책을 보여 주고, 문자 C가 포함된 단어를 찾도록 하거나, 그림-단어 귀납적 모형(5장에서 보여 주는)과 같은 틀을 통해서 많은 단어들 중 문자 C가 포

함된 단어들을 선택하게 한다.

　유사한 방법으로, 단수형과 복수형의 명사를 발표하게 하여 학생들이 이를 이해할 수 있도록 한다. 이 활동의 목적은 단수형과 복수형 단어들을 구별하는 능력과 읽기와 쓰기를 할 때 이러한 규칙을 사용할 수 있는 기능을 계발하는 데 있다. 이 활동의 예는 다음과 같다.

book/books	word/words	library/libraries
city/cities	sentence/sentences	window/windows
girl/girls	boy/boys	crayon/crayons
woman/women	church/churches	lady/ladies
story/stories	farmer/farmers	slipper/slippers
cat/cats	teacher/teachers	table/tables
child/children	principal/principals	kitten/kittens
face/faces	man/men	bookcase/bookcases
desk/desks	chair/chairs	blouse/blouses
pan/pans	party/parties	party/parties

　학생들에게 해당되는 단어를 찾거나 여러 유형의 단어가 포함된 더 큰 자료군에서 해당 단어를 분류해 내도록 할 수도 있다(참고: 음성과 구조의 분석을 필요로 하는 고학년을 대상으로 똑같은 활동을 실시할 수 있을 것이다).

초등학교 고학년과 중학생

북미 원주민의 영역에서 인종의 유형과 차이점, 유럽인의 정착으로 인한 결과로써 다른 인종의 영향력을 이해하도록 하기 위해, 많은 인종에 관한 자료군을 제공할 수 있다. 이 자료군에는 각 부족이 유럽인의 이주 이전에 살았던 지역, 각 부족의 당시와 현재의 부족원 수, 삶의 유형(사냥, 채집, 농경, 유목, 정착, 리더십 구조), 유물과 사진이 포함되어 있다. 이와는 달리, 인종명과 인종과 관련된 자료를 찾을 수 있는 좋은 원천 정보를 제공하고, 정보를 찾아서 자료군을 생성하도록 할 수도 있다.

자료 나열과 명명

자료는 이름과 번호를 붙여서 추적할 수 있도록 해야 한다. 앞서 언급했던 초등학교 고학년생과 중학생 수준에서 각 항목은 번호를 붙여서 참조하기 쉽도록 한다. 그림과 개체도 번호를 붙일 수 있으며 색상으로 지칭될 수도 있고, 의미 있게 이름을 붙일 수도 있다. 예를 들어, 초등학생이 지역의 여러 기업을 방문하고, 기록을 작성하고자 할 때, 각 사업에 관한 자료는 사업명으로 표시할 수 있다; 빵집, 식품점, 신발가게 등. 해안의 바위는 파란색으로, 산의 바위는 노랑색으로, 초원의 바위는 초록색, 기타 등등으로 표시된다. 여러 시인의 시에서 추출된 시구는 번호, 시의 이름과 제목을 함께 사용하여 명명할 수 있다.

나열하기 또는 명명하기는 아주 중요하다. 특정 자료군의 크기와는 관계없이 "중간에서 약간 왼쪽에 있는 것"과 같은 용어로는 의사를 소통하기가 쉽지 않다. 개체들을 집단으로 분류할 때 "개체 4, 7, 17은 하나로 묶을 수 있다; X를 공통적으로 갖고 있다." 등을 말함으로써 의사소통이 촉진된다. 이러한 말을 듣는 사람은 이 숫자를 참조하여 해당 항목을 추적하고, 그렇게 묶게 된 과정을 알게 된다.

3단계: 자료 검사

일단 자료군이 수집되고 나열되면, 학생들은 각 자료군에 있는 항목들을 철저히 검사하면서 그 속성을 충분히 도출할 수 있어야 한다. 이 검사는 완전해야 하는데, 그렇지 않으면 탐구가 피상적으로 이루어지게 된다.

이전의 예로 돌아가서, 초등학교 저학년의 문자 C가 포함된 자료군에 대해, 학생들은 각각의 단어를 철자에 유의하여 조심스럽게 살피면서 문자 C의 위치와 C가 단어 내에 단독으로 쓰일 경우와 다른 문자와 함께 쓰일 경우의 소리가 어떠한지 확인한다. 북미 원주민을 배우는 초등학교 고학년생의 경우, 각 부족에 관한 정보를 하나하나 확인하는 것이 필요하다. 국가에 대해 배우는 중학생의 경우, 각 국가에 대한 정보(크기, 인구, 교육 수준 등)와 이들의 의미 및 변수를 명확하게 확인해야 한다.

교사들은 대개 자료를 성급하게 검사하는 경향을 보이는데, 이는 대부분 잘못하는 것이다. 학생들이 해당 특성의 공통점과 차이점을 보고 각각의 자료를 구별하도록 시간을 충분히 허용해야 한다.

4단계: 분류에 의한 개념 형성

앞에서도 언급했고, 계속 반복하여 설명하겠지만, 분류는 우리 뇌에 박혀 있다고 보아야 할 정도로 타고난 활동이다. 귀납적 교수 모형은 이러한 타고난 성향을 촉진하고 다스리는 학습 환경을 구축하여 이 과정이 형식적 및 의식적으로 이루어지도록 한다.

탐구 과정 중 이 시점에 자료가 수집 및 조직되어 검사가 이루어지고, 각 자료군에 있는 항목의 속성이 조사되고, 학생들은 그 자료에 대해 친숙해진다. 학생들은 이미 유사점과 차이점에 주목하여 항목들을 갖고 놀기 시작한다. 이제 학생들에게 공통적인 특징에 따라 그 항목을 집단으로 재구성하도록 요구한다. 귀납적 모형의 언어를 사용하여 이 집단 또는 범주는 공통적 특징 또는 성질을 공유하는 항목들을 묶음으로써 학생들이 개념을 형성하도록 돕는다.

4단계에서, 귀납적 과정에 이제 막 익숙해진 학생들에게 다음과 같이 말할 수 있을 것이다.

> *초등학교 저학년생들에게*: "이러한 단어들에 대해 공부하고 집단을 나누어 보자. 분류할 집단은 일반적인 C 발음법과 철자법 특징을 가지고 있다."
> *초등학교 고학년생들에게*: "각각의 인종에 대해 알고 있지요? 그럼 공통적인 특징에 따라 집단으로 묶고, 그 찾아낸 특징에 대해 살펴보자."
> *중학교 학생들에게*: "국가에 대해 현재 알고 있는 지식을 활용하여 공통적인 특징을 바탕으로 집단으로 묶어 보자."

학생들이 귀납과정에 더욱더 친숙해지면, 도움을 덜 받고도 각 단계들을 수행해 나갈 것이다. 학생들은 해야 할 것들을 알려 주기도 전에 알고 있을 것이며, 개별 및 집단(학급 전체)의 학생들은 교사의 안내와 자원을 바탕으로 이 단계들을 수행할 수가 있다. 학생들은 과정을 알게 됨으로써 보다 강력하고 효율적으로 수행하게 되고, 그 단계에 대한 초인지적 통제권을 갖게 될 것이다. 그러나, 지금 당장은 학생이 이 과정에 대해 경험이 거의 없는 것으로 여기고 진행해 보자.

초기 분류

분류 단계가 가장 생산적으로 이루어지도록 하기 위해 일반적으로 자료를 여러 번 반복해서 분류하게 된다. 초기 분류가 중요한데, 우리는 총체적인 특성을 바탕으로 분류하고, 한두 가지 속성을 사용하는 경향을 보이며, 한 가지 방법으로 분류하곤 한다. 예를 들면, 시를 분류할 때 소재, 분위기, 그리고 소품 등에서의 분명한 차이에 보다 의존하게 된다. 비록 이 분류가 제한적이기는 하지만, 이 첫 번째 분류는 범주를 만들고 공유하는 작업을 시작하게 한다.

초등학교 저학년생은, 예를 들면, c, cl, 또는 cr로 시작하는 단어가 주어지면 맨 처음에 발음의 차이는 고려하지 않고, c의 위치에 의해 단어를 묶을 수도 있다. 이렇게 하면, cook, certain, clank, crack이 한 집단으로 분류되고, back, race, reclaim은 다른 집단으로 묶이게 된다. 이렇게 하는 것도 시작으로서는 좋다.

초등학교 고학년 학생과 중학생들은 첫 번째 분류에서 전적으로 지역에 의존하여 인디언을 동부, 서부, 대평원으로 분류할 수도 있다. 이렇게 하는 것도 시작으로서는 괜찮다.

범주의 공유

이 시점에서 대개 개별 및 소집단 학생에게 범주를 공유하도록 한다. 사용된 속성을 밝히고, 왜 각 항목을 특정 집단으로 분류했는지를 설명하도록 한다.

자료 추가

귀납적 탐구의 핵심은 정보처리이며, 적절한 정보가 없다면 탐구는 앞으로 나아갈 수가 없다. 이 과정의 매 순간마다 신선한 정보가 요구될 수 있다. 예를 들면, 한 묶음의 자료를 사용하여 범주를 만들 때, 자료가 지나치게 피상적이어서 더 많은 정보를 수집해야 하는 경우도 있다. 때로는 최초 분류 작업을 수행한 다음에 기존 자료에 새로운 자료를 추가해야 할 경우도 있다. 자료를 수집하고 검토하는 과정에서는 알아채지 못했던 것들을 보는 경우도 있다. 이러한 경우가 생기면, 이전의 단계로 돌아가 자료를 수집하거나 검토를 다시 하거나, 이 두 가지를 모두 수행하면 된다.

추가 분류

자료를 다시 들여다보면서 학생들은 범주를 다시 분류하고, 다듬고, 합치기도 하며, 범주를 나누거나 하위 범주를 만들기도 하고, 이원, 삼원 분류 체계를 검토하기도 한다. 범주들이 드러나게 되고, 공유된다. 학생들은 점차적으로 정보에 대한 통제권을 갖게 된다.

학생들에게 자료를 다시 살펴보고 개별 항목들을 집단으로 묶는 기반들을 더 발견할 수 있는지를 보게 한다. 다음과 같은 제안들을 명시적으로 학생들에게 제시할 수도 있다:

- 초등 저학년 학생들에게는 자료를 재검토할 때 소리에 좀더 주의를 기울이도록 요구한다.
- 초등 고학년 학생들에게는 분류를 확장할 수 있도록 지역 외에 다른 변인을 사용하도록 한다.
- 중학교 학생들에게는 크기와 연관되어 있는 다른 특성이 없는지를 알아보도록 함으로써, 이원 분류체계를 개발하도록 한다.

새로운 혹은 기존에 다듬어진 범주의 출현

초등 저학년 학생들은 한 단어에서 c이 대개 위치와 상관없이 동일하게 발음된다는 것을 발견할 수도 있다. 그들은 c, ck, k는 모두 동일하게 발음된다는 것을 발견하게 된다. cone과 cake처럼 c 다음에 o나 a가 있으면 '강한' 소리를 갖게 된다는 것을 배울 필요도 있다. 영어에서 c가 어떻게 작동하는지에 대한 통제권을 갖게 되면 학생은 여러 가지 발음에 대한 일반화를 배우고 응용할 기회를 얻게 된다.

초등 고학년 및 중학생들은 음식을 모으는 방법과 부족이 주거한 지역, 전쟁 또는 동일한 특성을 가진 부족 사이의 질병에 의한 인구 감소와의 관련성을 발견할 수도 있다. 그들은 분명히 유럽인들이 정착하게 되면서 그 결과로 발생한 변화의 전반적인 양상을 머릿속에 그리게 될 것이다.

재분류는 자료의 복잡성과 학생의 귀납적 모형에 대한 경험에 따라 여러 차례에 걸쳐 이루어질 수 있다. 학생들은 경험이 많을수록 보다 정제된 범주들을 개발하게 된다. 학생들은 범주를 묶거나, 합치거나, 쪼개서 하위 범주를 더 만들어야 할 때에 대해 더 나은 감각을 갖게 될 것이다.

5단계: 관련성 결정과 인과적 가설 검증

이 단계의 조사에서, 학생들은 자료로부터 가설을 만들고, 적용하거나 기능을 사용하기 위한 일반화를 구성한다. 그들은 정보를 계속 분석하되, 상이한 개념의 기능과 유용성, 그리고 어떻게 적용될 수 있는지에 초점을 맞춘다.

물론, 범주를 형성하는 것은 교육적인 것이며, 우리가 사는 세계에 대한 개념적 통제권을 더 부여하는 것이다. 소설이나 단편에 들어 있는 등장인물에 대해 개략적으로 기술한 것을 분류해 보면, 작가들이 등장인물을 소개하는 방법을 발견하게 된다. 이러한 방법을 알게 되면 보다 정련된 눈으로 글을 읽을 수 있게 된다. 그러나 이 범주화를 좀더 학습하게 되면, 이 방법들에 대한 가설을 형성할 수 있고, 그 중 일부를 유용한 기능으로 변환할 수도 있다. 예컨대, 등장인물을 소개할 때 여성 작가가 남성 작가보다 비유를 더 자주 사용한다는 것을 발견했다고 가정해 보자. 여성이 글의 모든 단계에서 비유를 더 많이 사용할 것이라는 가설이 만들어질 수 있다. 이 가설을 검증하기 위한 탐구를 따로 할 수도 있다. 우리는 교과를 배우면서, 이 가설을 검증하고, 사실임을 발견하면, 왜 그렇게 하는지를 발견하는 것으로 나아갈 수 있는 것이다.

범주에 따른 기능을 습득하려면 학생은 범주에 적합한 것을 생성하는 방법을 배워야 한다. 즉, 지식을 습득하고 그것을 적절히 활용할 수 있도록 돕기 위해서는 생성한 그 산물을 설명할 수 있어야 한다. 예컨대, 시인이 사용한 도구가 은유임을 발견했다고 가정해 보자. 우리가 은유를 생성하려면, 생성하는 것을 연습하고, 그 산물은 전문 작가가 쓴 은유와 비교되어 설명되어야 한다.

일반적으로 말해서, 일반화하기 위해서는 5~6개의 사례가 필요하고, 하나의 범주를 명확히 하기 위해서는 그만큼의 사례가 추가로 필요하며, 다시 하나의 범주를 기능으로 변환하려면 동일한 수의 사례가 더 요구된다. 그리하여 최초의 자료군에 은유가 6개 들어 있다면, 학생들은 은유를 만드는 연습을 하면서 이러한 은유를 10~15개 더 찾아야 한다. 궁극적으로, 학생들은 정보를 작동 가능한 범주로 종합하여 행동으로 전이될 수 있도록 해야 한다. 즉, 은유를 자신의 글 쓰기나 말하기에서 강력하게 사용할 수 있어야 한다. 이렇게 하여, 학생들은 은유의 특성을 식별하는 것으로부터 시작하여 그것을 생성하는 방법을 알려 주는 공식(속성 목록과 속성 간의 관계)을 만드는 것으로 나아가게 된다.

예컨대, 초등학교 저학년 학생들은 범주를 읽기와 쓰기에서 사용할 수 있는 기능으로 변환해야 한다. 학생들에게 단어를 더 제시하고 학습한 것(co로 시작하는 단어, car로 끝나는 단어 등)을 사용하여 그것을 풀어 보도록 할 수도 있다. 학생들에게 책에서 사례를 더 찾아보도록 하고, 발견한 사례를 범주에 따라 분류하도록 요구할 수도 있다. 학생들에게 눈으로 보고 있는 것이 아니라 귀로 들은 어휘에 들어 있는 단어의 철자를 요구할 수도 있고, 적합한 범주에 넣도록 요구할 수도 있다. 이렇게 요구하는 것의 목표는 모두 학생들이 각 항목이 속하는 범주를 인식하고, 각 범주를 기술하기 위해 개발한 속성에 부합하는 새 항목들을 생성하는 것과 같이 범주를 생산적으로 사용할 수 있도록 하는 것이다.

초등학교 고학년과 중학생들은 자신들이 학습한 것을 해석하는 데 도움을 줄 수 있는 권위 있는 자원과의 협의가 필요하다. 이들은 부족 간의 공통점과 차이점을 논의하고, 이러한 공통점과 차이점과 관련된 가설을 도출하고, 사건들이 현재와 같은 조건으로 진화해 왔는지를 설명하는 글로 학습한 것을 표현해야 한다.

이 단계에서, 학생들은 계속해서 자료를 분석하면서, 범주 간의 공통점과 차이점에 초점을 맞추고, 이러한 공통점과 차이점이 생겨난 이유와 시사점을 이해하기 위해 노력하고, 서로 다른 범주에 속하는 항목들을 생성하거나 도출한 가설을 다른 환경, 사건, 조건과 관련시키게 된다.

6단계: 공고화와 전이

귀납적 과정에 의해 생성된 개념과 기능은 학생의 사고에 가용한 상태로 들어 있어야 한다. 이것들은 공고화되고, 적용되어야 한다. 그러기 위해서는 사고가 정교하고 분명해야 한다. 은유의 정의를 모호하게 알고 있다면 은유를 식별할 수도 없고, 최적의 표현력 수준에서 사용할 수도 없다. 학생들이 은유에 관해 생각할 때, 여러 개의 사례를 마음속에 회상하고, 그 속성을 '보고', 자신이 읽은 것을 분석하는 데 사용하여 은유를 식별하고 다른 유형의 비유법과 구별할 수 있어야 한다. 또한 학생들은 글을 쓸 때 은유를 구성하면서 이러한 이미지들을 이용할 필요가 있다. 적절한 활용을 연습하면서, 은유가 메시지 전달을 돕는 경우와 그렇지 않은 경우를 탐색해야 한다. 연습하고, 연습하고, 또 연습해야 한다.

초등 저학년 및 고학년 학생과 중학생이 수업과 과제물에서 일상 생활을 위해 가져야 하는 지식과 기능으로 전이하는 것에 대해 살펴보자.

- 초등학교 저학년 학생은 여러 가지 조합으로 글자 c를 사용된 단어들을 사용하여 쓸 수 있어야 한다.
- 초등학교 고학년 학생과 중학생은 사람을 인구학적으로 분류할 때, 미국 원주민에 대해 최근 논의를 통해 학습했던 개념들을 사용할 수 있어야 한다. 여기서, 교사와 학생의 책임은 학습했던 것을 사용하도록 연습과 연습을 지속하는 것이다.

학생의 학습에 대한 연구: 산출, 진단 및 다음 단계

탐구 맥락에서 우리는 학생이 정보, 개념, 가설, 그리고 기능을 학습하는 것을 살펴보고자 한다. 각 분야의 탐구 과정에서 우리는 학생들이 귀납적 과정 자체를 숙달하면서 얼마나 잘 나아가고 있는지를 살핀다. 우리는 학생들을 관찰하고, 탐구의 과정에서 각 단계마다의 학생들의 산출물을 평가하며, 학생들에게 학습한 것을 적용해야 하는 문제를 제공함으로써 학생늘을 연구한다. 이 과정은 4장과 5장에서 다시 논의될 것이다. 여기서는 학생의 학습에 대한 연구가 초등학교 저학년과 고학년, 중학생 교실에서 어떤 모습으로 이루어지는지를 살펴볼 것이다.

초등학교 저학년 학생

초등 저학년 학생이 단어들을 분류할 때, 이들이 만드는 구분과 주목하는 속성들에 주목하게 된다. 이들이 소리와 글자를 동시에 '볼' 수 있는지를 알고자 한다. 학생들이 강한 c 소리와 부드러운 c 소리를 함께 묶는가, 아니면 이 둘을 구별하는가? 학생들이 자음의 소리와 그 다음의 모음과의 관계를 이해하는지에 주목한다. 학생들이 단어에서 c의 위치에 대해 일반화를 하는지 주목한다. 학생들이 읽으면서 자신이 만든 범주에 속하는 새로운 단어를 발견할 수 있는지, 음성학적으로 이것들을 풀어낼 수 있는지를 알게 된다. 학생들에게 단어를 음성으로 들려주고, 그것들의 철자를 제시할 수 있는지를 알게 된다. 이러한 과정은 모두 학생들이 c에 대해 숙달했는지를 알아내려는 것들이다.

　귀납적 과정과 학습의 전이 측면에서, 여기서 다른 자료군과 다른 영역, 예컨대, t 글자가 들어 있는 단어가 제공되고, 학생들이 탐구의 단계들을 처음보다 훨씬 더 능숙하게 진행하는지를 관찰한다. 학생들이 어려움에 처하면, 그 과정에 대해 시범을 보여 준다. 사실, 다른 영역을 선택하여 학생들에게 전 단계를 모두 시연할 수도 있다. 단어를 수집하고, 항목들을 세고, 속성을 확인하고, 재분류하고, 가설을 만들어 검증하고, 자신의 읽기(decoding)와 쓰기(encoding)에서 서로 다른 범주들이 어떻게 사용되는지를 보여 주는 사례를 공유한다.

초등학교 고학년 학생

초등학교 고학년 학생에게도 교사는 앞의 사례와 유사하게 행동한다. 학생들이 부족을 분류할 때 주의를 기울이는 속성이 무엇인지를 주목하고, 우리의 관찰을 바탕으로 자료군의 각 항목들을 살펴볼 경로를 조직한다. 우리는 한 번에 한 변인 이상을 사용하여 분류하는 방법을, 필요하면 시연을 보이면서 가르쳐야 할 수도 있다(이건 이 나라의 특정 지역에 유목 부족이 살았는지, 정착 부족이 살았는지를 찾아내기 위해 생성한 범주들이다. 이 범주들을 만들어 낸 절차는 이와 같다). 학생들이 만드는 가설의 유형과 궁금해하는 것을 관찰한다. 예컨대, 사냥꾼과 채집인들이 보호지역 안에 수용되었을 때 어떻게 살아 나가는지를 살펴보는지 주목한다. 학생들에게 검증이 필요한 가설들을 일부 제공하고, 이 가설들을 탐색하는 데 사용하는 기능을 관찰한다.

교사는 초등학교 고학년 학생들을 다음 탐구 과정을 준비시키기 위해 이전에 학습한 것을 사용하여 학생의 지식 기반과 귀납적 사고 기능을 증가시키는 수업을 준비한다. 학생들에게 새로운 영역, 예컨대, 미국에서 40대 인구밀집지역을 제시하고, 학생들이 보다 능숙해졌는지를 관찰하고, 이러한 관찰을 바탕으로 학생들의 능력을 증진하기 위해 다음에 무엇을 해야 할 것인지를 결정한다. 학생들이 도출한 가설과 묻는 질문들("왜 아프가니스탄, 이디오피아, 앙골라는 기대 수명이 짧죠?")을 살필 것이다. 그리고 학생들에게 문제를 제시하여 풀도록 한다. 예를 들면, 세계에서 작지만 부유한 나라가 어떻게 그렇게 되었는지를 알아보도록 한다. 우리가 발견한 것을 바탕으로 자료를 다루는 방법을 시연하고, 그 방법들을 사용하여 자료를 새로 검토하도록 할 수도 있다. 다음 탐구 영역은 이렇게 개발된 기능을 관찰하는 기회를 제공하게 된다. 표 3.1은 귀납적 사고 모형을 요약한 것이다.

중학생

이쯤이면, 다음에 중학생에 대해 살펴볼 것을 쉽게 예상했을 것이다. 학생들이 국가를 범주로 구분할 때, 집중하는 주요 변인과 여러 변인에 기반한 범주들을 얼마나 잘 다루는지 주의해서 본다.

〈표 3.1〉 교수의 귀납적 모형

모형의 구조

1단계: 영역 식별
- 최초 탐구의 초점과 범위 설정
- 장기 목표 명확화

2단계: 자료 수집 및 배열
- 최초의 자료군 수합 및 제시
- 자료의 항목 배열 및 이름 붙이기

3단계: 자료 검사
- 자료군에 들어 있는 항목의 심층 조사 및 속성 식별

4단계: 분류에 의한 개념 형성
- 자료군의 항목 분류와 결과 공유
- 자료군에 항목 추가
- 가능하면 여러 차례 재분류

5단계: 가설 생성과 검증
- 범주 간 차이점들의 시사점 검토
- 필요하면 범주 분류
- 이원분류표로 적절하게 상관관계를 고려하여 재분류

6단계: 공고화와 전이
- 참고자료에서 추가 항목 탐색
- 범주를 사용하여 그 영역에 관한 글 쓰기를 통해 종합
- 범주를 기능으로 전환

연습과 적용을 통해 기능을 검증하고 공고히 한다.

교수 모형

모형의 구조

귀납적 모형은 학생들에게 다가가 적절하게 훈련된 탐구를 통해 지식과 기능을 구성하도록 한다. 이 과정에서 학생들이 습득한 지식과 기능을 장기간 파지하고 활용능력을 갖추도록 하는 것이 교육과정의 목표이다. 열매를 맺는 학습이란 당장의 교실경험이나 단원 끝에 제공되는 과제물로 끝나기보다, 그 다음의 학교 공부, 학교 밖에서의 공부, 나아가 일상에까지 적용되는 것이다. 이 모형의 또 하나의 목표는 귀납적 과정 그 자체를 학습하는 것으로, 학생들이 학습에 대한 강력한 도구를 의식적으로

다룰 수 있도록 하는 것이다.

최적의 귀납적 탐구는 실제에서의 문제해결처럼 자연스럽게, 엄격하지 않게 흘러 가는 것이다. 그렇기 때문에 마음이 자연스럽게 행하는 것, 즉 정보를 검사하고, 개념 을 형성하고, 가설을 생성하고, 결과를 측정할 수 있는 행위를 수행하는 것을 촉진하 고, 다스리고, 확장하도록 설계된다.

그러므로, 교실의 구성, 내용 선정(초기에만, 이후에는 개인적, 협동적 탐구를 통 해 도출됨), 수업 활동으로 부여되는 과제 등을 통해 학습 환경이 의도적으로 설계되 며, 이를 통해 귀납적 추론이 이루어지고, 학생이 사실 및 개념을 학습하고, 학습방법 을 학습한다.

학습 속도는 학습을 얼마나 철저히 할 것인가에 따라 정해진다. 서둘러 학습하느 라 학생들이 탐구를 피상적으로 하는 일이 없도록 해야 한다. 피상적인 탐구는 학생 들이 지식을 통합하는 데 도움이 되지 않으며, 지식의 전이와 활용에도 도움이 되지 않는다. 내용을 철저히 학습하고 사고 방법을 학습하기 위해서는 시간이 많이 필요 하다. 이러한 내용에 대한 철저한 학습과 사고법을 학습하기 위한 시간을 허용하는 것은 내용을 빨리, 얕게 다루는 대부분의 교실 관행과는 상치된다. 간혹 일부 교사들 이 귀납적 탐구에 적합한 것과 유사한 주제/내용 단원에 시간을 많이 할애하기도 하 지만, 대개 내용을 살펴볼 뿐이며, 지식과 교실 밖에서의 활용이 이루어지도록 탐색 되지는 않는다. 귀납적 탐구는 얕은 학습에 대한 해독제인 것이다.

사회적 체제

이 모형은 보통에서 높음 정도로까지 구조화되어 있다. 교사-학생 간 협동이 이루어 지긴 하지만 교사가 매우 활발하게 활동하며, 끊임없이 필요한 기능을 가르치고, 필 요할 때에는 토론을 주관한다. 교사가 자료군을 개발하여 학생들에게 줄 때는 통제 수위가 높아지기도 한다.

반응의 원리

교사는 학생의 개념 수준과 특정 단계를 수행할 준비가 되어 있는지를 고려하여 과 제를 조절하고, 필요하면 이 과정에 대한 비계를 제공한다.

적용

다음 시나리오들은 이 모형이 활용된 예들이다.

▒▒ 시나리오 ▒▒

인도의 식물학: 이차적 예

인도의 Haryana 주에 있는 Morilal Nehru 체육학교에서, 두 집단의 10학년 학생들이 식물 생애의 구조에 초점을 둔 식물학 단원 수업에 참여하고 있다. 한 집단은 학교 운동장에서 발견된 식물들의 구조를 실제로 보여 주는 교사의 개별 지도와 함께 교과서를 공부하고 있다. 우리는 이 집단을 예시−설명 집단이라 부를 것이다. 다른 집단은 Delhi 대학교 강사 Bharati Baveja가 가르치는 집단으로 귀납적 집단이라 부를 것이다. 귀납적 집단에게는 이름이 붙여져 있는 식물이 다수 주어진다. Baveja의 학생들은 둘씩 짝을 지어 뿌리, 줄기, 잎의 구조적 특징에 기초하여 식물을 분류한다. 각 집단은 주기적으로 각자 분류한 것을 공유하고, 분류에 대한 표를 만든다.

Baveja는 간혹 개념 획득(6장)을 사용하여 학생들의 준거 틀을 확장하고, 그들로 하여금 더 복잡한 분류를 할 수 있도록 고안된 개념을 소개한다. 또한 그녀는 학생들이 만든 범주에 과학적 명칭을 부여한다. 끝에 가서는 학생들에게 표본을 새로 주고 그들에게 어떤 부분의 관찰을 통해 식물의 다른 부분의 구조를 예측할 수 있는지 물어본다(예를 들어 잎의 관찰을 통해 뿌리 구조를 예측할 수 있는지). 마지막으로 Baveja는 학생들의 범주가 얼마나 표본들을 포괄하고 있는지를 알아내기 위해 학생들에게 더 많은 표본을 모아서 그 표본들을 개발한 범주에 넣어 보게 한다. 학생들은 새로운 식물들의 대부분이 기존의 범주에 적합하지만, 그렇지 않은 새로운 식물에 대한 새로운 범주가 개발되어야 함을 깨닫는다.

2주 동안 학습한 후에, 두 집단은 그 단원의 내용에 대한 시험을 치른다. 그리고 표본을 추가로 분석하고, 그 구조적 특징에 이름을 붙이도록 요구받는다. 귀납적 집단이 지식에 대한 시험에서 예시−설명 집단보다 2배 더 높은 점수를 얻었으며, 표본들을 분석하고 구조적 특징을 명명하는 데에서 8배 이상 정확했다.

▨▨▨ 시나리오 ▨▨▨

단어 식별 기술

Jack Wilson은 영국 Cambridge 지역의 1년차 교사이다. Jack 선생님은 아이들과 매일 읽기 수업을 하고 있고, 진도가 잘 나가고 있다. Jack 선생님은 모르는 단어들이 나왔을 때 학생들이 어떻게 대처하는지를 연구하고 있다. 선생님은 학생들이 모르는 단어를 발견했을 때, 그 단어를 듣고 말하는 어휘로 인식하면 더 잘 알게 된다고 생각한다. 예를 들어 보자. 학생들은 'war(전쟁)'라는 단어를 보면, 전혀 문제를 느끼지 않는다. 그러나 'postwar(전후)' 같은 단어가 나타나면 멈칫한다. Jack 선생님은 학생들이 접두사나 접미사 같은 요소들이 단어의 근본적인 의미에 더해질 때 형태학상의 구조에서 어려움을 느끼는 것으로 보고 다음과 같은 수업 절차를 계획했다.

Jack 선생님은 한 장에 하나의 단어가 적혀 있는 카드 한 벌을 준비했다. 선생님은 특정한 접두사와 접미사를 가진 단어들을 선택한 후, 그 단어들을 어원은 같지만 접두사와 접미사가 다른 단어들 사이에 의도적으로 놓았다. 그가 접두사와 접미사를 선택한 이유는 확인하기 쉽게 눈에 띄는 형태학적 구조를 가지고 있기 때문이었다(나중에는 더 미묘한 특성들을 다룰 것이다). Jack 선생님은 앞으로 여러 주에 걸쳐 진행할 일련의 학습 활동을 계획했으며, 이 활동에 카드 한 벌을 활용할 것이다.

| set | reset | heat | preheat | plant | replant |
| run | rerun | set | preset | plan | preplan |

월요일 아침에 학생들이 모였을 때, Jack 선생님은 각각의 학생들에게 여러 개의 카드를 주었다. 그는 정보의 양을 서서히 증가시키겠다는 의도로 나머지 카드를 가지고 있었다. 선생님은 각각의 학생들에게 카드 중 하나를 골라 그 카드에 적힌 단어를 읽고 그 단어에 대해 적도록 했다. 그리고 다른 학생들로 하여금 그 설명에 자신의 설명을 덧붙이도록 했다. 이러한 방식으로 학생들이 단어의 구조적 특성에 주목하게 했다. 토론을 통해 s로 시작함, 모음, pl과 같이 짝을 이루고 있는 자음 등과 같은 단어의 특성들이 드러났다.

학생들이 단어 구분에 익숙해지자 Jack 선생님은 학생들에게 단어들을 집단으로 묶도록 했다. "어울리는 단어들을 한 줄로 쌓아 보세요." 학생들은 공통점을 바탕으로 정리하면서 서로 카드를 주고받으면서 그들의 카드를 연구하기 시작했다. 처음에 학생들은 오직 첫 글자만 반영해서 카드들을 묶거나 아니면 움직임을 나타내는 단어들 혹은 따뜻함을 나타내는 단어들을 묶는 식으로 단어의 의미만을 반영해서 카드들을 묶었다. 하지만, 학생들은 점차 접두사에 대해 알게 되었고, 그것들을 어떻게 쓰는지에 대해 알게 되었다. 그리고 사전에서 그 의미를 찾아봄으로써 접두사의 추가가 어원의 의미에 어떤 영향을 미치는지 알게 되었다.

학생들이 단어 구분을 끝냈을 때, Jack 선생님은 학생들에게 각 범주에 대해, 그리고 그 범주에 속한 카드들이 무엇을 공통적으로 가지고 있는지에 대해 이야기하도록 했다. Jack 선생님이 자료를 선택해 온 방식 덕택에 학생들은 서서히 주요 접두사와 접미사를 발견할 수 있었고, 그 의미를 생각해 볼 수 있었다. Jack 선생님은 개념을 적용해서 학생들이 단어의 의미를 알아낼 수 있도록 도와주었고, 그 덕분에 학생들은 같은 접두사와 접미사를 가지고 있는 단어의 의미를 이해할 수 있었다. 그리고 나서 Jack 선생님은 학생들에게 카드에 없었던 단어로 이루어진 다수의 문장을 제시했다. 문장 속의 단어들은 카드에 없었던 단어들이었지만, 동일한 접두사와 접미사를 가지고 있었다. Jack 선생님은 학생들에게 먼저 어원의 의미를 확인하도록 가르치고, 그 다음에 접두사와 접미사의 의미를 더해 주어야 한다는 사실을 알게 되었다.

Jack 선생님은 다른 단어들을 선택하여 학생들이 낯선 단어에 대처하는 데 필요한 자음과 모음의 소리와 구조 범주를 알려 주었고, 귀납적 학습을 연습할 기회를 많이 제공했다. Jack 선생님은 학생들의 향상 정도를 살펴보았고, 완벽한 이해와 낯선 단어를 공략할 새로운 지식의 사용 능력을 갖추도록 하기 위해 분류 과제를 수정했다.

이 모형은 사고 능력 개발에 주로 적용된다. 그러나 이 전략은 사고 능력을 발달시키는 과정에서 학생들이 많은 양의 정보를 스스로 습득하고 처리하도록 한다. 이 모형은 유치원에서 고등학교까지 모든 교육과정 영역에서 사용될 수 있다. 학생들이 주어진 자료를 넘어설 수 있도록 유도함으로써 생산적 사고나 창의적 사고를 의도적으로 증진할 수 있다. 그렇기 때문에 귀납적 과정에는 문제 해결을 위해 정보를 모으는 것뿐 아니라 이를 창의적으로 처리하는 것도 포함된다.

이 모형은 학생들이 정보를 모아서 면밀히 검토하고, 그 정보를 개념으로 조직하고, 그 개념을 학습을 통해 조작할 수 있게 한다. 이 전략을 규칙적으로 사용하면, 개념을 효율적으로 형성하는 능력과 정보를 볼 수 있는 관점이 향상될 것이다.

예를 들어, 만약 한 집단의 학생들이 규칙적으로 귀납적 활동에 참여한다면, 그 집단은 갈수록 자료의 원천을 더 많이 배우게 될 것이다. 또한 그들은 여러 측면에서 자료를 조사하는 방법과 관심 대상과 사건의 모든 측면을 면밀히 조사하는 방법을 배우게 될 것이다. 분명 처음에 학생들의 자료는 피상적이겠지만, 학생들의 연구가 정교해지고, 점차 자료를 분류하는 데 사용할 수 있는 속성들을 찾아내게 될 것이다. 또한 만약 한 교실의 학생들이 개념과 자료를 형성하는 작업을 집단별로 한 다음에 각 집단들이 개발한 범주를 공유한다면, 학생들은 서로를 자극하여 정보를 다른 관점으로 볼 수 있게 될 것이다. 더 나아가 학생들은 범주를 다시 범주화하여 개념을 형성하고, 새로운 분류로 범주화하는 것을 배우게 될 것이다.

다음의 예는 실제적인 측면에서 이상의 아이디어들이 통합된 것을 잘 보여 준다. 지금까지 논의해 온 것처럼, 우리는 종종 자료들을 만들고 조직하여 학생들이 분류할 수 있게 하며, 때로는 학생들이 자료를 만들고 조직할 수 있도록 돕는다. 다음의 예에는 우리가 학생들 스스로 작성한 쓰기 사례들로 하나의 군을 조직한 내용이 나온다.

▰▰ 시나리오 ▰▰

영화 장면에 대한 반응들로 하나의 자료군 만들기

학생들은 영화 [Out of Africa] 중에 3명의 친구가 재치 있는 대화를 하며 즐거운 시간을 갖는 장면을 시청했다. 이 장면을 시청한 학생들에게 그 장면에 대해 부사로 시작하는 한 문장을 쓰게 했다(학생들은 부사 사용을 학습하고 있는 중이었는데, 학생들이 형용사에 비해 부사는 편하게 사용하지 못했기 때문이다).

학생들은 다음과 같이 문장을 시작했다(문장의 나머지 부분은 부사의 사용에 초점을 맞추기 위해 제외했다).

1. Profoundly looking into one another's eyes …

2. Intently listening to one another's words …

3. Wonderingly and as if by magic the love began to flow …

4. With relaxed and forthright honesty they shared a part of themselves …

5. Anxiously the husband watched as his normally taciturn wife …

6. Passionately I gazed at my two companions …

7. Playfully at first, but with growing intensity …

8. Tentatively, like three spiders caught in the vortex of the same web …

9. With heated anticipation, the three formed a web of mystery and emotion.

10. Quietly listening they were engulfed by the tale.

11. With awe and a certain wonderment …

12. Tenderly, in the midst of warm candlelight, they …

13. Skillfully she met the challenge …

14. Boldly they teased one another with their mutual love of language.

15. Effortlessly her practiced mind …

16. Awkwardly, like children just learning to walk …

17. Softly, slowly, but glowing like the candles about them, they negotiated …

18. Boldly she drew them into the fabric of her story.

19. Suspended by the delicate thread of her tale …

20. Instinctively she took his cue …

더 읽기 전에, 각 구절을 읽으면서 학생들이 쓴 문장의 속성들에 대해 기록해 본다. 그리고 문장들을 분류해 본다(혼자 있거나 소그룹에 속해 있더라도, 다른 이들에게 의지하지 말고 혼자 분류해 보라. 만약 여러분이 8명 이상의 그룹에 속해 있다면, 짝과 함께 분류한다. 짝과 함께 분류한 후에는, 분류를 위해 각 그룹이 사용했던 기준과 초점이 된 속성에 대해 논하면서, 분류를 공유한다).

이제, 우리 학급에서 나온 범주에 관심을 기울여 보자.

첫 번째 집단은 문장들을 단 하나의 단어로 이루어진 부사의 형태(예를 들면 1번의 'profoundly'와 5번의 'anxiously'), 함께 사용되어 관용구처럼 쓰이는 형태(예를 들면 4번의 'with relaxed and forthright'), 그 자체로 하나의 문장을 형성하는 형태(19번)로 분류했다. 두 번째 집단은 떠올려지는 분위기로 분류했다. 예를 들면, 12, 17, 19, 11, 3, 7번을 하나의 범주로 묶었는데 이는 집단의 구성원들이 이 문장들에서 온화하고 사랑스러운 분위기를 느꼈기 때문이었다. 5번 문장과 16번 문장을 하나의 범주로 묶은 이유는 이 두 문장이 낯선 사람의 어색함을 강조한다고 보았기 때문이었다.

학급의 학생들은 단어 하나를 관용구와 문장으로 바꿔 보거나 반대로 관용구와 문장을 하나의 단어로 바꿔 보거나, 떠올려지는 분위기를 바꾸기 위해 단어를 대체해 보는 식으로 그들의 범주를 쓰기 활동에 이용했다. 예를 들어, 한 팀은 6번 문장을 "with passion", "passion flowed as I gazed…"로 바꾸었으며, 또 다른 팀은 8번 문장을 "tentatively and spiderlike"으로 바꾸고 분위기를 바꾸었다. 어떤 한 학생은 18번 문장의 boldly를 skillfully로 바꾸고 그것이 분위기 조성에 도움이 되었다고 판단했다.

학생들은 이 예화에 이어서 다수의 단편집을 잡아, 책에서 부사를 사용한 문장들을 찾아서 자료군을 만들었다. 학생들은 다음으로 문장을 분류하여 전문 작가들이 사용하는 부사들을 범주화하고, 그들의 글 쓰기에 이용했다.

이와 같이, 모형의 단계들은 점점 더 복잡한 정신적 활동을 생성하고, 언어 학습을 통해 쓰기 기술을 습득할 가능성을 증가시킬 수 있도록 서로 관련되어 있다. 첫 번째 활동은 학생들이 전문 작가들의 연구를 첨가하고 그것들을 학습하고자 애쓰는 두 번째 귀납적 활동의 기초가 되었다.

모형은 학습자가 가지고 있는 다양한 학습 양식에 따라 수정하여 사용할 수 있다(20장 참조). 우리는 비교적 융통성 없는 학생들로 구성된 집단과 비교적 융통성 있는 학생들로 구성된 집단의 귀납적 과정을 분석한 적이 있었다. 처음에는 더 유연한 학생들이 더 큰 이득을 얻었다. 하지만 연습과 훈련을 통해 효과가 향상되었으며, 결국 모든 학생이 독립적으로 귀납적 활동을 수행할 수 있게 되었다.

시나리오

단원 개발

이 시나리오는 Saskatoon 공립학교의 문해 교과 담당 교사인 Sharon Champ 선생님이 만든 다수의 자료군을 기반으로 작성되었다. Sharon 선생님은 문장 구문 구조의 개념이 여러 개 포함된 자료군을 만들어서, 학생들이 범주를 만들면서 이러한 개념을 발견하도록 했다. 문장 자체뿐 아니라 이 문장이 의미를 전달하기 위해 어떻게 조직되어 있는지에 대해 보다 더 학습할 수 있게 하는 것이 이 시나리오의 목적이다. 아래 제시된 21개 문장의 구조적 특징을 살펴보도록 한다.

1. In the grass, the spider patiently weaves her web.

2. In the trees, birds gather to eat berries.

3. In the forest, a squirrel leaps from tree to tree.

4. In the space station, the astronauts complete their experiment.

5. In the burrow, the rabbit family nestles together to keep warm.

6. In the cockpit, the pilot carefully checks his instrument panel.

7. In the icy water, a penguin dives and splashes.

8. Under the sea, large sharks circle the school of fish.

9. Near the trees, lion cubs scamper in the tall grass.

10. Under the water, the diver silently searches for a dolphin.

11. Under the snow, a hungry mouse burrows deep looking for food.

12. Beside the school, two small boys play catch with a bright red ball.

13. Behind the mountaintops, dark storm clouds are gathering.

14. Between the trees, a small monkey wrestles with its mother.

15. Beside the river, a bear cub scrambles on the rocks.

16. Between the rocks, a snake slithers to search for food.

17. On the surface of the pond, a loon floats peacefully.

18. Hidden under leaves, a spotted frog hides from the sun's brilliant rays.

19. Deep in the forest, a black panther patiently waits to pounce on her prey.

20. High in the sky, the lone eagle glides gracefully.

21. Far below the earth's surface, molten lava rumbles and boils.

일반적인 시각에서 보면, 각각의 문장은 행위가 이루어지는 장소를 알려 주는 전치사구를 포함하고 있다. Sharon 선생님은 학생들이 이 속성(전치사구, 속성, 그리고 그 내용에 해당되는 장소)을 포함하는 범주를 설정할 수 있다면, 이 속성을 사용하여 글을 읽을 때 특정한 의미를 나타내는 문장의 구조를 찾을 수 있고, 글을 쓸 때에도 장소에 관한 정보를 제공하는 문장 구조를 만들 수 있다고 생각했다.

아래에 있는 문장들에는 장소를 알려 주는 전치사구가 포함되어 있지 않다.

22. Penguins have huge appetites.

23. This bird is a rock hopper penguin.

24. You would not want to fight a grizzly bear!

25. Clouds come in all shapes and sizes.

26. A blue whale is not a fish.

27. This tough bird is an emperor penguin.

28. The small dog yapped impatiently.

29. In the day, bats sleep upside down.

30. At twilight, bats' sharp cries fill the air.

31. At night, the owl hunts silently for mice and rabbits.

32. In the winter, most bears hibernate in caves.

33. Some frogs lay their eggs on land.

34. A duck makes its nest in the reeds.

35. The young penguin stays beside his mother.

36. Many desert animals live underground.

37. Many plants and animals live beside lakes.

38. A woman is standing between her children.

39. The woodpecker searches for insects under the bark of the aspen tree.

40. They build their nests on steep, rocky cliffs and hillsides.

41. Snow leopards live high on snowy mountainsides.

42. Yaks live on some of the tallest mountains in the world.

Sharon 선생님은 6학년 학생들에게 22-42번의 문장과 1~21번의 문장을 섞어서 제시했다. 제시된 문장의 특징과 정보가 무엇인지 질문했다. 학생들에게 특정한 정보(야크가 사는 곳과 같은)에 중점을 두지 말고 문장의 속성들이 전달하는 정보에 초점을 맞추도록 했다.

학생들은 이 수업에서 처음으로 문장 구조와 목적에 관해 접한 것은 아니며, 이 수업은 독해와 작문에서 정보 전달 방법을 다루는 긴 단원의 일부분이다.

학생이 탐구 과정을 통해 어떤 범주를 형성하리라고 생각하는가?

귀납적 교수에 관한 조언

다음은 저자의 한 사람인 Bruce가 수년 전에 교사들에게 제시한 귀납적 교수에 관한 조언이다.

1. 연습, 연습, 또 연습. 연습은 걱정을 줄여 준다. 염려를 내려놓고 즐겨라. 모형

에 대한 학습 공동체를 만든다—주 단위로 수업을 설계하는 것만으로는 부족하다.

2. **아동의 사고 방식을 연구한다**—이 모형의 과정은 아동의 마음을 엿볼 수 있는 창의 일부를 제공한다. 아동의 마음을 더 잘 다룰수록, 해야 할 것을 더 잘 조절할 수 있다.

3. **아동이 학습 방법을 배울 수 있도록 돕는 것을 가장 우선시한다.** 수업에서 흔한 실수는 단지 질문만 하는 것이다. 학생에게 스스로 대답하는 방식을 가르치거나 학생 자신이 질문을 만들고 스스로 해답을 찾도록 하는 것이 더 좋다. 읽기에서 이해를 가르치는 것이 좋은 사례이다. 많은 교사가 아동이 이해한 부분을 알아내기 위해 읽은 부분에 대해 질문하거나, 예측하도록 한다. 아동에게 이해하는 방법이나 이해를 바탕으로 추측하는 방법을 가르치지는 않는다. 아동은 이해하고 추측하는 방법을 따라 할 수 있는 모형이 필요하다.

4. **귀납적 과정은 학생을 특정 영역 내용을 숙달하고자 하는 학습 공동체로서 탐험하도록 이끈다.** 예를 들어, 단어의 첫 자음 읽기를 시도하는 초보자를 가정해 보자. 초보자는 첫 자음을 충분히 탐색하고, 특정 문자와 소리를 다른 문자 소리와 구별할 수 있어야 한다. "요일을 표시하는 글자"가 들어 있는 자료군을 제공하고, 이 글자에 집중하기를 원한다면 탐구를 망치게 될 것이다. 아동은 글자를 글자에 해당하는 소리와 비교하고 대조해 보면서 음성학을 배우게 된다. 비교하는 과정 없이 하나씩 배우는 것은 쉽지 않은 일이다. 일반적인 방법으로 읽기를 가르치면 학생의 30퍼센트가 사실상 읽지 못하게 된다는 점을 기억해야 한다. 학생들은 음성학적 및 구문적 분석, 그리고 이해 능력을 능동적으로 탐구해야 한다.

5. 음성학적 요소와 새로 학습한 단어에 집중하는 경우가 아니라면 단어는 그 단어에 대해 유의미한 맥락을 제공하는 문장으로 소개되어야 한다.

6. 모형을 교육과정의 주요 내용을 가르치기 위해 사용하고, 보충 수업의 일환으로 실시하지 않는다.

7. **자료군에는 개념 형성과 개념 획득을 위해 속성이 반드시 포함되도록 한다.** 이 책에서 "식품"의 예가 다소 많이 활용되고 있긴 하다. 아동은 각 식품이 특정 집단으로 분류되는 것을 기억하고, 교사가 제시한 영양을 의미하는 단어를 사용할 수 있다. 아동이 이 집단을 발견하는 데 귀납적 방법을 사용할 수는 없

다. 생화학자는 가능할 것이다. 그러나, 제시된 자료가 충분하다면 가능하며, 4학년 학생도 인구통계학적 특징에 의해 세계의 여러 나라를 분류할 수 있는데, 여기에 신비한 과학적 지식이나 과정이 필요치 않기 때문이다.

8. "완전"하거나 "불완전"한 문장을 가르치는 방법에 주의한다. 먼저 주어와 술어를 가르쳐야 한다. 완전한 문장은 단적으로 명시적 또는 암시적으로 주어나 술어를 갖고 있다.

9. 사실과 의견의 구분은 단기간의 탐구에는 적합하지 않다. 사실과 의견을 포함하는 자료군은 아동이 사실과 의견이 무엇인지 알고 있을 때에 제대로 활용될 수 있을 것이다. 물론, 이 경우에 새롭게 배우는 것이 없다. 학생의 사실과 의견의 구분은 맥락으로부터의 추론, 혹은 권위 있는 출처로부터의 검증을 필요로 한다.

10. 과학에서 아동이 원자료를 수집할 수 있는 분야에 집중한다, 예를 들면, 바위는 시각적인 조사로 밀도, 단단함, pH, 농질성을 연구할 수 있다. 그러나 바위가 형성되는 과정을 알아내려면, 신뢰할 수 있는 원천이 요구된다. 신뢰할 수 있는 출처로부터 정보를 알아내지 않는다면 용암에서 바위가 생성되었다는 사실을 알아낼 수 없다.

11. 당연히 아동은 다중 속성 범주를 만들고 획득할 수 있다.

12. 부사, 형용사, 구와 같은 개념을 가르칠 때 기억해야 할 점은 이러한 범주들이 다수의 하위 범주를 가지고 있다는 점이다. 자료군에 부사의 여러 범주 중 하나만 들어 있다면, 아동에게는 어려울 것이다. 여러 하위 범주를 발견하도록 자료군을 준비해야 한다.

13. 시와 같은 복잡한 자료군에서 의미를 "짜낸다". 아동은 주어진 것에 관해 모든 것을 배우겠다는 자세를 취하려 한다.

14. 이야기 속 등장인물과 같이 대상의 속성을 연구하는 것은 흥미 있는 문제이다. 대개 등장인물이 어떤 인물인지 배우는 것은 맥락을 파악하는 것을 포함한다. 외형적 특성과 기질 같은 여러 특징들을 지칭하는 단서들이 농축되어 있는 자료군을 고려해야 한다. 다시 강조하자면, 질문에 대답하는 방법을 아동에게 가르친다.

15. 학생들이 등장인물들을 분류하려 한다면, 한 자료군에 20개 정도의 자료가 들어 있어야 한다.

16. 자료군을 개발할 때에는 고차적 학습 목표를 찾아내야 한다. 좋은 예로는 아동이 구름 사진을 분류하고 특정한 형태의 구름에 과학적 용어를 붙이는 것이다. 문제는 "완료되었다는 것을 어떻게 알지?"이다. 이런 질문은 귀납적 모형에만 해당되는 것은 아니다―단원이 어떤 유형으로 가르쳐지든지 다 적용된다. 이에 대한 대답은 새로 획득한 지식으로 무엇을 할 것인지, 응용 과제를 설계하여 학생들이 각자의 방법으로 수행하도록 하는 것이다. 예를 들면, 수일간 진행되는 수업의 시작부분에서 하늘을 보고 기술하는 데 시간을 보내도록 한다. 또는 날씨 정보를 살펴보거나, 일기예보를 검토하여 그 속에 들어 있는 개념을 찾도록 한다.

교수적, 육성적 효과

교수-학습의 귀납적 모형은 학생에게 개념 형성을 가르치기 위해, 동시에 개념과 개념/일반화의 활용을 가르치기 위해 설계되었다. 또한 논리, 언어, 단어의 뜻 그리고 지식의 본질에 주의하도록 한다. 그림 3.5에는 귀납적 모형의 교수적, 육성적 효과가 제시되어 있다.

　고차원적 사고는 종종 성숙한 사람에게 적합한 것으로 여겨지기도 한다. 그러나 꼭 그렇지는 않다. 학생들은 연령에 상관없이 정보를 충분히 처리할 수 있다. 비록 초등교육은 내용에 구체적 경험이 많이 포함되도록 구성해야 하지만, 저학년 아동들도 사고하는 법을 잘 학습할 수 있다. 비슷하게, 수업에 대한 복잡하고 탐구-중심인 모형은 학교를 늦게 다니기 시작하여 결국 성취도가 낮은 결과를 보이는 학생들에게 최선의 교육적 처방인 것으로 밝혀졌다.

　훌륭한 사고를 통해 교과에 융통성이 통합된다. 아동이 좀 더 능력 있고 융통성 있는 사고를 할 수 있도록 도우려면, 육성하고자 하는 바로 그 특성을 덮어 버리지 않으면서 도전적 과제와 강력한 지원이 가능한 환경을 만들어야 한다.

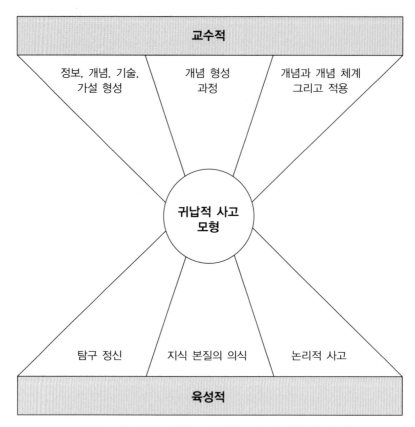

[**그림 3.5**] 귀납적 수업 모형의 교수적, 육성적 효과

제4장

과학적 탐구

조사활동 중심 학습

현대 과학은 단지 일부 행운아나 탁월한 사람들만의 신비로운 구역이 아니다.
우리를 암흑 시대에서 꺼내 줄 사고와 학습의 방식이다.

— 사색적 관찰자

국립과학원(National Academy of Sciences), 국립공학원(National Academy of Engineering), 그리고 의학 연구원(Institute of Medicine) 출신 전문가들로 이루어진 국립 연구회(National Research Council, 2012)는 과학교육의 교육과정 개혁이 가능하다는 중요한 보고서를 내놓았다. 이 보고서에는 새로운 과학의 기준이 일부 학생뿐만 아니라 모든 학생들에게 적용되어야 한다는 것이 분명히 기술되어 있다. 기존의 교육과정 안내서나 기준에 대한 대부분의 문서들과 비교해 볼 때, 과학 교과과정에 추가된 주요 사항은 물리, 생명과학, 지구과학 그리고 응용과학과 함께 공학과 기술을 포함했다는 것이다. 모든 학생들은 이러한 학문에서의 기초 개념에 대해 이해해야 하고, 이러한 학문에 지식이 형성된 방법 — 적용된 탐구방법을 이해해야 한다. 또한 모든 학생들은 이러한 개념들이 우리의 생활과 환경, 세계 사회의 발전에 어떻게 적용될 수 있는지 배워야 한다.

| 핵심 아이디어 |

과학 교육과정은 공통적으로 지속적인 실제 체험을 경험하도록 한다. K-12 학생들은 모두 과학적 조사활동을 수행해야 하고 과학적 개념과 방법이 활용되는 프로젝트에 참여해야 한다.

국립 연구회(National Research Council, NRC)는 과학교육이 어느 학년 수준에서든 각 과목의 몇 가지 핵심 개념에만 집중해야 한다고 강력하게 주장한다. 그리고, 학습 과정은 그 핵심 개념들이 포함되어 있기 때문에 선택된 주제들에 대한 심층적인 탐구 위주로 구성되어야만 한다고 주장한다. 이러한 제안은 다양한 주제들에 대해 마치 1km 폭에 1mm 깊이로 피상적으로 접근하려고 애썼던 과정들과는 극명히 대조적이다. 예를 들면, 광범위한 내용을 거의 필사적인 수준에서 피상적으로 다루고 있는 시중의 교과서들을 생각해 보자. 아니면, 미국의 고교 심화과정인 AP(advanced placement) 과목의 개요를 떠올려 보아도 좋다.

NRC에서 제안한 K-12 과학 교육과정 체계는 또한 "횡단적" 개념들을 강조한다. 이 개념들은 과학 과목들에 공통적으로 필요하며, 과학 과목들을 더 잘 이해하고 이 개념들이 엄청난 구성력을 갖고 있기 때문에 학습되어야만 한다. 이것은 한 영역에서 학습한 아이디어가 다른 과목 영역에서 다시 발견된다는 점에서 학습 과정을 도울 뿐만 아니라, 과학에 대한 보다 통합적인 이해가 가능하도록 이끈다.

이 틀은 또한 공통적으로 지속적인 실제 체험으로 되어 있다. K-12 모든 학생들은 과학적 조사활동을 수행해야 하고 과학적 개념과 방법으로 프로젝트에 참여해야 한다. 경험적 학습은 삶의 다른 영역에 적용할 수 있을 뿐만 아니라, 보다 복잡하고 추상적인 원리들을 이해하기 위한 단단한 토대를 제공한다. 참조에 대한 탐구적 틀은 평생의 자산이 될 것이다.

모든 학생이라 함은 모든 사람을 의미하며, 대학 입학을 앞두고 있거나 과학 분야로 진로를 계획하고 있는 사람들만을 의미하는 것은 아니다. 그러나, 핵심 개념들과 탐구 방법들을 알고, 그들의 원근의 환경을 이해하는 데 어떻게 적용할지를 아는 것은 과학 분야를 자신의 진로로 추구하는 사람들에게 기반이 된다.

국립 연구회(NRC, 2012)와 차세대 과학표준(Next Generation Science Standards, 2013)의 3가지 관점은 1장과 3장에서 다루었던 협동적/귀납적 탐구 과정과 형식도야(이론)에서 발전된 조사 방법을 포함한 수업 모형을 통해 활성화될 것이다. 이 장에서는 지난 50년 동안 생물과학 연구위원회(Biological Sciences Study Committee)의 교육자들에 의해 개발된 교과과정 및 수업 모형이 폭넓게 다뤄질 것이다. 그러나, 앞에서 언급한 NRC의 과학 교과과정 체계 역시 주요 과학 연구 분야의 절차와 내용을 이해하는 데 훌륭한 지침서가 될 것이다.

이 장에서는 과학을 교수 전략으로 다룰 것이다. 여기서는 일반적인 모형을 설명하고 여러 가지 시나리오와 보다 발전적인 생물학 사례를 통해 구체적으로 제시할 것이다. 교실에서부터 시작해 보자.

시나리오

Ginny 선생님이 맡고 있는 초등학교 학생들이 "우리 지역엔 무엇이 자라고 있어요?"라고 묻는다

Ginny Townsend 선생님의 2학년 학생들이 학교 주변의 식물들에 대한 연구를 시작했다고 생각해 보자. 학생들은 매일 지나치게 되는 생물들에 대해 토론하는 과정에서 아는 것이 너무 없다는 것을 깨닫고, 탐구를 시작한다. 그들은 겨우 몇 개의 식물군 이름을 댈 수 있을 뿐이고, 그들이 매일 보는 식물들이 어떻게 영양분을 얻고, 성장하고, 번식하는지에 대해 너무 피상적으로 알고 있었다. Ginny 선생님은 학생들이 내용 지식은 매우 적지만, 사실은 학생들이 일상에서 식물들을 경험해 왔고, 학생들이 인지하는 것보다 더 많은 정보를 가지고서 시작한다는 것을 알고 있다.

자원

Ginny 선생님의 수업은 교실 수업과 원격 체험이 섞여 있는 혼합 방식이다. 교실 수업에서 학생들은 함께 활동할 수 있고, 학습 전략이 사용된다. 이 경우, 교실 수업에서 학생들은 협동적/귀납적 전략을 배워서 그 지역에 살고 있는 식물들에 대한 자료를 수집하기 시작할 것이다.

디지털 자원은 어느 선생님보다도 훨씬 더 방대한 정보를 제공한다. 예를 들면,

http://knowplants.org는 학생들이 이용할 수 있는 수많은 자료들로 인도하는 관문 역할을 한다. 자료들 중 상당수는 어린이용으로 만들어졌으며, 많은 내용들이 특별히 과학 교육을 지원하기 위해 만들어졌다. 책, 백과사전, 참고자료 등 인쇄된 학습 자원 역시 매우 중요하다. Ginny 선생님의 교실은 관련 도서들로 채워진 책장, 컴퓨터, 이메일, 디지털카메라와 캠코더까지 모두 갖추고 있다. Ginny 선생님은 자신과 학생들이 아이디어와 정보를 게시할 수 있는 학급 웹 페이지를 만들었다. 이 페이지에는 http://knowplants.org로 갈 수 있는 링크도 포함되어 있다. 장비의 경우, 많은 학생들이 노트북보다는 태블릿과 스마트폰에 더 익숙하다. 그리고 대부분 문서작성 프로그램은 잘 사용하지 않는 편이고 멀티미디어 형식의 보고서를 만들어 보았다.

그래서 Ginny 선생님은 학생들을 상대적으로 익숙하지 않은 내용으로 끌어가야 하며, 학생들이 인쇄 자료, 디지털 자료, 혹은 지역의 전문가로부터 얻은 정보들을 수집하고 분류하는 것을 배울 수 있도록 도와주어야 한다는 것을 알고 있다. 학생들은 아이디어들을 생성하고 검증하는 것을 배워야 하고, 탐구가 진행되면서 일반적인 컴퓨터와 웹 기술을 축적하여, 그들의 탐구 결과를 명확하면서도 매력적인 보고서로 만드는 것도 배워야 할 것이다.

초기 과정

Ginny 선생님은 9월 첫째 주에 학생들 주변에서 자라고 있는 식물들을 관찰하여 정보를 수집하도록 지도하는 것으로 시작한다. 이러한 탐구는 주변을 걸으면서 식물의 전체 형상을 찍거나 잎사귀를 근접 촬영하는 것으로 시작된다. 학생들이 찍은 사진들은 인쇄해서 벽에 붙여 그들이 학습할 수 있도록 한다. 학생들은 8″×10″ 크기의 작은 사진들로 공책 첫 페이지를 장식한다.

Ginny 선생님은 학생들에게 잎사귀를 관찰한 후 분류해 보라고 시킨다. 학생들은 전자칠판에 사진을 표시하여 돌려보고 얘기하면서 자신들의 범주를 설명한다. 사진들은 선생님과 학생들이 이동시키기 쉽게 하기 위해, 각 범주별로 폴더에 보관된다. 범주에는 "장갑 낀 손처럼 보이는 잎사귀", "잔가지들을 따라 돋아난 잎사귀" 그리고 "타원형 잎사귀" 등이 있다. 학생들은 이 범주들에 대해 합의하고 사진들을 재배열한다.

다음으로, 그들은 식물, 덤불, 나무 사진을 검토하여 잎사귀의 일반적인 범주와 속성으로 범주를 더 많이 생성하고, 전자칠판에서 사진들을 다시 이동시킨다. 점차적으로 학생들은 "장갑 같은 잎을 가진 키 큰 나무", "타원형 잎의 키 큰 나무" 등과 같이,

많은 사람들이 동의할 수 있는 범주의 용어를 도출해 내고, 새 범주가 반영되도록 사진들을 재배열한다. 학생들의 관찰은 더욱 구체적이고 세련되어져 가는데, 예를 들면 학생들은 잎사귀의 잎맥을 알아차리기 시작한다.

Ginny 선생님은 이제 전자칠판에 http://knowplants.org를 보여 주면서 데이터베이스 목록들을 살펴본 후, 학생들이 주변의 식물들에 대해 구체적인 설명을 얻을 수 있는 데이터베이스를 하나 고를 수 있도록 한다.

학생들은 자원봉사자들에 의해 운영되는 Maryland Native Plant Society(www.mdflora.org)로 시작한다. "올해의 참나무"라는 페이지에서, 학생들은 Maryland 토종 참나무의 사진과 이름을 얻는다. 학생들은 잎이 거의 없는 검은 참나무 사진 한 장을 내려받는다. 학생들은 나무에 잎이 달려 있을 때 찍었던 사진을 본다. 그러나 그들은 걸어 다니면서 찍은 사진들에서 검은 참나무를 식별했다고 생각한다. 다음 과제는 가능하다면 잎이 달린 검은 참나무의 사진과 그 잎을 근접 촬영한 사진을 찾을 수 있을지 알아보는 것이다. The Better Homes and Gardens Plant Encyclopedia(www.bhg.com/gardening/plant-dictionary) 사이트에는 잎이 무성한 사진이 실려 있는데, 이것이 학생들의 것과 비슷해 보인다. 미국 농식물학 데이터베이스(http://plants.usda.gov) 사이트 역시 학생들의 사진과 흡사한 잎사귀 사진을 보여 준다. 학생들은 USDA의 사진을 확대해 그들의 나무에서 잘라낸 잎과 비교해 본다. 학생들은 그 사진들이 검은 참나무가 맞다고 90% 확신하고, 검은 참나무가 어떻게 번식하고 성장하는지 등을 읽어 나간다.

이 탐구는 나무별, 덤불별, 꽃별로 계속 진행된다. 팀을 구성하여 특정한 근간과 특별한 종을 찾는다. "꽃이 있는 덤불" 등과 같이 범주가 다시 생성되고 이름이 붙여진다. 짝을 이루어 활동하면서, 학생들은 그들이 만든 범주들과 그 안의 항목들을 함께 설명하는 PPT를 만든다. 그들은 "가상 식물 산책로"를 만들고 학급 친구들, 부모님과 공유한다.

일부 학생들은 그들이 공부한 지역 식물들에 일상적이고 과학적인 용어로 이름표를 붙여 주자고 제안한다. Ginny 선생님은 이 학생들이 전체 학급의 승인을 얻을 수 있도록 한다. 그들은 다음으로 이름표에 얼마나 많은 정보를 담을지에 대해 토론한다. 그냥 이름만으로는 충분치 않은 것이다.

위의 시나리오에서, 탐색 영역(지역 식물)에 대한 정보를 수집하는 활동과 범주별로 구성체(나무, 덤불 등등)를 분류하는 것으로 단원이 구성된다. 디지털 사진과 전시가 일부 역할을 담당했으며, 웹기반 자원들은 전문가의 정보를 얻을 수 있도록 한다. 마지막으로, 시민의식이 이 과정에 개입되었다.

성찰하기

개념 형성은 우리가 정보를 관리하고, 간직하고, 사용할 수 있도록 한다. 개념 형성은 21세기 기술, 고차원의 사고 능력, 고차원의 정보 유형의 토대가 될 개연성이 아주 높다(Joyce & Calhoun, 2010, 2012).

　　문제는 디지털 세계에서 얻을 수 있는 대부분의 부(富)에 접근하기 위해서는 고차원의 읽기 역량이 요구된다는 점이다. Ginny 선생님의 학생들은 선생님의 비계 덕분에 디지털 형태의 데이터베이스를 탐험할 수 있었다. 또한 학생들은 서로에게 지원적 역할을 할 수 있다(Joyce & Calhoun, 2010의 제6장; Joyce, Calhoun, Jutras, Newlove, 2006).

▒▒▒ 시나리오 ▒▒▒

유전학이 5학년을 만나다

2002년 6월 25일 John 선생님의 5학년 학급은 〈New York Times〉에 실린 Science Times 기사를 훑어보다가 우연히 아이슬란드의 유전자 지도 프로젝트에 대한 보고서를 발견한다(Wade, 2002). John 선생님은 학교에서 인터넷 판으로 구독하고 있는 이 〈New York Times〉를 수업에도 잘 활용하고 있다. John 선생님은 학생들이 세계에 관해 지금 공부하고 있는 부분과 관련된 이야기들이나, 학생들이 반드시 알고 있어야 한다고 생각하는 국내외 뉴스 기사들을 접할 수 있도록 한다. 팀 활동을 통해서 학생들은 흥미 있는 기사들을 찾으면서 신문을 훑어본다. John 선생님은 오늘처럼 종종 오버헤드 프로젝터의 LCD 모니터를 이용하여, 기사 하나를 스크린에 띄워 놓고 학생들과 함께 그 기사를 읽는다. 신문 화면에 기록된 정보들과 기사의 주요 논점들은 "그날의 글 쓰기 조장"인 학생이 요약한다.

　　이 사례에서, John 선생님은 조장에게 과거에 시도했던 유전자 프로젝트에서 얻어진 정보가 요약되어 있는 파일을 찾으라고 요구한다. 그는 6월 25일 기사로 넘어가기 전에 이 요약을 칠판에 띄운다. 학생들은 유전자 프로젝트에 이미 매료되어 있다. 그들은 지구상의 모든 인간은 유전자의 99.9%가 동일하다는 사실을 알고는 깜짝 놀란다. 교실의 CD-ROM 전집에 있는 백과사전이 그렇듯 웹도 훌륭한 학습 자료로 활용되어 왔다. John 선생님은 학생들이 인종과 성별의 개념을 배울 수 있도록 지도한다. 학생들은 사회화의 산물로 얼마나 많은 차이가 생겨났는지를 깨닫기 시작한다.

오늘의 이야기가 학생들의 관심을 끄는 것은 다음의 세 가지 이유에서다.

1. 아이슬란드에서 연구자들은 1,100년 이전까지의 유전적 정보를 가지고 있는데, 이 기간에는 인구의 이동도 거의 없었다. 그러므로, 이에 대한 연구 전략은 다른 유전자 프로젝트와는 다르다.

2. 이 프로젝트는 질병 위주로 진행되는데, 천식의 경우, 연구자들이 현재 치료 중인 천식환자들을 추적하여 1710년에 태어난 한 명의 조상으로부터 기인한 것임을 밝혀냈다.

3. A.D 800년대에 약 10,000~15,000명의 고대 스칸디나비아인들이 아이슬란드를 건국했다. 그들은 북아일랜드와 영국을 습격해서 젊은 여성들을 붙잡아다가 노예 아내로 삼았다. 그들은 모두 합쳐 40,000~50,000명의 젊은 여성들을 노예로 삼았다.

이 중 세 번째 사실이 학생들에게 자극을 주었다. 학생들은 이러한 사실을 이해하는 데 애를 먹었다. 그리고 그들은 아이슬란드와 스칸디나비아에 대한 연구에 초점을 맞추게 되었다. 학생들은 그 국가들의 자료은행과 백과사전을 이용해서 정보를 모으기 시작했다. 그들은 또한 바이킹에 의한 "여성 침략(wife-raids)"이 북아일랜드와 북잉글랜드의 여성 인구를 대단히 많이 감소시켰음을 깨닫고, 이것이 어떤 영향을 끼쳤는지 궁금해하게 된다. 결국, 학생들은 이 주제에 대한 의견을 제공해 줄 옥스포드 대학의 한 학자에게 연락하게 될 것이다.

학생들은 과학의 결과뿐만 아니라 과학이 어떻게 이루어지는지를 배우고 있다. John 선생님은 계속해서 학생들이 "무엇"뿐만 아니라 "어떻게"를 배울 수 있도록 하고 있다. 그리고 선생님은 칼 세이건의 명언을 학생들이 계속 떠올리도록 하고 있다. "따분하고 까다로워 보일지 모르지만, 과학의 연구 방법은 과학의 결과보다 훨씬 더 중요하다."

아이슬란드 프로젝트의 이후 진행은 상당부분 사생활에 대한 문제로 인해 매우 어려워졌다. 그 진행은 과학이 외부와 단절된 상태에서 일어나는 일이 아니며, 사회-문화적인 활동임을 분명하게 보여 준다(Gilham(2011), http://www.ftpress.com/article).

이제 여러분은 John 선생님과 그의 학생들이 Georgia 지역에서 발견된 고대인의 두개골에 대한 최근 기사로부터 탐구 활동을 시작할 것이고, 초기 화석들의 시사점에 대한 질문들이 생겨날 것이라는 걸 상상할 수 있을 것이다(Wilford, 2013).

▨ 시나리오 ▨

소리 탐구하기

Ontario 주 London에서 Hendricks 선생님의 4학년 학생들은 점심 후에 교실로 들어오면서 유리, 병, 종, 다양한 크기의 나무상자(안에는 구멍이 나 있는), 소리굽쇠, 실로폰, 그리고 조그만 나무로 만든 플루트 등을 발견한다. 이 물건들이 교실에 펼쳐져 있고 학생들은 몇 분간 갖고 놀면서, 가장 듣기 끔찍한 소리를 만들어 낸다.

잠시 후 학생들은 앉기 시작했고 그들 중 한 명이 "무엇을 하고 있는 건가요, Hendricks 선생님?"라고 물었다. 그리고, "선생님께서는 마치 이 공간을 오케스트라로 바꾸시려는 것 같아요."라고 말했다.

"글쎄, 그럴지도 모르지." 선생님이 웃으며 대답했다. "사실 앞으로 몇 주 동안, 이곳이 우리의 소리 실험실이 될 겁니다." 선생님은 교실을 가로지르며 나무와 전선으로 만든 악기 하나를 집어 들고 전선들 중 하나를 잡아 당긴다. 그와 동시에 선생님은 숟가락으로 옆 책상에 놓인 음료수 병을 쳤다. "여러분, 이 소리의 차이점을 알겠나요?" 선생님이 물었고 다시 전선을 잡아 당겨 병을 쳤다.

"저기요~" 한 여학생이 말했다. "같은 소리처럼 들리지만 다릅니다."

"한 번만 더 연주해 주세요."라고 한 학생이 부탁했고, Hendricks 선생님은 부탁을 들어주었다. 곧 모든 학생들이 두 소리는 같은 음높이에 있다는 것을 알았다.

"여러분의 과제는 무엇이 소리를 다르게 만드는지 찾고 그 소리의 차이를 설명하는 것입니다. 이 장소 안에서 우리가 가진 제한된 도구로 여러분 스스로 조사하고, 소리의 차이를 설명할 수 있는 원리를 선생님에게 제시했으면 합니다. 여러분이 과제를 끝냈을 때 선생님은 여러분이 어떤 기능을 갖춘 악기를 설계할 수 있는지를 선생님에게 설명할 수 있기를 바랍니다. 선생님이 여러분에게 그 악기가 무엇을 할 수 있을지를 말해 주면, 여러분은 그것을 어떻게 만들 것인지를 말할 수 있어야 합니다. 그런 후 여러분의 아이디어를 검증하기 시작할 것입니다. 이제 집단을 만들고 무엇부터 해야 할지 결정해 봅시다. 누구 좋은 아이디어 없어요?"

"저기요, 저는 사물이 다섯 가지의 구성 물질로 되어 있다고 알고 있어요. 어쩌면 5개 집단으로 나누는 것이 좋을 것 같고, 각 집단은 잠시 실험을 진행한 후 학습한 것을 공유하고 서로 교환한 다음 다른 집단의 생각을 검토해 봐요. 그럼 다음, 그 다음에 무엇을 할지 결정할 수 있을 거예요." Sally가 조심스럽게 말했다.

다른 방법을 제안한 학생도 몇몇 있었고, 이 학급은 연구를 어떻게 시작할지 계획하는 데 30분을 더 소비한다.

앞서 "교수 모형의 역사에 대한 소고"에서 이미 논의했듯이, 1950년대부터 1970년대까지 미국 교육의 혁신은 주로 학문적인 개혁 운동으로 진행되었다. 과학자들은 학문 분야의 주요 아이디어의 개념과 연구 방법 중심으로 되어 있는 학교 교육의 전통적인 교과 분야를 개정하려는 노력을 통해 교육과정을 현대화하고자 했다. 예를 들어, 수학 과목에서, 교육과정 설계자들은 학생들이 수학 분야에서 주요 아이디어와 수학에 대한 탐구에 사용하는 방법 등 두 가지 모두를 반영하고자 했다. 이와 유사하게, 과학 교육과정 역시, 과학의 주요 아이디어와 과학 공동체의 연구 방법과 태도를 반영했다. 다시 말해, 교육과정은 학문 분야의 정보처리 체제에 기반을 두고 만들어졌다. 유사한 교육과정이 계속 개발되고 있고, 연구와 개발이 특히 과학 분야와 사회과학 교육 분야에서 활발히 진행되고 있다.

물리, 화학, 생물 그리고 일반 과학 분야, 사회과학 분야에서 신규 핵심 교육과정이 개발되었다. 무엇보다도, 미국과학교사협의회(National Science Teachers Association)에 소속된 교사들이 차시, 단원, 교과목을 계속해서 개발하고 있고, 웹을 통해 공유하고 있다. 협회의 학술지인 〈Science Teacher〉는 쉽게 이용 가능한 우수한 아이디어와 자료들을 제공하고 있다. 유사하게 NCSS(National Council for the Social Studies)의 회원들은 개발자로서 적극적으로 활동하고 있다. NCSS의 학술지인 〈Social Education and

Social Studies for Young Children〉에는 교수 활동을 돕는 다양한 자료와 아이디어가 풍부하다. 만약 여러분이 새롭게 부임한 교사라면, 가능하다면 협회에 가입할 것을 권장한다. "Nova"와 "Nature" 프로그램의 PBS 비디오 모음도 다양한 과학 조사활동을 익히고자 하는 교사와 4학년 또는 그 이상의 학생들에게 매우 유용할 것이다. 물론 경험이 많은 교사에게도 추천한다.

이 책에서는 모든 과학, 기계공학, 기술 분야를 다룰 수 없기 때문에 대표적으로 교육과정 분야에서 생명과학 교육과정 연구(Biological Sciences Curriculum Study)를 선택했다. 참고로, BSCS 협회는 현존하고 있고, 지속적으로 혁신적인 교육과정을 개발하고 있다.

모형 소개

생명과학 교육과정 연구(BSCS)의 핵심은 학생들에게 생물학자들과 유사하게 정보를 처리하는 기술과 방법, 즉, 문제를 확인하고 그 문제를 해결하기 위해 특정 방법을 사용하는 것을 가르치는 것이다. BSCS에서는 내용과 과정을 중시한다. 지구생태학에서 첫 번째 강조점은 인간의 행동에 있다.

> 인구 밀도의 증가, 자원의 고갈, 오염, 지역 개발 등에 의해 이러한 문제들이 생겨났으며, 현명한 정부와 공동체의 대처가 요구된다. 이들은 적어도 일부분 생물학과 생태학적 문제들이며, 모든 시민이 이 문제의 배경을 인지해야 한다(Schwab, 1965, p. 19).

두 번째 강조점은 과학적 조사활동에 주어진다.

> 어떤 기준을 사용하여 측정하더라도, 과학은 거의 우리 사회에 강력한 영향을 끼쳐 왔으며, 앞으로도 계속 그러할 것이다. 그러나 대부분 과학의 산물을 다수 알면서도, 과학의 특성과 탐구방법을 알지는 못한다. 과학의 산물에 대한 이해는 대개 과정에 대한 이해 없이 얻어질 수 없다고 해도 과언이 아니다. 우리 사회와 같이 자유로운 사회에서는 분명 대부분 과학에 대한 일반적인 시민 평가에 의존하게 될 것이다(Schwab, 1965, pp. 26-27).

학생들이 과학의 본질을 이해하는 것을 돕기 위해 BSCS 위원회는 학생들에게 생물학의 아이디어와 사실을 알려 주는 동시에 생물의 방법을 소개하는 전략을 개발했다. 위원회는 다음과 같이 직설적으로 말했다.

전통적인 고등학교 교과서를 살펴보면, 주로 또는 전적으로 부적절하고, 긍정적인 진술들로 이루어져 있다. "포유류에는 매우 다양한 종류가 있다.", "기관 A는 3개의 조직세포로 구성되어 있다." "호흡은 다음과 같은 단계로 이루어진다.", "유전자는 유전의 기초단위이다.", "A의 함수는 X이다."

이러한 유형의 설명(결론문)은 심지어 대학 수준에서도 교과서의 전형적인 미사여구로 사용되어 왔다. 이것은 이점이 많이 있는데, 무엇보다도 통일성을 확보하고 지면을 절약할 수 있다. 그럼에도 불구하고 이에 대해서는 반대할 만한 심각한 이유가 있다. 이것은 태만과 과실로 인해 과학의 본질에 대해 거짓의 잘못된 인상을 심어 준다.

결론문의 오류는 학생에게 두 가지 불행한 결과를 초래한다. 첫째, 과학은 불변의 고정된 진실로 구성되어 있다는 인상을 심어 준다. 그러나 이것은 진실이 아니다. 최근에 지식의 가속화는 과학적 지식이 바뀐다는 것을 아주 명확히 보여 준다. 과학적 지식은 임시적인 고문서이며 새 정보가 옛 정보를 지속적으로 바꾼다.

미사여구로 된 결론문은 또한 과학이 완료되었다는 인상을 주는 경향이 있다. 그러므로 과학적 조사 연구가 여전히 진행되고 있고 굉장히 빠른 속도로 진행되고 있다는 사실이 학생들에게 설명되지 않은 채 남아 있게 된다.

미사여구로 된 결론에 의해 생긴 태만의 오류는 다음과 같이 기술될 수 있다: 과학지식은 단순히 발견된 사실에 대한 보고이며, 원 자료로부터 천천히 그리고 잠정적으로 드러난 지식 체계이다. 이러한 원 자원, 자료들은 계획된 관찰과 실험으로부터 생겨난다는 것을 보여 주지 못한다. 실험과 관찰에 대한 계획이 계산된 문제로부터 그리고 이러한 문제들은 기존의 지식을 요약하는 개념으로부터 차례대로 일어난다는 점을 보여 주지 않는다. 결론적으로 가장 중요한 것은 미사여구로 된 결론이 과학자들이 오류를 범할 수 있고 많은 탐구 활동이 잘못된 오류의 수정과 관련되어 왔다는 사실을 보여 주지 못한다는 점이다. 무엇보다도 특히, 미사여구 형태의 결론은 요약적 개념이 그들이 제시하는 많은 의문에 의해 검증되고 이러한 검증을 통해 지속적으로 개정되고 고쳐지고 있음을 보여 주지 못한다.

탐구로서 과학을 가르치는 것의 핵심은 과학의 결론이 제기되고 검증되는 방식의 틀 안에서 보여 주는 것이다. 학생들에게 제기된 아이디어, 수행된 실험에 대해 알려 주고, 그로 인해 발견된 자료를 보여 주고, 이 자료를 과학적 지식으로 변형하는 해석을 따르는 것이다(Schwab, 1965, pp. 39-40).

BSCS는 과학을 탐구로써 가르치기 위해 여러 가지 기법을 사용한다. 첫째, 과학의 잠정적인 속성을 표현하는 진술을 많이 사용한다. 예를 들어 "우리는 알지 못한다." "이것이 어떻게 일어나는지를 알아낼 수가 없었다." "이것에 대한 증거는 모순된다."(Schwab, 1965, p. 40). 현재 이론들은, 이미 지적했듯이 시대가 변함에 따라 다른 이론들로 교체될지도 모른다. 둘째, 결론을 미사여구로 진술하는 대신에 BSCS는 소위 "탐구적 묘사"를 사용하는데, 생물학에서의 주요 아이디어의 역사가 기술되고, 그 다음으로 이 영역에서의 탐구 과정이 기술된다. 셋째, 학생들에게 단지 교과서 내용을 보여 주기보다는 문제를 조사할 수 있도록 실험 활동이 구성되어야 한다. 그렇게 함으로써 과학자들은 "교과서가 답을 제공하지 않는 문제를 다룬다. 학생들이 탐구 활동에 참여할 수 있는 상황을 만들어 준다"고 말한다(Schwab, 1965, p. 40). 넷째, 실험실 프로그램은 학생들이 실제 생물학적 문제에 대한 조사에 참여하는 단원으로 설계되어 왔다. 우선 학생들은 이미 과학자들에게 친숙한 재료들을 받고 이미 해결책이 알려진 문제를 제시받는다. 하지만 "학생들은 문제를 풀어 가면서, 점점 더 지식의 최전선에 가까워진다."(Schwab, 1965, p. 41). 그러므로 학생들은 과학연구자의 활동을 흉내 내는 것이다. 마지막으로 소위 *탐구조사로의 초대*를 사용하는 것이다. 실험실의 역할과 같이 조사로의 초대는 학생들에게 조사 활동의 최전선에 있는 항목, 또는 생물학 분야에서 방법론적 문제와 관련되어 있는 추론을 따르거나 참여할 수 있도록 하는 활동에 관여하게 만드는 것이다. 탐구로의 초대는 BSCS 자료들로부터 선택된 교수 모형이다. 이 장의 집필을 준비하면서 우리는 최신의 BSCS의 자료를 얻었고 교육과정과 교수학습의 원래 모형을 이끌었던 과학적 탐구활동의 정신이 지속되고 있음에 기뻤다. 생물학 분야에서 고등학교 과정을 소개하는 "Blue" 판(Greenberg, 2006)을 읽으면서, 우리는 많은 것들을 새로 배웠는데, 한편으로 과학적 지식을 갱신했고, 또 기존의 대학 교육과정이나 대학원 교육과정에는 없었던 주제와 탐구를 얻을 수 있다. 이 기본 교과서는 이러한 탐구를 수행하는 데 사용할 수 있도록 100쪽 분량의 연구를 포함하고 있다. 이 교과서는 정보의 수집과 조직, 그리고 설명적 이론의 생성과 증명에 대해 사고하는 방법에까지 학습의 범위를 활짝 열었다.

탐구조사로의 초대

이 전략은 Schwab에 의해 설계되었다.

> 학생들에게 지식이 자료의 해석으로부터 어떻게 발생하는지를 보여 주기 위해, 자료의 해석은—사실, 자료를 찾는 과정까지도 포함해서—우리의 지식이 성장하면서 변해 가는 개념과 가정을 기반으로 이루어진다. … 이러한 원칙과 개념이 변하면서 지식 또한 변할 수 있음을 학생들에게 보여 주기 위해 … 선의를 위해 지식이 변할지라도—우리가 이전에 알았던 것보다 더 잘, 더 많이 알기 때문에 변한다는 것을 학생들에게 보여 주기 위해 이에 대한 반대 관점에도 주목할 필요가 있다, 즉, 현재의 지식이 미래에 바뀔 수도 있다는 가능성은 현재의 지식이 잘못되었음을 의미하는 것이 아니라는 점이다. 현재 지식은 우리가 현재 보유하고 있는 가장 잘 검증된 사실과 개념에 기반을 둔 과학이다. 인간이 행할 수 있는 가장 신뢰할 수 있고, 이성적인 지식이다 (Schwab, 1965, p. 46).

탐구조사로의 초대(Invitation to Enquiry)는 주된 개념 또는 학문 분야의 방법을 알려 주는 하나의 사례 연구이다. 각각의 초대는 "과정 자체를 보여 주는 사례들이 연달아 제시되고, 그 과정에 학생들이 참여하도록 한다"(Schwab, 1965, p. 47).

각 사례에서는 실제 과학적 연구가 진술된다. 그러나 생략, 빈칸, 또는 호기심이 조사되지 않은 채로 남아 있으며, 학생들이 이것을 채워 나가도록 초대된 것이다. "이 생략은 실험의 계획, 또는 실험에서의 한 변인을 통제하는 방법일 수도 있다. 이것은 주어진 자료로부터 도출된 결론일 수도 있다. 이것은 또한 주어진 자료를 설명하기 위한 가설일 수도 있다"(Schwab, 1965, p. 46). 다시 말해, 탐구조사로의 초대는 학생들이 생물학적 탐구를 실제 활동을 통해 확인하고, 참여하도록 하는 것이다. 이는 학생들이 제시되지 않았던 실험을 실제 수행해야 하거나 생략된 결론을 도출해 내야 하기 때문이다.

여러 번의 참여를 통해 학생들이 좀 더 복잡한 개념을 성공적으로 이끌어 낼 수 있도록 한다. 이러한 조사 연구의 본질적 특성은 지속적으로 유지된다. 탐구조사로의 초대 프로그램의 첫 번째 그룹에서는 방법론과 관련된 주제에 초점을 둔다. 즉 과학적 조사에서의 일반적인 지식, 자료, 실험, 통제, 가설 그리고 문제의 역할과 속성에

〈표 4.1〉 탐구조사로의 초대, 집단 1. 단순한 탐구: 과학적 조사에 있어 일반적인 지식, 자료, 실험, 통제, 가설, 문제의 역할과 속성

초대	주제	세부주제
1	세포핵	간단한 자료의 해석
2	세포핵	다양한 자료의 해석
3	씨앗 발아	자료의 해석 오류
4	식물 생리학	복잡한 자료의 해석
중간 요약 1. 지식과 자료		
5	일반적인 측정	체계적이고 무작위적인 오류
6	식물 영양	실험 계획
7	식물 영양	실험 통제
8	포식자-먹이: 자연적인 개체 수	차선의 자료
9	인구 증가	표집의 문제
10	환경과 질병	가설 아이디어
11	빛과 식물 성장	가설 설정
12	비타민 부족	"만약 ~하다면" 분석
13	자연 도태	가설 연습
중간 요약 2. 가설의 역할		
14	옥신(식물 호르몬)과 식물의 움직임	가설: 비정상에 대한 해석
15	심장의 신경 호르몬	과학적 문제의 기원
16	페니실린의 발견	조사에서의 우연적 발견
16A	과민증의 발견	조사에서의 우연적 발견

출처: Joseph J. Schwab, supervisor, BSCS, *Biology Teachers' Handbook*(New York: John Wiley & Sons, Inc., 1965), p. 52. By permission of the Biological Sciences Curriculum Study.

초점이 맞춰진다. 그룹 1의 탐구 주제는 표 4.1에 제시되어 있다.

그룹 1에 대한 세 번째 초대(Invitation 3)의 내용과 과정을 통해 학생들이 자료 해석의 오류 문제를 어떻게 다루는지를 살펴보자.

세 번째 초대

과목: 씨앗 발아

주제: 자료의 해석 오류

자료를 해석할 때 계산된 위험을 감수하기도 한다. 이것은 증거가 없는 것에 대한 해석—이용 가능한 자료를 잘못 해석한 것이든지 또는 증거를 무시한 해석이든지 상

관없이—을 제안하는 것과는 별개의 문제이다. 이 초대에서 자료는 가장 명백한 해석 오류 중에 하나를 의도적으로 예시하도록 만들어져 있다. 또한 이것은 명백하게 조작된 문제가 실험에서 얻은 자료의 해석을 통제할 수 있다는 문제의 역할을 알게 해 준다.

학생들에게: (a) 조사자는 씨앗이 가장 잘 발아하는 조건에 관심을 갖고 있었다. 그는 여러 개의 옥수수 낟알들을 2개의 유리 접시에 놓여진 물이 적셔진 종이 위에 각각 놓았다. 그리고 나서 이 접시들 중 하나를 빛이 없는 곳으로 옮겼다. 다른 것은 그대로 빛이 잘 드는 방에 놔두었다. 두 방의 온도는 동일하게 유지했다. 4일 후 조사자는 낟알을 관찰했다. 그는 두 접시 모두에서 씨앗들이 발아했음을 발견했다.

이 실험에서 얻은 자료에서 어떤 해석이 가능할까? 다른 곳에서 얻은 것을 포함하지 않고, *오직 이 실험에서만* 얻은 자료에 국한해서 해석해 보라.

물론, 이 실험은 빛 변수를 검증하기 위해 고안되었다. 그러나 이 실험은 학생들에게 이 실험이 곡식의 발아에 수분이 필요하다는 것을 제안한다는 점을 말할 기회를 주려는 의도도 들어 있다. 이 실험이 따뜻한 온도가 필요하다는 것을 보여 준다고 말하는 사람도 있을 것이다. 만약 이런 의견이 제시되지 않는다면, 이런 것도 가능하다고 알려 준다. 만약 학생들 사이에 입증되지 않은 해석이 있다면, 이것을 표현하도록 부추기듯이 소개한다.

만약 이런 해석들이 제시된다면, 이 자료가 옥수수의 발아에 유리 접시가 필요하다는 것을 제시하는지 학생들에게 질문함으로써 그 약점을 드러낼 수도 있다. 아마도 이를 수용하는 학생들은 아무도 없을 것이다. 일부 학생들이 수분과 온기가 필요하다는 증거라고 생각했던 자료가 유리 접시에 관한 자료와 전혀 다르지 않다는 것을 이들에게 큰 어려움 없이 보여 줄 수 있을 것이다. 이 사례 중 어느 것에서도 이 자료는 그러한 결론을 위한 증거가 되지 못한다.

학생들에게: (b) 이 두 개의 접시 환경에서 확실히 차이가 나는 요인은 무엇일까? 여러분의 답을 고려하고, 이 실험이 의도적으로 계획된 것임을 기억하면서, 이 특정 실험 계획을 이끌어간 문제를 가능하면 정확하게 기술한다.

만약 여기까지 오기 전에 드러나지 않았다면, 이제 실험이 발아의 한 요인으로서 빛의 필요성을 실험하기 위해 고안된 것임을 명확히 해야 한다. 이 초대는 문제의 진술 측면에서 보면 매우 일반적인 질문으로 시작했다: "어떤 조건에서 씨앗들이 가장 잘 발아할 수 있을까?" 이것은 어디서, 어떻게 대답을 찾을지 보여 주지 않으므로 과학적 탐구를 위한 문제 진술에 있어 가장 유용한 방법은 아니다. 단지 "질문"이 대답하기 위해 필요로 하는 자료를 제시하기에 충분히 구체적일 때에만 바로 유용한 과학적 문제가 된다. 예를 들어, "씨앗은 빛이 있을 때 발아를 할까, 없을 때 발아를 할까?"라는 질문은 필요한 자료를 명확하게 알려 주는 질문이다. 빛이 없을 때의 발아와 빛이 있을 때의 발아를 비교할 필요가 있다. 그래서 질문이 실험하기에 또는 자료를 찾기에 충분히 구체적일 때, 우리의 일반적인 "감탄"이 즉시 유용한 문제로 바뀌게 된다. 일반적인 "감탄"이 나쁘다는 것은 아니다. 오히려 그것들은 필요하다. 요점은 오직 이들이 다른 무엇, 즉 해결할 수 있는 문제로 이끌어져야 한다는 것이다.

학생들에게: (c) 여러분이 진술했던 문제의 관점에서 자료를 다시 한 번 보자. 어떤 해석에 도달했는가?

이제 이 증거가 일부 씨앗이 발아하는 데 빛이 필요하지 않다는 것을 알려 준다는 점은 명확할 것이다. 발아에 빛을 필요로 하는 씨앗[예를 들어, Grand Rapids 상추]과 빛이 발아를 억제하는 씨앗[예를 들어, 각종 양파]이 있다는 점을 알려 준다.

참고: 이 초대는 계속해서 자료, 증거, 이해를 다룬다. 이는 (b)단락에서 다루어진 새로운 주제와 관련된 문제도 언급한다. 이는 일반적인 호기심이 구체적인 문제로 바뀌어야만 한다는 것에 대한 전형적인 예가 된다.

또한 이는 조사에 부과된 문제가 단일 기능 이상을 갖고 있음을 의미한다. 첫째, 이것은 실험 설계로 이끈다. 이것은 궁금증을 공격 계획으로 바꾼다. 이는 자료 해석에서 길잡이가 된다. 이것은 우리가 특정 자료를 다루도록 이끈 문제에 대한 명확한 생각 없이 진행된 (a)보다 적절하게 해석하는 것이 훨씬 쉬웠던 (c)에 나타나 있다.

만약에 여러분의 학생들이 이 초대를 쉽게 또는 고무적인 것으로 받아들였다면, 토론을 더 실시하고, 초대 6[실험 계획]을 어느 정도 기대해도 좋을 것이다(Schwab, 1965, pp. 57-57).

이 조사 형식은 BSCS 방식을 예시한 것이다. 학생들은 생물학자들이 공격하는 문제를 소개받고, 수행되어 온 조사에 대한 정보를 받는다. 그리고 학생들은 자료를 해석하고, 근거 있는 및 근거 없는 해석의 문제를 다루게 된다. 다음으로, 학생들은 자료에 대한 오해석의 소지가 가장 적은 상태에서 요인을 검증할 수 있는 실험을 설계한다. 이처럼 특정 유형의 조사에 관한 문제를 제기하고, 학생들이 이 영역에서 특정의 난점을 제거하는 탐구방법을 학생들이 생성하도록 유도하는 것은 프로그램 전반에 걸쳐 사용되는 구조이다.

이 교과목은 탐구 형식으로 진행된다. 어떤 초대에서는 주어진 일부분에 대한 관찰 가능한 특성으로부터 그 기능을 어떻게 추론할 수 있는가(즉, 기능의 증거는 무엇인가?)에 초점이 있다. 이 모형에서 문제는 직접적으로 제기되지 않는다. 대신에, 학생들은 방법론적 관심과 탐구 정신이 발휘될 수 있는 조사 영역을 탐구해 가도록 안내받는다. 그리고, 질문을 제시하여 학생들이 어려움을 식별하고, 그것을 해결하는 방법에 대해 심사 숙고하도록 한다.

그리고 추론의 본질에 관한 쟁점들이 등장한다. Schwab은 조사 중에 다음을 추측하는 것이 합리적임을 지적한다.

> 동작, 애착, 그리고 형태를 함께 고려해 보면 근육은 일반적으로 이들이 붙어 있는 몸의 다른 부위 중 일부 또는 모두를 움직이는 것이 된다. 이런 기능에 대한 추론은 단지 그럴 가능성이 있다는 것뿐이다. 그러나 과학에서 거의 모든 추론이 이와 같다. 이후의 질의에서, 기능적 추론의 의심스런 특성이 강조될 것이다(Schwab, 1965, pp. 174-176).

이 교과목은 이 흐름 속에서 계속된다.

다른 학문 영역에의 적용

학문 탐구의 과정으로서 다수의 교수 모형은 특정 학문의 개념과 방법들을 중심으로 구성되어 있다. 그러나 여기서 중요한 원리는 조사를 수행하는 방법이 중심이 되어야 한다는 것이다. 하나의 교육과정은 교과서 중심의 "미사여구로 된 결론문"적 접근법에 비하여 더 적은 수의 탐구 영역을 포함하고 있을 수밖에 없다.

사회과학 사례

다음으로는 생명과학 교육과정 연구(BSCS)의 교과과정과 같이 탐구 정신으로 구성된, 사회과 탐구 프로젝트에 대해 논의한다. 사회심리학적 구조와 탐구 방법들이 사용되고, 교육과정은 학생들이 수행할 조사 위주로 이루어져 있다.

Ronald Lippitt와 Robert Fox가 수행한 미시간 사회과학 교육과정 프로젝트(Michigan Social Science Curriculum Project)는 잠재적으로 매우 강력하지만, 놀랍도록 간단한 접근법에 기반을 두었다. 이 전략은 아동 자신의 행동을 포함한 인간 관계에 관한 내용으로 아동들에게 사회심리학의 조사 기술을 직접 가르치는 것이다. 그 결과, 사회심리학의 개념과 방법이 인간 행동에 대한 탐구에의 지속적인 적용을 통해 드러남으로써 살아있는 학문임이 드러난다. 또 다른 결과로 이것은 인간 생활에서 사회과학의 관련성을 직접적으로 보여 준다. 이 교육과정은 초등학교 아이들이 과학적 과정을 사회적 행동을 조사하는 데 어떻게 사용하는지 예시한다.

교육과정 학자가 가진 사회심리학적 개념과 교수 전략은 아동이 사회심리학을 실행하도록 하는 데 필수적인 것으로, 이들이 추천하는 자료와 활동에서 가장 잘 드러난다. 그들은 자료집 또는 교과서, 그리고 일련의 프로젝트 교재를 중심으로 개발된 7개의 "실험실 단원"을 마련했다. 이 7개 단원은 사회과학의 본질에 대한 탐구인 "사회과학 활용법 학습하기"로 시작하여 학생들이 사회과학 절차와 개념을 인간 행동에 적용하는 일련의 단원들로 이어진다: "차이점 발견하기", "친절, 불친절 행동", "존재와 생성", 그리고 "서로에게 영향 주기"

첫 번째 단원은 다음과 같은 사회과학적 방법을 학생들에게 소개하는 것으로 구성되어 있다.

1. "행동 표본은 무엇일까?" (행동 표본을 어떻게 얻을 수 있을까?)
2. "관찰을 사용하는 3가지 방법" (아이들에게 기술, 추론, 가치판단, 그리고 이들의 차이점을 소개하기)
3. "원인과 결과" (원인 추론을 우선 물리적 현상에서, 다음으로 인간 행동과 관련지어 소개하기)
4. "다중 인과관계" (다수의 요인들을 동시에 다루는 방법을 가르친다. 예를 들어, 아이들은 주인공이 동일한 행동에 여러 가지 동기가 있는 이야기를 읽고 분석

한다) (Lippitt, Fox, & Schaible, 1969, pp. 24-25)

아이들은 표본에 대한 자신의 분석을 다른 사람의 관찰과 추론에 비춰 비교, 점검하고, 관찰한 결과에 대해 합의에 이르는 데 문제가 있음을 깨닫는다. 또한 순환적 분석 기법을 통해 상호작용을 분석하는 방법을 배운다. 최종적으로, 호의적이거나 비호적 행동, 협동 및 경쟁의 행동과 관련한 흥미 있는 사회심리학적 실험들이 일련의 활동을 통해 학생들에게 소개된다.

이 접근은 아동의 학습을 인간 상호작용에 맞추도록 하고, 탐구의 방향을 그려 내고, 그것을 수행하기 위한 학문적 참조 체제와 기법을 제공하며, 학생들이 자신의 행동과 주변에서 나타나는 행동을 관찰하도록 한다. 전반적으로 학생들이 사회과학자들의 특성 중 일부를 수행해 보게 하려는 의도가 들어 있다. 그러므로 이 수업은 학문 영역과 더불어 대인관계 측면에서도 가치가 있다.

이 모형은 널리 적용 가능하지만, 탐구 중심의 자료에 의존하고 있어서, 교과서 중심의 학교 교실에서는 찾아보기 어려운 것이 사실이다. 그러나 모든 교과목 영역에는 탐구에 기초하거나 쉽게 이 모형에 맞춰 수정이 가능한 교재가 적어도 한 권 이상은 있다. 이 모형에 대해 명확하게 이해한 교사는 약간의 재배열은 하겠지만, 조사 적합한 영역을 제공하는 수업자료를 찾아낼 수 있다. 교사가 특정 학문에 대해 많은 지식을 갖추고 있다면, 스스로 자료를 만들 수도 있을 것이다.

미래

현재 학생들이 범주를 생성하고, 추론하고, 효과적인 인과적 추론과 통합 기능을 계발하는 방법을 어떻게 학습할 수 있는지에 관한 생각을 향상시키기 위해 다수의 탐구가 현재도 진행 중이다. 다중지능에 대한 이론들은 다른 방법으로 생각하는 사고 방식을 길러 줄 수 있다.

컴퓨터는 학생들이 사용할 수 있는 데이터베이스를 많이 생성하여 연구에 대한 더 복잡한 개념 형성을 더 쉽게 할 수 있고, 더 복잡하고 강력한 지원 체제의 개발을 가능하게 한다. 사회과에서 학술지 〈Social Education〉은 주제와 자원의 보고이다.

실제 문서를 사용한 교수는 사회과 교수에서 오랫동안 혁신의 최첨단으로 여겨졌으며, 전자 매체는 이것을 보다 더 흥미 있게 만들고 있다. 예컨대, 대통령 도서관 12 개를 전자화한 자원은 20세기 미국의 대통령을 연구하는 정미소의 곡식에 해당된다 (Resta, Flowlers, & Tothero, 2007 참조). 모의실험이 움트고 있으며 이전에 귀납적으로 연구하기 어려웠던 영역을 열어 제치고 있다(Bennett & Berson, 2007 참조).

연구는 계속되고 있다. 특별히 놀라운 사례로는 영국의 Philip Adey와 동료들의 연구(Adey, Hewitt, & Landau, 2004)가 있는데, 인지 발달을 촉진하기 위한 과학적 탐구에 초점을 맞춰서 교사가 과학기반의 매우 복잡한 교수 모형을 습득할 수 있는 방법을 연구했다. 학자들은 탐구기반의 과학 수업이 학생의 과학 지식과 추론 기능에 미치는 효과를 지속적으로 연구해 왔는데, 이는 어린 과학자와 과학적 사고를 계발하는 데 있어 교사와 교원을 지원하는 것에 관해 배워야 할 것이 많이 있기 때문이다(예컨대, Minner, Levy, & Century, 2009; Wilson, Taylor, Kowalski, & Carlson, 2010 참조).

생명과학 탐구 교수 모형

이 모형의 핵심은 학생들을 탐구의 본질적 문제에 관여시키는 것이다. 이는 학생들이 조사 분야에 직면하게 하고, 이 조사 영역 안에서 개념적이거나 방법론적인 문제를 식별할 수 있도록 도우며, 그 문제를 해결하는 방법을 스스로 설계하도록 요구함으로써 가능하다. 그러므로 학생들은 지식이 만들어지는 과정을 알게 되고, 학자들의 공동체에 들어서게 되는 것이다. 동시에 학생들은 지식에 대한 건전한 존경심을 갖게 되고, 최신 지식의 근거와 지식의 영향력에 대해 배우게 된다. 무엇보다도, 학생들은 지식의 변화라는 것이 근거 있는 지식까지도 무시되는 것을 의미하는 것이 아니라는 것을 알아야 한다. 이는 지식의 회의론이 건전해야 한다는 것이며, 이 시대에 우리가 할 수 있는 최선이다(Schaubel, Klopfer, & Raghavan, 1991).

모형의 구조

이 모형의 구조는 여러 단계로 되어 있지만, 엄격하게 순서가 정해져 있지는 않다. 첫번째 단계에서 조사 영역을 조사에 사용된 방법과 함께 학생에게 제시한다. 두 번째 단계에서 문제를 구조화하여 학생들이 조사에서의 어려움을 확인할 수 있도록 한다.

이 어려움은 자료 해석, 자료 생성, 실험 통제, 추론하기 중의 하나일 것이다. 세 번째 단계에서 학생들에게 이 문제에 대해 추측하도록 하여, 학생들이 탐구에서의 어려움을 확인할 수 있도록 한다. 네 번째 단계에서 학생들에게 실험을 재구성하고, 다른 방법으로 자료를 구성, 생성하고, 구인을 개발하여 어려움을 해결하는 방법을 추측하게 한다.

사회적 체제

협력적이면서 엄격한 분위기가 바람직하다. 왜냐하면 학생들은 최상의 과학 기술을 사용하는 탐구자 공동체로 기꺼이 받아들여질 것이기 때문에 이 분위기는 겸손과 더불어 대담함을 어느 정도 필요로 한다. 학생들은 엄격하게 가설을 세우고, 증거에 대해 문제를 제기하고, 연구 설계를 비평하는 것 등이 요구된다. 학생들은 엄격함의 요구를 받아들이는 것과 더불어, 학문적 지식과 마찬가지로 자신의 지식이 잠정적이고 창발적인 특성을 갖고 있음을 인지해야 하고, 이를 통해 잘 발전된 과학적 학문 분야에 접근할 때 존경심이 수반된 겸손을 계발해야 한다.

반응의 원리

교사의 업무는 탐구의 과정을 강조하고 탐구에 대해 성찰하도록 학생들을 유도함으로써 탐구를 육성하는 것이다. 교사는 사실 확인이 중요한 쟁점이 아니며, 탐구에 상당한 정도의 엄격함이 장려될 수 있도록 유의할 필요가 있다. 교사는 학생들이 가설 생성, 자료 해석, 현상을 해석하는 새로운 방식으로 여겨지는 구인 개발에 참여하도록 해야 한다.

지원 체제

탐구의 과정에서 전문성을 갖춘 융통성 있는 교수자가 반드시 필요하다. 강좌가 원격으로 제공될 수도 있지만, 교수자와의 상호작용은 매우 중요하다. 학교 내에서 직접적인 교수와 혼합된 구조가 가장 좋은 이유이다.

요약 도표 생명과학 탐구 모형

모형의 구조

- 1단계: 조사 영역을 제시하기
- 2단계: 학생들이 문제를 구조화하기
- 3단계: 학생들이 조사에서 이 문제를 식별하기
- 4단계: 학생들이 어려움을 해소하는 방법을 추측하기

사회적 체제

이 모형은 중간 정도의 구조로 되어 있고, 협동적이고, 엄격하고, 지적인 분위기를 갖추고 있다.

반응의 원리

교사는 탐구를 육성하여, 학생들이 확인 노력보다 탐구 과정을 지향하도록 한다.

지원 체제

이 모형에서는 탐구 과정에 능숙한 융통성 있는 교수자와 조사를 위한 문제 영역의 제공이 요구된다.

개념적, 조사 중심 교육과정의 교수적, 육성적 효과

과학적 탐구 모형은 모든 연령의 학생들에게 사용하기 위해 개발되었다. Ginny 선생님의 2학년 학급과 John 선생님의 5학년 학급에서 학생들은 과학 개념 및 과정을 구조화된 조사를 통해 배운다. 생명과학 탐구 모형(그림 4.1)은 고학년 학생들에게 생물학 조사의 과정과 내용을 가르치고, 학생들이 과정에서 정보를 얻는 방법에 영향을 주고, 과학적 탐구에 헌신하도록 양성하기 위해 고안되었다. 또한 이것은 열린 마음, 판단을 유보하고, 대안에 대한 균형감을 유지하는 능력을 육성한다. 학문 공동체를 강조함으로써, 협동 정신과 타인과의 협업 능력을 육성한다.

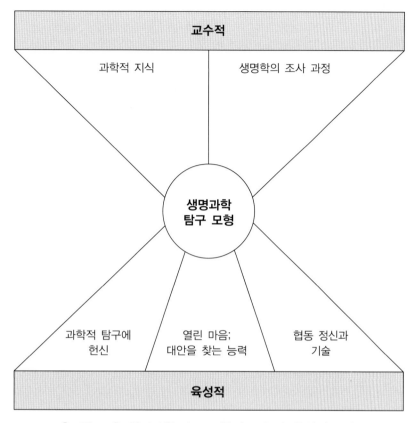

[그림 4.1] 생명과학 탐구 모형의 교수적, 육성적 효과

제5장

그림-단어 귀납적 모형

탐구를 통해 문해력 개발하기

그건 탐구예요, 탐구, 탐구라고요! 고장 난 녹음기처럼 똑같은 말을 되풀이하고 있는 것 같나요? Herbert Thelen의 생각이 옳았어요. 그건 탐구지, 활동이 아니에요!

— Emily Calhoun이 Bruce Joyce에게 천 번째 한 말

지금부터 그림-단어 귀납적 모형(Picture Word Inductive Model; PWIM)을 활용한 교실 수업 장면을 살펴보자. 그림 5.1은 Lisa Mueller 선생님이 고고학·인류학 유물 발굴 현장 사진을 가지고 학생들과 수업하는 장면이다. 학생들은 사진에 나타난 물건, 행위, 아이디어 등에 해당하는 이름이나 단어들을 떠올린다.

그림 5.2는 학생들이 그림-단어 귀납적 모형의 여러 단계를 완료하고 난 후의 교실 벽 모습이다. 뛰는 야생마 사진 주위로, 학생들이 사진을 보고 물건, 행위, 감정을 식별하기 시작하면서 떠올린 단어들이 보일 것이다. 단어들은 이후 학습에서 단어

[그림 5.1] 탐구 활동으로의 초대

[그림 5.2] Lisa Mueller 선생님의 교실 벽

카드에 추가되었다. 사진을 살펴보는 것으로 시작한 PWIM 단계를 모두 거치는 동안, 학생들은 단어들을 살펴보고, 비교하며, 대조하고, 범주에 넣어 체계화한다.

PWIM 개관

그림-단어 귀납적 모형(PWIM)은 문해력을 발달시키기 위해 문예와 어학 관련 분야

에서 적용되는 탐구 중심의 교수 모형이다. 이 모형의 각 단계주기에서 교사는 커다
란 사진을 활용해, 학생들이 단어와 문장을 만들어 내도록 촉진한다. 반 전체 또는 소
집단 학생들과 수업하는 교사는 학생들의 일상언어와 어휘, 음운론 인지, 단어 분석
기능, 독해, 단어ㆍ구ㆍ문장ㆍ단락ㆍ장문 구성 능력, 관찰 및 연구 기능 등을 발달시
키기 위해 PWIM 주기의 요소들을 활용한다. PWIM을 활용한 탐구 활동은 일반적으
로 2~6주 지속된다.

　　PWIM의 매 주기는 사진으로 시작된다. 활용되는 사진은 학생들의 현재 말하기
와 듣기 능력으로 설명될 수 있을 정도의 세부사항을 많이 담고 있어야 한다(그림
5.3 참고). 학생들은 사진을 살펴보고 단어를 떠올린다. 학생들이 사진에서 본 모습
과 행위를 말로 표현하는 것이다. 학생이 사진 속의 모습이나 행위를 말로 표현해
내면, 교사는 사진 바깥 공간으로 선을 그려, 그 단어나 구를 반복해서 발음하고, 쓰
고, 소리 내어 철자를 말한다. 학생들은 '보고, 말하고, 철자를 말하고, 다시 말해 보
는(See, Say, Spell, Say)' 형식에 맞춰, 단어를 반복해서 발음하고 철자를 말한다. 교사
는 사진 속의 항목을 가리키고(See), 학생들은 그 단어를 발음하며(Say), 교사와 함께
그 단어의 철자를 말하고(Spell), 다시 한 번 그 단어를 발음한다(Say). 이 형식은 단
어의 발음과 철자를 묶어서 이해할 수 있도록 연상 장치를 제공한다. 학생들이 사진
속의 항목과 행위를 식별할 때 그림-단어 사전(picture-word dictionary)을 사용하는
것이다.

[**그림 5.3**] Tracy 선생님과 학생들이 PWIM 도표로 탐구 활동을 시작한다.

다음 단계에서, 교사는 개별 학생들에게 단어 카드 묶음을 제공한다. 학생들은 그 단어들이 아는 단어인지를 확인한다. 모르는 단어는 그림–단어 사전을 이용해 그 단어들을 이해할 수 있는지 여부를 확인한다. 교사는 학생들 사이를 지나다니면서 학생들의 지식과 기능을 평가한다. 학생들이 단어를 읽기 시작하면, PWIM의 다음 단계로 넘어가게 된다. 즉, 학생들은 발음(음성), 구조 또는 내용의 특성에 따라 단어를 분류하고, 어떤 이유에서 범주로 묶었는지에 대해 의견을 나눈다. 범주화 활동은 PWIM 주기 중에 규칙적으로 나타난다.

교사는 학생들의 어휘와 선행 지식을 확장하기 위해, 실화나 정보 관련 책자들을 수집한다. 제시된 사진과 관련이 있고, 그 사진을 선택한 의도를 설명할 수 있는 백과사전도 참조할 수 있다. 이 중 일부는 '짧은 내용 영역의 낭독'용으로 교사가 활용하고, 다른 일부는 학생들이 내용을 학습하는 동시에 문해 기능을 연습하는 데 사용한다. 초등학교 저학년 대상일 경우, 교사들은 학습을 확장시키기 위해 동영상을 비롯한 여러 디지털 매체를 제공하는 웹사이트를 찾아서 보여 주기도 한다. 하지만 초등학교 고학년만 되어도 학생들은 스스로 웹사이트를 파악하고 검색하는 편이다. 교사가 소리 내어 읽고, 학생들이 읽고 탐구하는 과정에서 나온 단어 중 일부가 사진에 포함되어 있을 경우, PWIM 도표에 추가된다. 그렇지 않은 단어들은 '관련 단어(Related Words)' 도표에 추가될 수 있다. 나머지 단어들은 학생들이 PWIM의 각 탐구 활동 내에서 어휘와 지식을 확장해 가면서 문장을 만들어 나가는 데 활용된다.

일반적으로 PWIM의 다음 단계는 사진의 제목과 문장을 만들어 내는 활동이다. 교사는 학생들에게 사진에 대해 사실에 바탕을 둔 문장을 만들어 말해 보라고 한다(문장은 사실을 기술하는 것이다. 학생들은 사진에 없는 이야기를 만들어 내지 않아야 한다). 문장과 제목에 포함된 새로운 단어들은 학생들의 어휘 목록에 추가될 것이다. 학생들이 유창하게 문장을 읽을 수 있게 되면, 교사는 학생들에게 내용이나 공통된 구문 또는 구조 형식에 따라 단어 모둠을 나누고, 그렇게 나눈 이유를 설명하라고 한다. 글 쓰기 초보자들이 문장의 구조를 공부하기 시작하는 것이다.

PWIM 주기가 계속되면서, 교사는 문장 범주 중에 하나를 선택하고, 잘 체계화된 단락을 쓰는 사례를 학생들에게 보여 준다. 필요할 경우, 교사는 학생들과 공유하고 싶은 사진에 대한 메시지를 전달하기 위해 문장을 구성함에 있어 자신의 생각을 어떻게 활용했는지, 문장 구조를 어떻게 변경했는지를 알려 준다. 이제, 학생들은 자신의 발달 수준에 맞게(예컨대, 그림, 글, 구술된 부분의 조합) 스스로 문단을 만들어 본다. PWIM 주기는 문단 만들기 완료 후 언제라도 종료될 수 있다.

PWIM이 활용되고 있는 다음의 초등학교 교실을 들여다보자.

시나리오

한 학년, 한 교실에서의 PWIM 적용 사례

Lisa Mueller 선생님의 또 다른 수업 장면으로, 초등학교 1학년이 대상이다. PWIM의 한 주기를 기술하는 Lisa 선생님의 지도계획안을 보면, 학생 수는 23명이며, 22차시로 구성되어 있으며, 각 차시는 약 50분간 진행되며, 수업은 10월 2일부터 30일까지 진행됨을 알 수 있다. Lisa 선생님은 1학년 수업 내내 더 많은 주기를 이어가면서, 학생의 학습에 대한 일련의 연구를 진행하고 있다. 그림 5.4는 멕시코의 한 시장 사진이다. 선생님은 학생들에게 말한다.

"여러분은 지난 며칠간 이 사진을 보고 이 안에 들어 있는 것들을 식별했어요. 이제 여러분이 찾은 것들을 단어로 표현해 봅시다."

각 항목의 이름이 명명되자, 선생님은 그 항목 옆 종이 바탕에 선을 그린다. 그런 다음 학생들에게 철자와 단어를 말하게 한다. 학생들은 계속 단어를 들여다보고, 철

[그림 5.4] 멕시코의 한 시장 모습

자를 말하며, 단어를 말한다. 학생들은 단어에서 사진까지 이어진 선을 따라, 그림사전으로서 도표를 어떻게 활용하는지 배운다. 1차시 중 학생들은 22개 단어와 구(우산, 여성, 종려나무, 파란색과 흰색 줄무늬 우산 등)를 사진에서 찾아냈다.

이 단어들은 컴퓨터 작업을 거쳐 카드로 인쇄되어 각 학생에게 묶음으로 주어진다. 이후 며칠 동안 세 가지 활동이 번갈아 가며 진행된다. 첫째, 다 같이 단어를 복습한다. PWIM 도표를 보고, 단어를 선택해, 관련 있는 사진 속 항목까지 따라가고, 단어 철자를 말하는 등의 활동이다("카드를 하나하나 보세요. 카드에 적힌 단어를 말할 수 있으면, 사진 도표에서 단어를 찾아보세요. 사진까지 그 단어를 따라가 보세요. 맞는지 확인해 보세요."). 둘째, 각 학생은 카드를 보고 단어를 정확히 알고 있는지 파악한다. 확실하지 않으면, PWIM 도표로 가서 확인한다. 셋째, 각 학생은 공통 속성에 따라 카드를 이동시키면서 단어를 분류한다("단어들을 잘 보세요. 공통점이 있는 단어끼리 묶어 보세요."). 분류하는 도중에 특정한 단어 범주가 나타났다. 특히 공통된 알파벳으로 시작되는 단어들이 하나의 범주로 묶였는데, 예컨대 두 개의 같은 자음으로 시작되는 단어(trees, truck, trunk)가 그것이다. e가 두 개 겹쳐지면서 발음이 알파벳 e의 이름과 같은 단어(trees, wheels, three) 범주도 만들어졌다. 두 개의 단어로 이루어진 합성어이면서 tai로 시작되는 단어(taillights, tailgate) 범주도 있다. 복수 형태(umbrellas, trees, wheels) 범주도 나타났다. Lisa 선생님은 전자칠판을 이용해 이 범주를 인쇄하고, 학생들은 이 단어들의 공통점이 무엇인지 논의하고, 이 범주에 들어가는 다른 단어들을 떠올려 본다. 추가적으로 12개의 단어가 거론되고, 선생님은 이 중 일부(standing, walking, leaning, curved)를 '단어 벽(Word Wall)'에 추가한다.

2주차 PWIM 주기의 시작 무렵, 선생님은 학생들에게 사진의 제목을 만들어 보라고 한다("다른 사진 몇 장이랑 내가 정한 제목을 보여 줄게요. 그 다음엔 여러분이 그동안 공부한 사진의 제목을 만들어 보세요. 방문객이 우리 교실에 들어왔을 때 제목을 보고 여러 사진들 중에서 이 사진을 찾을 수 있게 제목을 한 번 만들어 보세요.") 선생님은 여러 제목을 보여 주고 학생들에게 여러 책의 제목을 참고해 보라고 한다. 학생마다 제목을 하나씩 정한다.

학생들이 사진과, 사진에서 알아낸 것에 대해 계속 논의하는 동안 shadow, people, scale 같은 단어들이 PWIM 도표에 추가된다. 11개의 단어가 '관련 단어' 목록에 추가되고(shopping, market, produce, consumers, farmers, orchards 등), '단어 벽'에 더 많은 단어들이 추가된다(parked, scale 등). 2주차 내내 학생들은 그림-단어 사전을 활용해 자신들의 단어 카드에 단어를 분류해 나가면서 계속 단어들을 공부한다. Lisa 선생님은 음운론 인지, 유추 사용을 개발할 수 있는 여러 가지 교수 활동을 학생들에게 적용한다. 예컨대, Lisa 선생님은 초성, 운이 같은 단어들, 교체(substitutions), 삭제(deletions)의 개념을 설명하기 위해, 학생들이 사진에서 떠올린 두 개의 합성어 taillight, tailgate로부터 tail, light, gate(-ail, -ight, -ate)에 들어 있는 운(rimes)을 활용했다.

또한 Lisa 선생님은 어휘와 세계 관련 지식을 쌓는 동시에 학생들이 자신을 따라 책과 문서 자료로 탐구하고 학습하도록 모범을 보이기 위해 '짧은 내용 영역의 낭독'을 많이 한다. PWIM 주기의 일환으로 그림 5.4처럼 사진을 활용하는 동시에, 학생들은 세계의 시장, 공동체, 운송의 유형과 목적, 멕시코 등에 대한 책들을 살펴본다. 학생들은 이러한 책들을 읽기도 하고 사진도 살펴본다. 또한 다른 학생들은 자신의 PWIM 공책에 새로운 단어들을 모아 정리하기도 한다. Lisa 선생님은 가장 초기 단계의 PWIM 주기에서부터 책으로부터 글을 읽히고, 구술 토론, 작문, 연구를 위해 정보를 모으는 학습 문화를 구축하고자 한다.

2주차 마지막에, Lisa 선생님과 보조교사 Cecile은 단어 하나가 적힌 카드로 학생들에게 단어들을 제시하면서, 사진, 제목, 문장 맥락에서 학생들의 단어 지식이 어느 정도인지를 확인한다. 9명의 학생이 14~22개 단어를, 7명의 학생이 8~13개 단어를 정확하게 읽어 냈다. 6명의 학생은 2주차 끝 무렵에 1~7개밖에 읽어 내지 못했다.

3주차 시작 때 Lisa 선생님은 일부 문장 구조를 예시 자료로 만들어서, 사진에 대해 자신이 쓴 문장들을 보여 준다.

The man is walking into the market.
The scale can be used to weigh the fruits and vegetables.
Umbrellas also provide shade from the sun.

3주차 동안 학생들은 사진에서 떠올린 단어와, 문장을 만드는 데 추가적으로 필요한 단어를 섞어서 자신이 만든 문장들을 받아쓴다. 학생들이 만든 문장에서 많이 보이는 단어는 is, are, by, from 등이다. 또한 선생님은 학생들에게 PWIM 공책에 있는 문장을 하나 이상 사용해 보라고 한다.

학생들은 단어를 계속 살펴보고 문장을 읽는다. 3주차 끝 무렵, Lisa 선생님과 Cecile 선생님은 다시 학생들의 단어 지식을 평가한다. 이 기간 중에 학생들이 정확하게 아는 단어가 상당히 늘어났다. 대부분의 학생이 20개 이상의 단어를 읽을 수 있었다. 한 학생만 단어 실력이 늘지 않았다. 일부 학생들은 도움 없이 제목과 문장을 읽어 냈다.

PWIM 주기의 마지막 주, Lisa 선생님과 학생들은 문장들을 내용 범주로 분류했다. 예를 들어, 장소, 시장의 항목, 운송, 트럭에 대한 문장들을 분류했다. 일부 학생들은 Tricycle에 호기심을 보였으나, 학생들은 Tricycle이란 단어를 생각지 못했다. 선생님은 웹에서 몇 가지 이미지를 보여 주었고, 학생들은 사진의 것과 가장 잘 들어맞는 표현인 cargo tricycle로 이름을 정했다.

또한 Lisa 선생님은 학생들이 만든 문장을 일부 수정해, 범주 중에 하나를 활용한 문단을 구성했다. 문단 내용은 카드 프로그램에 인쇄되어 책자로 만들어졌는데, 학생들은 이 책자를 집에 가져가 부모님께 읽어 드리게 된다.

이 학교는 교육청의 'Just Read' 프로그램(Joyce & Wolf, 1996; Joyce & Calhoun, 1996)에 참여하고 있다. 이 1학년 반은 매주, 부모님이 몇 권의 책을 읽어 줬는지, 그리고 자신들이 스스로 몇 권의 책을 읽었는지 기록한다. 그 목적은 학부모가 매주 자녀에게 5권 이상의 책을 읽어 주게 하는 데 있다. 10월 마지막 3주간의 평균은 6권이었지만, 주마다 차이가 있었다. 어느 주에는 2~3명의 부모가 아무 책도 안 읽어 주었다고 보고하거나, 1권만 읽어 주었다고 보고하기도 했다. 그러나 전체적으로 보면 3주 동안 3권 이상 책을 읽어 주었기 때문에, 모든 학생들의 부모가 책을 읽어 주었다는 결론이 나온다. 성별의 차이는 없었다. 학생들은 읽기를 배우면서 스스로 읽은 책의 제목과 수를 기록하게 되고, Lisa 선생님과 Cecile 선생님은 각 학생이 집에서의 독서와 학습을 위해 적정한 수준의 책들을 선택했는지 확인한다.

학습에 대한 연구

Lisa 선생님은 학기 중에 시각적 단어 습득(sight words acquisition)과 기억, 자주 등장하는 단어의 빈번도 분석, 구조 분석 능력과 음성 표기법의 향상, 독립적으로 읽기, 학생들이 성취한 읽기 능력 수준을 포함하여 몇 가지 연구를 수행했다.

시각적 노출 단어

학생들은 그림-단어 도표, 문장, 문단, 교실 내 사물에 붙은 이름표, 단어판(Word

Wall) 등을 통해 시각적으로 노출된 1,029개의 단어를 학습했다. 이 단어들은 학생들이 개별적인 독서를 통해 접했던 단어들과는 다른 것이었다. 1,029개의 단어 중에 377단어는 PWIM 주기의 첫째 주에 나온 단어들이었다. 교육 주기는 9월에 시작하여 학년 내내 비규칙적인 간격으로 계속된다. 이 377개 단어에 대한 학생 개개인의 기억력 평가는 5월에 이루어졌다. 평가는 분리된 교실 안에서 플래시카드에 적힌 개별 단어들을 보여 줌으로써 그림, 문장, 단어판의 단어를 분리시킨 형태로 이루어졌다. 학생들은 평균적으로 91%의 단어를 정확하게 읽어 냈다. 가장 낮은 성적을 기록했던 학생은 단어의 59%를 정확하게 읽어 냈다.

그 해 9월에, 학생들이 2학년으로 올라갈 때 단어에 대한 기억력 평가가 다시 이루어졌다. 평균적으로 학생들은 5월과 9월에 배웠던 그림, 문장, 단어판에서 분리된 단어들의 91%를 기억해 냈고, 단어를 정확하게 읽은 학생은 90%였다. 지난 5월에 59%로 가장 낮은 성적을 기록했던 학생은 이번에도 같은 성적을 유지했다. 중요한 것은, 학생들이 그 단어들을 장기기억으로 기억하고 있다는 사실이다. 이는 아마도 학생들이 그 단어들을 PWIM 질문의 일부로만 읽었던 것이 아니라 학년 내내 그 단어들을 공부하고 문장과 문단에 넣어 사용하고 책에서 접해 왔기 때문일 것이다. Lisa 선생님은 학생들이 얼마나 많은 고빈도어를 학습했는지 알고 싶었다. PWIM 주기에서 제시된 단어들이 바로 그림에 있는 단어들이다. 따라서, 그 단어들 전부가 교과서나 기초 단계의 인기 있는 서적들에 나오는 고빈도어는 아니다. Lisa 선생님은 3학년에서 배우는 400개의 고빈도어(Dolch list)에 대한 학생들의 인지도를 평가했다. 학생들은 전체적으로 단어의 49~100%, 평균적으로는 단어의 87%를 맞추었다. 22명의 학생 중 15명의 학생들이 돌치 목록 단어의 90% 이상을 맞추었다. 따라서, 미리 정해진 단어 학습 목록에 따라 PWIM 주기에서 시각적으로 단어를 가르치지 않더라도 이 1학년 학생들은 그 단어들을 좋은 성적으로 학습하고 있었음이 드러났다.

발음 중심 언어학습

PWIM 주기에서는 이전 방식의 파닉스 프로그램에서 보이던 순차별 접근방식에서처럼 단어의 발음을 하나하나 소개하지는 않는다. 선생님의 명시적 설명과 개념 습득에 대한 수업을 듣고 학생들은 단어를 분석하여 발음 중심 단어 학습을 귀납적으로 수행한다.

Lisa 선생님은 학생들이 기본적인 발음 학습을 얼마나 잘 일반화했는지 알아보고자 했다. 선생님은 5월에 이름 시험(Cunningham, 1990, 2005; Duffelmeyer, Kruse, Merkley & Fyfe 1994)을 실시했다. 이는 학생들이 여러 단어들 가운데서 기본적인 발음 조합을 가진 낯선 단어를 해독해 내는 시험이었다. 시험에서 만점을 받는다는 것은 단어를 해독하는 데 기본적인 글자-소리 관계를 올바로 사용할 수 있음을 의미했다. 학생들 평균 점수는 81%였고, 제일 낮은 점수는 62%였다. 네 학생은 95% 이상이었다. 이는 같은 방식으로 1학년 학생들을 평가했을 때 일반적으로 나타났던 성과보다는 상당히 더 좋은 점수였다.

학년 중 독서량

독서량은 60권(1주에 2권 정도)에서 300권이나 그 이상까지 다양했다. 평균 독서량은 200권 정도였다(첫 달에 읽었던 책들 대부분은 그림으로 가득 찬 책들이었음을 명심해야 한다). 학년 말 즈음에, 학생들 대부분은 학년 수준의 책이나 그보다 더 높은 수준의 책을 읽고 있었다. Lisa 선생님은 학생들이 읽는 법과 언어에 대해 배우는 동안 학습내용을 보충하기 위해 학생들이 다양한 장르의 책을 읽을 수 있도록 독려했다. 선생님은 소설 이외의 지문, 높은 수준의 지문(개념집, 정보를 담고 있는 글/설명하는 글, 소설체 실화)이 교실에서 배우는 글의 15%를 차지하도록 특별한 노력을 기울였다.

읽기 성취 표준화 검사에서의 학년 말 성과

학년 말에 22명의 학생이 Alberta Diagnostic Test를 치렀다. 이 시험은 해당 학년 수준의 읽기 능력 성취를 추정하는 것이다. 19명의 학생이 '1학년 말' 수준이거나 그 이상이었다. 등급별 분포는 아래와 같다.

- 6학년 중반 수준: 2명
- 4학년 중반 수준: 3명
- 3학년 초 수준: 6명
- 2학년 말 수준: 2명
- 1학년 말/2학년 초 수준: 6명
- 1학년 중반 수준: 3명

개별화된 수행기반 표준화 검사

Lisa 선생님은 읽기 능력을 평가하기 위해 사용되는 수행기반 개별화 검사인 Gray Oral Reading Tests(GORT-4)(Wiederholt & Bryant, 2001)를 전 학교구에서 사용했던 팀의 일원이었다. 이 팀은 학년 말에 15명의 학생들에게 이 읽기 시험을 실시했다. 동등 학년 수준(Grade level Equivalent, GLE) 점수는 표 5.1과 같다. 표의 자료는 이 1학년 말 수준의 학생들 대다수가 유창하게 읽고 이해할 수 있음을 나타낸다.

GORT 결과는 지역의 학업성취도 검사와 일치한다. GLE 점수 2.0은 1학년 말 학생들의 전국 평균점수이다. 중요한 사실은, 1학년과 2학년에 점수 3.0 이상을 받은 학생은 많은 양의 어휘력을 가진 경쟁력 있고 독립적인 독서가로 단어-분석 능력을 성취했을 수도 있음을 나타낸다는 것이다.

〈표 5.1〉 Gray Oral Reading Tests(GORT-4) 점수, 학생들은 2010년 6월에 평가되었음

1학년 GLE 점수	
6.0	2.7
2.9	3.7
1.4	5.2
2.7	3.7
3.2	5.7
10.2	5.0
5.0	6.7
4.4	

요약

Lisa Mueller는 매우 좋은 선생님이자 연구자이다. 그녀는 새로운 교수 모형과 그 모형의 활용법에 대해 계속적으로 연구하고, 학생들의 발달 상황을 조사하며, 학생들이 스스로 독서가, 저술가로서의 발달 과정을 연구할 수 있게 한다. Lisa 선생님은 http://modelsofteaching.org 사이트에 있는 여러 사례 영상에 나오는 선생님이기도 하다.

Lisa 선생님은 교육 주기 초기에 시장 사진을 이용했던 것에 이어, 학생들에게 또 다른 시장 사진(그림 5.5)을 사용하기로 한다. 학생들은 다시 이 사진에서 단어를 유추해 내고, 또 다른 교육 주기를 시작하게 된다.

[그림 5.5] 시장 거리 사진

PWIM 모형의 근거

많은 교수 모형들이 여러 세대에 걸쳐 개발되어 왔고 비교적 긴 역사를 가지고 있지만, 이 교수 모형 개정판에는 새롭고 강력한 교수 모형 몇 가지만을 담았다. 그림-단어 귀납적 모형은 최근에 추가된 것으로, 그 이론적 바탕과 적용 범위에 있어 색다른 모형이다. 모형의 이름에서 보이듯이, 귀납적 학습을 담고 있어, 귀납적 교수-학습과 협동 학습에 대한 방대한 연구를 바탕으로 한다.

PWIM 모형 연구는 문해 교육 분야의 연구에 기반을 둔다. 문해 연구 분야는 일반적으로 학생들이 읽고 쓰는 능력을 발전시키는 방법(특히 어떻게 읽고 쓰는 법을 배우는가와 관련), 귀납적 교수와 학습, 모든 교육과정 분야에서의 읽고 쓰는 능력 등을 아우른다. 초인지 조절 능력을 발달시키는 것은 문해 교육의 중요한 핵심이며, 이는 학습하는 방법에 대한 학습을 의미한다. Emily Calhoun은 20년에 걸쳐 이 모형을 개발하고 적용함으로써 수많은 학생들의 지속적인 성취에 기여했다.

학습의 핵심은 인쇄된 언어(음성적, 구조적, 맥락적 분석)에 대한 지식을 구성해 가고, 다양한 교육과정에서 정보를 추출하고 구조화하는 능력을 발달시키는 것에 있다. 일반적인 문해력은 특정 교육과정 관련 문해력을 발달시킬 수 있는 기초가 되므로, PWIM이 어떤 면에서는 궁극적인 법리해석적 모형이라고 할 수 있다.

숙달된 독서가가 되기 위해서는 많이 읽어야 하고, 방대한 시각적 어휘를 구축해야 하며, 음성적, 구조적 분석 능력을 발달시켜야 하고, 글을 이해하는 방법을 배워야 하며, 확장된 지문을 만들 줄 알아야 한다. 이러한 기능들은 정보를 취합하고 개념화하며 적용하는 것이 교육 성과의 중요한 부분인 교육과정 전반에서 핵심적인 것들이다. 학생들이 어떻게 글을 읽고 쓰는 능력을 갖게 되는가에 대한 연구에서부터 도출한 몇 가지 명제에 대해 알아보자.

- **자연스러운 사회화 과정**. 아이들은 자연스럽게 들리는 말을 듣고 이해하는 법과 말하는 법을 배운다. 아랍어를 사용하는 가정에서는 아랍어를 듣고 다시 아랍어로 말하는 것을 배우며 프랑스 가정에서는 마찬가지로 프랑스어를 배우게 될 것이다. 다양한 어휘와 복잡한 문법을 구사하는 가정에서 자란 아이들은 다양한 언어와 복잡한 문법을 구사할 수 있게 된다. 중요한 것은, 아이들이 다른 이들과 상호작용하면서 갖게 되는 언어를 사용하고 싶어하는 욕망과 아이들 자신의 학습 역량을 활용하려는 시도를 바탕으로 이 과정이 진행된다는 것이다.
- **개념의 구조화.** 둘째로, 1, 2, 3장에서 설명했듯이 우리 뇌에는 귀납적 사고가 내재되어 있다. 아이들은 태어나면서부터 세상을 분류하고, 천부적으로 개념화하는 능력을 갖고 있다.
- **이해하고 싶은 욕구.** 셋째, 아이들은 의미를 알고 싶어한다. 자신이 지각하는 것을 조직화함으로써 자신들의 세계를 이해하고 싶어하며, 의미를 부여하는 자원으로서 언어에 접근한다.
- **상호작용적 환경.** 넷째, 어른 혹은 동료와의 상호작용은 사회화의 기본 기제이다. 아이들이 정보와 아이디어를 책에서 접하게 될 때, 읽기를 통한 상호작용은 사회화에 중요한 부분이 된다. 사회화의 깊이는 읽기 쓰기 능력에 의해 엄청난 영향을 받는다. 책을 읽지 않는 아이들은 문화 학습에 심각한 저해를 받게 되며, 저자와의 상호작용을 통한 학습의 기쁨도 누리지 못한다.

앞서 설명한 것들은 읽고 쓰는 능력이 자연스럽게 습득되는 것이기 때문에 교육이 필요하지 않다는 것을 의미하는 게 아니다. 오히려, 아이들이 언어 학습에 자연스럽게 접근하는 방식을 읽기 쓰기를 가르칠 때 활용할 수 있다는 것을 강조하는 것이다. 교사들에게 남겨진 과제는, 아이들의 천부적인 능력을 잘 활용하여 읽기 쓰기 학습 능력을 확장시켜 줄 수 있는 교육과정을 고안해 내는 것이다.

그림-단어 귀납적 모형은 이러한 목적으로 개발되었고, 그 개념적 토대는 문해력이 어떻게 습득되는가에 대한 연구들과 이전 장에서 논의되었던 학습 모형의 기저에 대한 연구에 근거를 두고 있다.

PWIM과 문해 교육과정

이 모형은 다른 교육과정 분야에 유용할 수 있으나, 여기서는 초등학교의 읽기-쓰기 교육과정에 대한 적용에 초점을 두고 알아보기로 한다. 이 모형(Calhoun, 1999; Joyce & Calhoun, 1998)은 초등학교 수준에서 초급 독서가, 혹은 초급 수준의 나이가 많은 독서가들을 위한 문예 교육과정의 주요 구성요소라 할 수 있다. 교육학적인 관심이 수업을 구조화하여, 학생들이 영어 시간에 언어를 탐색하고, 글자, 단어, 구, 문장, 긴 지문이 어떻게 의사소통을 가능하게 만드는지를 알아, 이를 일반화를 하여 적용할 수 있도록 하기 때문에 이 모형은 정보처리적 모형군에 속한다고 본다. 이 모형은 또한 학생들이 읽고 쓰는 능력을 형성시켜 나가는 발달 과정을 교사들이 탐구할 수 있게 도와주는 많은 도구를 제시한다. 실제로, 그림-단어 귀납적 모형을 효과적으로 사용하려면 현장 연구 유형을 참조할 필요가 있다. 단순히 PWIM을 받아들이고 적용하는 것만이 아니라 모형의 이론과 근거, 구조, 학생들에게 미치는 영향을 탐구해야 하기 때문이다. 앞서 보여진 시나리오에서는 교실 수준에서의 현장 연구를 보여 준다. 앨버타와 캐나다에서 수행했던 최근의 두 연구와 캐나다 사스캐처원에서 수행했던 또 다른 연구는 학교와 전 지역에 걸쳐 실행했던 이 모형의 강점을 보여 준다(Joyce, Hrycauk, Calhoun, & Hrycauk, 2006; Joyce, Calhoun, Jutras & Newlove, 2006. Joyce & Calhoun, 2012; Hoyce & Calhoun, 2010의 5, 6장도 참조).

모형의 진행 과정

이 모형은 어린 유아부터 초등학교 고학년에 이르기까지 내용 영역에서의 탐구활동을 지원하기 위해 사용될 수 있다. 대부분의 선진국 아이들은 5살이 될 때까지 4,000개에서 6,000개의 단어를 이해하며 듣고 말할 수 있고 기본적 구조의 구문을 만들 수 있다(Chall, 1983; Clark & Clark, 1977). 그리고 복잡한 문장과 긴 대화를 이해할 수 있다. 접속사와 전치사를 포함하는 문장을 만들고 "만약 우리가 지금 상점에 간다면, 돌아와서 '토마스' 만화 프로그램을 볼 수 있을 것이다."와 같은 일상적인 복합 문장을 만들 수 있다. 아이들은 후에 글을 작성할 때와 같이 생각을 구성하고 단어를 조작하면서, 단어를 빠르게 선택하고 다루며, 동물인형들과 대화할 수 있다. 아이들의 자연스러운 언어 습득은 그들의 문화에 대한 가장 흥미로운 전수 중의 하나이고, 개인적인 능력과 만족감을 부여한다.

그림-단어 귀납적 모형(PWIM)의 첫 단계에서 학생들은 친숙한 장면을 나타내는 사진을 받게 된다. 사진에서 사물, 행동, 질 등을 인식하면서 관련 단어들을 떠올려 낸다. 사진의 사물에서부터 단어나 문장으로 선을 연결하며, 사진에서 찾아낸 사물들과 기존에 자연스럽게 듣고 말하던 단어들을 연결한다. 아마도 다음 그림 5.6에서 몇 개의 단어들을 떠올리는 데 1분 정도 걸릴 것이다.

학생들은 사진 속의 사물 및 행동과 언어의 연결을 통해서, 자연스럽게 구어에서 문어로 옮겨 갈 수 있게 된다. 학생들은 이러한 변화 과정을 보게 된다. 단어의 철자가 쓰이는 것을 보고 교사와 함께 철자를 써 본다. 사진의 사물과 단어를 연결해 보고, 유인물에서 단어를 찾아본다. 이를 통해 학생들은 해당 단어를 읽을 수 있게 된다. 즉, 학생들은 우리가 단어 철자를 쓰는 방식을 배운 것이다. 학생들은 사진에서 개를 확인하고, '개'라고 쓰인 것을 찾고, 철자를 듣고, 철자를 써 보고, 하교 길에 도로변에 붙여진 잃어 버린 개를 찾는 표시에서 '개'를 읽게 된다.

[그림 5.6] 아기와 개

따라서 그림-단어 귀납적 모형의 주요 원리는 학생들의 어휘와 구문 학습의 저장소를 발달시키고 인쇄물을 읽을 수 있도록 촉진하는 것이다. 대부분의 학생들은 주변의 언어를 이해하기를 원하고, 언어의 수수께끼를 풀면서 교사들과 함께 열심히 참여하게 될 것이다. 이러한 접근의 기본 전제는 학생들의 단어를 사용하고 연결을 만드는 학생들의 능력을 중심으로, 학생들의 언어 발달을 존중하는 것이다. 특히 장기기억의 파지를 돕기 위해 다양한 연합을 만드는 것과 같은 기억법의 원리들이 어휘 발달에 있어 강조되어야 할 것이다.

읽고 쓰기에 대한 학습 과정

학생들이 자연스럽게 형성한 언어와 문자를 연결 지을 수 있는 인지적 과정은 거의 마법과 같은 신비로운 과정이며 알아 가야 할 것이 여전히 많다. 이번에는 읽고 쓰는 과정에서 이루어져야 할 몇 가지 학습 방식에 대해 이해해 보자.

학생들이 읽고 쓰기를 배우기 위해서는, 시각적 어휘 학습을 상당히 요구한다. 즉, 철자를 가지고 즉각적으로 인식할 수 있는 단어의 상당한 기억량을 가지고 있어야 한다. 학생들이 매우 쉬운 비소설 및 이야기 그림책을 읽기 위해서는 약 400에서 500개 단어 정도가 필요하다. 물론, ≪Go, Dog, Go≫(Eastman, 1961)와 ≪Ten in the Bed≫(Dale, 1988)와 같은 간단한 책을 읽을 때에는 약 100에서 150개 단어가 필요하다. 그리고 이 수준에 도달한 학생들은 ≪My Five Senses≫(Aliki, 1989), ≪About Birds: A Guide for Children≫(Sill, 2013), ≪Born to be a Butterfly≫(2000)와 같은 쉬운 정보 글을 읽기 학습에 사용할 수 있을 것이다. 학생들이 일단 약 50여 개 단어를 습득하게 되면, 어휘력 발달과 함께 발음 학습이 촉진된다(Graves, Watts, & Graves, 1994).

그림-단어 귀납적 모형(PWIM)은 어휘력 발달에 직접적으로 영향을 준다. 첫째, 학생들은 그림에서 찾아낸 단어를 읽고 철자를 써 본다. 그리고 해당 단어는 학생들이 볼 수 있고 교사가 집단 교수에 사용할 수 있도록 큰 단어 카드에 쓰인다. 학생들도 자신만의 작은 단어 카드를 갖게 된다. 학생들은 단어 카드를 정리하고, 단어에 대한 자신의 이해와 새로운 의미를 확인하기 위해 그림사전을 찾아본다. 학생들은 단어 카드를 단어 은행 혹은 단어 상자에 보관하고, 필요할 때와 단어들을 사용하여 문장을 만들 때 살펴보게 된다.

학생들은 인쇄된 문자에 소리와 어문 구조를 연결시키기 위해 관습적으로 사용되는 언어적 개념을 형성해야 한다. 소리(발음, 자소/음소, 낱소리 구조)와 표음에 관련하여, 학생들은 거의 모든 단어들이 특정한 소리를 나타내는 특정한 글자로 시작한다는 것을 배울 필요가 있다. PWIM을 통해서, 교사는 글자 'b'를 포함하는 모든 단어를 학생들이 그들의 단어 상자에서 꺼내 보도록 하여 잠시라도 학생들이 단어에서 해당 철자에 집중할 수 있게 한다. 또 다른 시간에 'at'과 함께 쓰인 모든 단어에 집중하게 한다. 이와 같이 PWIM 도표의 단어를 읽는 법을 배운 후에 교사는 학생들에게 특정 소리를 내는 단어들을 골라 보도록 한다.

단어의 구조적 측면에서, 학생들은 수, 성별, 사람, 긴장감, 상황, 분위기, 목소리에 따라 단어의 형태가 변화하고 억양이 달라질 수 있음을 이해해야 한다. 학생들은 단어의 단수형과 복수형(book과 books)의 유사점과 차이점을 배운다.

PWIM은 학생들이 새로운 단어를 분류하고, 재분류하도록 유도함으로써 이전에 보지 못한 단어들을 인식할 수 있도록 하는 개념을 습득하게 한다. 단어 특징에 주목하고 적극적으로 분류하는 것은 어휘력과 단어 인지 기술을 높이는 데 도움이 된다(Graves, Juel, & Graves, 2001). 영어는 200개 이상의 형태로 표현된 44개 소리로 이루어져 있다. 일부 사람들은 250개 형태라고도 말한다(Morris, 1997). 왜냐하면 몇 가지 소리가 복합적으로 표현되기 때문이다(shut, nation). 학생들은 단어를 구별하는 과정에서 많은 범주를 개발할 것이다. 여기에는 boy와 같은 단어의 범주로 시작하여 ladder와 같이 d가 두 번 들어가는 단어들을 포함하는 범주가 속할 것이다. 학생들은 표음문자 또는 운율을 가진 단어 모음(bat, cat, hat)을 발달시키고, 이전에 기억되지 않은 단어(mat)를 읽거나 철자를 말하는 것에 익숙해진다. 그러면서 학생들은 새롭게 접한 단어의 약 70%를 알 수 있게 되는 일반화의 과정을 배운다. 이러한 일반화의 과정은, 이미 알고 있는 단어의 비유를 사용하거나, 문맥에 따라 인식하거나, 단어 내에서 인식된 일반적인 철자법을 발음하거나, 문자소와 음소를 병합하여 단어를 만들어 읽거나 하여 수행된다.

학생들은 단어의 철자(ate, eight)를 쓰는 방법을 재미있어할 수도 있고, 언어의 특이성을 배우면서 가끔 한숨을 쉬기도 할 것이다. 학생들은 see와 sea를 혼동하고, 왜 비슷한 소리로 발음되는지 궁금해한다. 때로 교사들은 "그러한 단어들은 암기해야 한다."라고 말한다.

요컨대, PWIM은 귀납적 사고를 위해 학생들의 능력을 활용하다. 음성적이고 구조적인 분석의 토대를 만드는 일반화를 발달시키는 것이다. 그리고 학생들의 생각하는 힘을 존중한다. 따라서, 이 모형의 주요 원리는 학생들이 언어적 관습에서 나타난 일반화의 능력을 형성하고 활용하도록 하는 데 있다.

읽기와 쓰기 연관 짓기

학생들이 단어를 찾기 위해 사진을 살펴볼 때, 교사는 그 단어의 철자를 정확히 말하고 그림-사전에 적어 둔다. 이것은 공식적인 글 쓰기의 초기 단계에 학생들을 안내하는 것이다. 이후 학생들은 그 사진에 대한 문장을 작성해야 하고, 교사의 도움을 받아 더 긴 글을 쓰기 시작한다. 계속적인 반복을 통해 학생들은 문장의 단어들을 기억하게 되고, 그들의 단어장에 올려놓는다. 학생들이 더 많은 책을 읽으면 읽을수록 다른 작가들이 쓰는 방식을 분석하는 것을 학습하게 되고, 이 작가들이 자신의 생각을 더 잘 표현하기 위해서 사용하는 방법들을 학생들도 사용하게 된다. 특히 학생들은 생각을 공유하고 소통하기 위해 글 쓰기에 대해 더 많이 배우고자 훌륭한 문학과 산문을 활용하게 된다. 학생들은 짧지만 유익한 책들과 그림 이야기책을 읽으면서 서로 토론하고, 그들 자신의 글을 위한 멘토이자 모형으로서 그 책들을 활용하게 된다. 학생들은 책의 글을 통해 현재 학습하고 있는 개념이나 주제에 대한 정보를 수집하고, 그 작가가 왜 그런 방식으로 정보를 공유하는지를 고려하면서 자신의 생각을 공유하고자 할 것이다. 많은 학생들은 책을 읽는 것은 그들 자신의 말로 그 주제에 대해 말할 수 있게 될 때까지는 끝난 것이 아님을 느끼게 될 것이다. 그 작가와 독자 사이에 소통의 고리가 완성되어 나름의 의미를 형성해야 하지만 독서가 끝난 것이다.

글의 문단들을 통해 세계를 공부하면서, 학생들은 그들이 본 것을 이해해야 하고, 그 글의 목적에 대해 생각해야 하며, 글이 무엇을 표현하며 무엇을 나타내고 있지 않은지에 대해 숙고해야 한다는 필요도 느끼게 될 것이다. 예를 들면, 그림 5.7과 같은 사진을 보여 주는 작가의 글을 읽을 때, 학생들은 사진 안의 어떤 항목이나 행동뿐만 아니라 그것의 의도와 상황, 맥락 등에 대해 생각하게 된다는 것이다. 학생들은 사진에 대한 제목을 직접 쓰거나 생각해 볼 수도 있다. 학생들이 교육을 통해 발달해 가고 신문이나 잡지, 인쇄물, 웹 자원을 더 많이 접하게 됨에 따라 특정한 이미지(사진, 그림, 그래프, 도표 등)를 전달하는 작가의 의도에 대해 생각하게 되고, 그 이미지에서 나타난 증거의 속성과 근거에 대해서도 생각하게 되는 것이다.

유치원에서 시작하여 계속적으로 학생과 교사는 단어, 문장, 문단, 책 등을 생성하는 것을 함께 한다. 학생들이 문단을 구성해 갈 때 교사와 학생은 제목을 선정하고 토의한다. 교사는 왜 그런 제목이 선택되었는지에 대한 토론을 이끌 것이다. 그 제

Bruce Joyce

[그림 5.7] 아프리카 사파리 사진

목이 가장 포괄적이거나 흥미로운지, 어떤 문장이 그 제목과 어울릴지 등에 대해 토론하는 것이다. 한 문단을 쓰거나 제목을 만들어 낼 때, 교사는 학생들이 의사소통의 핵심에 집중할 수 있도록 도와야 한다: 독자에게 우리가 말하고자 하는 것이 무엇이지? 학생들이 독자에게 말하고자 하는 것이 무엇인지, 독자에게 필요한 정보를 제공해 주는 방법이 어떤 것인지, 학생들이 진정으로 공유하고자 하는 것을 글로 쓰고 있는지에 대한 평가 등에 대해 교사가 질문할 때, 학생들은 읽기/쓰기 연관 짓기 전략을 사용할 것이다. 교사는 학생들이 독립적인 학습자로서 자신들의 전략 사용에 대해 평가할 수 있고, 교사의 질문에 명확한 답을 할 수 있을 때까지 계속적으로 읽기/쓰기 연관 짓기의 연습을 할 수 있게 한다.

따라서 PWIM 모형은 또 다른 주요 원리를 가지고 있다. 즉, 읽기와 쓰기가 자연스럽게 연관되고, 동시에 학습될 수 있으며, 학습자의 문해 능력을 발전시키는 데 함께 작용한다는 것이다. 상관관계의 개념(3장과 6장 참조)은 중요하다. 말을 할 때 단수 명사들이 단수형 동사와 결합되어 사용되는 것처럼, 쓰기를 할 때에도 연관되어야 한다. 작가는 독자에게 약속한 특정한 내용과 접근방법에 따라 제목을 정하는 반면, 글 쓰기를 배우는 초보 학생들은 그들이 정한 제목에 따라 내용과 접근방법을 제시하는 것이다.

▦ 시나리오 ▦

Lori 선생님의 Read-to-Succeed 수업

Lori는 6학년, 7학년 학생들을 대상으로 한 읽기 수업 "Read to Succeed"를 담당한다. 이 수업은 읽기와 쓰기를 심각하게 어려워하는 학생들을 위한 수업으로 하루에 90분간 진행된다. 6학년 평균 GLE(Grade Level Equivalent) 점수가 6.0은 나왔어야 하지만 학기가 처음 시작되었을 때 이 수업을 듣는 6학년 아이들의 GLE 평균 점수는 3.0점이었다.

그림-단어 귀납적 모형은 이 수업에서 매우 중요한 요소이다. 학생들은 보통 30분 정도 PWIM 조사와 연구에 시간을 보낸다. 그 후 학생들은 20분간 각자 교육 수준에 맞는 책을 읽고, 20분간 쓰기 공부를 한다. Lori 선생님은 매일 학생들에게 책을 읽어 준다. 책을 읽으며 학생들이 아직 책에서 읽어 내지 못하는 정보나 생각에 대해 알려 주고 글을 이해하는 방법, 단어를 해석하는 방법에 대해 본보기를 보여 주며 이와 같은 기술들에 대해 토론한다. PWIM 기법에 따른 Lori 선생님의 수업에 대해 살펴보도록 하자.

1단계: 그림 공부하기와 단어 조사하기

Lori 선생님은 학생들에게 그림 5.8과 같은 사진을 제시하면서 학생들에게 공부하라고 요청했다. 사진은 24×36인치의 크기로 연노랑 바탕색의 종이에 붙어 있다.

[그림 5.8] 코끼리 두 마리

학생들이 사진을 공부하고 난 뒤, Lori 선생님은 사진에 나와 있는 물체나 동작을 확인하고 한 사람씩 발견한 물체 혹은 동작을 얘기해 보도록 했다. 학생들이 대답을 하면 Lori 선생님은 학생들이 말한 물체나 동작으로부터 길게 줄을 긋고 빈 공간에 단어를 적었다. 선생님은 단어를 발음하고 학생들에게 듣게 한 다음, 학생들과 함께 단어를 발음했다. 이런 과정으로 서서히 그림-단어 사전이 탄생했다(그림 5.9).

학생들은 며칠 동안 25개의 단어들을 조사한다. 이 25개의 단어들은 Lori 선생님이 학생들에게 단어 철자를 써 주고 학생들에게도 철자를 써 보도록 시키며 복습한 단어들이다. 선생님은 파일을 만들고 단어 카드 복사본들을 뽑아 학생들에게 단어 카드 묶음을 나눠 준다. Lori 선생님은 학생들에게 단어들을 읽으며 단어를 공부하라고 요청한다. 만약 학생들이 단어 읽기에 어려움을 느끼면 도표를 참고하거나 단어의 목적어나 동작과 같은 문맥을 살펴본다. 비록 모든 단어들이 이미 듣고 발음해 본 단어들이지만, 사진을 참조하지 않고 단어만 보았을 때 학생들은 몇몇 단어들을 읽지 못했다. 활동의 목적은 학생들이 단어를 접했을 때 바로 인식할 수 있는 단어의 수를 늘리는 것이다. 유창하게 독해를 하기 위해서는 단어를 많이 아는 것이 요구되기 때문이다. 또한 Lori 선생님은 코끼리와 아프리카 대초원에 관련된 간단한 단어들로 이루어진 책들을 모은다. 이와 같은 과정들은 학생들이 단어들을 배워 독해를 하기 쉽도록 만든다.

학생들이 발견하는 대부분의 단어들은 특정 물체나 그들의 부분을 지칭하는 명사

[**그림 5.9**] 단어 속성 공부를 위한 PWIM 도표

들이다(예: building, flower, reflection). 일부 단어들은 "돌기둥"이나 "가죽 같은 피부"와 같이 형용사와 명사로 이루어진 두 개의 단어들이다. 처음에는 25개의 단어들만을 다룬다. 그 후 학생들이 그림에서 정보를 찾아내거나 그들이 만든 질문에 답을 하기 위해 참고한 다른 자료들을 통해 단어의 수를 늘려 나간다. 예를 들면, 첫 번째 단계에서 특이한 구조는 유일하게 "building"으로 제시되었다.

2단계: 단어 특성 분석하기, 범주 만들기, 단어 해석 전략 발전시키기

단어 특성 분석하기. Lori 선생님은 학생들에게 단어의 특성에 대해 생각해 보며 단어들을 조사해 보라고 한다. 그리고 이 단어들을 통해 단어들의 특성들을 찾아보는 여러 개의 활동들을 진행한다. 선생님은 학생들이 생각할 수 있는 초점 질문들을 한다. 단어들에는 pink, drink, wrinkles에 "ink"가 존재하는 것과 같이 운이 위치한다. 한 학생은 단어 leathery에는 leather란 단어가 있다는 것을 발견했다. 다른 학생은 leathery란 단어 안에는 "먹다"와 "그녀"라는 뜻이 있다는 것을 발견했다. 두 명의 다른 학생은 복합어인 grasslands와 toenails를 찾았다. 이와 같은 발견은 pine tree도 복합어인지 아닌지에 관해 토론하도록 이끌었다.

Lori 선생님은 단어 수업시간 동안 학생들이 단어의 특성에 대해 분석하고 음성학과 문법구조 분석 기술을 단어 공부에 사용하도록 가르친다. 학생들은 "water lily를 water lilies로 바꾸려면 무엇을 해야 되죠?"와 같은 질문을 한다. trunk라는 단어를 시작으로 선생님은 학생들에게 skunk와 shrunk를 발음하기 위해 어떻게 해야 하는지와 "unk" 단어군들을 탐구하는 활동을 하도록 하고 마지막으로 debunk의 의미에 대해 알아오는 과제들을 내주며 수업을 마무리한다. 선생님은 읽기에 어려움을 겪고 있는 많은 사람들이 읽기에 대해 혐오감을 가져왔고 단어를 분석하는 데에도 그러해 왔다는 것을 안다. 따라서 선생님은 그들이 읽기에 대한 두려움과 불확실성에 직접적으로 다가서서 단어들이 연결되어 있는 특성들에 대해 보다 많은 구조를 알고 단어들을 기억하도록 이끌기를 희망한다(연상 기호들에 대한 논의는 8장에서 보도록 하자). 또한 선생님은 학생들이 현재 소유하고 있는 기술보다 훨씬 더 많은 단어 분석기술을 발달시킬 수 있기를 원한다.

범주 만들기. 이제 Lori 선생님은 학생들에게 가지고 있는 단어 카드를 이용해 단어들을 분류해 보라고 한다. 선생님은 단어들이 가지고 있는 공통점에 집중해 보라고 말한다. 학생들은 코끼리의 특징과 같은 문맥의 관련성이나 단어들이 어떻게 발음되는지와 같은 단어의 특징들에 따라 범주를 만들 수 있다. 예를 들어 "drinking"과 "building"은 접미사 "ing"로 끝나고 leaves와 leathery는 모두 lea로 시작하지만 처음에 발음되는 소리는 같지 않다.

학생들은 그 후 칠판에 그려진 도표를 보지 않고 단어를 숙지하고 있는지 검사를 받는다. 학생들은 각각의 단어들, 단어 카드들을 보며 그들이 읽을 수 있는 단어들과 도표를 봐야 알 수 있는 단어들을 파일에 분류한다. Lori 선생님은 학생들에게 그들이 단어를 100퍼센트 알 수 있도록 계속해서 공부하도록 요구한다. 1주일간 선생님은 개별적으로 학생들을 평가하며 그들의 진전에 대해 기록하고 많은 학생들이 읽기에 어려움을 겪는 단어들을 필기한다. 선생님은 매일 단어들에 대해 짧게 복습을 진행하고 특히 자신이 골칫거리라고 부르는 헷갈리는 단어들에 대해서는 더욱 주의를 기울인다. 몇몇 단어는 철자 형태에 의해 문제가 되고 어떤 단어들은 학생들이 계속해서 어려움을 겪는 음성적인 일반화에 의한 것이다. Lori 선생님은 학생들이 단어를 확실하게 숙지할 수 있도록 개념 획득(6장 참조)이나 명시적 전략 교육(Duffy, 2009; 16장 참조)으로 돌아갈 수도 있다.

3단계: 문장 만들기

Lori 선생님은 다음 과제가 도표를 공부하여 문장들을 만드는 것이라고 설명했다. 이 과제는 학생들이 글을 문장으로 구성할 수 있도록 하고 교과에서 규칙적으로 사용되는 자주 사용되는 단어(예, the, of, and in)들을 사용할 수 있는 기회를 제공한다. 이 단어들은 학생들이 무엇을 봤는지에 대해 상세하게 묘사하고 정확한 동사, 부사, 형용사를 사용하는 연습을 하도록 한다. 그리고 Lori 선생님에게 그들의 통사론이나 영어 문자에 대한 지식, 어떻게 사용되는지와 같은 지식을 넓힐 기회를 제공한다.

PWIM 과정 첫 시간에, Lori 선생님은 문장을 만드는 방법을 학생들에게 시범 보였다. 선생님은 building과 stone pillars가 포함된 하나의 범주를 사용하여 시작했다. 선생님은 문장을 만들며 자신의 생각에 대해 말했다. "저는 제가 기둥들이 빌딩을 위해 무엇을 하는지에 대한 관계들로 문장을 시작했다고 생각합니다. 그래서 저는 '이 빌딩은 키가 큰 돌기둥에 앉아 있다.'라는 문장을 만들었습니다. 저는 building의 특별한 특징들 중 하나에 집중했습니다. 그리고 저는 제 문장을 The라는 단어로 시작했습니다. The는 매우 유용한 단어입니다. 조용히 책을 읽을 때 책 2~3페이지 안에 The가 얼마나 자주 사용되었는지 살펴보세요. sits라는 단어를 선택한 것은 그것이 building이 하고 있는 일인 기둥 위에 앉아 있는 것처럼 보였기 때문입니다. 사실 저는 더 정확하게 building이 돌기둥에 쉬고 있다(resting)고 생각합니다. '앉아 있다'의 의미로 사용되는 sitting이나 perching은 마치 건물이 잠시 앉아 있다가 일어서서 떠날 것이라는 느낌을 주기 때문입니다. 문장을 '이 건물은 키가 큰 돌기둥에 쉬고 있다'로 바꿉시다. 제가 키가 큰이라는 단어와 돌이라는 단어를 사용한 이유는 이 단어들이 독자들에게 기둥이 어떻게 보이고 어떤 물질로 만들었는지에 대해 설명해 주기 때문입니다. 저는 왜 건물이 돌기둥 위에 있는지에 대해 궁금해지기 시작했습니다. …"

Lori 선생님은 다른 문장을 하나 더 만드는 시범을 보인 뒤, 학생들에게 그들의 문장들을 만들어 보라고 한다. 선생님은 단어들이 문장 안에서 자주 사용되는 주제어이거나 동사이므로 사진에 대해 공부하거나 단어 범주를 만드는 것이 문장을 만들 때 도움이 될 것이라고 설명한다.

학생들은 그들의 단어모음들을 바라본 뒤 문장을 만들기 시작한다. 여러 번의 수업시간 동안 그들은 단어를 만들고 공유한다. Lori 선생님은 도표에 단어들을 적은 뒤 단어들이 더해질 때 그 단어 목록들을 함께 읽는다. 또한 선생님은 새로운 단어가 나올 때 새로운 단어를 원래의 PWIM 칠판에 적고 학생들이 더 많은 단어를 기억할 수 있도록 학생들도 나눠 준 단어 카드에 새로운 단어를 적게 했다.

학생들이 만든 문장을 통해 특정 유용 단어들의 중요성을 볼 수 있다. 26개의 첫 문장 중 9개의 문장에서 나타난 단어들이 있다.

"*There* is a reflection on the water."
"*There* are leaves floating in the water"

"to be" 형식의 동사와 in, on, of와 같은 몇 개의 전치사가 보인다. 몇몇 합성어와 복잡한 문장들도 보인다.

"Two elephants with tusks stand near a waterhole; both are drinking water."

Lori 선생님의 학생들이 문장들의 모든 목록을 읽으면, 읽은 산문의 양이 학생들 중 일부에게는 여태까지 한 곳에 앉아 읽은 양을 초과했다. 중요한 것은 학생들이 첫 PWIM의 이른 단계에서 진전을 보이고 있다는 점이었다.

4단계: 제목 만들기

다음으로 Lori 선생님은 사진에 대한 제목들을 짓는 과제를 내준다. "저는 여러분이 사진을 묘사할 수 있는 제목들을 짓기를 원합니다. 누군가가 제목을 가지고 있고 큰 크기의 사진들이 있는 이곳으로 와 이 사진으로 곧장 가는 모습을 상상해 보세요. 우리가 만든 문장들을 읽어 보고 어떤 것이 마음에 남는지 보세요."

며칠간 Lori 선생님은 학생들을 원으로 모으고 각각의 학생들에게 문장에 대해 말해 보라고 했다. 다양한 제목들이 나왔고 그 중 몇몇은 학생들이 교과에서 배운 단어들보다 더 많은 단어를 보여 주었다. 다음은 제목들의 예이다.

"The Two Elephants"

"A Big Drink of Water"

"The Mystery House on Stilts"

"The Water Hole"

"Elephants at the Water Hole"

그 다음 Lori 선생님은 그 제목들에 해당하는 문장을 생각해 보도록 했다.

John은 "These Elephants seem really big."라고 말했다.

Mary는 "Their trunks are like giant gray straws."라고 대답했다.

Sarah는 골똘히 생각하며 "Is that round building to keep those big elephants out?"라고 질문했다.

우리는 더 많은 생각들과 읽어 볼 문장들이 있다.

5단계: 문장 분류하기

Lori 선생님의 인쇄기가 다시 소리를 내더니 문장들을 뽑아냈다. "이제, 여러분은 문장들을 여러 번 아주 주의 깊게 읽고 문장들의 특성에 대해 생각해봐야 합니다. 여러분은 그 문장들이 어떤 내용인지에 관한 주제들에 주목할 수도 있고 아니면 그들이 어떻게 쓰여졌는지에 대해 주목할 수도 있어요. 문장들을 주의 깊게 살펴보고 단어들을 분류했던 것처럼 문장들을 범주로 주의 깊게 분류해 보세요."

Lori 선생님은 두 문장들을 한 범주에 넣는 것을 보여 주고 문장들을 그렇게 분류한 이유에 대해 설명했다.

"저는 이 두 문장을 함께 넣었어요. 왜냐하면 한 문장은 일반적으로 코끼리들이 사는 곳에 대해 설명했고 다른 한 문장은 두 코끼리들이 실제로 살고 있는 서식지에 대해 설명했기 때문이에요. 그들 문장은 내용에 대해 공통점을 가지고 있죠. 다른 범

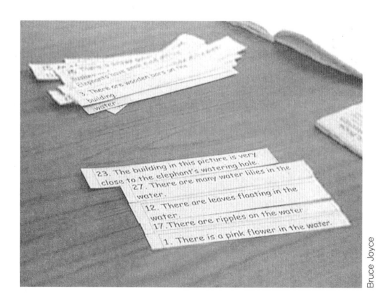

[그림 5.10] 학생들은 문장들을 범주로 분류한다.

주들은 그들이 공통적으로 어떻게 쓰여졌는지에 따라 분류될 수 있어요. 그림 5.10은 학생들 중 하나가 분류한 범주들에 대해 보여 주고 있어요.”

학생들은 수업시간에 몇 분간, 그리고 집에서 문장분류작업을 한다. Lori 선생님은 학생들 모두가 다른 학생들과 공유하고 설명할 몇 개의 범주들을 만들었다고 판단될 때, 다시 학생들을 활동 모둠으로 모았다.

Josh는 “저는 문장 5, 12 그리고 17을 하나의 범주에 두었어요. 왜냐하면 그들 문장 모두 물에 대해 이야기했기 때문이죠.”라고 설명한다.

Niento는 “저는 문장 2, 4, 12, 17을 모았어요. 그들 모두에게 무언가가 발생하고 있거든요.”라고 말했다.

계속해서 자신의 생각들을 공유했다. 어떤 문장들은 코끼리에 대해 설명한 문장들이고 다른 것들은 꽃에 대해 설명한 문장들이다. 학생들은 문장의 특성들에 따라 한 문장이 여러 범주에 속할 수 있다는 것을 발견한다. 이제 단어의 범주들을 가지고 문장들을 써 보는 활동을 한 것처럼 문장들의 내용을 사용해 문단을 써 보는 활동들을 하도록 한다.

읽기와 쓰기는 동시에 학습되는 것임을 염두에 두자. 단어는 어떻게 철자로 쓰는지 알아야 인식될 수 있고, 철자에 대해 아는 것은 쓰기 학습에 있어 근본적인 부분이다. 문장을 써 보는 것은 읽을 자료를 제공해 주는 것이다. 문단들을 쓰는 것은 더 많은 읽을 구절을 제공할 것이다. 쓰여진 언어는 학생들이 이미 듣고 말한 단어들과 연결되고, 이미 만들어진 언어로부터 새로운 구조로 쓰여지는 것이다. 학생들은 "이것은 뭐야?" "이 코끼리는 무슨 종이지?" "이 건물들은 왜 지어졌지?" "이 빌딩은 무엇이지?"와 같은 질문들을 탐구하며 새로운 단어와 개념들을 익히게 된다.

6단계: 구성하기(문장에서 문단으로)

과거에, Lori 선생님의 학생들은 논리 정연한 문단을 만들기는커녕 거의 대부분이 읽거나 쓰기에 어려움을 겪었다. Lori 선생님은 그 학기 말에는 학생들이 짧은 수필과 이야기를 쓸 수 있게 되기를 기대했다. 학생들은 첫 공식 수업에서 곧바로 문장 수준을 넘어 문단을 구성하게 되었다. Lori 선생님은 수업을 진행할 때, 그림-단어 귀납적 모형(PWIM) 도표, 학생들이 만든 문장, 문장들을 범주화한 것들 중 하나, 그리고 그것을 가지고 그녀가 구성한 문단 등을 사용했다. 이것을 그림 5.11이 보여주고 있다.

"우리는 우리의 문장들과 그림을 이용해서 문단을 구성해 볼 겁니다. 먼저 내가 문단을 구성해 보겠습니다. 나는 문장들을 검토해서 물웅덩이 주변에서 일어난 모든 일이라는 하나의 범주를 만들었습니다. 이 범주에 들어간 문장은 1, 2, 5, 12, 16, 17, 27번 문장입니다. 나는 'The Watering hole'이라는 제목을 생각해 보았습니다. 그

[**그림 5.11**] Lori 선생님과 그림-단어 도표, 문장 목록, 문단

다음에 문장들에서 생각을 얻어 나 자신에 대한 문장을 몇 개 만들었지요. 여기에 있는 내 문단은 이 과정을 거쳐 나온 겁니다." Lori 선생님은 학생들에게 문단을 읽어 주었다.

성찰(Lori 선생님이 학생들에게 읽어 준 문단)

The watering hole is a gathering place for African elephants. These enormous creatures set off ripples in the water as they use their trunks to drink. Water lilies grow in clusters along the water's edge. Large floating leaves surround the perfect pink flowers. Reflected in the water, the elephants and the flowers mingle in the ripples(물웅덩이는 아프리카 코끼리들을 위한 모임 장소이다. 이 거대한 생물체들은 물을 마시기 위해 코를 이용하기 때문에 물에 잔물결을 일으키게 된다. 수련들이 물가를 따라 송이를 이루며 자란다. 거대한 부엽들이 완벽한 분홍 꽃들을 둘러싸고 있다. 물에 비친 코끼리와 꽃이 일렁이는 물결에 어우러져 있다).

Lori 선생님은 자신이 쓴 한 문단을 읽어 준 후, 구성한 것에 대해 이야기해 주었다(그림 5.12). 그리고 자신이 어떤 문장들을 사용했는지, 그 문장들이 어떻게 모였는지, 수정이나 첨가는 어떻게 했는지, 왜 그렇게 했는지에 대해 이야기해 주었다.

[그림 5.12] 생각을 말로 구성해 내고 있는 Lori 선생님

"이제, 나는 문단을 쓰면서 내가 생각했던 것에 관해 이야기하려고 합니다. 나는 이것이 여러분이 쓴 것에 대해 생각할 때 도움이 되길 바랍니다. 제목을 가지고 시작해 봅시다. 나는 이 모든 문장들을 하나의 범주에 놓았습니다. 이 문장들이 물웅덩이에서 일어난 일들을 묘사하고 있기 때문입니다. 그래서 나는 'The Water Hole'이 적당한 제목이 될 수 있을 거라고 생각했습니다. 그리고 첫 번째 문장에서 나는 여러분에게 그 장소와 그곳에 존재하는 것들에 대해 소개해 주고 싶었습니다.

두 번째 문장에서 나는 코끼리라는 단어를 코끼리라고 다시 반복하는 것보다 여기에 무언가를 좀 더 첨가하는 것이 좋을 것 같다고 생각했습니다. 그래서 그것을 거대한 생명체로 표현했습니다. 그리고 나는 자라고 있는 수련에 관한 문장이 물가 근처에 있는 꽃무리들과 수련의 성장 과정에 관한 우리의 학습을 잘 묘사해 준다고 생각했기 때문에 세 번째 문장에 이를 덧붙였습니다.

나는 수련에 관해 좀 더 자세한 정보를 제공하고 싶었습니다. 그래서 1, 12, 27번 문장에서 얻은 정보를 네 번째 문장에 사용했습니다. 그 중 한 문장은 수련을 'pretty pink flowers'라고 표현하고 있었는데, 내게는 수련이 섬세하고 완벽해 보였기 때문에, 나는 그 표현을 'perfect pink flowers'로 바꾸었습니다. 'perfect'라는 단어를 사용한 또 하나의 이유는 각 단어의 첫 철자가 /p/ 자음의 두운을 유지하길 원했기 때문입니다. 나는 'perfect'라는 단어를 사용함으로써 두운에 의한 소리를 유지시킬 수 있었습니다.

내가 이 그림에서 가장 좋아하는 것은 물속에 비친 상들입니다. 그래서 나는 이어지는 문장에 이를 언급했습니다. 이어지는 문장은 2, 5, 17번 문장의 정보를 이용, 결합하여 만들어진 것입니다. 물에 비친 상들을 물속에 뒤섞여 있거나 혼합되어 있는 것으로 표현한 방식이 좋았기 때문에 '어우러지다'라는 단어를 사용하여 물에 비친 코끼리와 꽃을 묘사했지요. 나는 학생 여러분이 물에 비친 상을 보며 서로 대비되는 가죽 같은 코끼리와 섬세한 꽃에 대해 생각해 볼 수 있었으면 합니다.

나의 첫 번째 제목은 'The Water Hole'이었습니다. 그 뒤에 이 제목을 'Reflections'로 바꾸었습니다. 그리고 이제는 이것을 'Reflections at the Watering Hole'로 바꾸려고 합니다. 나에게 이 상들은 그림을 관찰해 보고, 그림에 관한 몇 개의 문장을 생각해 보면서 내가 주목했던 특별한 부분이었습니다. 그렇기 때문에 제목에서 그 곳이 드러날 수 있었으면 합니다. 이같이 제목이 바뀌는 일은 여러분에게 새로운 생각이 떠오르거나 여러분이 자신의 문단에서 어느 하나를 명확하게 하고자 할 때 간혹 일어납니다.

이제, 여러분 차례입니다. 문장에 대한 범주 중 하나를 선택하여 문단을 통해 어떤 말을 할 것이며 문단에 어떤 제목을 부여할 것인지 생각해 보세요. 여러분이 문단을 전부 쓸 때까지 매 쓰기 시간마다 쓰기 활동을 할 겁니다. 그리고 매 시간마다 여러분의 생각을 공유하는 시간을 몇 분 정도씩 가지려고 합니다. 여러분이 독자에게 전하고 싶은 것과 작가로서 무엇을 하고 있는지에 대해 이야기하면 됩니다."

요약

이러한 그림-단어 귀납적 모형(PWIM)의 주기는 대략 3주 정도이다. 학생들은 단어들을 연구하고 Lori 선생님은 그러한 과정을 관찰한다. 학생들은 읽고 쓰는 데, 단지 자신들이 쓴 문단을 읽는 것인데도 짧은 책 몇 권을 읽는 것만큼 오래 걸렸다. 주기가 끝날 무렵, 학생들은 시각적으로 인지하는 단어를 약 30개 배우고, 단어를 인식하는 새로운 방법들을 습득하게 될 것이다. Lori 선생님은 학생들에게 좀 더 읽기 쉽게 쓸 수 있도록 가르치며, 더불어 필기체로 쓰는 것을 가르친다. 필기체로 쓰게 하는 것은 학생들의 쓰기 실력을 상당히 숙련시킬 것이다. 이 학생들은 올해 평균 2.0GLE를 얻을 것이다(이 점수는 2년 동안 전국 평균점수와 비교될 것이며, 4배나 되는 이 점수는 이전까지 누구도 얻지 못했던 점수이다).

학생들은 점차 이전 수준을 능가하게 될 것이다.

넷째 주가 시작될 때, Lori 선생님은 학생들에게 새로운 그림(그림 5.13)을 제시한 후 이야기한다. "저번 달에 우리는 아프리카를 방문했습니다. 이번 달에는…"

[그림 5.13] 오지에서

쉬는 시간에, 학생들은 전 세계에 있는 농장에 대한 수많은 책들이 교실에 있었음을 발견하게 된다. 따라서 새로운 PWIM 주기의 제1단계가 시작하는 것이다.

교수와 학습에서의 그림-단어 귀납적 모형 활용

그림-단어 귀납적 모형은 교수에 있어 탐구를 지향하는 모형이다. 이 모형의 구조는 학생들이 보다 복잡한 과제를 수행할 수 있도록 도와준다(표 5.2). 시나리오는 교사가 언어에 대한 학생의 탐구를 구조화하기 위해 어떻게 이 모형을 활용하는지를 묘사하고 있다.

모형은 읽고 쓰는 것이 서툰 학생들을 교수하는 다양한 교육과정을 제공한다(Calhoun, 1999). 이 모형을 적극적으로 사용하게 되면, 교사는 보다 명쾌하게 가르칠 수 있을 것이고 학생들은 구조화된 귀납적 활동을 통해 개념을 형성해 갈 수 있을 것이다. 초등학교 학생들과 제2의 언어로 영어를 배우는 학생들의 읽고 쓰는 기술을 개발시키는 것이 이 모형의 주된 초점이다. 또한 이 모형은 사회 수업에서 이미 읽기 실력이 어느 정도 있는 고학년 학생들에게 정보와 개념을 가르치는 데에도 유용하게 활용된다(Joyce & Calhoun, 1998).

교사는 많은 학생들의 문해력을 발달시킬 중요한 열쇠(접근과 선택을 위한 열쇠)를 가지고 있다. 학생들이 듣고 말하는 단어가 많으면 많을수록 학생들은 그들의 주변 세상을 더 잘 이해하게 된다. 학생들이 읽고 쓸 줄 아는 단어가 많으면 많을수록, 자신의 삶(학교 안과 밖 모두에서의 삶)을 더 잘 통제하고, 선택할 수 있게 되는 것이다. 그렇게 될수록 학생들은 더 많은 지식과 경험, 자기 스스로 더 잘 학습할 수 있는 잠재력을 갖게 된다. 학생들이 단어를 학습하는 법을 더 잘 이해하면 할수록, 그들은 더 훌륭한 소통자이자 시민이 될 것이다.

요약 도표 그림-단어 귀납적 모형

모형의 구조와 절차

1. 그림을 선택한다. 이것은 교사들이 한다. 그림의 장면은 특정한 목적과 학생의 요구에 기초한 기본적인 교과내용과 관련이 있을 수도 있고, 없을 수도 있다.

2. 학생들은 그림에서 보이는 것을 확인한다.

3. 학생들은 이 그림에서 본 대상들에 단어를 부여한다. 교사는 그림과 단어를 선으로 연결하고, 그 단어를 말하고, 단어를 구성하고 있는 한 글자 한 글자를 가리키면서 철자를 적고, 단어를 다시 말한다. 이 때 학생들은 교사와 함께 그 단어의 철자를 적어 본다. 하나의 그림 사전이 나타나게 된다.

*4. 교사는 그림-단어 도표를 검토한다. 이 때 교사는 단어의 특징을 강조할 수 있으며, 학생들이 이러한 과정(보고, 말하고, 철자를 쓰고, 다시 말하는 과정)을 지속하도록 도울 수 있다.

*5. 학생들은 단어를 분류하고, 그들이 만든 범주들을 공유한다(단어 카드를 출력하여 학생들에게 준다).

6. 이 시점에서 더 많은 단어를 그림-단어 도표와 단어 은행에 첨가시킬 수도 있다.

7. 학생들은 자신의 그림-단어 도표에 제목을 붙인다. 교사는 학생들이 도표 속에서 "증거"와 정보를 생각할 수 있도록 이끌어 주며, 그 정보와 관련하여 그들이 말하고 싶은 것이 무엇인지 생각해 볼 수 있도록 한다.

*8. 교사는 그림과 관련하여 작성한 문장들을 모형으로 만든다(이 때 16장에서 설명하고 있는 생각을 말로 구성해 내는 과정을 활용할 수 있다).

*9. 학생들은 자신의 그림-단어 도표와 직접적 관련이 있는 문장들을 만들고 이를 공유한다. 교사는 이를 기록한 뒤, 대화식 전자칠판이나 해도용지에 옮긴 이 기록물을 학생들에게 준다.

*10. 학생들은 공유한 문장들을 분류한다.

11. 교사는 범주화한 것들을 실제 문단으로 만든다.

12. 학생들은 문단을 써 보거나 받아 적는 연습을 한다. 이는 책으로 만들어져 학생들의 부모에게 공유될 수 있다.

*그림-단어 귀납적 모형 주기에서 여러 번 나타나는 단계들이다.

발음 중심 어학 교수법

1. 학생들은 정확히 발음된 단어들을 여러 번 듣는다. 그리고 학생들은 그 단어들을 자신의 어휘 목록에 첨가할 때 사용할 수 있는 참고자료(그림-단어 도표)를 가지게 된다. 교사의 재량에 따라, 거의 대부분의 소리와 상징의 관계가 소개되거나 완전 학습되도록 강조될 수 있다.

2. 학생들은 확인한 글자들을 여러 번 듣고 본다.

3. 학생들은 정확히 쓰인 단어들을 여러 번 듣고, 그 단어들의 철자를 정확하게 쓰는 활동에 참여한다.

4. 문장을 쓸 때, 교사는 표준 영어 용법(필요하다면 학생의 문장을 변형시킨다)을 사용하고, 정확한 구두법과 규칙(쉼표, 대문자 등)을 사용한다.

사회적 체제

협력적인 탐구 환경이 개발되어야 한다. 학생들은 읽고 쓰는 것을 학습하기 위해 함께 공부하게 되며, 듣고 토론하고 질문하며 연구하게 된다.

반응의 원리

학생들에게 어떻게 반응할지, 학생들의 학습을 어떻게 촉진시킬지에 대해 알기 위해서는 지속적인 정보 수집이 필요하다. 그림-단어 귀납적 모형의 구조는 학생들의 학습과 학습 내용의 적용에 대해 연구할 기회를 제공하여 학생들의 변화를 도울 수 있게 한다. 학생들이 어떻게 단어의 특징을 확인하며 얼마나 효과적으로 단어를 분류해 내는지에 대해 관찰하는 것은 차후 학습활동과 수업의 설계를 위한 중요한 자료가 된다. 학생들이 쓰거나 받아 적은 문장들을 검토하는 것은 작문 연습의 과정에서 교사들이 얼마나 모델을 보여 주어야 하고 쓰는 과정에 대해 설명해 주어야 할지를 결정하도록 도와준다. 학생들의 필요에 따라 모델을 보여 주고 설명하는 것이 반복될 수 있는 것이다.

지원 체제

확대된 사진, 많은 도표, 단어 카드 모음집, 문장을 적은 서류철 등이 필요하다. 대화식 전자칠판은 귀납적 학습과 생각을 말로 구성하도록 하는 학습에 탁월하게 사용될 수 있다. 그림이 단원의 교과 내용과 관련이 있을 때, 단원의 개념을 다루고 있는 많은 책들(수준에 맞는 책들)이 활용 가능해야 한다. 교사는 이해력과 구성 기술을 발달시키기 위해 책 낭독하기, 크게 말하기, 생각 말하기 등의 전략을 사용할 수 있다.

교사는 그림-단어 도표를 눈에 띄게 게시하여 학생들이 읽기/쓰기 자료에 쉽게 접근할 수 있도록 해 주어야 한다. 그리고 빈 종이나 판지에 자기 자신의 그림-단어 도표를 만들 것을 학생들에게 권장한다.

그림-단어 귀납적 모형의 주기는 대부분 5~15일이지만, 단어 수, 그림의 질, 학습 목표에 따라 20~30일이 걸릴 수도 있다.

그림-단어 귀납적 모형의 교수적, 양육적 효과

학생들은 그들의 어휘를 만들고, 단어와 문장 구조들을 탐구하는 방법을 배우며, 글을 만들고(제목, 문장, 문단), 읽기 활동과 쓰기 활동을 연결시킨다. 또한 발음과 구조를 분석하는 기술을 개발시키고, 흥미와 자신을 표현하는 능력을 발달시킨다. 책의 정보를 읽고 학습하며 타인과 함께 일하는 협동적 기술을 개발시킨다. 그림 5.14는 그림-단어 귀납적 모형의 교수적 육성적 효과를 보여 준다.

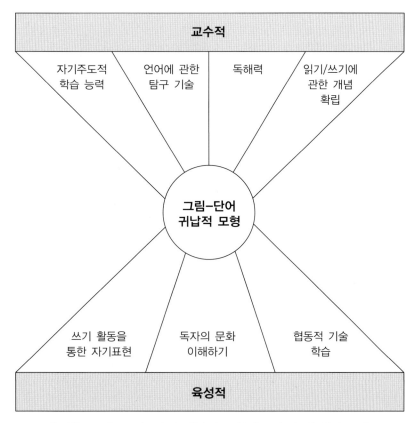

[그림 5.14] 그림-단어 귀납적 모형의 교수적, 육성적 효과

제3부

정보처리 모형의 중요한 목적

다음의 모형들은 정보처리 방법의 학습을 강조하면서, 앞서 언급된 교수 모형들 중에서도 중요한 위치를 차지한다. 선행 조직자와 암기법과 같은 일부 모형들은 전통적인 개념 학습을 강조했다. 또한 개념 획득과 창조적 사고법(synetics)과 같은 모형들은 개념 학습과 은유적 사고와 같은 특정 형태의 학습을 강조했다. 탐구 훈련은 매우 재미있고 학습 의욕을 높이며 기본적인 사고 능력을 강화하는 것에 초점을 두어 설계되었다.

개념 획득 모형에서 학생은 교사가 선택한 범주를 학습하기 위해 필요한 자료군을 조사한다. 반면에 귀납적 모형에서, 학생은 자료를 조직하고 개념을 확립하는 것이고, 교사는 자료를 조직하고 학생이 선택된 개념을 획득할 수 있도록 안내한다. 창조적 사고법 모형에서, 학생은 은유적 사고를 통해 자료를 분석하고 새로운 아이디어를 만들어 내며, 문제에 대한 새로운 해결책을 만드는 방법을 학습한다. 교사는 학습해야 할 정보와 아이디어들의 학습을 도울 개념으로서 선행 조직자의 내용을 구성하여 제공한다. 암기법은 학생이 정보를 학습하고 파지하는 것을 돕는다. 이는 학생들이 정보를 습득하려고 할 때 보다 능숙하게 학습할 수 있도록 돕는 도구가 된다. 마지막으로, 탐구 학습은 질문의 요점을 명확히 하고 대답에 대해 주의깊게 생각하는 방법을 학습하는 것에 초점을 둔다.

이러한 모형들의 주요한 목표는 학습자가 자신감 있게 정보를 수집하고, 학습하는 능력을 개발하는 것이며, 따라서 자신들의 학습 공동체를 형성할 수 있도록 돕는 것이다. 학습자에 대한 정보를 찾고 연구함으로써 얻은 도구들은 사회적, 개인적, 행동적 교수 모형을 뒷받침할 수 있다. 정보처리 모형은 사회적 모형, 개인적 탐구를 위한 사고 양식, 여러 행동적 모형의 목표 등에 학문적 기반을 제공한다.

제6장

개념 획득

중요한 개념의 명시적 교수

그 아이가 주장이 정당하다고 밝힌 것은 모든 사람들이 들을 수 있었다. 그것은 지난 주 교육실습생이 4회에 걸쳐 가르친 수업에서 획득된 개념이었다. 그 실습생은 우리가 그에게 신세를 졌다고 했다. 만일 우리가 그에게 2학년을 가르치도록 했다면, 아마도 그는 일련의 데이터를 만들어 같은 수업을 했을 것이다. 그리고 교육실습생들이 그러하듯, 가르치는 과정이 녹화되길 원했다. 그래서 그는 아동들을 가르치게 되었고, 훌륭히 해내었다. 이제 모든 사람들은 학습 모형을 아동들에게 가르치는 것이 중요하고, 연습을 통해 그 학습이 가능해진다는 관점을 이해하게 되었다.

— 아그네스 러셀 학교 교장인 *Kay Vandergrift*가 *Bruce Joyce*에게

여러 개의 시나리오로 시작할 것이다. 캐나다 서스캐처원 주의 Saskatoon 공립학교에서 문해 교육 담당자인 Lori Kindrachuk 선생님은 개념 획득 모형으로 수업을 설계했다.

| 핵심 아이디어 |

귀납적 모형, 과학적 사고 모형, PWIM 모형에서처럼, 우리는 개념을 "형성"할 수 있다. 또한 개념 획득 모형에서와 같이, 개념을 "획득" 혹은 학습할 수 있다. 이 모형에서는 학생이 자료군을 제공받고 기존의 범주에 속하는 항목들을 발견하게 한다.

▮▮ 시나리오

Lori 선생님의 첫 번째 수업

첫 수업은 6학년 학생을 대상으로 하는데, 아직 읽기와 쓰기에 어려움을 겪고 있다 (Joyce & Calhoun, 2010, pp. 104–107). 이 수업은 학생들이 보다 분별력 있게 읽을 수 있도록 돕기 위한 것이다. 많은 학생들이 큰 소리로 읽을 때, 억양의 변화 없이 읽고, 감탄사와 같은 문구에 대한 이해가 부족하다. 이 수업은 학생이 감탄사 등을 이해하고 그들의 글 쓰기에 활용할 수 있도록 돕기 위해 설계되었다. 자료 개발의 과정에 대해 살펴보자.

1차시는 감탄사의 개념을 기반으로 설계되었다. Lori 선생님은 수업을 계획할 때 개념을 분명히 하는 것에 주목했다.

- *정의*: 감탄사는 문장에 추가되는 하나의 문자로 감정을 전달한다. 문장을 만드는 데 문법적 기능은 없다. 감탄사는 구어체에서 의문문을 표현할 때 주로 쓰이고 공식적 글 쓰기에서는 피하는 것이 좋다.
- *구두점*: 쉼표나 느낌표 부호는 감탄사 뒤에 올 수 있다. 쉼표는 약한 감탄을 나타내는 데 사용한다. 반면에 감탄사 부호는 놀람, 감정, 또는 깊은 느낌을 좀 더 강하게 표현하는 것이다.

작성된 문장에는 감탄의 속성을 포함한 것과 그렇지 않은 것이 있다. 학생들은 긍정적 예시와 부정적 예시를 비교해 보고 개념을 획득한다.

1. 긍정적 예시는 감탄사로 시작한다(감정을 전달하기 위해 추가된 단어).
2. 모든 예시는 구어체의 감탄사를 포함한 짧은 구나 문장으로 되어 있다.

Lori 선생님은 문장을 하나씩 제시하면서 다음과 같은 말로 학생들이 집중할 수 있도록 도왔다. "자료의 항목들은 문장이에요. 긍정적 예로 표시된 것들은 두 가지의 속성이나 특성들을 공통으로 가지고 있어요. 그 중 하나는 각 진술문이 쓰인 방법에서 찾을 수 있고, 다른 하나는 진술문이 말하고 있는 의미에 대한 것이에요. 부정적 예로 표시된 것에는 그런 속성이 없어요." Lori 선생님은 수업 도입에서 학생들에게 수업의 방향과 질문 분류에 대해 지시하면서, 자료를 쌍으로 제시했다. 첫 번째 쌍은 다음과 같다.

> 야호! 우리가 이겼어! (긍정)
> 우리가 이겼어야 했는데. (부정)

학생들은 차이점을 궁리하고 기록한다.
다음 쌍은 아래와 같다.

> 아야! 너무 아파! (긍정)
> 바늘이 날 찔러서 너무 아프다. (부정)

학생들이 문장을 생각해 볼 때, Lori 선생님은 학생들이 긍정과 부정의 예시의 차이를 비교하도록 요구한다. Lori 선생님은 긍정과 부정의 순서를 섞어서 학생들이 속성의 본질을 숙고하지 않은 채 넘어가지 않도록 한다.

> 워! 말을 꽉 잡아!
> 속도를 줄이고 침착해.
>
> 와우! 정말 큰 호박이야!
> 정말 큰 호박이다.
>
> 야! 내려놔!
> 네 물건이 아닌 것은 만지지 말아야 한다.
>
> 이크! 오븐에 불이 붙었어!
> 기름이 타고 있다!

이제 Lori 선생님은 학생에게 긍정과 부정의 예시로 나눌 수 있는 속성이 무엇인지 추측할 수 있는지 묻는다. 학생들은 그들의 가설을 말로 공유하지는 않는다; 학생 한 명이 결론을 진술한다면, 다른 학생들은 그들의 탐구를 "더 이상 하지 않는" 경향

> 처음 6개의 긍정적 예시 문장은 매우 적절한 감탄사의 예이다. 이 문장들은 하나의 다채로운 단어로 시작해서 느낌표와 짧은 연관된 어구, 그리고 느낌표를 수반한다. 이런 문장들은 분명하게 감정을 전달한다.

> 6개의 부정적 예시는 긍정적 예시와 동일한 정보를 진술하지만 감탄사를 사용하지 않고 덜 감정적이다.

이 있다.

이제 Lori 선생님은 다른 두 개의 문장을 제시하는데, 이 문장들은 이전의 것들처럼 다양하지는 않다.

왼쪽의 3개의 예에서 느낌표는 긍정적 예시에서 감탄사 뒤에 온다. 느낌표 뒤에 오는 문장은 느낌표를 사용하지 않고 첫 문장과 같은 정도의 놀라운 감정이나 느낌을 전달하지는 않는다.

서둘러라! 버스가 출발한다.
버스가 출발한다!

휴우! 다시는 하지 않을 거다.
다시는 결코 하지 않을 것이다.

오! 여기 있었네.
드디어 왔네!

3개의 두 번째 문장은 느낌표로 끝나고 감정을 전달하지만 감탄사로 시작하지는 않는다.

이제 Lori 선생님은 학생들에게 새로운 가설이 있는지 묻는다. 그 다음, 학생들에게 긍정적 예시를 부정적 예시로 바꾸어 보도록 한다: "이 긍정문을 만드는 문장의 일부를 삭제해 보세요."

아, 이제 이해했어.
아, 난 너무 피곤해.

그 다음에는 부정적 예시를 긍정적 예시로 바꾸어 보도록 한다.

시험이 오늘이라는 얘기지!
정말 놀라운 일이다!

학생이 이 작업을 할 수 있다면, 그 다음에 아마도 그들은 개념을 획득할 것이다.

마침내 Lori 선생님은 학생들에게 짧은 이야기를 들려주는데, 산문체인 이 이야기는 감탄사를 많이 포함하고 있어서, 학생들이 찾아내도록 한다. 이러한 탐구는 계속될 것이다. 이런 수업은 수일 동안 계속될 수 있고, 학생들이 읽기와 쓰기를 공부하는 긴 과정에서도 중요한 과정이다.

Lori 선생님은 교실 수업과 Tumblebooks(www.tumblebooks.com) 사이트를 연결하고 저자가 책을 읽어 주는 것을 보고 듣도록 했다. 감탄사를 포함하고 있는 책 여러 권을 선택하고 학생은 단어나 구를 변형시키는 저자들에게 귀를 기울인다.

감탄사로 시작하는 문장을 저자가 여러 번 읽을 때마다, Lori 선생님은 그 읽기 영상을 멈추고, 그 문장의 처음으로 되돌아가서 학생들이 감탄사 없이 읽어 보도록 한다. 감탄사가 있을 때와 없을 때가 문장의 의미에 미치는 효과에 대해 논의한다. Tumblebooks를 살펴보면, 변형된 감탄사가 활용된 책을 찾기 쉬울 것이다.

시나리오

Lori 선생님의 두 번째 수업

Lori 선생님은 2학년 학생들이 일부 단어 구조 분석과 발음(phonics) 개념을 이해하는 데에 어려움을 겪고 있다는 것을 알고, 이 단원을 만들었다. 예를 들면, 학생은 g의 "격한" 소리를 너무 일반화하는 경향이 있다. 'page'를 'paggey'로 읽거나 철자로 쓴다. 이것은 단지 단어구조 분석과 파닉스 문제는 아니다. 그래서 Lori 선생님은 학생이 탐구 과정을 통해 단어들의 문맥에서 소리를 정하는 개념을 확장할 수 있도록 도우려 했다.

Lori 선생님의 관심은 단어 군집에서 어떻게 항목들이 분류되는지를 알려 주는 것이다. 긍정적 예시는 두 개의 속성을 포함한다.

- 연속된 철자 ge
- ge는 발음/j/를 나타낸다.

아래에 그 차이가 상대적으로 모호한 일곱 쌍의 예시가 제시되었다. 학생은 긍정적 예시와 부정적 예시를 비교하고 긍정적 예시는 갖고 있지만 부정적 예시에는 포함되지 않은 속성에 관한 가설을 개발하도록 한다.

긍정 예시	부정 예시
1. Age	Ace
2. Cage	Came
3. Page	Plate
4. Rage	Rate
5. Wage	Wade
6. Sage	Sale
7. Stage	Grade

긍정적 예시의 7개는 ge로 끝난다. 같은 단어군(모음)을 사용하는 이 단어들은 학생이 그 반복 형태를 좀 더 이해하기 쉽도록 선택되었다. 모두 한 음절이다.

Lori 선생님은 학생들이 세운 가설을 상기하도록 하지만, 다른 학생들과 공유하지는 말도록 했다. 그 이유는 학생이 스스로 가설을 세우고 누군가 생각을 공유하는 경우, 스스로 생각하려고 노력하지 않거나 남의 가설을 검증하려는 경향이 있기 때문이다.

이제 일곱 쌍의 또 다른 군을 제시한다.

긍정적 예시의 7개는 계속 ge로 끝난다. 모두 한 음절이다. 그러나 다른 모음과 혼합된 단어군이다.	**긍정 예시**	**부정 예시**
	8. Bridge	Gate
	9. Huge	Game
	10. Range	Gave
	11. Hedge	Gale
	12. Urge	grape
	13. Large	grade
	14. Dodge	Great

위에 제시된 예에서, 문자들의 위치가 매우 눈에 띈다. 부정적 예시는 g와 e를 모두 갖고 있다. 그러나 연속해서 함께 위치하지는 않는다. 이러한 사실은 /j/ 소리가 나는 것은 g와 e가 연속해서 함께 있기 때문이라는 가설을 공고히 해 준다.

아래의 긍정적 예시에서 문자의 위치는 변경되어서, ge가 함께 나오면서 단어나 다음 절 단어의 처음이나 중간 어디에 있든 /j/ 소리가 난다.

ge 조합은 첫 3개의 단어에서는 처음에 위치한다. 다음 4개의 단어에서 ge는 단어의 중간에 위치한다. 마지막 4개의 단어는 2음절로 이루어졌다. 학생들은 agent를 angry, urgent를 rent, 그리고 digest를 dig로 바꾸어 부정적 예시로 제시할 수 있다.	**긍정 예시**
	15. germ
	16. gel
	17. gem
	18. angel
	19. agent
	20. urgent
	21. digest

마지막으로, Lori 선생님은 ge 조합이 연속으로 나오는 부정적 예시를 몇 개 들었다. 그러나 "격한" g 소리가 나온다. 차이점은 무엇인가?

긍정 예시

22. getting

23. together

24. forget

25. ragged

26. anger

27. forge

28. singer

> 마지막 7개의 단어는 연속된 ge를 포함한다; 그러나 ge는 격한 /g/ 소리를 만든다. 마지막 4개의 예는 긍정적 예시(ragged/rage, anger/angel, forget/forge, singer/singe)로 쉽게 바꿀 수 있어서 선택되었다.

　　학생들이 스스로 탐구에 집중할 때, 단어의 구조 및 소리와 문자 조합을 연결함에 있어서도 단순한 조합만이 아니라 단어군의 조합을 개발할 수 있는 개념 획득을 돕고, 이는 읽기뿐 아니라 쓰기에도 적용할 수 있도록 돕는다. 이제 같은 모형의 다른 사용을 살펴보도록 하자.

▦▦ 시나리오 ▦▦

도시 범주화 활동

텍사스 주의 휴스턴에 있는 Stern 선생님의 8학년 학생들은 미국의 21개 대도시의 특징에 대해 공부하고 있다. 학생들은 각 도시의 규모, 인구, 민족성, 산업 유형, 지역, 천연자원에의 접근성 등에 대한 정보를 수집해 왔는데, www.infoplease.com과 www.quickfacts.census.gov 등의 웹사이트가 도움이 되었다. 수집된 정보는 요약 정리해서 도표로 만들어 교실 벽에 붙여 두었으며, 전자칠판을 통해 볼 수도 있다.

　　11월 어느 수요일, Stern 선생님이 말했다. "오늘은 우리가 21개 도시들을 더 잘 이해할 수 있도록 도와주는 활동을 해 봅시다. 내가 21개 도시들을 비교하고 대조해 볼 수 있도록 해 주는 개념들을 많이 찾아왔어요. 내가 도표에 '그렇다' '아니다'라고 이름표를 붙일 거예요. 만약 여러분이 우리가 가지고 있는 정보를 잘 살펴보면서 각 도시의 인구나 기타 다른 정보들을 생각해 본다면, 내가 머릿속에 떠올리고 있는 생각을 알아낼 수 있을 거예요. 내가 '그렇다'에 해당하는 도시 하나와 '아니다'에 해당하는 도시 하나로 우선 알려 줄게요. 공통적으로 해당하는 특징이 무엇인지 생각해 보세요. '그렇다'에 해당하는 두 번째 도시가 나온 후에, 여러분이 연결한 두 도시에 대한 생각들을 적어 보세요. 그리고 계속해서 그 아이디어들을 점검해 보세요."

"우리가 사는 도시로 시작해 봅시다." 선생님이 말했다. "휴스턴은 그렇다."

학생들은 휴스턴의 규모, 산업, 지역, 민족 구성 등에 대한 정보들을 면밀히 살펴보았다. 그리고 이번엔 선생님이 메릴랜드 주의 볼티모어를 지목했다. "볼티모어는 아니다." 그녀가 말했다. 그 다음엔 캘리포니아 주의 산 호세를 지목했다. "산 호세도 그렇다." 그녀가 말했다. 학생들은 산 호세에 대한 정보를 찾는다. 두세 명이 손을 든다.

"저 정답을 알 것 같아요."라고 한 명이 말한다.

"그 생각을 잠시만 품고 있으면서, 네가 맞았는지 다시 확인해 보렴." 그러곤 선생님은 또 다른 "그렇다"를 선택한다. 워싱턴 주의 시애틀, 미시간 주의 디트로이트는 "아니다", 플로리다 주의 마이애미는 "그렇다"이다. 선생님은 모든 학생들이 그 개념을 안다고 생각할 때까지 계속 진행했고, 그 후에 학생들은 그 개념들을 공유하기 시작한다.

"Jill, 너는 뭐라고 생각하니?"

"그렇다에 해당하는 도시들은 모두 온화한 기후를 갖고 있어요."라고 Jill이 말한다. "말하자면, 그 도시들 중에 어느 곳도 엄청나게 추워지지는 않아요."

"솔트 레이크 시는 꽤 추운걸?" 누군가가 이의를 제기한다.

"맞아. 그렇지만 시카고, 디트로이트, 볼티모어만큼 춥지는 않잖아." 또 다른 학생이 대응한다.

"내 생각에 그렇다에 해당하는 도시들은 모두 급격하게 성장한 도시들이야. 그 도시들은 지난 10년 동안 각각 10% 이상씩 성장해 왔어." 이에 대한 논의가 잠시 이루어진다.

"그렇다에 해당하는 도시들은 모두 매우 다양한 산업이 이루어지고 있는 곳들이야." 또 다른 학생이 말한다.

"그건 맞아. 그렇지만 그건 거의 모든 도시들이 그렇지 않니?"라고 누군가가 답한다.

마침내 학생들은 그렇다에 해당하는 도시들이 모두 매우 급격하게 성장했고 상대적으로 온화한 기후를 가진 도시들이라고 의견을 모은다.

"맞았어요." Stren 선생님이 말한다. "내가 떠올렸던 생각과 정확하게 일치하네요. 각 도시들이 한 가지가 아니라 두 가지 속성을 공유하고 있다는 것에 주의하세요. 자, 이제 다시 시작해 봅시다. 이번엔 메릴랜드 주의 볼티모어로 시작해 볼까요? 이번엔 '그렇다'입니다."

이 활동을 여러 차례 반복한다. Stern 선생님은 수로, 천연 자원, 민족 구성 등 다양한 차원에서 도시들을 집단으로 나누었고, 학생들은 그 내용들을 학습했다.

학생들은 자료의 일정한 양상을 보기 시작한다. 선생님이 말한다. "자, 이번엔 여러분이 생각할 때 중요하다고 생각하는 방식으로 도시들을 무리지어 보세요. 그리고 번갈아 가면서 우리가 여러분 각각이 만든 범주를 맞춰 볼 수 있도록 이 활동을 이끌어 봅시다. 그런 후에 우리가 얼마나 다양한 목적에 따라 다양한 범주를 만들 수 있는지 알아보고, 우리가 이 도시들을 살펴보는 방식들에 대해 논의해 봅시다. 결국 우리는 귀납 모형을 사용할 것이고, 여러분은 얼마나 많은 관계를 여러분이 발견할 수 있는지 알게 될 거예요."

이 시나리오에서 Stern 선생님은 학생들에게 도시에 대해 생각하는 방법을 가르치고 있다. 동시에 범주화 과정을 가르치고 있다. 이것이 우리가 *개념 획득*이라고 부르는 교수 모형의 도입 단계이다.

범주화, 개념 형성 및 개념 획득

개념 획득은 "우리가 획득하고자 하는 개념의 전형적 사례와 비사례를 구별하는 속성을 발견하고 목록화하는 과정"이다(Bruner, Goodnow, & Austin, 1967, p. 233). 3장에서 소개했듯이, 귀납 모형의 기반인 *개념 형성*은 학생들에게 그들이 범주를 만들 것인지에 대한 근거를 결정하도록 요구하는 반면에, 개념 획득은 학생들이 이미 다른 사람들의 사고에 의해 형성된 범주의 속성을 이해하도록 요구한다. 그 범주들은 특정한 속성을 갖는 전형적인 사례들(*예시*라고 칭하는)과 그러한 속성을 가지고 있지 않은 비사례들의 개념을 비교·대조함으로써 형성된다. 이러한 수업을 만들기 위해서 교사는 자신들이 가지고 있는 범주를 명확히 할 필요가 있다.

일례로, *형용사*라는 개념을 생각해 보자. 우선 교사가 형용사인 단어들과 형용사가 아닌 단어들을 선택한다. 여기서 형용사인 단어는 긍정 예시이며, 형용사가 아닌 단어는 이 범주의 속성을 갖지 않는 부정 예시이다. 학생들에게 다음과 같은 단어들을 둘씩 짝지어 보여 준다고 생각해 보자.

triumphant	triumph
large	chair
broken	laugh
painful	pain

형용사는 문장의 맥락 속에서 그 역할이 더욱 뚜렷이 드러나기 때문에, 더 많은 정보를 제공하기 위해서는 문장 안에 각 단어들을 넣어서 보여 주는 것이 가장 좋을 것이다.

긍정 예시: Our *triumphant* team returned home after winning the state championship.

부정 예시: After her *triumph*, Senator Jones gave a gracious speech.

긍정 예시: The *broken* arm healed slowly.

부정 예시: His *laugh* filled the room.

긍정 예시: The *large* truck backed slowly into the barn.

부정 예시: She sank gratefully into the *chair*.

긍정 예시: The *painful* separation had to be endured.

부정 예시: He felt a sharp *pain* in his ankle.

이 모형을 실행하기 위해서는 대략 20쌍의 단어가 필요하다. 만약 설명하고자 하는 개념들이 위의 예시들보다 훨씬 더 복잡한 개념이라면 더 많은 단어들이 필요할 것이다.

교사는 학생들에게 문장들을 세심하게 검토하고 특별히 이탤릭체로 쓰인 단어들에 주의하라고 알려 주면서 이 과정을 시작한다. 그리고 교사는 학생들에게 긍정 예시들과 부정 예시들의 기능을 비교·대조해 보라고 지도한다. "긍정 예시들이 문장 안에서 하는 공통적인 역할이 있어요."

교사는 학생들에게 긍정 예시들의 공통점이라고 생각하는 것을 메모해 보라고 한다. 그리고는 더 많은 예시들을 보여 주고, 학생들에게 그들이 여전히 같은 생각을 갖고 있는지 묻는다. 만약 그렇지 않다면, 교사는 학생들이 지금 생각하는 것이 무엇인지 묻는다. 교사는 대부분의 학생들이 하나의 생각을 갖게 될 때까지 다른 예시들을 계속해서 보여 준다. 그리고 나서 교사는 한 학생에게 그의 생각과 어떻게 그 생각에 이르게 되었는지를 설명해 달라고 요청한다. 예를 들면 이런 답변이 나올 수 있을 것이다. "음, 처음에 저는 긍정 예시의 단어들이 더 길다고 생각했어요. 그런데 부정 예시 단어 중의 몇 개가 더 길더라고요. 그래서 그건 아닌 것 같았어요. 지금은 긍정 예시의 단어들이 항상 다른 단어 옆에 나오고, 그 단어를 위해 뭔가를 한다고 생각해요. 확실하진 않아요."

그러고 나서 다른 학생들도 각자의 생각을 공유한다. 교사는 다른 예시를 좀 더 보여 준다. 점차적으로 학생들은 긍정 예시의 단어들이 물건이나 사람을 나타내는 단어의 의미에 무언가를 더하거나 특정한 방향으로 한정하는 역할을 한다는 것에 동의해 간다. 교사는 계속해서 예시 문장을 제시하고, 학생들에게 다 같이 정한 개념에 속하는 단어들인지 확인해 보라고 한다. 학생들이 그렇게 할 수 있을 때, 교사는 학생들에게 그 개념의 명칭(형용사)을 알려 주고 이 정의에 학생들이 동의하는지 묻는다. 마지막 활동으로 학생들에게 그 개념에 이르렀을 때의 생각을 기술해 보라고 하고, 그들이 주어진 정보를 어떻게 활용했는지 공유해 달라고 한다. 그리고 교사는 학생들에게 짧은 읽을거리를 주고 그 속에서 형용사를 찾아내는 활동을 숙제로 내준다. 교사는 학생들이 찾아온 예시들을 검사하면서 그 개념에 대해 명확하게 알고 있는지 점검할 것이다.

이 과정은 학생들이 하나의 개념으로 정의한 속성들을 확실히 학습하도록 만들어 주고, 그 정의에 해당하지 않는 다른 속성들과 분명하게 구별할 수 있도록 만들어 준다. 예를 들면, 모든 단어들은 문자로 이루어진다. 그러나 문자의 존재가 단어를 정의하지는 않는다. 글자는 자료군에 있는 모든 항목의 중요한 특징이지만, 우리가 형용사라고 칭하는 범주를 정의하는 데 있어 결정적인 요소는 아닌 것이다. 학생들은 "형용사"라는 개념의 본질이 단어의 의미가 아닌 그 단어의 기능이라는 것을 학습하게 되었다. "pain"과 "painful"은 둘 다 외상(trauma)을 의미하지만, 이 중 하나만 형용사라는 것을 알게 된 것이다.

이 방법으로 학생들을 가르친다면, 교사는 학생들이 보다 효율적으로 개념을 획득하도록 도울 수 있다. 학생들은 이 모형의 규칙을 배운다. 또 다른 사례를 살펴보자. 읽기를 막 시작하는 학생들을 위한 언어 학습 사례이다.

▨▨▨ 시나리오 ▨▨▨

개념적 교수를 통한 음성언어 학습

Christine Reynolds 선생님은 6세 학생들에게 "그렇다" 혹은 "아니다"라는 이름표가 붙은 다음의 단어들을 보여 주었다.

fat	(그렇다)
fate	(아니다)
mat	(그렇다)
mate	(아니다)
rat	(그렇다)
rate	(아니다)

Christine 선생님은 "자, 여기에 단어 목록이 있어요. 어떤 것은 '그렇다'라는 이름표가 붙어 있고, 어떤 것은 '아니다'라는 이름표가 붙어 있는지 잘 살펴보세요." 학생들은 관찰하고 나서 그 형식에 대해 이야기한다. "자, 이제 내가 머릿속에 한 가지 생각을 떠올리고 있어요. 여러분이 내가 생각하고 있는 것을 맞춰 볼까요? 내가 여러분에게 보여 준 단어 목록을 잊지 마세요. 이 목록에 있는 단어들이 단서이기 때문에, 여러분이 내 생각을 맞출 수 있도록 도와줄 거예요." 선생님이 첫 번째 단어를 가리키며 말한다. "만약 어떤 단어 옆에 '그렇다'라는 이름표가 붙어 있다면, 그건 곧 내가 생각하고 있는 것의 예시라는 의미예요. 그런데 만약에 '아니다'라는 이름표가 붙어 있다면, 그건 예시가 아니라는 의미겠지요."

선생님은 학생들이 이 수업의 진행과정을 잘 이해할 수 있도록 학생들과 같이 활동을 이어간 후, 그들에게 개념을 알아내도록 유도한다.

잠시 후, 선생님이 말한다. "제가 생각하는 것의 이름을 알아낼 수 있겠어요? 여러분은 내가 생각하는 것이 무엇인지 알고 있나요?" 학생들은 선생님의 생각이라고 추측되는 것을 말한다.

선생님은 수업을 계속해 나간다. "자, 이제 여러분의 생각이 맞는지 확인해 봅시다. 내가 몇 가지 예시들을 여러분에게 줄게요. 그러면 여러분의 생각에 근거해서 그 예시들이 '그렇다'인지 '아니다'인지 말해 봅시다."

선생님이 학생들에게 몇 가지 예시들을 더 보여 주고, 이번엔 학생들이 "그렇다"와 "아니다" 이름표를 붙여 본다.

kite	(아니다)
cat	(그렇다)
hat	(그렇다)

"자, 여러분 다 한 것 같네요. 이제 여러분이 '그렇다'에 해당한다고 생각하는 단어들을 몇 가지 떠올려 봅시다. 나머지 사람들이 여러분의 예시가 맞았는지 아닌지 알려 줄 거예요. 우리가 정확하게 맞추었다면 정답이라고 말해 주세요."

이 활동은 학생들이 그들의 예시를 만들어 보고 어떻게 그들이 그 개념에 이르게 되었는지 이야기해 보면서 끝맺게 된다.

이 수업에서 만약 학생들이 /at/이라는 모음과 자음의 결합 개념을 알아냈고, 정확하게 "cat"과 "hat"을 "그렇다"에 해당하는 예시라고 인지했다면, 그들은 단순한 수준에서 그 개념을 획득한 것이다. 그렇지만, 만약 학생들이 /at/ 소리가 다른 소리와 구별되는 특징(본질적인 속성)을 말로 표현할 수 있다면, 좀 더 높은 수준으로 그 개념을 획득한 것이다. Bruner는 개념 획득의 수준에 이처럼 차이가 있음을 설명했다. 우리가 획득하고자 하는 개념의 비예시들과 전형적 예시들을 정확하게 구별하는 것보다는 그 개념의 속성을 말로 표현해 내는 것이 더 어렵다는 것이다. 학생들은 아마도 예시들을 정확하게 구별할 수 있는 수준에 먼저 도달하고, 그 이후에 그 개념의 명칭이나 본질적 특성을 설명할 수 있는 수준에 이르게 될 것이다.

개념 교수 모형은 학생들의 사고 과정을 분석할 수 있는 좋은 기회이며, 학생들이 보다 효과적인 전략을 개발할 수 있도록 도와준다. 이러한 모형은 학생들의 참여 정도, 통제 정도 그리고 자료의 복잡성이 다양할 때에도 모두 적용할 수 있다.

개념 획득 모형의 근거

예시와 속성이라는 용어로 범주화 활동과 개념 형성을 설명했는데, 이 용어들은 개념의 정의와 어떻게 사람들이 그 개념을 획득하는지에 대한 Bruner의 연구에서 유래되었다. 각 용어는 개념적 학습의 모든 형태에서 특별한 의미와 기능을 가지는데, 특히 개념 획득에 있어서는 더욱 중요한 역할을 한다.

본래 예시들은 학생들에게 제시되는 자료 모음에 포함된다. 범주는 비사례들이 가지고 있지 않은 하나 이상의 특성을 공유한 사례들의 모음이다. 개념과 범주는 긍정 예시들 간의 비교를 통해서 학습되기도 하고, 긍정 예시와 부정 예시들을 대조해 보면서 학습되기도 한다.

속성

수집된 정보들이 모두 가지고 있는 특징, 그것을 속성이라 일컫는다. 예를 들면, 모든 나라는 합의된 경계가 있는 영토, 국민, 그리고 다른 나라들을 상대할 수 있는 정부를 가지고 있다. 도시들 또한 경계가 있는 영토, 시민, 그리고 정부를 가지고 있지만 결코 독립적으로 다른 나라를 상대할 수는 없다. 나라와 도시는 국제 관계라는 속성에 의해 구별된다.

본질적 속성이란 범주에 대한 매우 중요한 속성을 말한다. 한 범주 안에 있는 예시들은 그 범주 자체와는 관련이 없을 수 있는 수많은 속성들을 갖고 있다. 예를 들면, 모든 나라 안에는 나무와 꽃이 있지만 사실상 이런 속성은 나라를 정의하는 것과는 관련이 없다. 비록 나무와 꽃이 나라의 범주 혹은 하위 범주에 포함될 수 있는 중요한 영역일지라도 말이다. "나라"라는 범주에 있어 나무와 꽃은 본질적 속성은 아니다.

속성값을 정의하는 것 또한 중요하다. 이는 특정 예시가 그 속성을 얼마나 가지고 있는지의 정도를 의미한다. 예를 들면, 모든 사람들이 합리성과 비합리성을 함께 가지고 있다. 문제는 얼마만큼의 합리성이 있을 때 우리가 그 사람을 "합리적인 사람"이라고 범주화할 수 있고, 또 반대로 얼마만큼 비합리적일 때 그 사람을 "비합리적인 사람"이라고 범주화하는 것이 적절한 묘사인가의 문제이다. 일부 유형의 개념들은 속성값을 고려할 필요가 없을 수 있지만, 대부분의 개념들은 속성값을 고려해야만 한다.

자료군을 만들 때 교사들은 속성값이 큰 예시들로 개념을 형성하기 시작하며, 다소 애매한 예시들은 그 개념이 탄탄하게 형성된 후에 처리한다. 그러므로, 부의 수준에 따라 국가들을 분류할 때는 매우 부유한 국가와 아주 가난한 나라들의 예시로 시작하는 것이 학생들이 보다 명확하게 분류할 수 있도록 도와준다. 범주화할 때는 사례별로 일부 속성들이 해당하는 정도가 다를 수 있다는 사실을 고려해야 한다. 어떤 사례가 특정 범주에 포함될 만큼 그 속성을 충분히 가지고 있는지, 한 사례를 특정 범주에 포함시키는 기준을 어느 정도로 할지 등에 대해 결정해야만 한다. 예를 들어, "유독성(poisonous)"이라는 범주를 생각해 보자. 엄밀히 말하면 염소(Chlorine, Cl)는 독성이기 때문에 물속의 염소 역시 이 범주에 들어간다. 그런데 사람들이 특정 박테리아는 박멸해 주지만 사람에게는 해를 끼치지 않는 염소의 양을 추정해 냈다. 하지만 만약 그 양이 늘어난다면 사람에게도 영향을 미칠 것이다. 그러므로 수돗물은 그 안에 독성이 있긴 하지만 사람들에게 해를 끼칠 만큼의 양은 아니기 때문에 유해한 물의 예시라고 할 수 없다. 이 경우에 속성값이 낮기 때문에 물을 "유독성"이라는 범주에 넣을 수 없는 것이다.

이번엔 "키가 작은 사람"이라는 범주를 생각해 보자. 얼마나 키가 작아야만 이 범주에 들어갈 수 있을까? 사람들은 일반적으로 그들에 비해 크다는 식으로 상대적인 값을 따진다. 언제 차갑고 언제 뜨거운가? 사람들이 친절할 때는 언제인가? 적대적일 때는 언제인가? 이와 같은 것들은 모두 유용한 개념들이지만, 범주화의 문제는 정도의 문제에 달려 있으며, 우리는 이것을 속성값이라 칭한다.

그러나 속성값을 고려할 필요가 없는 사례들도 있다. "전화기"라는 범주 안에 들어가려면, 어떤 기계가 확실한 특징만 가지고 있으면 된다. 그렇지만 질의 정도는 존재한다. "통화 음질이 고성능인가?"와 같은 질문을 한다면 전화기라는 범주도 다시 속성값을 고려해야 하는 범주가 된다.

일단 한 범주가 형성되었다면, 그 범주를 상징적으로 칭할 수 있는 이름을 붙일 차례이다. 학생들은 그 범주의 속성에 근거하여 이름을 붙여야만 한다. 이 장의 시작에서 보여 준 시나리오 상황이라면, 학생들은 그 카테고리를 "/j/로 발음하는 'ge'를 포함하는 단어들"이라고 묘사할 것이다. 만약 앞에서 나온 시나리오 중에 "형용사"의 사례처럼 전문 용어가 있다면 그 용어를 쓰면 된다. 그러나, 개념 획득 과정은 이름을 알아맞히는 과정은 아니다. 이름은 한 범주의 속성을 명확하게 해 주는 것일 뿐이며, 그 이름은 새로 만들어질 수도 있고, 기존의 것을 가져다 쓸 수도 있다. 따라서 이름은 단지 한 범주에 붙이는 용어일 뿐이다. *과일, 개, 정부, 빈민가* 등은 모두 일종의 경험, 물건, 배열 혹은 과정 따위에 붙여 주는 이름이다. 한 범주 안에 공통으로 묶인 항목일지라도 어떤 측면에서 보면 서로 다를지도 모른다(예를 들면, 강아지도 종류가 상당히 많다). 공통적인 특징이 그것들을 똑같은 일반 명사로 칭하게 만들었을 뿐이다.

교사들은 때론 학생들이 그 이름은 모르지만 직감적으로 이미 알고 있는 개념에 대해 가르치기도 한다. 예를 들어, 어린아이들은 "먹을 수 있는 것"이라는 이유로 과일 사진들을 함께 모아 둔다. 아이들은 이름표 대신에 그 개념을 묘사하는 특징을 이용하고 있는 것이다. 그러나, 만약 학생들이 어떤 개념을 안다면 쉽게 그 개념의 이름도 배울 수 있을 것이며, 그들의 표현이 보다 분명해질 것이다. 어떤 개념을 안다는 것의 일부는 그 개념에 해당하는 예시들을 인지하고 있으며, 그 개념에 해당하지 않는 예시들도 구별해 낼 수 있다는 것이다. 많은 사람들이 *은유(metaphor)*와 *직유(simile)*라는 용어는 알고 있지만, 이 둘을 분명하게 구별하고 적용할 수 있을 만큼 각각의 속성을 명확하게 알지는 못한다. 그 속성을 명확히 이해하지 못하면 은유적 표현을 쓰기 어렵다.

다중 속성은 중요한 고려사항이다. 개념이 범주에 속하게 될 때, 단일 속성에서부터 여러 가지 속성을 가진 경우까지 다양할 수 있다. "빨간 머리의 남자 아이들" 범주에 속하는 아이들은 남자라는 속성과 빨간 머리라는 속성을 필요로 한다. 지적이고, 사교적인, 운동선수인 빨간 머리 남자 아이들은 다양한 속성을 동시에 갖는다. 문학, 사회 탐구, 그리고 과학 과목에서 교사는 다중 속성으로 정의된 다양한 개념을 다룬다. 또한 속성의 가치도 고려해야 한다. "로맨틱 코미디(romantic comedy)"라는 이론적 개념을 생각해 보자. 바람직한 예는 연극이나 영화여야 하고 코미디로서의 자질이 충분한 유머를 지니고 있어야 하며 동시에 로맨틱해야 한다. 잘못된 예는 로맨틱하지도 않고 재미있지도 않거나, 재미는 있으나 로맨틱하지 않은 경우, 로맨틱하긴 하나 재미가 없는 경우이다.

개념을 가르치기 위해 교사는 그 개념의 정의적 속성과 그 속성의 값이 고려될 사항인지 아닌지를 매우 명백하게 결정해야 한다. 교사는 또한 부정적 사례를 선택하여 속성의 전부가 아닌 일부만을 갖고 있는 항목을 제외할 것인지를 고려해야 한다.

한 개 또는 여러 개의 속성으로 정의된 개념을 *결합 개념(conjunctive concept)*이라 한다. 즉, 하나 또는 여러 가지의 특징으로 결합된 것이다. 서로 다른 두 가지의 개념이 고려될 필요가 있다. *이접 개념(disjunctive concept)*은 특정 속성은 존재하지만, 다른 속성은 부재하는 것으로서 정의된다. 예를 들어, 불활성 기체는 다른 모든 기체들의 속성은 지니고 있으면서 다른 원소와 결합할 수 있는 가능성은 없어야 한다. 독신남은 다른 남자들이 지닌 속성은 동일하게 지니면서 어떤 한 가지, 배우자는 없어야 독신남으로 정의될 수 있다. 외로운 사람들은 동료애가 부족한 사람으로 정의될 수 있다. 소수는 1과 자신을 제외한 약수를 가지지 않는 것으로 정의될 수 있다.

마지막으로 어떤 개념들은 예와 다른 독립적 개체 사이의 연결을 필요로 한다. 예를 들어 기생충은 숙주가 존재하며 숙주와 기생충 사이의 관계가 기생충을 정의하는 데 결정적이다. 인간 관계의 많은 개념 역시 이런 경우이다. 조카들이 없이는 삼촌이 존재할 수 없으며, 아내 없이는 남편, 이끄는 조직 없이는 경영진도 없는 것이다.

개념 습득 전략

학생들이 다양한 예들을 비교, 대조할 때 어떤 일이 일어나는가? 초기에 어떤 종류의 가정들을 설정하고 어떻게 학생들이 이 가정을 수정하고 검증할까? 이 질문에 답변하기 위해서는, 세 가지 요소가 수업을 설계함에 있어 중요하다. 첫째, 교사는 개념 획득 활동을 구성하여 우리의 학생들이 어떻게 생각하는지를 연구할 수 있어야 한다. 둘째, 학생들은 그들이 어떻게 개념을 획득하는지뿐만 아니라 그들의 전략을 변경함으로써 그리고 새로운 전략을 배움으로써 어떻게 더 효과적으로 학습하는지를 설명할 수 있어야 한다. 셋째, 교사는 정보를 제시하는 방법을 바꾸고 모형을 살짝 수정함으로써 학생들의 정보처리에 영향을 미칠 수 있다.

학생들이 개념을 얻기 위해 사용하는 전략을 이해하는 핵심은 학생들이 어떻게 사례들 속에서 필요한 정보에 접근하는지를 분석하는 것이다. 학생들은 정보의 어떤 *특정한 측면*에만 부분적으로 집중하는 전략을 쓰는지, 아니면 개념의 *전반적인 측면*을 모두 주시하는 총체적 전략을 쓰는지 알 필요가 있다. 이를 설명하기 위해 교사가 소설과 단편 소설의 문단을 비교함으로써 문체를 비교하는 개념을 가르친다고 가정해 보자. 첫 번째 긍정 예시는 다음과 같은 문단을 포함하고 있다.

새로운 나라는 다음과 같은 유형을 쫓는다. 우선, 강하고 용감하지만, 아이들같이 순수한 개척자들이 온다. 그들은 야생 환경에서 자신을 보호할 수 있으나 순수하고 무력하다. 이런 이유로 그들은 새로운 도시로 왔을 것이다. 거친 땅의 경계들이 새로운 땅으로 다듬어져 갈 때, 소유의 분쟁을 해결하고, 개척자들을 유혹하는 것들을 제거하여, 개발을 돕고자 사업가들과 변호사들이 들어온다. 마지막으로 삶을 좀 더 편하게 하는 오락, 휴식, 교통과 같은 문화가 형성된다. 그리고 그 문화는 어떤 수준에서든 그곳에 존재한다(Steinbeck, 1952, p. 249).

학생들은 이 문단이 문체와 관련된 하나 또는 그 이상의 속성에 근거하여 다른 것들과 묶여질 것이라는 것을 안다. 따라서 몇몇 학생들은 오로지 한 가지 속성에만 집중하고 서술문의 사용 또는 경계의 개시에 관한 반대 개념의 병렬을 언급할 것이다. 다른 학생들은 비유의 존재 여부, 암시적 언어의 사용, 인간 범죄의 관찰자가 되고자 하는 작가의 태도를 알아차리며 문단을 자세히 훑어볼 것이다.

이 문단과 다른 것을 비교할 때, 문체의 사용을 한 가지 또는 두 가지 측면에서 부분적으로만 보는 전략을 쓰는 사람들은 첫 번째에도 존재하는 속성이 두 번째에도 있는지에 관해 조사하는 숙제를 더 쉽게 할 수 있을 것이다. 그러나 학생들의 초점이 적절치 않았다면 학생들은 좀 더 쉬운 사례로 돌아가야 하며 집중해야 할 속성들을 찾기 위해 사례를 다시 훑어봐야 할 것이다. 반면에 총체적 전략을 쓰는 사람들은 이미 많은 속성을 머리 속에 생각하고, 정의되지 않은 요소들을 하나씩 제거해야 한다. 총체적 전략은 학습자들이 다중 속성 개념을 확인할 수 있게 하지만, 단일 속성이 아닌 경우가 전반적인 전략에 지장을 주지는 않는다.

학생들이 어떻게 개념을 얻는지에 대하여 교사가 알 수 있는 방법에는 두 가지가 있다. 하나의 개념이 습득된 후, 교사는 학생들에게 활동을 통해 달라진 그들의 생각을 진술하도록 요청한다. 학생들은 초기에 어떤 생각을 가졌고, 어떤 속성에 집중했는지 그리고 이전에 세웠던 가정들 중 어떤 것을 수정해야 했는지를 설명하게 된다. 이것은 학생들이 서로의 전략이 무엇이고 어떻게 사용되었는지를 알게 하는 논의를 이끈다.

고학년 학생들은 그들의 가정을 공책에 적을 수 있고, 교사는 이후에 이를 분석할 수 있다. 예를 들어, Baveja, Showers, Joyce(1985)에 의해 진행된 식물 분류에 대한 연구에서, 학생들은 쌍으로(1개는 긍정적 가정, 1개는 부정적 가정) 가정을 만들어 냈다. 학생들은 초기 가정과 수정 내역, 수정한 이유를 기록했다. 총체적 전략을 쓰는 학생들은 여러 가지 다양한 가정을 세웠고 점진적으로 증명할 수 없는 가정을 제거해 갔다. 초기에 하나 또는 두 개의 가정만 선택한 학생들은 지속적으로 사례들을 살펴볼 필요가 있었고 최종적으로 다중 속성 개념에 도달하기 위해 그들의 아이디어를 수정할 필요가 있었다. 그들의 전략을 비교하고 그들에게 알려 줌으로써, 학생들은 차후의 수업에서는 새로운 방법으로 시도해 볼 수 있었고 변화의 효과를 관찰할 수 있었다.

만일 교사가 수업을 시작하기 위해 학생들에게 많은 수의 분류된 사례들(긍정적이고 부정적으로 정의된 사례들)을 제공한다면, 학생들은 자료들을 훑어볼 수 있고 작용할 몇 개의 가정을 선택할 수 있다. 그러나 만일 교사들이 사례를 짝지어 제공한다면 학생들은 총체적이고 다중 속성의 전략에 가까워질 것이다.

많은 사람들이 개념 획득 모형을 처음 접하게 되면 부정 예시에 대해 질문한다. 그들은 왜 단지 긍정적인 사례만 제공하면 안 되는지를 궁금해한다. 부정 예시는 학생들에게 개념의 경계를 확인하게 하는 데 도움을 주기 때문에 매우 중요하다. 예를 들어, 미술에서의 "인상주의"에 대한 개념을 생각해 보자. 인상주의 방식은 다른 미술 양식과도 많은 공통점을 지니고 있다. 학생들이 속성을 정의함에 있어 절대적으로 확인할 수 있도록 인상주의가 전혀 드러나지 않는 사례를 살펴보는 것이 중요하다. 마찬가지로, 전치사구와 같은 단어 모음을 확인하기 위해 교사는 절에서 전치사구를 구별할 필요가 있다. 단지 어떤 특정 속성을 포함하고 포함하지 않는 사례들을 비교함으로써 교사는 속성의 특징을 정확하게 구별할 수 있다. 개념 획득 모형은 오랜 기간 학습을 위해 설계되었다. "소수", "원소", "개발 국가", "역설" 등의 정확한 개념을 얻기 위해 고군분투하면서 범주에 속하는 것들을 마주하게 되었을 때 긍정적으로 그리고 확실하게 구별할 수 있어야 하는 것이다.

Tennyson과 Cocchiarella(1986)는 개념 학습에 관한 중요한 연구를 진행해 왔고 교수 설계를 향상시키는 데 사용될 수 있는 많은 모형을 개발해 왔다. 그들의 연구에서는 교사가 개념 획득 모형을 이해하는 데 도움을 줄 수 있는 많은 질문을 다뤄 왔다. 그들은 학생들이 명백한 개념을 개발하고 사례들의 검증이 속성과 정의에 관한 논쟁을 진행시킬 때 속성과 정의를 얻는다는 것을 알고서는 학생들이 속성과 정의를 소개하는 것에서의 처리 방식을 비교했다. 또한 Tennyson과 Cocchiarella는 처음 제시하는 긍정적인 사례들은 다중적 속성을 지닌 *명백한 전형이어야 한다*는 것을 발견했다. 다시 말해서 교사들은 학생들이 "모호한 사례들"로 인해 혼동하지 않도록 해야 하며, 원리를 적용하는 단계에서 덜 명확한 사례들을 다룰 수 있도록 자료를 배치하여 개념 학습을 촉진시켜야 한다.

Tennyson과 Cocchiarella(1986)는 또한 학생들이 절차적 지식을 연습을 통해 발달시킨다고 결론 지었다. 학생들이 더 많은 절차적 지식을 가질수록 더 효과적으로 개념적 지식을 습득하고 이를 적용할 수 있다고 결론 내렸다. 그러므로, 개념 획득을 용이하게 하는 사고 방식의 분석은 매우 중요하다.

개념을 학습하고, 그 다음에 속성과 정의를 구별하게 하는 것은 현재의 교수 활동을 거스르는 것이다. 일부 교사들은 개념 획득 모형을 처음 활용할 때 정의와 속성 목록을 제공함에 급급해하는 것을 보게 된다. 학생들이 개념을 추출한 이후에 속성의 명료화를 위해 적절한 시간이 필요하다는 것을 기억하는 것이 중요하다.

자료는 학생들에게 사례 예시라 불리는 형태로 제시된다. 이것들은 만일 학생들이 배울 개념의 특성이나 속성을 지니고 있다면(예를 들어, 소네트 양식과 같이) "긍정적"이란 꼬리표가 붙여진다. 반면에 그러한 속성을 지니고 있지 않다면(예를 들어 소네트의 속성을 전혀 갖고 있지 않은 시들) "부정적"이란 꼬리표가 붙여진다.

긍정적 사례와 부정적 사례를 비교함으로써, 학생들은 범주의 속성에 관한 가정을 세울 수 있다. 그러나 그들은 현 시점에서 그들의 가정을 공유하지 않는다. 대부분의 학생들이 가정을 세울 때, 일부 분류되지 않은 사례들이 그들에게 제시되고 그들은 성공적으로 긍정적 사례들을 구별할 수 있는지를 보여 준다. 그들은 일련의 시들을 훑어보고 몇 가지의 긍정적 사례와 부정적 사례를 뽑음으로써 그들 자신만의 가정을 만들도록 요구받는다.

그리고 나서 그들은 그들의 가정을 공유하게 되고 진행 과정상에서의 그들 사고의 처리 과정을 설명하게 된다. 그들이 가장 근접해 보이는 가정에 동의할 때 그들은 그것에 꼬리표를 생성한다. 그런 후 교사는 만일 배우고자 했던 속성이 있다면(예를 들어 소네트) 기술적인 꼬리표를 제공한다.

개념을 강화하고 적용하기 위해 학생들은 수업의 더 많은 사항들(이 경우에는 시들)을 찾는다. 그리고 어떤 것이 그들이 학습한 개념에 가장 근접한지를 찾는다.

교수 모형

개념 획득 모형의 단계는 표 6.1에 나타나 있다.

모형의 구조

첫 번째 단계는 학습자들에게 자료를 제시하는 것이다. 자료의 각 구성 단위는 구분되는 예시이거나 개념과 상관없는 예시이다. 구성 단위는 짝으로 나타낸다. 자료는 사건, 사람, 사물, 이야기, 사진 또는 어떤 형태로든 구별 가능한 단위이다. 학습자들은 모든 긍정적 사례들이 공통적인 한 가지 속성을 가짐을 알고 있다. 따라서 그들의 과업은 개념의 본질에 대한 가설을 세우는 것이다. 예들은 미리 계획된 순서로 제시

〈표 6.1〉 개념 획득 모형의 구조

첫 번째 단계: 자료의 제시와 개념의 구분

1. 교사는 구별된 사례를 제시한다.
2. 학생은 긍정적 사례와 부정적 사례의 속성을 비교한다.
3. 학생은 가정을 세우고 검증한다.
4. 학생은 본질적인 속성에 따라 정의를 기술한다.

두 번째 단계: 개념 획득의 검증

1. 학생들은 "yes" 또는 "no"로 구분되지 않은 추가적인 예들을 확인한다.
2. 교사가 가정, 이름, 개념을 확정하고 본질적인 속성에 따라 정의를 다시 기술한다.
3. 학생들은 사례를 만든다.

세 번째 단계: 사고 전략의 분석

1. 학생들은 생각을 기술한다.
2. 학생들은 가정과 속성의 역할에 대해 토론한다.
3. 학생들은 가정의 유형과 수에 대해 토론한다.

되고 "yes" 또는 "no"로 구별된다. 학습자들은 다른 사례들의 속성을 비교하거나 증명해야 한다(교사 또는 학생들이 속성의 기록을 유지하기를 원할 것이다). 마침내 학습자들은 그들의 개념을 이름 짓게 되고 본질적인 속성에 따라 개념의 정의나 규칙을 진술하게 된다(그들의 가정은 다음 단계까지 확정되진 않는다. 학생들은 일부 개념에 대해서는 이름조차 모른다. 그러나 개념이 확실해졌을 때 이름은 제공될 수 있다).

두 번째 단계에서, 우선 이름 붙여지지 않은 추가된 개념 사례들을 규정하고, 그러고 나서 자신만의 사례를 만들어 냄으로써 학생들은 자신의 개념 획득을 검증한다. 이후 교사와 학생들은 필요에 따라 개념을 선택 또는 필요한 속성을 변경하면서 초기의 가설을 채택하거나 기각한다.

세 번째 단계에서 학생들은 개념을 획득하는 전략을 분석하기 시작한다. 앞서 지적했듯이, 몇몇의 학생들은 처음에 폭넓은 개념을 세운 후 점차 범위를 좁혀 간다. 반면 다른 학생들은 별개의 낱개의 개념들로 시작한다. 학생들은 자신이 속성이나 개념에 중점을 두었는지, 차례로 하나씩 학습했는지, 한 번에 여러 개를 학습했는지, 그리고 그들의 가설이 확정되지 않았을 때 무슨 일이 일어났는지 등과 같은 학습 형태를 기술한다. 그들이 전략을 수정했었는가? 점차로 학생들은 다른 전략의 효과를 비교할 수 있게 된다.

사회적 체제

개념 획득 모형을 사용하여 가르치기 전에 교사들은 개념을 선택하고, 긍정적이거나 부정적 예시와 그 흐름들을 포함하는 자료를 선택하고 조직한다. 교과서와 같은 교육 자료들은 교육심리학으로 설명되는 개념 학습의 본질에 부합하도록 고안되진 않았다. 대부분의 경우 교사들은 개념의 긍정·부정적 예시들을 반드시 준비해야 하고, 글과 기존 자료로부터 생각과 자료를 추출하여, 그것이 명확하다고 여겨지는 방식으로 고안해야 한다. 개념 성취 모형을 사용할 때, 교사는 기록자로 행동해야 하고, 개념에 대한 가설과 속성을 따라가야 한다. 또한 교사는 필요에 따라 추가 예시를 제공한다. 개념 획득 활동을 기록하고, 단서와 추가 자료를 제공하는 것은 교사의 주요한 기능이다. 개념 획득 시 첫 번째 단계에서 매우 구조화된 예시를 제공하는 것이 효과적일 것이다. 또한 협력 학습 과정이 도움이 될 수 있다.

반응의 원리

수업에서 교사는 학생들의 가설을 지지할 필요가 있고, 학생들이 서로 반대되는 가설을 검증하기 위한 토의를 이끌 필요가 있다. 모형의 마지막 단계에서 교사는 학생들의 관심을 개념 분석과 사고 전략에 두도록 이끌어야 하고, 적극적인 지지를 보여야 한다. 교사는 모든 상황에서 모든 사람들에게 좋은 한 가지 전략을 찾기보다는 다양한 전략들의 이점을 분석하도록 격려해야 한다.

지원 체제

개념 획득 수업에는 학생들에게 제공되는 긍정적이고 부정적인 예시가 요구된다. 이는 개념을 습득하는 과정이 학생들에게 새로운 개념을 만들도록 요구하는 것이 아니고, 교사가 이전에 선택했던 새로운 개념을 획득하는 것임을 강조해야 한다. 학생들은 부정적 예시에서 보이지 않고, 긍정적 예시에서 보이는 속성을 찾기 위해 예시의 특성을 설명하는 것이다.

적용

개념 획득 모형은 내용 혹은 과정에 주안점을 두어 적용하는 것을 고려해야 한다. 만일 사고의 분석에 초점이 있다면, 개념 획득에 대한 짧은 연습 사례는 사고의 분석에 시간을 더 많이 쓰도록 개발되는 것이다.

개념 획득 모형은 모든 연령과 학년의 아이들에게 사용될 수 있다. 우리는 교사들이 유도한 활동이 도전을 좋아하는 유치원 아이들에게 매우 성공적으로 사용되는 것을 보아 왔다. 어린아이들에게 개념과 예시는 간단한 관계여야 하고, 수업 자체는 짧고, 교사가 유도하는 의미 있는 것이어야 한다. 어린아이들을 위한 전형적인 교육과정은 개념 획득 방법을 유아들에게 쉽게 전달할 수 있는 구체적인 개념으로 되어 있다. 전략에 대한 사고 분석의 단계(3단계)는 유아들에게도 적용될 수 있고, 1학년 아동들은 대부분 해낼 수 있게 된다.

유아교육에서 개념 획득 모형이 사용될 때, 구체적인 예시의 자료들이 활용될 수 있다. 교실 물건, 연결 수막대(Cuisenarie rod), 그림, 도형은 대부분의 유치원 교실에서 발견된다. 귀납적으로 유아들의 학습을 돕는 것은 그것 자체로 중요한 목표가 될 수 있지만, 교사는 이 모형을 사용하여 더욱 구체적인 목표를 세워야 한다는 것을 명심해야 한다.

개념 획득 모형은 교사가 이전에 소개했던 중요한 개념을 숙달했는지 알아내길 원할 때 사용하는 훌륭한 평가 도구이다. 이 모형은 학생들의 이해도를 드러내고, 이전 지식을 보강해 준다.

사회학 단원에서 중요하게 다루는 개념들, 즉 "민주주의", "사회주의", "자본주의", "정당한 법 절차" 등에 대한 개념 획득 수업은 학생들이 읽고, 발표하는 것에 따라 단원에 주기적으로 포함될 수 있다. 이제 Lori Kindrachuk 선생님이 만든 시나리오를 살펴보자. 학생들이 소설을 읽을 때 상황에 대한 정보를 습득하도록 돕는 시간과 학생들이 쓰기를 할 때 상황에 대한 정보를 어떻게 생성할 수 있는가에 대해 생각하도록 돕는 것이다.

▰▰ 시나리오 ▰▰

Lori 선생님의 세 번째 수업

이번 시간은 여러분이 긍정 예시와 부정 예시의 목록을 보고 개념에 대한 여러분의 결론을 그려 보는 것이다.

개념에 대한 선생님의 메모는 다음과 같다.

정의: 장소는 소설 작품의 행동이 일어나는 환경이다. 시간 그리고(또는) 장소에 대한 정보도 포함한다.

목적 서술: 이 수업에서 모든 긍정 예시들("그렇다"들)은 공통적 속성을 가진다. 각 문장에서 읽은 것처럼, 내용과 제공된 정보에 초점을 둔다.

긍정 예시

첫 7개 문장은 일/월/년에서 일, 월, 년을 결합하여 바꾸면서 특정한 날과 시간을 명명한다. 첫 세 문장은 특별한 휴가이다(할로윈과 발렌타인 데이는 항상 같은 날이다).

1. 1997년 8월 31일에 Danny는 가장 멋진 할로윈 의상을 가졌다고 생각했다.
2. 2001년에 발렌타인 데이가 금요일이었고, Joanne는 밤이 되기 전에 카드를 전해 줄 준비가 되어 있었다.
3. 1952년 5월 14일 부활절 일요일에 Sam에게 계란 장식을 끝낼 수 있도록 5일을 더 준다.
4. Mark는 12번째 생일인 1999년 1월 29일, 슈퍼 볼 게임과 같은 날에 축하받았다.
5. 1981년 6월 7일 봄 졸업식 날은 예외 없이 매우 덥고 건조했다.
6. 1862년 8월 토요일 아침에 그는 첫 번째 여행을 떠났다.
7. 1965년 3월은 춥고, 눅눅하고, 축축하다.

다음 7개 문장은 역사에서 유명한 사건이라 불려지는 것들로 시작하고, 역사에서 유명한 기간과 관련된 방향으로 이동한다.

8. 진주만 공격 다음 날, 여전히 공기는 불로부터 온 연기로 가득했다.
9. 그가 표제를 읽은 것처럼, 그는 타이타닉이 엊그제 가라앉았다는 것을 알았다.
10. 오늘 아침 예배는 9/11 사건 이후 첫해를 기념하는 것이다.
11. 미국을 파괴한 이 시기는 미국 남북전쟁으로 알려지게 되었다.
12. 히틀러 군대가 진군해 오자, Cal은 매일 상황에 대한 보도를 들었으며, 전투에

참가하기에 충분한 나이이기를 바랐다.

13. 주식 시장 추락 후의 시간은 힘들었다; Dirty Thirties로 알려진 그 시기에 사람들은 살아남았다.

14. Tom은 언제나 조종사가 되고 싶어했다 — 지난해 여름 인간은 최초로 달에서 걸었다; 미래에 일어날 일을 누가 알까?

15. Jake는 컴퓨터 앞에 앉아서 Email을 살펴봤다.

16. 군중은 금으로 장식된 마차가 공연장에 들어오자 검투사에게 함성을 질렀다.

17. Mark는 새 iPod을 지난주 그의 사물함에서 도둑맞았다.

마지막 문장 묶음은 엄격한 추론을 통해 시간 배경을 발달시키면서 어떤 기간의 운송이나 발명의 방법으로 이름을 붙인다.

18. 포장 마차는 오랜 여행 동안 새로운 정착지가 될 것이다.

19. Tanis는 한 손에는 휴대폰, 다른 손에는 스노우보드를 들고 언덕을 향해 갔다.

20. 행성 간 여행은 여전히 새롭고, 그들은 예약 시스템에서 꼬인 것을 전혀 해결하지 못했다.

21. 그들은 이전에 말과 수레로 밤에 도착했는데, 이는 그가 생각한 온 식구를 데리고 갈 수 있는 가장 빠르고 가장 편리한 방법이었다.

부정 예시

1. Sarah는 여동생보다 키가 컸지만, 그들은 빨간 머리와 주근깨를 같이 가지고 있었다,

첫 7개 부정적 예시들은 시간에 대한 아무런 언급이 없다. 그것들은 출연자/줄거리 전개와 연관되어 있다.

2. 그림 속 아이는 빛나는 파란색 드레스를 입었고, 머리에 리본을 달았다.

3. June이 가장 좋아하는 밴드가 춤추기 위해 놀러 갈 것이다.

4. 그는 불을 끄기 위해 도와야 하는 것을 알고 있었지만, 움직이는 것처럼 보이지 않았다.

5. 그녀는 그의 두 번째 사촌이었고, 그들은 항상 좋은 친구였다.

6. Thompson 부인은 가게에서 일을 했고, 남는 시간에는 피아노를 가르쳤다.

7. 그들이 게임에서 이겼다면, 그들은 준결승에 진출할 수 있었을 것이다.

8. 지난 달 그들은 3번 보았다.

9. 그녀는 어제 그에게 이야기했다.

10. 큰 행사까지 2주 남았네!

11. 3일 전에 그녀는 그 소식만 들었다.

12. 2시간 정도 있으면 축하연이 시작될 것이다.

13. 그들은 도움을 얻기에 가장 가까운 곳에서 15분 정도 떨어져 있었다.

14. 중간 휴식 동안 선수들은 새 전략을 논의할 것이다.

15. 판매는 토요일부터 3주 동안 할 것이다.

16. 거래는 25일 자정에 마감될 것이다.

17. 그들은 다음 세 번 수요일에 연속으로 수업에 참여하게
될 것이다.

18. 3월, 4월, 5월은 그녀가 가장 좋아하는 달이다.

19. 그들은 항상 금요일마다 저녁을 위해 물고기를 잡으러 간다.

20. 가을은 항상 호박 파이의 냄새와 낙엽을 준다.

21. 다음 봄 그들은 새로운 집 짓기를 시작하기로 계획했다.

교수적, 양육적 효과

개념 획득 전략은 특정 개념들과 개념들의 본질에 대한 학습의 목표를 성취하기 위
해 고안되었다. 또한 귀납적 추론과 학생들의 개념 형성 단계를 변화하거나 향상시
키기 위한 기회의 연습을 제공한다. 마지막으로, 특히 추상적 개념에서 전략들은 대
안적 관점의 인식, 대화에서 논리적 추론의 민감성, 불확실성에 대한 인내심 등을 기
른다(그림 6.1 참조).

　　Robert Gagné의 1965년 글은 개념 획득에 대해 유사한 접근으로 논의하고 있다.
Merril과 Tennyson(1997)도 사고과정의 분석은 없지만 비슷한 접근을 서술한 바 있다.
McKinney, Warren, Larkins, Ford, Davis(1983)는 Merril과 Tennyson의 접근법과 Gagné의
개념 학습 과정을 비교하는 흥미 있는 일련의 연구를 보고했다. 그들의 연구는 같은
전제로 만들어진 모형군이지만 실행에 있어 세부적인 부분에 차이가 있는 접근들을
비교한 연구 설계의 복잡성을 보여 주었다. 그러나 이러한 접근들의 차이와 더 나은

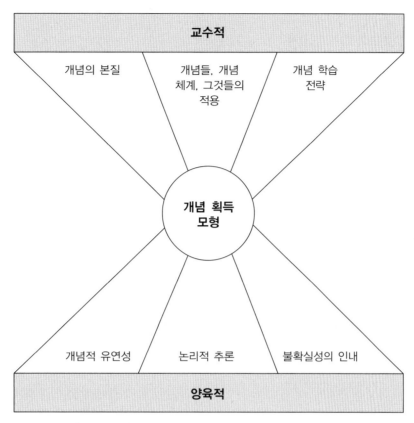

[**그림 6.1**] 개념 획득 모형의 교수적, 양육적 효과

모형을 추구하는 연구가 교사들에게 있어 더 나은 수행을 이끌어 낸다는 사실이 더
중요하다. 전통적인 방법으로 개념을 가르쳐 왔던 것보다 더 효과적이고 유용한 교
수/학습 레퍼토리를 만들어야 한다는 것이다. 우리가 논의하고 있는 모형은 그것들
중 하나이다.

요약 도표　개념 획득 모형

모형의 구조

모형의 구조는 개념의 속성에 대한 예시들을 제시하는 것으로부터 이를 검증하고 개념의 적용을 위해 명명하는 것으로 이어진다.

사회적 체제

이 교수 모형은 중간 정도의 구조를 가진다. 교사는 연속적 절차들을 통제해야 하나, 이후 단계에서 일어날 토의에는 개방적이어야 한다. 학생들의 상호작용이 촉진되어야 한다. 이 모형은 학생들이 더 많은 경험을 얻어 갈수록 더 적극적으로 귀납적 과정에 참여할 것을 가정하여 다른 개념 획득 모형보다 덜 구조화되어 있다).

반응의 원리

1. 도움을 주지만 토론의 본질을 강조하기
2. 상반되는 가설을 조율할 수 있도록 돕기 예시의 구체적 특징에 주의 집중하기
3. 학생들의 사고 전략을 논의하고 평가하도록 도와주기

지원 체제

개별 단원에서 신중하게 선택되고 조직화된 자료를 예시로 구성하여 지원해야 한다. 학생들이 개념을 정교화해 갈수록, 2단계에서 예시를 만들어 내는 것처럼, 자료 단위 만들기를 공유할 수 있게 된다.

제7장

창조적 사고법

오른쪽이 작동할 수 있게 좌뇌 가르치기

모든 모형 중에 창조적 사고법은 연습 과정에서 즐거움을 가장 즉각적으로 주어야 합니다. 우리는 초/중등 학생들에게 창조적 사고법을 활용하도록 가르쳐 왔습니다. 아이들에게 맡기면, 항상 어느 정도의 생명력을 느낍니다. 아이들이 즐거워하기 때문이죠.

— *Bruce Joyce*가 *Bill Gordon*에게 보낸 편지

지금부터는 혁신적으로 생각하도록 학생들을 가르치는 과정을 알아볼 것이다. 즉, 사고하고, 쓰고, 생각을 표현할 때, 기존의 것을 허물고, 문제에 대한 새로운 해결책을 찾으며, 비유를 활용하는 것이다. 이 과정에서 학생들은 읽고 들을 때 접하는 은유적 표현을 이해하는 법을 배울 것이다.

오늘날 *좌뇌형*(논리 정연하고 이성적인 특성을 지님)과 우뇌형(혁신적이며, 예측이 어렵고, 심지어 특이한 특성을 지님)이라는 용어는 많이 알려져 있다. 좌뇌형과 우

뇌형의 차이가 뇌 자체 내의 작동 때문인지 아닌지에 대해 신경학계의 입장이 아직 확실하지는 않지만, 그 개념은 유용하다. 창조적 사고법을 통해, 우뇌형 방식의 추론을 위해 의외로 보이는 이성적인 특성의 좌뇌형 수단을 사용하는 혁신적인 모형을 보게 될 것이다. 학생들은 문제 해결 과정에 대해 생각하는 법을 배우고, 논술문을 시작하는 법, 갈등에 다가가는 법, 당혹감을 극복하는 법을 알아내는 것과 같은 문제를 해결하는 방법에 대한 초인지적 통제력을 습득한다. 또한 창조적 사고법은 즐겁고, 학교 안팎에서 집단 내의 따뜻한 감정과 같은 공감을 느낄 수 있다. 다음의 시나리오를 살펴보자.

시나리오

캐나다의 한 수업: 비유를 통해 사고하는 법 가르치기

1일차

Mary Bishop 선생님은 앞서 2차시 수업에서 학생들에게 반복 연습을 통해 직접적 비유, 개인적 비유, 압축적 갈등 비유에 대해 소개했다. 이제 Mary 선생님은 학생들에게 그림 7.1의 사진을 자세히 보라고 한다.

"앞으로 사흘간 이 사진에 대해 알아볼 거예요. 사진에서 무슨 일이 일어나고 있나요?"

학생들의 대답은 다음과 같았다.

"사람들이 매우 힘들게 밀고 있어요."

"해변이에요. 사람들이 해변으로 배를 밀고 있어요"

"매우 더워 보여요."(Mary 선생님이 덧붙인다. "사람들이 날씨에 맞는 옷을 입고 있네요.")

"사람들이 해안으로 배를 밀고 있어요."

"모래에 잎이 있어요."

"일이 힘든 것 같아요."

"사람들이 정말 힘들게 몸을 구부리고 있어요."

"협동하고 있어요."

[그림 7.1] 배 밀기

1차시 끝 무렵, Mary 선생님은 학생들에게 사진을 보고 마음에 남는 아무 생각이나 써 보라고 한다. 1일차 끝 무렵에 학생들이 쓴 글은 다음과 같다.

"사람들이 밀고 있다."
"물이 해변에 있다."
"물에서 빛이 난다."
"남자들이 함께 배를 밀고 있다."

요약하면, 학생들은 자신이 본 것을 문자 그대로 묘사하고 있다.

2일차
이제 Mary 선생님은 은유적 차원의 문을 열어, 학생들이 창조적 사고법을 활용할 수 있게 한다.

"직접적 비유를 시작해 볼게요. 선생님이 여러분에게 이런 질문을 할 거예요. '선생님과 컴퓨터는 어떤 점이 비슷한가요?' 그런 다음 개인적 비유를 알아볼 거예요. 여러분에게 이렇게 질문할 거예요. '날이 저물어 통 안으로 들어가야 하는 테니스 공이라면 어떤 느낌일까요?' 이제 해 보죠."

"크래커와 토스트는 어떤 점이 비슷한가요?"

학생들이 "바삭바삭해요.", "작아요."라고 대답한다.

"비디오테이프와 책은 어떤 점이 비슷한가요?"

학생들이 "둘 다 그 안에 이야기가 있어요.", "둘 다 머릿속 긴장을 풀어 줘요."라고 답한다.

Mary 선생님은 비교적 답하기 쉬운 질문으로, 학생들에게 계속 비유해 보라고 한다.

"숟가락과 삽은 어떤 점이 비슷한가요?"

"장미와 선인장은 어떤 점이 비슷한가요?"

그런 다음 Mary 선생님은 개인적 비유로 넘어간다.

"이제, 연필이 되어 봅시다. 연필, 세탁물 목록을 써야 해요. 느낌이 어때요?"

"무서워요."

"목록을 쓰려면 머리를 써야 해요."

"쓰려니 아파요."

Mary 선생님이 묻는다.

"신호등과 자명종은 어떤 점이 비슷한가요?"

"그걸 보고 가면 돼요."

"둘 다 시간을 알려 줘요."

"귀걸이와 크리스마스 장식은 어떤 점이 비슷한가요?" "단추와 손톱은 어떤 점이 비슷한가요?" "엘리베이터 타기와 나무 타기는 어떤 점이 비슷한가요?"

다음 Mary 선생님은 개인적 비유로 넘어간다. "휴대폰이 되어 봐요. 무엇을 통제하고 싶어요? 벨소리를 고를 때 어떤 것을 고를 건가요? 누구에게 여러분에 대해 이야기하고 싶어요?"

학생들은 은유적 태도로 다양한 생각을 말한다.

"나는 세상을 통제해요."

"내가 부른 랩을 고르고 싶어요."

"친구들한테 말하고 싶어요. 하지만 P.M.에게 몇 가지 말하고 싶어요."

그러고 나서 Mary 선생님은 직접적 비유로 돌아간다. "신발 끈을 묶는 것과 현관문을 잠그는 것은 어떤 점이 비슷한가요?"

"둘 다 문단속을 하는 것 같아요."
"지도와 해골은 어떤 점이 비슷한가요?"
"하나 같아요. 특정 장소의 몸 같아요."

그러고 나서 Mary 선생님은 수업을 종료한다. "내일 이 단어들을 가지고 다른 활동을 할 거예요."

3일차

Mary 선생님은 이틀 동안 학생들이 언급한 단어들이 적힌 자료를 준비했다. 직접적 비유와 개인적 비유를 사용해 수업 분위기를 조성했다. 그러고 나서 선생님은 학생들에게 이 단어들을 사용해 압축적 갈등(모순어법)을 만들어 보라고 한다(이전 차시에서 Mary 선생님은 개념 획득 수업에서 압축적 갈등의 개념을 가르쳤다).
　Mary 선생님은 압축적 갈등의 예를 몇 가지 들어 준다.

아름다운 악몽
침묵의 소리
정직한 거짓말

그러고 나서 Mary 선생님은 말한다. "오늘 우리는 압축적 갈등을 만드는 법을 배우고 이것들을 활용해서 작문을 배울 거예요. 먼저, 비유를 알아봐요. 거북이와 헬멧은 어떤 점이 비슷한가요?"

"껍데기와 헬멧이 보호해 줘요."
"요리법과 조깅 코스는 어떤 점이 비슷한가요?"
"둘 다 어딘가에 이를 때 사용해요."
"달과 거울은 어떤가요?"
"둘 다 빛이 나요."

이제 Mary 선생님은 학생들에게 압축적 갈등의 예를 만들어 보라고 한다. "이제 어제 나온 단어들을 보세요. 잘 어울리지 않는 단어들을 찾아보세요." 학생들이 어제 만든 단어들이 도표에 적혀 있다.

행복한 상처

불안정한 단단함

시끄럽게 지루함

짜증나는 바람

무분별한 통제

연약한 대피소

미친 에너지

지친 에너지

올바른 실수

연한 금속

그러고 나서 Mary 선생님이 말한다. "이제, 이 단어들 중에서 가장 안 어울리는 말을 생각해 보세요. 잘 어울리지 않는 말이요." 토의 후 '지친 에너지'로 정해졌고, Mary 선생님이 말한다. "이제 '지친 에너지'를 사용해 이 사진에 대해 다시 글을 써 봐요."

학생들이 쓴 글은 다음과 같다.

"지친 에너지는 이 사진에 어울린다. 왜냐하면 사람들이 해변에서 무거워 보이는 배를 밀고 있기 때문이다."

"남자들이 힘이 빠졌다. 일을 너무 열심히 했기 때문이다."

"처음에 사람들은 에너지가 있었다. 그리고는 에너지를 다 써 버렸다."

"남자들이 지쳤다. 왜냐하면 너무 열심히 밀고 있기 때문이다."

요약

Mary 선생님은 학생들에게 비유를 통해 생각하는 법을 가르치기 시작했다. 그러나 첫 연습에서부터 학생들은 장면을 부분적으로 묘사하는 것에서 나아가 압축적 갈등이 들어간 문장을 만들어 냈다. 은유적 사고 방식 경험 초기 단계에서도 일반적으로 유창성과 개념화가 증가한다. 학생들은 첫 번째 묘사 단계에서 1.6개의 문장을 생성한 것에 비해, 두 번째 작문에서는 2.8개의 문장을 만들어 냈다.

모형 소개

앞에 제시된 시나리오에서 교사는 학생들에게 은유적인 사고를 소개하고 있다. William J. J. Gordon이 설계한 창조적 사고법은 혁신의 개발에 대한 흥미롭고 재미있는 접근방식이다. 창조적 사고법 과정에서 처음 할 일은 산업 조직 내에 "창의성 집단"을 만드는 것이다. 즉, 문제 해결자 혹은 제품 개발자로 함께 작업하도록 훈련받은 사람들로 구성된 집단이다. Gordon은 창조적 사고법을 학생들에게 이용할 수 있게 조정했고, 창조적 사고법 활동을 많이 수록한 자료가 현재 출판되어 있다(Gordon 1961 참조).

창조적 사고법의 주요한 요소는 비유의 사용이다. 창조적 사고법 활동에서 학생들은 비유를 가지고 "논다(play)". Mary 선생님의 학생들이 그랬듯이 긴장을 풀고 점점 더 많은 은유적 비유를 하면서 즐기기 시작할 때까지 비유를 가지고 논다. 그러다가 비유를 이용해 문제나 아이디어를 공략한다.

보통, 우리는 해야 할 과제가 있을 때, 예컨대 문제를 풀어야 하거나, 글을 써내야 할 때, 의식적으로 논리적이 된다. 우리는 주장할 요점들을 개략적으로 정리함으로써 글을 쓸 준비를 한다. 우리는 문제의 요소들을 분석하고 그것에 대해 충분히 생각한다. 우리는 우리가 가지고 있는 단어와 문구의 창고에서 단어와 문구를 꺼내어 아이디어를 적는다. 혹은 우리가 가지고 있는 해결안 창고에서 해결안을 꺼내 문제를 해결하고자 한다.

대부분의 문제나 자신을 표현하는 과제에 대해 우리의 논리는 충분히 제대로 작동한다. 하지만 기존 해결안이나 자신을 표현하는 방식만으로 충분하지 않을 때는 어떻게 해야 할까? 그때 창조적 사고법을 이용한다. 창조적 사고법은 우리를 약간 비논리적인 세계로 인도하도록 되어 있다. 그리고 사물을 보고 자신을 표현하고 문제에 접근하는 새로운 방식을 발명할 기회를 준다.

예를 들어, 학교 관리자들이 학생들의 결석 문제로 고민하고 있다고 하자. 한 학생이 거듭 반복하여 학교에 오지 않으면 어떻게 해야 할까? 대개 처벌을 하는데, 그러면 어떤 처벌을 할 수 있을까? 주로 정학을 시킨다. 심각한 위반에 대해 심각한 처벌을 고르는 것은 논리적인 것으로 보인다. 그러나 이 해결책의 문제점은 애초에 처벌을 발생시킨 것과 정확히 동일한 상태를 학생에게 부여한다는 것이다(결석이 문제인데 정학시키면 학교에 오지 않게 하는 것임). 창조적 사고법은 그 학생, 그 학생의 동기, 처벌의 성격, 교사의 목표, 문제의 성격에 대해 참신한 사고 방식을 개발하게 돕는다. 우리는 우리와 갈등 관계에 있는 학생에 대해 공감해야 하고, 우리가 불적절하게 규정하고 있을지 모르며, "논리적" 해결책이 창의적인 대안을 가로막고 있을지 모른다는 사실을 인정해야 한다.

생각의 벽에 부딪히면 논리적 생각으로 보이는 것에서 한 걸음 물러서서 문제를 재정의할 수 있는지 알아보고 대안적인 해결책들을 구해야 한다. 비유를 통해 우리는 결석 학생을 "파괴적인 방학(destructive vacation)"을 하고 있는 "불행한 종달새(unhappy lark)"로 생각하고, 문제를 "공허한 축제(empty feast)"를 끝내는 것으로 생각할 수 있다. 우리가 해야 할 행동은 "유혹적인 엄격함(seductive strictness)", "강한 사랑(strong lovingness)", "위험한 평화 협정(dangerous peacemaking)" 중 하나가 될 수 있을 것이다.

우리를 막고 있는 논리의 경계선을 느슨하게 한다면 우리는 새로운 해결책들을 생각해 낼 수 있다. 우리는 학생이 책임져야 할 부분을 우리가 책임지고 있지 않았는지에 대해 생각해 볼 수 있다. 우리는 해결책이 교육 방법의 영역에 속해 있는 만큼 규칙 집행의 영역에도 속해 있지 않은지를 생각해 볼 수 있다. 우리는 또래 공동체가 학생에게 에너지와 소속감을 만들어 주지 않는지도 생각해 볼 수 있다. 그러면 문제를 다른 관점에서 해결할 수 있을 것이다.

사람들이 사는 사회적 및 과학적 세계는 새로운 해결책이 필요한 문제들이 많다. 빈곤, 국제법, 범죄, 공정한 세금, 전쟁 등의 문제는 논리만으로 충분하다면 존재하지 않을 것이다. 적절하게 자기를 표현하는 일(분명하고 설득력 있게 글을 쓰고 말하는 법을 배우는 일)은 모두에게 어렵다. 이는 두 가지 문제가 있다. 첫째, 주제를 분명하게 이해하고, 둘째, 표현의 적절한 형식을 만드는 것이다.

캘리포니아 주 Mill Valley에 있는 Martin Abramowitz 선생님의 교실에서 일어난 또 다른 예를 살펴보자. 이번에는 현재의 사회 문제이다.

시나리오

산림청의 딜레마

Martin Abramowitz 선생님의 7학년 교실은 산림청의 규정 변경에 반대하는 운동을 준비하고 있다. 산림청 규정이 변경되면 미국 삼나무 숲의 삼나무들을 벌목할 수 있게 된다. 학생들은 지역 공동체 이곳 저곳에 게시하고, 주정부의 의원들에게 보낼 포스터들을 만들었다. 학생들은 포스터들과 포스터에 쓸 글들을 대강 스케치하고 그것들을 살펴보고 있다.

"어때? 괜찮다고 생각해?" Priscilla가 묻는다.

"음. 괜찮은 것 같아." "우리의 입장을 잘 말하고 있어. 하지만, 솔직히 말해 좀 따분해." Tommy가 말한다.

"나도 그렇게 생각해." Maryann이 말한다. "몇 개는 괜찮지만, 다른 것들은 정말 설교하려 드는 것 같고 딱딱해."

"그래 잘못된 것은 없지만, 재미가 없고 흥미롭지가 않아." 또 다른 학생이 동의한다.

"또한 우리의 반대 입장으로 넘어오게 할 다리도 제공하고 있지 않아. 우리의 입장은 제시하고 있지만, 이미 우리와 같은 의견을 가진 사람들 외의 다른 사람들을 설득할 수 있을 것 같지는 않아."

얼마간의 토론 후에, 거의 모든 학생이 같은 생각인 것이 분명해진다. 그들은 포스터 2~3개는 잘 만들었고, 그들의 메시지를 전달하고 있지만, 보다 통렬하고 설득력 있는 무엇인가가 필요하다고 판단한다.

"창조적 사고법을 한번 해 보자." 학생 하나가 제안한다.

"포스터와 포스터 설명하는 글에다가?" 다른 학생이 묻는다. "난 창조적 사고법은 시의 경우에만 이용할 수 있는 줄 알았어. 이번 경우에도 창조적 사고법을 이용할 수 있을까?"

"그래, 물론 할 수 있어." Priscilla가 말한다. "왜 그 생각을 못했는지 모르겠네. 우리는 1년 내내 시에 대해서는 창조적 사고법을 이용해 왔잖아."

"음, 해서 손해 볼 것은 없지." Tommy가 말한다. "어떤 식으로 하지?"

"음." Priscilla가 말한다. "우리가 그린 포스터들을 출발점으로 삼고 창조적 사고법을 하면서 창조적 사고법이 포스터와 포스터를 설명하는 글에 대해 아이디어들을 생각해 낼 수 있게 하는지 한번 보자고. 우리는 삼나무들을 다양한 개인적이고 직접적인 비유들과 압축된 갈등들의 측면에서 생각할 수 있어."

"해 보자." George가 동의한다.

"지금 당장 시작하자." Sally가 말한다. "운동을 하고 점심 시간을 가지면서 포스터에 대해 생각해 볼 수 있어."

"내가 리더를 해도 될까?" Nancy가 묻는다. "난 준비 운동에 대해 멋진 아이디어들이 있어."

"애들아 괜찮을까?" Priscilla가 말한다.

다른 학생들이 동의하고, Nancy가 시작한다.

"삼나무가 이쑤시개라면 어떨까?" Nancy가 묻는다.

"삼나무를 신들의 이를 청소하는 이쑤시개로 쓸 수 있어." George가 웃으며 말한다. 모두가 웃으면서 창조적 사고법이 시작된다.

Abramowitz 선생님이 창조적 사고법을 사용하는 법을 많이 가르쳤기 때문에 학생들은 그 과정과 목적을 내면화한 것이 분명하다. 학생들은 스스로 창조적 사고법을 할 수 있고, 필요할 때는 창조적 사고법 모형을 참조한다.

창의적 특성과 창조적 사고법 과정

Gordon(1961)은 창의성에 관한 기존의 관점에 이의를 제기하는 4개의 아이디어를 근거로 창조적 사고법을 제시한다. 첫째, 창의성은 일상 활동들에서 중요하다. 교사들 대부분은 창의적 과정을 위대한 예술 작품이나 음악 만들기 혹은 영리한 새로운 발명과 연상시킨다. Gordon은 창의성이 일상적인 일과 여가 활동의 일부라고 강조한다. 그의 모형은 문제 해결 능력, 창의적 표현, 공감, 사회적 관계에 대한 통찰을 늘리기 위해 설계되었다. 그는 또 아이디어의 의미도 창의적 활동을 통해 더욱 향상된다고 강조한다. 사물이나 상황을 보다 풍부하게 보도록 도와주기 때문이다.

둘째, 창의적 과정은 신비로운 것이 아니다. 창의적 과정은 설명할 수 있고 훈련을 통해 발달시킬 수 있다. 전통적으로 창의성은 신비스럽고 선천적인 개인의 능력으로, 창의성의 과정을 너무 깊게 파고들면 파괴될 수 있다고 봤다. 이와 대조적으로, Gordon은 개인이 창의적 과정의 기초를 이해하면, 그 이해를 가지고 창의성을 발달시킬 수 있다고 믿는다. 이 발달된 창의성을 가지고 개인은 독립적으로, 혹은 집단의 일원으로서 살고 일한다. Gordon은 의식적인 분석을 통해 창의성을 향상시킬 수 있다는 견해를 가지고 있었기 때문에, 창의성을 설명했고, 학교와 그 밖의 환경에 적용할 수 있는 창의성 훈련 과정을 만들었다.

셋째, 창의적 발명은 모든 분야(예술, 과학, 엔지니어링)에서 비슷하고, 동일한 지적 과정을 기초로 한다는 특징을 가진다. 이 아이디어는 일반적인 믿음과 대조된다.

사실, 많은 사람에게 창의성은 예술에 국한된 것이다. 그러나 공학이나 과학에서는 다른 이름, 즉 "발명"이라고 불린다. Gordon은 예술에서의 창의적 사고와 과학에서의 창의적 사고 사이의 연관성이 매우 강하다고 주장한다.

Gordon의 네 번째 가정은 개인의 발명(창의적 사고)과 집단의 발명(창의적 사고)이 매우 유사하다는 것이다. 개인과 집단은 거의 동일한 방식으로 아이디어와 제품을 생산한다. 이것 역시 창의성은 아주 개인적인 경험으로 공유될 수 없다는 입장과 매우 다르다.

한 흥미로운 아이디어는, 창의적 과정을 의식으로 데려오고 창의성을 돕는 분명한 보조 장치를 개발함으로써, 우리는 개인 및 집단의 창의적 능력을 직접적으로 증가시킬 수 있다는 것이다. 또 다른 흥미로운 아이디어는 "감정적 요소가 지적 요소보다 더 중요하다. 비합리성이 합리성보다 더 중요하다."는 것이다(Gordon, 1961, p. 6). 창의성은 새로운 정신적 양식을 개발하는 것이다. 비합리적인 상호작용은 제한 없는 개방적 사고의 여지를 만들어 새로운 아이디어가 가능한 정신 상태로 인도할 수 있다. 그러나 결정을 하는 토대는 언제나 합리적이다. 비유를 할 때의 상태는 아이디어를 탐구하고 확장하기에 가장 좋은 정신 환경이지만, 결정을 내리는 단계가 아니다. Gordon은 직선적인 지성(논리)의 가치를 과소평가하지 않는다. 그는 논리는 결정을 내리는 데 사용되고, 기술적 역량은 많은 분야에서 아이디어 형성을 위한 필수적인 요소라고 생각한다. 하지만 그는 창의성이 본질적으로 *감정적인* 과정이며, 비합리성과 감정을 요구하는 과정으로서 지적 과정을 향상시킨다고 생각한다. 문제 해결의 많은 경우는 합리적이고 지적이지만, 비합리성을 추가함으로써 교사는 참신한 아이디어를 생산할 수 있는 가능성을 높인다.

또, "문제 해결이 필요한 상황에서 성공 확률을 높이기 위해서는 감정적이고 비합리적인 요소들을 이해해야만 한다"(Gordon, 1961, p. 1). 다시 말해, 특정한 비합리적이고 감정적인 과정들을 분석하면 개인과 집단은 불합리성을 건설적으로 이용함으로써 창의성을 높일 수 있다. 비합리성의 측면들은 이해될 수 있고, 의식적으로 통제 가능하다. 이 통제를 은유와 비유의 의도적 사용을 통해 성취하는 것이 창조적 사고법의 목적이다.

은유적 활동

창의성은 창조적 사고법 모형의 *은유적* 활동을 통해서 의식적인 과정이 된다. 은유는 하나의 사물이나 생각을 다른 사물이나 생각과 비유함으로써 유사성의 관계를 만드는 것이다. 이러한 대체를 통해서 익숙한 것과 익숙하지 않은 것을 연결하거나, 익숙한 것으로부터 새로운 생각을 만드는 창의적 과정이 발생한다.

은유는 사람과 사물이나 주제와 즉각적인 독창적 생각들 사이의 개념적 거리로 안내한다. 예를 들어 학생들이 교과서를 오래된 신발이나 강이라고 생각하도록 해 봄으로써, 학생들이 익숙한 것들을 새로운 방법으로 생각할 수 있도록 구조와 은유를 제공한다. 반대로, 학생들이 인간의 신체와 같은 새로운 주제를 오래된 방식의 운송 체계와 비교하여 생각해 보게 할 수 있다. 이와 같이 은유적 활동은 익숙한 내용의 아이디어를 새로운 내용의 아이디어와 연결하거나, 익숙한 내용을 새로운 시각으로 보도록 돕는 것이므로 학생들의 지식에 의존하고, 이 지식으로부터 끌어내진다. 은유적 활동을 사용하는 창조적 사고법 전략은 사람들이 일상생활에서 상상력과 통찰력을 계발하도록 자신을 자유롭게 하는 구조를 제공하도록 설계된다. 개인적 비유, 직접(적) 비유, 압축적 갈등 등의 세 가지 비유법은 창조적 사고법 연습에서 기본으로 사용된다.

개인적 비유

개인적 비유를 만들 때는 학생들이 생각이나 사물을 비교해 보는 것이 강조되어야 한다. 학생들은 반드시 그들이 문제의 물리적 요소들 중 일부분이 되는 기분을 느껴야 한다. 이러한 동일시 대상은 사람, 식물, 동물이나 무생물 등이 될 수 있다. 예를 들어, 학생들에게 "자동차 엔진이 되어 보세요. 기분이 어때요? 아침에 시동이 걸릴 때, 자동차 배터리가 나갔을 때, 정지 신호에 멈추었을 때, 기분이 어떤지 적어 보세요."라고 말할 수 있을 것이다.

개인적 비유의 핵심은 공감적 개입이다. Gordon(1961)은 화학자가 활동 중인 분자와 개인적으로 동일시하는 문제 상황의 사례를 제시한다. 그는 아마도 "내가 만약 분자라면 어떻게 느낄까?"라고 물을 것이고, "춤추는 분자들의 흐름"의 일부분이 된 것처럼 느낄 것이다.

개인적 비유는 스스로 다른 공간이나 사물로 이동함으로써 자신을 버려야 한다. 자신을 버림으로써 창조되는 개념적 거리가 커질수록 비유는 새롭고 학생들은 창조적이거나 혁신적이 될 수 있다. Gordon은 개인적 비유의 개입을 네 수준으로 제시했다.

1. *사실의 1인칭 사실.* 잘 알려진 사실을 목록으로 나열하지만, 사물이나 동물을 바라보는 새로운 방법이 없이 제시하고, 공감적 개입을 전혀 보이지 않는다. 자동차 엔진의 예시에서 "나는 기름투성이다."나 "나는 뜨겁다."와 같이 말하는 것이다.

2. *1인칭 감정과 함께 동일시.* 일반적 감정을 언급하지만, 새로운 통찰을 제시하지는 않는다: "나는 힘이 넘친다."(자동차 엔진의 경우).

3. *생물에 대해 공감적 동일시.* 학생들은 비유 대상을 공감적, 운동감각적으로 동일시한다: "네가 그렇게 웃으면, 나는 완전 웃게 된다."

4. *무생물에 대해 공감적 동일시.* 이 수준에서는 자신을 가장 많이 버려야 한다. 자신을 무생물로 보고 동정적 관점으로 문제를 탐구하려고 노력한다: "학대받는 것 같다. 내가 시동을 걸고, 끌 수 없다. 누군가가 대신해 준다."(자동차 엔진의 경우).

이러한 개인적 비유의 수준을 소개하는 목적은 은유적 활동의 유형을 식별하기 위한 것이 아니라, 개념적 거리가 얼마나 잘 수립되었는지에 대한 지침을 제공하기 위한 것이다. Gordon은 비유의 유용성이 만들어진 거리와 정비례한다고 믿는다. 거리가 커질수록 학생들은 새로운 생각을 찾아낼 수 있게 된다.

직접 비유

직접 비유는 두 가지 사물이나 개념을 비교하는 것이다. 비교 시 모든 면에서 똑같아야 하는 것은 아니다. 비유의 기능은 생각이나 문제의 새로운 관점을 나타내기 위해서, 단지 실제 주제나 문제 상황의 상태를 다른 상황으로 바꾸는 것이다. 여기에는 사람, 식물, 동물이나 무생물과의 동일시가 포함된다. Gordon은 기술자가 목재를 뚫고 들어가는 배좀벌레조개를 관찰한 경험을 사례로 든다. 배좀벌레가 스스로 굴을 만들면서 앞으로 전진하여 목재 안으로 길을 먹어 들어가는 모습을 통해서, 기술자 March Isumbard Brunel 씨는 수중 터널을 만들 때 잠함(潛函)을 사용하는 아이디어를 얻었다 (Gordon, 1961, pp. 40-41). 또한 한 집단이 한 번 연 캔을 덮는 뚜껑을 만들기 위해 시도한 사례에서 직접적 비유를 볼 수 있다. 완두 꼬투리가 점차 드러나는 모습을 통해서 캔의 뚜껑 밑에 솔기를 만들어 주는 발상을 얻게 되었고, 결국 제거할 수 있는 뚜껑을 만들게 되었다.

압축적 갈등

세 번째 은유의 유형은 압축적 갈등으로, 일반적으로 서로를 부정하는 듯한 두 단어로 이루어진 구절이다. "피곤한 공격적", "우호적인 적" 등이 그 예가 된다. Gordon이 제시한 사례로는 "생명 구호 파괴자"와 "육성적 비난"이 있으며, Pasteur의 표현 중에 "안전한 공격"도 인용했다. Gordon에 따르면 압축적 갈등은 새로운 주제에 대해 가장 넓은 통찰력을 제공한다. 이에는 한 가지 사물에 두 가지 참조틀을 병합하는 능력이 반영되어 있다. 참조틀의 간극이 커질수록 정신적 융통성은 커진다.

몸풀기 연습: 비유 사용하기

은유의 세 가지 유형은 교수 모형에서 활동을 계열화하는 기초가 된다. 문제해결과 같은 창조적 과정의 준비운동으로서 학생 개별적으로 사용할 수 있다. 이를 몸풀기 연습이라고 한다.

몸풀기 연습은 비유적 활동의 세 가지 유형을 경험하도록 하지만, 특정 문제 상황에 관련되거나, 단계를 순차적으로 따르도록 하지는 않는다. 몸풀기 연습은 문제를 풀고, 설계를 하고, 개념을 탐색하는 데 비유를 사용하도록 하기 전에, 학생들에게 비유적 사고의 과정을 가르친다. 학생들은 다음과 같은 아이디어에 간단히 응답하도록 요구받는다.

직접 비유

직접 비유는 다음과 같이 직접 비교를 하는 질문을 통해 가능하다.

> 오렌지는 어떤 생물과 유사한가요?
> 학교가 샐러드와 어떻게 유사한가요?
> 북극곰은 얼린 요구르트와 유사한가요?
> 휘파람과 새끼 고양이 털 중 어느 것이 더 부드러운가요?

개인적 비유

개인적 비유는 사람들에게 다음과 같이 어떤 대상, 행동, 아이디어, 사건인 것처럼 해 보라고 요구하는 것으로 이루어진다.

구름이 됩니다. 어디에 있나요? 무엇을 하고 있나요?

해가 떠서 당신을 말리면 어떤 기분이 들까요?

좋아하는 책이라고 생각한다. 자신을 기술해 보세요.

당신이 가지고 있는 소원 세 가지를 말해 보세요.

압축적 갈등

압축적 갈등 연습은 다음과 같이 다수의 압축을 제시하고 그것들을 조작해 보도록 하는 것으로 이루어진다.

컴퓨터가 어떻게 부끄러워하면서 동시에 공격적일까요?

어떤 기계가 웃으면서 동시에 찡그린 모습을 갖고 있을까요?

교수 모형: 두 가지 전략

모형의 구조

창조적 사고법 절차에 기반을 두고 있는 전략 또는 교수 모형에는 사실 두 가지가 있다. 이 중에 하나는 *새로운 것을 생성하는 것*으로 익숙한 것을 낯설도록, 학생들이 이전의 문제, 아이디어, 산물을 새롭고, 보다 창의적인 견지에서 보도록 돕는 것으로 고안되어 있다. 두 번째 전략은 *낯선 것을 익숙하게 만드는 것*으로 새롭고, 낯선 아이디어를 보다 의미 있게 만드는 것으로 고안되어 있다. 두 전략이 모두 비유의 세 가지 유형을 활용하지만, 그 목표, 구조, 반응 원리는 상이하다. 이 중에서 새로운 것을 생성하는 것을 전략 1, 낯선 것을 익숙하게 만드는 것을 전략 2로 지칭한다.

전략 1은 개념적 거리를 생성하는 비유에 의해 학생들이 익숙한 것을 익숙하지 않은 방식으로 보도록 돕는다. 원래 문제로 돌아오는 마지막 단계를 제외하면, 학생들은 단순히 비교만을 만들지는 않는다. 이 전략의 목표로는 새로운 이해를 계발한다, 과시와 큰소리 등으로 강조한다, 현관이나 도시를 새로 설계한다, 쓰레기 파업이나 두 학생 간의 다툼과 같은 사회적, 대인간 문제를 해결한다, 독서할 때 보다 잘 집중하는 법과 같은 개인적 문제를 해결하기 등이 될 수 있다. 창조적 사고법 과정은 급하게 수행되지 않아야 한다. 너무 이른 분석과 종결이 이루어지지 않도록 하는 것이

〈표 7.1〉 전략 1의 구조: 새로운 것을 생성하기

1단계: 현재 상태의 기술	교사는 학생에게 상황과 주제를 현재 보고 있는 그대로 기술하도록 한다.
2단계: 직접 비유	학생은 직접 비유를 여러 개 제안하고 그 중에서 하나를 선택하고, 그것에 대해 심층적으로 탐색한다.
3단계: 개인적 비유	학생은 2단계에서 선택한 비유가 된다.
4단계: 압축적 갈등	학생들은 2, 3단계에서 기술된 것으로 압축적 갈등을 여러 개 제안하고, 그 중에서 하나를 선택한다.
5단계: 직접 비유	학생들은 압축적 갈등을 바탕으로 직접 비유를 하나 더 생성하여 선택한다.
6단계: 원 과제 재검토	교사는 학생들에게 원래의 과제나 문제로 돌아가서 마지막으로 비유, 혹은 창조적 사고법의 전 과정을 사용하도록 한다.

교사의 중요한 역할이다. 전략 1의 구조는 표 7.1에 제시되어 잇다.

전략 2는 낯선 것을 익숙하게 만드는 것으로 실질적으로 새롭거나 어려운 자료에 대한 학생의 이해와 내면화를 증진시키고자 한다.

이 전략에서 은유는 전략 1에서 개념적 거리를 생성하기 위해 사용되었던 것과는 달리 분석을 위해 사용된다. 예컨대, 교사는 문화라는 개념을 학생들에게 제시한다. 학생들은 익숙한 비유(난로나 집 등)를 사용하여 그 개념에 들어 있는 특성과 결핍된 것을 정의한다. 이 전략은 분석적이면서 동시에 수렴적이다; 학생들은 보다 익숙한 대상의 특성을 정의하는 것과 이것을 낯선 주제의 특성과 비교하는 것을 교대로 끊임없이 반복한다.

이 전략의 첫 번째 단계인 새로운 주제를 설명하기에서 학생들은 새로운 정보를 받는다. 두 번째 단계에서 교사나 학생은 직접적 전략을 제안한다. 세 번째 단계는 "익숙한 것이 되기"(직접적 비유를 개인화하기)이다. 네 번째 단계에서 학생들은 비유와 대체 자료 간의 유사성을 식별하고 설명한다. 다섯 번째 단계에서 학생들은 비유 간의 차이를 설명한다. 학생들은 6단계와 7단계에서 새로운 정보를 습득했음을 보여 주는 척도로써 자신의 익숙한 비유를 제안하고 분석할 수 있다. 전략 2의 구조는 표 7.2에 제시되어 있다.

〈표 7.2〉 전략 2의 구조: 낯선 것을 익숙하게 하기

1단계: 정보 제공	교사는 새로운 주제에 대한 정보를 제공한다.
2단계: 직접 비유	교사는 직접 비유를 제시하고 학생들에게 비유에 대한 설명을 요청한다.
3단계: 개인적 비유	교사는 학생들이 직접 비유의 대상이 되어 보도록 한다.
4단계: 비유 비교	학생들은 새로운 소재와 직접 비유 간 공통점에 대해 밝히고 설명한다.
5단계: 차이점 설명	학생들은 직접 비유와 맞지 않는 부분에 대해 설명한다.
6단계: 탐색	학생들은 본래의 주제를 다시 탐색해 본다.
7단계: 직접 비유 생성	학생들은 자신의 직접 비유를 제시하고 그것에 관해 어떻게 이해하고 있는지를 살펴본다.

전략 1에서, 학생들은 논리적 제약 없이 여러 비유를 연속적으로 수행해 보았다. 본래의 개념과 멀어지고 마음껏 상상해 보았다. 전략 2에서, 두 가지의 개념을 연관시키고 비유를 해 보며 두 개념 간 연결점을 찾아내었다. 교사는 학생들에게 새로운 것을 창조하고 낯선 것을 탐구해 보도록 도와줄 것인지 아닌지를 고려하여 전략을 선택한다.

사회적 체제: 전략 1과 2 공통

앞서의 두 모형 혹은 전략들은 교사가 교수 모형의 순서를 시작하고 운영 방법의 사용에 대해 안내하는 식으로 적당히 구조화되어 있다. 또한 교사는 학생들이 정신적 과정을 지적으로 처리하도록 도와준다. 하지만 학생들은 개방적 토론에서는 은유적 문제 해결을 활용함으로써 자유를 누린다. 협동의 준거인 "상상의 놀이", 인지적 및 감정적 평등성은 창의적 문제 해결을 위한 환경을 조성하는 데 있어 매우 중요하다. 이 때 학생은 과제를 해결했을 때 느끼는 만족감과 기쁨과 같은 내재적 보상을 받게 된다.

반응의 원리: 전략 1과 2 공통

교사는 개인들이 엄격한 사고의 양식에 묶여 있는 정도에 주목하고, 그들의 심리상태를 유도하여 창의적 반응을 보이기 쉽도록 한다. 더불어 교사 자신도 정해진 사고양식에서 깨치고 나오기 위해 학생들이 무관함이나 환상, 상징성, 기타 장치들에 관심을 갖도록 비이성적인 것들을 사용해야 한다. 왜냐하면 교사가 본이 되어야 하는 것이 이 교수방법의 핵심이기 때문에 교사가 기묘하고 이상한 것을 받아들이길 배워야 하는 것이다. 교사들은 학생들이 그들의 창의적 표현에 대해 외적인 평가를 받지 않는다고 확신할 수 있도록 학생들의 모든 반응을 수용해야 한다. 문제가 더 어려울수록 혹은 어려워 보일수록 교사는 학생들이 새로운 관점을 발전시킬 수 있도록 더욱더 믿기지 않는 비유들을 받아들여야 한다.

교사들은 섣부른 분석들을 조심해야 한다. 그들은 또한 학습활동, 특히 학생들의 문제 해결 행동의 진행에 대해 명료화하고 요약해야 한다. 교사는 대부분의 학교교육에서 너무 서둘러 결론으로 달려가는 경향이 있음을 명심할 필요가 있다. 지금까지 논의된 모든 모형을 주의깊게 연구하고 분석하면 더 나은 학습 결과를 얻게 될 것이다.

지원 체제: 전략 1과 2 공통

학생 집단은 창조적 사고법 절차에 대해 유능한 지도자에 의해 이끌어져야 한다. 또한 과학적 문제의 경우, 모형과 다른 장치들을 고안하고 문제를 구체화하며 실질적 개입이 발생하는 것이 가능한 실험실이 필요하다. 수업은 그 학생들을 위한 작업공간과 창의력이 중시되고, 활용될 공간을 필요로 한다. 전형적인 교실들은 이러한 필요성을 충족시키지만, 창조적 사고법 활동들을 하기에 반 전체는 너무 크며, 작은 집단으로 나눌 필요가 있다.

적용

교육과정에 창조적 사고법 활용하기

창조적 사고법은 개인과 집단의 창의력을 향상시키기 위해 고안되었다. 창조적 사고법에 대한 경험을 공유하면 학생 간의 공동체의식을 형성시킬 수 있다. 학생들은 다른 학생들이 문제와 생각에 대해 반응하는 것을 지켜보며 학급 동료에 대해 배울 수 있다. 생각은 학생들끼리의 집단 활동 과정에서의 잠재적인 기여 정도에 의해 가치가 매겨진다. 창조적 사고법 과정은 생각을 가진다는 것이 공동체에서의 지위를 만드는 유일한 기반이라는 점에서 평등한 공동체를 만드는 것을 도울 수 있다. 이러한 규준과 활동의 즐거움은 성격이 소심한 학생들까지도 창조적 사고법을 빠르게 받아들이도록 한다.

창조적 사고법 과정은 교육과정의 모든 영역에서 학생들에게 사용될 수 있다. 이 방법은 교실에서 학생과 선생님 간의 토론에 적용되고, 교사가 학생들을 위해 만든 수업자료에 적용될 수도 있다. 창조적 사고법 활동의 산출물과 매체가 항상 글로 작성될 필요는 없다. 그것들은 구두로 해도 되고, 역할극, 그림, 그래픽의 형태, 아니면 단순히 행동에서의 변화가 될 수도 있다. 사회적 혹은 행동적 문제를 바라보기 위해 창조적 사고법을 이용할 때 창조적 사고법 활동의 전과 후의 상황적 행동을 주목하고, 변화를 관찰하고자 할 수도 있다. 편견이나 차별의 사진을 그려 보는 것과 같이 원래의 주제와 대조적으로 표현하는 방식을 선택하는 것 또한 흥미롭다. 개념은 추상적이지만 표현의 방식은 구체적이다.

창의적 글쓰기

창조적 사고법 모형의 전략 1은 창의적 글 쓰기에 직접적으로 적용될 수 있는데, 이는 비유의 사용을 촉진시킬 뿐만 아니라 작가가 설명적, 설득적, 서술적 양식으로 표현적 과제를 다룰 때 사용할 수 있는 장치의 범위를 확장하고자 하는 과정에서 창의적 글 쓰기가 정해진 것을 부수는 것을 도와주기 때문이다.

사회적 문제 탐색하기

전략 1은 사회적 쟁점, 특히 학생들에게 정의와 해결책이 부여된 것들을 탐색하기 위한 대안이 될 수 있다. 은유가 거리를 만들어 주어 문제와 직면하는 것이 학생들에게 위협이 되지 않고, 또한 학생들은 토론과 자기 조사 활동이 가능하게 된다. 개인적 비유 단계는 통찰력을 발달시키는 데 있어 중요하다.

문제 해결하기

전략 2의 목표는 본래의 것을 깨부수고 개인적 삶과 교실에 새로운 접근을 제시하기 위해 문제를 새로운 방법으로 개념화하는 것이다. 교실 안에서 발생하는 사회적 관계, 갈등 해결, 수학 불안을 극복하는 방법, 안경을 쓰는 것에 대해 괜찮다고 느끼는 방법, 다른 사람을 놀리는 것을 중지하는 방법 등 목록은 끝이 없다.

설계 또는 산출물 만들기

창조적 사고법은 또한 결과물이나 설계를 만들기 위해 사용될 수 있다. 결과물은 그림, 빌딩, 책장과 같이 만질 수 있는 것이다. 반면 설계는 파티를 위한 아이디어나 운송의 새로운 수단과 같은 계획이다. 최종적으로는 설계나 계획을 현실화시킬 것이지만 이 모형의 목적은 밑그림을 그리거나 윤곽을 잡는 것이다.

개념에 관한 시각 확장하기

문화, 편견, 경제와 같은 추상적 생각들은 우리가 책상이나 빌딩을 보는 것과 같지 않기 때문에 내면화시키기가 힘들다. 하지만 우리는 일상 언어에서 추상적 언어를 자주 사용한다. 창조적 사고법은 친근한 것을 낯설게 보이게 하고, 익숙한 것에 대해 다른 관점을 얻을 수 있는 좋은 방법이다.

창조적 사고법은 나이가 많이 어린 아동들에게는 준비 운동 정도로 사용하는 것이 좋겠지만, 전 연령에서 사용될 수 있다. 이외에 조정이 필요한 것으로는 교수에 대한 다른 접근과 마찬가지로 학생들의 경험 안에서 활동하도록 하기, 구체적인 자료를 풍부하게 사용하기, 속도에 주의를 기울이기, 그리고 절차에 대한 분명한 개요 등이다.

이 모형은 종종 잘못될 위험을 감수하려고 하지 않기 때문에 학문적 학습활동을 중단한 학생들에게 더 효과적이다. 반대로, 자신들의 대답이 옳은 것임을 확신할 수 있을 때에만 대답하는 것이 익숙한 학업 성취가 높은 학생들도 참여하기를 주저한다. 이러한 이유 하나만으로 창조적 사고법은 모두에게 가치 있는 활동이다.

창조적 사고법은 다른 교수 모형들과 쉽게 결합된다. 이 모형은 정보처리 계열에서 탐색된 개념을 확장시킬 수 있다. 역할극, 집단 조사 활동, 법학적 사고를 통해 탐색된 사회적 쟁점의 차원을 확장시키고, 개인 계열에 속하는 다른 모형에 의해 개봉된 문제와 감정을 더욱 풍부하게 확장시킨다.

창조적 사고법의 가장 효과적인 사용은 시간이 흐르며 드러난다. 이 모형은 단기적으로 문제나 개념에 대해 시각을 확장하는 성과를 보이는 한편, 학생들이 이 모형에 대해 지속적으로 노출될 경우 그들은 기능이 향상되어 창조적 사고법을 사용하는 방법을 배울 수 있고, 편안함과 완성도가 증가되어 은유의 방식으로 들어가는 것에 대해서도 배울 수 있다.

교수적, 육성적 효과

그림 7.2에서 제시된 것과 같이 창조적 사고법 모형은 교육적, 육성적 가치가 있다.

은유 활동을 통해 상상력의 촉진을 다루는 또 다른 접근은 Judith Sanders와 Donald Sanders(1984)에 의해 제시되었다. 그들은 창의적 사고 모형의 구체적인 적용의 범위에 대해 언급하였다. 많은 교육자들은 발산적 사고를 위해 설계된 교수 모형의 유용한 적용 범위를 인식하고 있지 못하다. 어떤 이유에선지 많은 사람들은 "창의력"을 예술 분야, 특히 글 쓰기, 그림 그리기, 조각에 대한 재능으로 정의되는 적성이라 믿는다. 반면 이 모형들의 개발자는 이와 같은 적성은 개발될 수 있으며, 그것은 모든 인간의 노력에 적용될 수 있고, 따라서 모든 교과과정 분야에도 적용될 수 있다고 보았다. Sanders 부부는 그 저서에서 목표 설정, 공감 능력 개발, 가치들에 대한 연구, 문제 해결을 위한 다양한 전략, 주제를 보는 관점의 발달에 대해 설명하고 있다.

Newby와 Ertner(1994)는 그들이 가르치는 대학에서 학생들을 고급 생리학 개념 학습을 접하도록 하기 위해 비유를 사용하며 이에 관한 뛰어난 일련의 연구를 수행했다. 그들의 연구 결과는 K-12 학생들과 수행했던 경험들이 보여 주었듯이 비유들이 즉각적으로 그리고 장기적으로 학업 성취에 도움이 되며 학생들이 학습에 대한 내재적 만족감을 얻을 수 있다는 사실이 타당함을 확인시켜 주는 결과를 보여 주었다.

Baer(1993)는 특정한 그리고 일반적인 발산적 사고 기능에 대한 연구를 통해 일반적 창의력 유도 전략은 여러 영역에 걸쳐서 적용되는 반면, 특정 영역에 대한 훈련은 일부 다른 영역들에도 도움이 될 것임을 보고했다. Glynn(1994)은 과학 교수에 관한 연구를 통해 문자로 된 자료에서 비유 사용은 단기 및 장기적으로 학습을 향상시킨다고 보고했다. 탐구는 계속되고 있다.

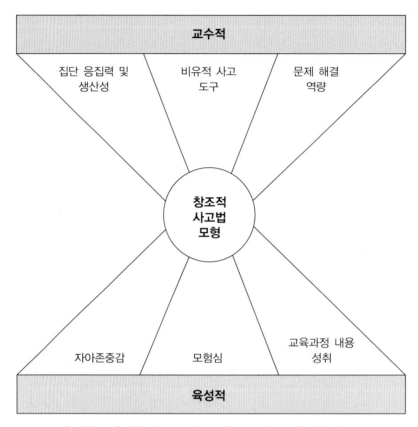

[그림 7.2] 창조적 사고법 모형의 교수적, 육성적 효과

시나리오

작지만 부유한 나라들—왜 파나마는 아닐까?

다음에 나올 시나리오(녹취록임)는 한 학문적 개념에 대해 구체적으로 상술하기 위해 창조적 사고법을 사용하는 것을 잘 보여 준다. 이 시나리오는 파나마의 학생들이 수행한 것으로 그들은 두 개의 개념 획득 수업에 이어 창조적 사고법 모형을 진행했다. 학생들이 전 시간에 배웠던 한 개념은 *모순어법*이었고 다른 하나의 개념은 *작지만, 부유한 나라들*에 관한 개념이었다. 따라서 비록 이 수업은 학생들이 창조적 사고법을 경험하는 첫 번째 시간이지만, 학생들은 모순어법의 특성에 대해 이해하고 있었고 그러므로 수업의 네 단계를 수행할 수 있었다.

1단계. 학생들에게 세계의 작고, 부유한 나라들의 특징을 간단히 적어 보게 한다(학생들은 방금 막 이러한 나라들에 대한 통계 자료 분석을 끝낸 상태다).

2단계. 직접 비유(와 학생 응답의 예)

파나마 운하와 욕조는 어떤 점이 비슷한가? [배수관]

파나마 운하와 비디오테이프는 어떤 점이 비슷한가? [긴, 둘러싸여 있는, 계속 이어지는, 보여지는]

비디오테이프와 책은 어떤 점이 비슷한가? [정보, 그림]

비디오테이프를 보는 것과 춤을 추는 것은 어떤 점이 비슷한가? [행동, 움직임]

꿈과 스케이트보드는 어떤 점이 비슷한가? [넘어지는, 용기가 필요한, 속도가 붙는]

스케이트보드와 믹서기는 어떤 점이 비슷한가? [돌아가는, 사라지는]

3단계. 개인적 비유(와 학생 응답의 예)

파나마 운하가 되어 보자. 지금은 자정이고 길게 줄지은 배들이 태평양에서 대서양까지의 항해를 막 시작했다. 어떤 기분이 드는가? [젖었고, 잠이 온다.]

거대한 배 한 척이 수문을 간신히 열고, 첫 번째 수문에 들어가고 있다. 어떤 기분이 드는가? [긴장돼, 멈춰!]

선원들이 배에 타고 내린다. 이 선원들에 대해 어떤 느낌이 드는가? [친구, 보호자]

태평양으로부터 조류가 밀려오고 있다. 이 조류에 대해 어떤 느낌이 드는가? [냄새 나는, 규칙적인, 필요한]

비구름이 된다. 맑고, 파란 하늘 쪽으로 가고 있다. 윤하인 당신 안에는 수백 명의 사람들이 물 양동이를 들고 있다. 이 사람들에 대해 어떤 느낌이 드는가? [(웃음) 가자!]

마을 가까이에 왔다. 무슨 생각을 하고 있는가? [옳지!]

당신이 신호를 주자, 당신 안에 있던 물 양동이를 가진 사람들이 양동이를 비워 내기 시작한다. 어떤 기분이 드는가? [후련한, 가벼운]

당신은 거의 비었다. 당신은 부서지고 있으며, 산들바람에 사라지는 작은 조각이 되고 있다. 어떤 기분이 드는가? [그리운, 슬픈]

4단계. 모순어법 만들기(실제 학생들의 응답)

외로운 우정	고풍스러운 새 것
익숙한 새로움	우호적인 적

불안한 안도감   하강하는 상승

둘러싸인 모험   허구적인 사실

5단계. 새로운 직접 비유(와 학생들의 응답)

"외로운 우정"에는 어떤 것이 있을까? [논쟁이나 싸움 뒤에 우정을 다시 시작하려
  노력하는 것]

"허구적인 사실"에는 어떤 것이 있을까? [이상한 나라의 엘리스와 같은 환상의 세
  계]

6단계. 최초 과제에 대한 재검토

"불안한 안도감"이라는 표현을 가지고 작고, 부유한 나라들을 생각해 보자. [홍콩
  은 번영한 나라지만, 중국에 대한 걱정이 있다. 카타르는 그들을 지켜 줄 나라
  가 필요할 만큼 너무 작아서 다른 나라에 흡수될 수 있지만, 석유에 기초한 부
  가 있다. 석유에 의한 부가 있지만, 그것은 고갈될 수 있고, 세계 시장이 새로
  운 종류의 연료로 이를 대체할 수 있다. 싱가포르는 매우 작아 보이지만, 등등]

세계의 작고, 부유한 나라들에 대한 자료를 분석한 후에, 교사는 창조적 문제 해
결법을 사용하여 학생들이 이러한 나라들에 대해 이해한 것을 정교하게 말할 수 있
도록 해 주었다. 초기에 이루어진 자료 분석은 학생들에게 이들 나라들에는 문제가
없다는 느낌을 주었다. 창조적 문제 해결법 과정을 통해 학생들은 상대적인 국제 지
위에 따른 나라의 강함과 약함을 가정해 볼 수 있었고, 이를 통해 이러한 나라들에 대
해 좀 더 차별화된 견해를 가질 수 있었다.

▨▨▨ 시나리오 ▨▨▨

인도 학생들의 사회적 개념 깨기

또한 창조적 문제 해결법을 사용하면 학생들이 사회적 쟁점에 대해 해결책을 고려할
때 기존의 틀을 깨뜨리게 함으로써 대안적인 관점을 발달시켜 준다. 이 글은 인도에
서 있었던 수업을 묘사한 것이다. 14~17세의 중학생들로 구성된 한 집단에게 현대 문
화 속에서의 "직업 여성"에 관한 사회적 쟁점에 대해 생각해 보게 했다. 이 주제는 토

론 주제로 언급되는 경우가 거의 없다. 왜냐하면 인도는 남성과 여성의 역할에 대한 전통적인 문화 규정이 매우 강력하게 작용하는 나라이기 때문이다. 그런데 모순적인 것은 더 높은 수준의 교육에 접근하는 유일한 방법이 우수한 성적이라는 것이다. 그렇기 때문에 인도의 대학생 중 절반 가량은 여성이다. 비록 결혼 후에 직업을 유지하는 여성은 거의 없지만 말이다. 사실상 모든 인도 여성들이 결혼을 하기 때문에, 국가는 필요한 인적 자원을 엄청나게 잃고 있는 셈이다.

(주의: 이 수업은 영어로 진행되었으며, 영어는 수업에 참여한 모든 학생들의 제2 공용어였다. 그들의 모국어는 힌디어 또는 마라티어였다.)

시작!

1단계. 인도의 "직업 여성"에 대해 한 문단을 쓰게 한다.

2단계. 직접 비유(와 학생 응답의 예)

깃털과 나비는 어떤 점이 비슷한가? [매력적인, 부드러운, 비행, 추적되는]

가위와 선인장은 어떤 점이 비슷한가? [날카로운, 찌르는]

뱀과 베개는 어떤 점이 비슷한가? [미끄러운, 악몽을 주는]

탁구와 결혼은 어떤 점이 비슷한가? [위험, 다툼, 기복]

3단계. 개인적 비유(와 학생 응답의 예)

호랑이가 된다. 안녕, 호랑이. 어떤 기분이 드는가? [장엄한, 왕 같은, 배고픈, 위풍당당한, 믿을 수 없는]

숲을 지나고, 큰 물에 다다른다. 물을 보니, 고래가 보인다. 호랑이인 당신은 무슨 생각을 하고 있는가? [욕심 많은, 아침 식사, 위협받는, 놀라서 말도 못하는]

깃털이 된다. 깃털, 자신에 대한 이야기를 한다. [걱정 없는, 부서지기 쉬운, 독립적인, 떠돌이]

4단계. 압축적 갈등 만들기(모순어법)

생성한 단어들을 사용하여, 서로 대립되는 듯하고, 긴장이나 모순을 가지고 있는 단어 쌍을 만든다.

아름다운 악몽   위험하게 매력적인

조심스럽게 위협적인   위풍당당한 탐욕

매력적인 떠돌이   웅장하게 위풍당당한

가장 모순되는 단어 한두 쌍을 선택한다.

아름다운 악몽   위험하게 매력적인

5단계. 새로운 직접 비유

"아름다운 악몽"의 예로 무엇이 있을까?

"위험하게 매력적인" 것은 무엇일까?

6단계. 본래의 주제로 돌아가기

모순어법 가운데 하나를 선택하여, 그 관점으로 "직업 여성"에 대해 한 문단을 적는다. 반드시 단어를 그대로 사용해야 하는 것은 아니지만, 단어 쌍들이 가지고 있는 의미는 담아낼 수 있도록 한다.

다음은 활동 전 글과 활동 후 글을 비교해 놓은 결과물들 중 일부이다.

활동 전

만약 직업을 가진 여성이 결혼한다면, 그 부부는 남편이 동등하게 좋은 직업을 가지고 있어야만 서로 잘 지낼 것이다. 그렇지 않으면 그들은 이혼하게 될 것이다. 남성은 여성을 지배하길 원하고, 여성은 남성이 지배하는 것을 원하지 않기 때문이다. 따라서 여성은 자녀 양육에 방해되지 않을 때에만 직업을 가질 수 있다.

활동 후

만약 한 직업 여성이 위험하게 매력적이라면, 특히 과학 분야라면, 성공할 수 있다. 사람들은 눈으로 그녀를 보고 즐긴다. 그리고 그들이 가지고 있던 완고함을 버리게 된다. 고객들은 위험하게 매력적인 여성에게 구입한 상품이 가치가 없음이 드러나고서야 비로소 그들이 아름다운 악몽을 꿨다는 것을 깨닫게 된다.

활동 전

특히 인도에서는 여성이 직업을 갖기로 결정하면, 가족들이 방해가 되는 경우가 많다. 그렇기 때문에 보통 여성들은 직업을 가지기 전에 결정해야 한다. 직업을 가진 여성이 가족과 직업을 함께 돌보는 것은 어려운 일이며, 대개의 남성들은 직업을 가지고 있는 부인을 원하지 않는다.

활동 후

직업을 가진 여성은 위험한 동시에 매력적이다. 사람들을 위협한다는 점에서 보면 그녀는 위험한 사람이지만, 과제를 수행해 냈을 때 그녀는 그들에게 다정하고 매력적인 사람이다.

활동 전

남성들은 직업을 가진 여성을 어떻게 생각할까? 남성들 대부분은 오히려 맹목적으로 여성은 어리석고, 비효율적이며, 빈약하고, 보조적일 뿐인 존재라고 생각한다. 그래서 남성들은 직업을 가진 여성을 직접 대면하게 되면 그들이 패배당했다고 느낀다. 이는 자연스러운 일이다. 남성들은 화, 질투, 시샘, 짜증을 표출하며 이러한 여성들에게 열등감을 표현한다. 직업을 가진 여성들은 엄격하게 남성 주도적인 세상 속에 발을 내딛으면서 진보에 대해 훨씬 단호해지고 야망적이게 되는데, 이 사실을 남성들이 깨닫는 데는 상당한 시간이 걸린다. 하지만 일단 이 사실을 깨닫고 나면, 남성과 여성은 하나의 효율적인 팀이 되어 함께 일할 수 있을 것이다.

활동 후

직업을 가진 여성은 대부분의 남성에게 아름다운 악몽이다. 가깝게 일하기 때문이기도 하고, 여성 상사를 원하지 않기 때문이기도 하다. 내 생각에, 직업을 가진 여성에게는 타고난 경향성이 있다. 이 여성들은 과제가 잘 수행되었을 때는 칭찬을 아끼지 않으며 대단히 매력적인 사람이 되지만, 일이 비효율적이고 무계획적으로 행해졌을 때는 위험한 사람이 되는 것 같다.

창조적 사고법 교수 모형

창조적 사고법 집단에 참여한 사람들은 대인관계에 대한 이해와 공동체 의식이 촉진되는 독특한 경험을 공유하게 된다. 구성원들은 같은 사건을 두고도 각자의 독특한 방법으로 다르게 반응하는데, 그런 개인들을 보면서 서로에 대해 배우게 된다. 개개인은 다른 집단 구성원들의 다양한 인식에 의존하고 있다는 것을 뼈저리게 깨닫게 된다. 개개인의 생각은 비록 그것이 평범하다 할지라도 잠재적으로는 개인의 생각에 촉매 효과를 가져오는 것으로 그 가치를 평가받는다. 단지 생각하는 것이 이 공동체 내에서 일원이 되는 유일한 기반이다. 창조적 문제 해결 활동의 즐거움은 가장 자신감 없는 참여자들에게 용기를 북돋아 주기도 한다.

요약 도표 창조적 사고법

전략 1의 구조: 새로운 것을 생성하기

- 1단계: 문제나 개념에 대한 현재의 이해 서술
- 2단계: 직접 비유
- 3단계: 개인적 비유
- 4단계: 압축적 갈등
- 5단계: 압축적 갈등에 기초한 직접적 비유
- 6단계: 본래 개념, 주제, 문제에 대한 재검토

전략 2의 구조: 낯선 것을 익숙하게 만들기

- 1단계: 정보 제공
- 2단계: 직접 비유
- 3단계: 개인적 비유
- 4단계: 비유 비교
- 5단계: 차이점 설명
- 6단계: 탐색

사회적 체제

이 모형은 적당히 구조화되어 있다. 교사가 단계를 시작하지만, 학생들은 꽤 개방적으로 반응한다. 창의성 규준과 "상상 놀이"가 권장된다. 보상은 내재적이다.

반응의 원리

1. 개방성, 비합리성, 창의적 표현을 권장한다.

2. 필요하다면, 모방한다.

3. 학생의 반응을 모두 수용한다.

4. 학생들이 생각을 확장시킬 수 있도록 돕는 비유를 선택한다.

지원 체제

이 모형에는 특별한 지원 체제가 필요 없다.

제8장

암기

지금 바로 사실을 이해하고, 오래 기억하기

연결어 방법의 실질적인 효력을 깨닫는 유일한 방법은 새로운 사실을 학습하는 데
이 방법을 직접 사용하는 법을 배우는 것이다 ─ 이 새로운 사실이 더 추상적이고
익숙하지 않을수록 더 효과적이다. 연결어 사용이 "아이들에게 적합한 것"으로만
취급될 수 없다. 연결어를 잘 가르치기 위해서는 이것을 느껴야만 한다. 생각해 보자,
아마도 이것은 모든 교수 모형에도 동일할 것이다.

─ *Mike McKibbin*이 *Bruce Joyce*에게

연결이 핵심이다. 암기 전략은 연결을 만드는 것이다. 내용의 반복에 의한 것이
아니라 개념적 연결에 의해 기억되는 것이다.

─ *Bruce Joyce*가 *Bruce Joyce*에게, 드디어 이것을 이해함!

| 핵심 아이디어 |

기억에서 정말로, 정말로 중요한 과정은 주의를 기울이는 것이다. 어떤 효과적 기억 방법도 처음에 주의를 기울이지 않는다면 소용이 없다.

시나리오

핵심 국제적 정보

The Phoenix High School 사회적 연구 부서는 기억법을 개발해 오고 있다. 이 기억법은 학생들에게 191개국의 이름과 위치, 그리고 기초 인구통계학적 지식—인구, 1인

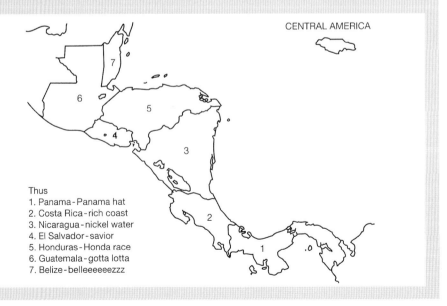

지도 8.1

THE TOUR

Imagine that we're about to take a tour of Central America. Our group has learned that there has been a great deal of Spanish influence that has affected the language and the religion based on the Christian savior (we will see mission churches with their distinctive bell towers). We also know that they came for riches. We also know that we have to be careful about the water, except in Panama, and we've got a lot of nickels we will use to buy bottled water. We are going to drive little Hondas and wear Panama hats for identification.

중앙 아메리카로 여행을 떠나려 한다고 상상해 보자. 우리 그룹은 그곳의 언어와 기독교에 기반한 종교에 있어서 스페인의 영향이 상당이 컸음을 알게 되었다. (우리는 특이한 종탑을 가진 교회들을 볼 것이다.) 우리는 또한 스페인 사람들이 부를 찾아왔다는 것을 안다. 파나마를 제외하고는 우리는 물을 조심해야 하고, 먹을 물을 사기 위해 우리는 많은 니켈을 가져갔다. 우리는 혼다 차를 몰고 가며 서로를 알아보기 위해 파나마 모자를 쓸 것이다.

CENTRAL AMERICA

Thus
1. Panama - Panama hat
2. Costa Rica - rich coast
3. Nicaragua - nickel water
4. El Salvador - savior
5. Honduras - Honda race
6. Guatemala - gotta lotta
7. Belize - belleeeeeezzz

출처: Developed by Beverly Showers and Bruce Joyce with the Richmond County, Georgia, Staff Development Cadre. Drawings on this page and on pages 133–135, 141–143 and 147–148 are by Jenna Beard, Eugene, Oregon.

당 GNP, 정부 형태, 평균 수명—을 가르치는 귀납적 활동과 결합되었다. 학생은 다음에 제시되는 기억법을 사용해서 집단으로 학습한다. 이것은 중앙 아메리카 나라의 이름과 위치를 가르치도록 설계되었다.

이 연습은 먼저 중앙 아메리카의 나라 위치에 이름 대신 번호가 쓰여진 지도로 시작한다(지도 8.1). 교사는 그들이 앞으로 하게 될 상상 속 여행을 설명한다.

"중앙 아메리카 여행을 시작한다고 상상해 보자. 우리 모둠은 그곳의 언어가 스페인의 영향을 많이 받았고 기독교의 영향을 받은 종교가 널리 보급되어 있는 것으로 배웠다—그래서, 스페인의 흔적과 고유의 종탑이 있는 교회를 쉽게 볼 수 있다. 우리는 스페인 사람들이 부를 찾아 이곳에 왔고, 그런 해안을 찾기를 기대했던 것으로 알고 있다. 우리는 마실 물을 조심해야 하는 것을 알고 있고, 식수를 사기 위해 동전을 많이 지니고 있다. 버스를 타기보다는 소형 혼다차를 이용하면서, 우리가 여행자 모임인 것을 알려 주는 파나마 모자를 모두 쓰고 다닐 것이다."

교사는 첫 번째 방문국인 파나마를 가리키며 첫 번째 그림을 보여 주고, "파나마(Panama)의 연결어는 파나마 모자(Panama hat)이다."라고 알려 준다(만화 8.1). 학생들은 연결어를 반복해서 말하도록 한다. 교사는 두 번째 나라를 가리키고 "이 나라는 스페인이 찾고 있는 부유한 해안을 대표한다. 코스타리카(Costs Rica)의 연결어는 부유한 해안(rich coast)이다."라고 알려 준다(만화 8.2).

만화 8.1

만화 8.2

만화 8.3

만화 8.4

만화 8.5

만화 8.6

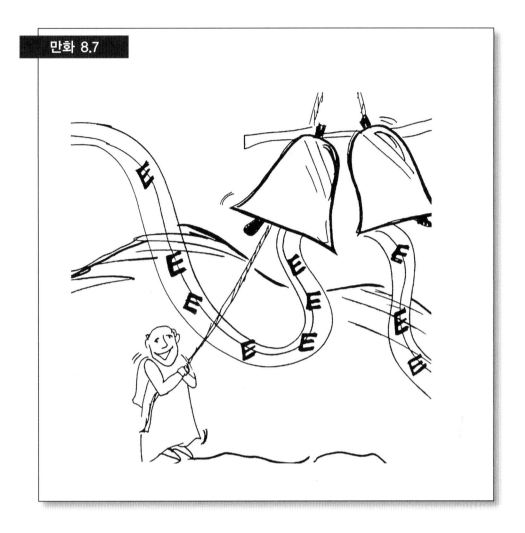

만화 8.7

학생들은 연결어와 해당 국가를 반복해서 말해 보도록 한다: "Panama, Panama hat, Costa Rica, rich coast" 이런 식의 연습을 계속한다. Nicaragua의 연결어는 "nickel water" 또는 "nickel agua"(만화 8.3), 그리고 El Salvador의 연결어는 "Savior"이다(만화 8.4). 학생들은 교사가 가리키는 나라의 순서대로 나라이름과 연결어를 반복해서 말해 보도록 한다. 교사는 계속해서 Honduras의 연결어를 "여행이 지루하니 우리가 타고 다니는 소형 Honda로 'Honda race'에 참가하기로 했다."라고 알려 준다(만화 8.5). Guatemala 는 그 다음으로 교사는 Guatemala가 중앙 아메리카에서 인구가 가장 많다는 사실을 지적하면서 연결어는 "gotta lotta"라고 알려 준다(만화 8.6). 마지막으로, 일곱 번째 나라를 가리키며, 교사는 종탑을 상기시키면서 종이 울릴 때의 소리인 "belleeeezzz"를 연결어로 알려 준다(만화 8.7). 학생들은 교사가 차례로 가리키는 나라의 이름과 연결어를 말하도록 한다.

다음 수일 동안 학생들은 지도를 공부하고, 이름과 연결어를 다 알 때까지 반복한다. 또한 인구, 출산율과 사망률, 1인당 수입, 의료 등등에 관한 정보를 찾아보도록 한다. 그리고 (예를 들면, 교육 수준과 기대 수명과 연관된) 이런 정보들 간의 연관성을 찾아 나라를 분류해 보도록 한다.

이런 방식으로 계속해서 세계의 나라를 알아보면서, 나라를 서로 비교하고 대조한다. 그리고 그 이름과 위치를 학습한다면 세계지도가 아주 익숙해질 정도로 나라를 충분히 알게 될 것이다. 물론, 궁극적으로 이런 방식의 학습은 나라의 이름, 위치, 인구통계 외에 그 나라에 관한 풍부한 정보를 공부하는 방향으로 나아가야 한다.

▒ 시나리오 ▒

언어를 배우는 첫 단계

John Pennoyer는 Las Pulgas 학교의 2개 국어 병행 교육 담당자이다. 모든 학생이 스페인어와 영어를 동시에 학습할 수 있도록 교사와 협력하고 있다. 이 학교 학생의 절반은 영어를 모국어로, 나머지 절반은 스페인어를 모국어로 한다. 이 학교 학생들이 영어와 스페인어를 함께 배우기 위한 연결어와 발음 안내서를 만들었다.

5학년 학급에서 이 학교에 전학 온 학생을 위한 스페인어 안내서로 아래의 내용을 만들었다.

Spanish Words Ⅱ

por favor(poor fa-BORE)/please [for favor]

gracias(GRA-see-ahs/thank you [grace to you]

esta bien(ess-TA-bee-EN/all right; OK [it's be good]

adios(ah-dy-OHS)/goodbye

buenos dias(BWE-nos DEE-ahs)/good morning [bonnie day]

buenos tardes(BWE-nos TAR-days)/good afternoon [bonnie late day])

buenos noches(BWEnos NOchays)/good evening [gonnie night]

hasta manana(AHstah manYAHna)/until tomorrow [no haste, man]

음성학적 발음 안내는 괄호 안에 있고 그 뒤에 영어 뜻이 쓰여 있다. 연결어는 [ ]

에 들어 있는데 유사한 영어 발음의 단어와 뜻을 제시한다.

학생이 이 단어를 공부하면서, 스페인 단어, 그 단어에 해당하는 영어 단어 그리고 연결어를 연계하도록 하는 것이다.

■■ 시나리오 ■■

순서대로 대통령 이름 암기하기

학생들에게 미국 대통령의 이름과 재직한 순서를 암기하도록 과제가 주어졌다고 하자. 이전에, 1부터 40까지 세는 암기방법을 학습했다. 각 수는 그 수에 부여된 고유한 이미지를 갖고 있는 운율이 있는 한 단어를 갖고 있다. "One"은 "bun", "two"는 "shoe" 등을 나타낸다. 1부터 10까지는 봄날 정원 풍경으로 나타낸다. 11부터 20까지는 여름 해변 풍경, 21부터 30까지는 가을 축구 장면, 그리고 31부터 40까지는 겨울 눈 풍경이다.

이 숫자 연관 체계를 활용하도록 하자. 대통령의 이름과 순서가 학생에게 순서를 연상시키는 장면, 그리고 대통령의 이름과 연관된 ─ 연결어인 ─ 단어로 제시되었다. Lincoln(연결어), 숫자 16(지팡이) ─ 서로 연결된 두 개의 지팡이로 둘러싸인 해변 모래성 그림 ─ 가 제시되었다. 유사한 그림이 다른 대통령 연관 자료로 제공되었다. 학생은 이 그림과 단어로 암기한다. 암기 직후와 60일 후에 시험을 치른다.

이런 암기방법이 효과적인가? 동일한 시간 동안 보통 방식으로 대통령 이름과 그 순서를 암기한 다른 학생들보다 더 많이 암기했을까? 그렇다. 이 연구뿐만 아니라 다른 연구에서도 다양한 암기방법을 사용하여 익숙하지 않은 자료를 보통보다 훨씬 빨리 암기했다(Pressley, Levin, & Delaney, 1982, p. 83).

근거

'암기하기'라는 소박한 과제는 우리의 일생 동안 계속된다. 태어나는 순간부터 새로운 물건과 사건으로 가득한 세계가 눈앞에 펼쳐지고, 이것을 우리는 분류해야 한다. 게다가, 세상을 구성하고 있는 대부분의 요소들은 우리가 태어나기도 전에 이미 이름을 가지고 있다. 그래서 우리는 방대한 양의 단어들을 배워야 하고, 각각의 사물, 사건, 행동, 특성 등이 의미하는 것에 알맞은 단어를 연결할 수 있어야 한다. 즉, 우리는 의미 있는 언어를 배워야 하는 것이다.

새로운 학문을 접할 때, 주요한 과제는 그 학문과 관련된 중요한 용어와 정의, 언어 등을 배우는 것이다. 화학을 공부하기 위해서는 원소의 이름을 배워야 하고, 각 원소의 구조적 특징을 배워야 한다. 한 대륙을 공부하는 경우, 그 대륙에 있는 국가들의 이름, 그 대륙의 주요한 지리적 특성, 역사적으로 중요한 사건 등을 배워야 한다. 초기 외국어 학습은 익숙하지 않은 모양과 소리를 가진 단어들에 대한 어휘력을 늘려 가는 활동을 반드시 수반한다.

기억에 대한 연구는 오랜 역사를 갖고 있다. 비록 "인간의 기억에 대한 통일되고, 일관성 있고, 전반적으로 충족되는 이론"(Estes, 1976, p. 11)이라는 목표는 아직 달성하지 못했지만, 상당한 진척은 있었다. 학생들이 보다 효과적으로 공부할 수 있도록 돕고, 기억하는 전략을 가르치는 것을 목표로 하는 수많은 수업 원리들이 개발되고 있다.

예를 들면, 한 교사가 중요시하기로 선택한 교재는 학생들이 어떤 정보를 보유하느냐에 영향을 미칠 것이다. "짧은 시간 안에 개인에게 제시되는 내용은 많고, 그 중 주의를 끄는 일부 내용은 기억에 저장되고, 반복적으로 연습된 내용의 경우 장기 기억 장치의 기반을 갖추는 데 필요한 처리 과정을 확보할 만큼 충분히 오래 유지된다."(Estes, 1976, p. 7) 다시 말해, 우리가 어떤 것에 주의를 기울이지 않는다면, 그것을 기억하기란 쉽지 않다. 또한 우리는 나중에 그것에 대한 회상을 반복하는 방식으로 그것에 관심을 기울여야 한다. 예를 들어, 우리가 숲 속을 돌아다닐 때, 나무들을 주의깊게 관찰하지 않는 이상 우리는 그 나무들을 기억하기가 쉽지 않다. 비록 시각적인 이미지가 마구잡이로 남아 있을지라도 말이다. 우리가 어떤 나무를 기억하기 위해서는 정보를 활용해야 하는데, 예를 들면 다른 나무들과 비교함으로써 그 나무를 알아볼 수 있다. 우리가 반복할 때, 우리는 *인출 단서*를 개발하게 되는데, 이는 나중에 우리의 기억을 분류하고 정보를 위치시키는 기반이 된다.

단기 기억은 보통 여러 가지 종류에 대한 *감각적* 경험과 관련이 있다. 우리가 샤블리(Chablis)라는 와인을 보면, 우리는 어쩌면 그 와인의 주황 빛깔과 맛보는 방식을 기억할 것이다. 장기 기억의 경우, 우리가 노출되었던 경험의 순서와 관련이 있는 *삽화적 단서*에 따라 연상할 것이다. 예를 들면, 우리는 Andrew Johnson을 Abraham Lincoln

다음 대통령으로 기억할지도 모른다. 그들은 시간 순으로 연결되어 있고, 역사 속에서 그들의 삽화들도 서로 연결되어 있다. 반면에, *범주적 단서*는 자료의 개념화를 수반한다. 예를 들어, 우리가 나무들을 비교할 때, 우리는 서로 비교해 보았을 때 각 나무를 묘사하는 근거를 제공하는 개념을 형성한다. 다시 말해, 우리는 범주 안에 특정 항목들을 재배열하는데, 이러한 범주화가 우리에게 기억을 위한 근거가 된다.

학문적 근거나 대중적 근거 모두 기억력이 지적 효과성에 있어 근본이라는 것에 동의한다. 기억과 암기는 결코 수동적이고 사소한 활동이 아니며, 적극적인 활동이다. 정보를 받아들이고, 의미 있게 통합하고, 나중에 인출해 내는 능력은 성공적인 기억 학습의 산출물이다. 가장 중요한 것은, 개인이 나중에 회상하기 위해 자료를 기억하는 능력을 향상시킬 수 있다는 것이다. 그것이 이 모형의 목적이다.

모형 소개

목표와 가정

우리가 저학년 때를 회상해 보면 새로운 단어, 새로운 소리, 일주일, 50개의 주, 세계의 국가들 같은 비구조화된 자료들을 습득하기 위해 분투했던 영상으로 가득하다. 학생 중 일부는 기억을 매우 효과적으로 한 반면, 그렇지 못한 학생도 있었다. 돌이켜 보면, 이러한 정보의 대부분을 사소한 것으로 묵살하기 쉽다. 그러나, 우리가 학교에서 배운 정보들이 없었다면 우리의 세상이 어떤 모습이었을지 잠시만 상상해 보자. 우리는 정보가 *필요하다.*

개인의 능력의 가장 효과적인 형태 중 하나는 지식에 근거한 역량으로부터 나온다. 이는 성공과 행복감에 있어 대단히 중요하다. 인생 전반에 걸쳐, 우리는 능숙하게 기억하는 능력이 필요하다. 기억력을 향상시키는 것은 학습력을 신장시키고, 시간을 절약해 주고, 더 좋은 지식의 보고를 만들어 준다.

연결어 방법

*연결어 방법(link-word method)*은 최근 25년 동안 중요한 연구분야였다. 그 결과, 수업 자료의 설계, 교실 수업과 지도, 그리고 학생들에게 실용적인 영향을 주는 체계의

발전이었을 뿐만 아니라, 기억에 대한 지식에서도 상당한 진전이 있었다.

가령 학습 과제가 익숙하지 않은 자료를 습득하는 것이라고 가정했을 때, 이 방법은 두 가지 요소로 이루어져 있다. 첫 번째 요소는 익숙하지 않은 항목과 연결된 친숙한 자료를 학생들에게 제공하는 것이다. 두 번째 요소는 새로운 자료의 의미를 설정할 수 있는 연관성을 제공하는 것이다. 예를 들어, 과제가 외국어의 새로운 단어를 배우는 것이라면, 영어 단어 중에 유사한 소리를 가진 것과 이 단어들을 묶는 고리를 만드는 것이다. 두 번째로 새 단어를 그 의미의 표현과 묶는 고리를 만드는 것이다. 예를 들어, 스페인어의 carta(우편 편지)는 영어의 cart와 연결될 수 있고, 쇼핑 카트 안에 편지가 들어 있는 그림과 연결될 수 있다(Pressley, Levin, & Delaney, 1982, p. 62).

이 연구의 중요한 결과 중 하나는 자료를 보다 빠르게 습득하고 더 오래 기억하는 사람은 자료를 기억하기 위해 보다 정교한 전략을 사용한다는 것이다. 그런 사람들은 기억을 지원하는 암기법을 사용한다. 효율성이 떨어지는 방법으로 암기하는 사람들은 일반적으로 기계적인 암기 절차를 따른다. 그들은 기억해야 하는 것이 그들의 기억에 심어졌다고 믿을 때까지 계속해서 반복적으로 말한다.

두 번째 중요한 결과는 연결어 방법 같은 도구들이 "천성적으로" 잘 기억하는 사람들이 사용하는 방법보다 훨씬 더 정교하다는 것이다. 즉, 그러한 장치들이 기계적인 암기 절차보다 훨씬 더 정신적인 활동을 요구한다. 앞서 논의된, 대통령의 사례를 처음 대하면, 다음과 같이 반응하는 교사들이 많다. "그런데 왜 뭘 더 추가해야 하죠? 순서대로 대통령 이름을 습득하는 것만도 충분히 어렵지 않나요? 왜 '연결(link)'과 '붙이기(stick)' 같은 단어들과 여름 해변의 모래성 그림을 추가해야 하는 거죠?" 대답은 추가적인 연관성이 풍부한 정신적 맥락을 제공해 주고, 연결 과정이 인지 능력을 향상시켜 주기 때문이라는 것이다. 활동과 연관성의 조합은 우리의 정보처리 체계 안에 더 좋은 "닻"을 제공한다.

연결어 방법은 기억력이 좋은 학생, 나쁜 학생, 평균적인 학생에게 모두 유용할까? 분명히 그렇다(Pressley & Dennis-Rounds, 1980). 뿐만 아니라, 이 방법은 복잡한 학습 전략을 사용하는 데 더 큰 어려움이 있을 것으로 예상되는 언어 능력이 평균 이하인 학생들에게도 도움이 되는 것으로 나타났다. 게다가 학생들이 이 방법을 사용해 본 뒤, 이 방법을 다른 학습 전략으로 전이시키는 것으로 보인다. 다시 말해, 기억술은 학생들이 교사 없이 독자적으로 사용할 수 있도록 가르쳐질 수 있다. 학생들은 그들만의 연결고리를 만들어 내는 체계를 개발할 수 있다.

마지막으로, 어린 학생들(유치원 혹은 1학년)에게도 암기법은 도움이 된다 (Pressley, Levin, & Miller, 1981a). 어린 학생들이 그들만의 연결 고리를 형성하는 것은 분명히 더 어려울 수 있지만, 연결고리들이 그들에게 주어질 때 도움이 될 수 있다.

이 연구의 효과 크기는 인상적이다. 심지어 Atkinson(1975)의 초기 연구에서도 연결어 방법은 전통적인 기계적 암기 방식보다 약 50% 정도 더 효과적이었다. 즉, 학생들은 연결어를 사용하지 않을 때보다 같은 기간에 절반 정도 더 많은 자료를 학습했다. 이후 다른 연구에서도, 연결어 방법은 두 배 혹은 그 이상의 효과가 있는 것으로 나타났다(Pressley, 1977; Pressley, Levin, & Miller, 1981a, 1981b). 기억력이 촉진된다는 것이 가장 중요하다. 즉, 더 많은 단어들이 연결어를 활용할 때 더 오래 기억된다는 것이다. Mastropieri와 Scruggs(1994)가 수행한 매우 중요한 연구에서는 학습 장애가 있는 학생들에게 특별히 맞춰진 교육과정에 기억술의 도구를 맞추어 활용했다.

앞에서 언급했듯이, 이 연구는 두 가지의 분명한 의의가 있다. 첫째는 고립된 기계적 암기를 버리고 학생들이 가능한 한 쉽게 연관성을 만들 수 있도록 수업을 구성하는 것이다. 둘째는 학생들이 새로운 자료를 학습할 때 그들 자신의 연결고리를 만들 수 있도록 가르치는 것이다.

일부 다른 모형들도 이 모형에 도움을 줄 수 있다. 개념 획득은 속성에 근거한 예시들을 연결할 수 있는 범주를 제공해 주고, 학생들이 부정적 예시들을 대조할 수 있도록 만들어 준다. 귀납적 학습 모형은 학생들이 공통된 특성에 근거하여 연관성을 형성할 수 있도록 만든다. 선행 조직자는 자료들을 함께 묶을 수 있는 "지적 비계"를 제공해 주고, 비교 조직자는 새로운 것을 이전 것에 연결한다. 과학적 탐구 방법은 용어에 대한 경험적 근거와 자료들을 함께 붙일 수 있는 지적 구조를 제공한다.

Levin과 Levin(1990)의 흥미로운 연구에서는 식물을 분류하는 위계 체계라는 일반적으로 고차원적 학습 목표를 가르치는 데 이 방법을 적용했다. 그들은 친숙한 개념들에 전통적인 도해를 연결한 것과, 사각형들을 선으로 연결하여 표현된 위계 도표로 연결한 것을 비교했다. 이 연결은 위계적 구조의 학습과 암기를 촉진시킬 뿐만 아니라 문제 해결에도 영향을 주었다.

교사에게 있어 큰 일거리는 준비 과정이다. 연결고리를 만들어 내는 것, 일부 경우에 시각 자료를 만들고, 시각 자료를 만들기 위해 학생들과 함께 활동하는 것 등이 수반되는 주요한 활동들이다. 일단 설명이 준비되면, 전달은 간단하다. 만화 주인공이 함께 제시된 한 예를 살펴보자.

이 활동은 이 장 초반에서 보았던 중앙 아메리카 시나리오에서 묘사하는 것과 유사하고, 국제적 글 읽기 프로그램의 일부이다. 연결어들은 발음 위주로 제시되며, '미국의 직장 여성의 일과'라는 지어낸 이야기의 순서에 따라 만들어졌다. 학생들이 기억해야 할 순서대로 번호 매겨진 7개 국가들이 있는 중동지역의 지도에서 시작해 보자 (지도 8.2).

그 직장 여성은 자신의 하루 시작을 이야기하고 있다. "I got up(기상했어요)." 그리고 "I ran downstairs(아래 층으로 내려갔어요)."라고 말한다. I ran과 함께 동반되는 그

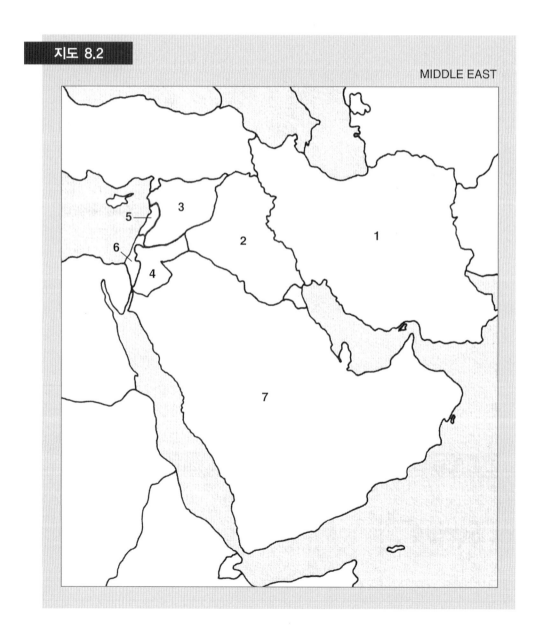

지도 8.2

MIDDLE EAST

림은 Iran(이란)에 대한 연결고리이다(만화 8.8). 그리고 그 여성은 말한다, "I took the dishes from the *rack*(선반에서 접시를 꺼냈어요)." 이와 함께 동반되는 그림은 Iraq(이라크)에 대한 연결고리이다(만화 8.9). 그녀가 이야기를 계속 이어간다. "I fixed the children bowls of *Syrios*(나는 Syrios 스낵을 어린이용 그릇에 담았어요)." Syrios와 함께 동반된 그림은 Syria(시리아)에 대한 연결고리이다(만화 8.10).

만화 8.8

만화 8.9

만화 8.10

만화 8.11

"I fixed myself some English muffins and took out the *jar of jam*(나는 잉글리쉬 머핀을 만들고 잼을 꺼냈어요)."와 함께 동반되는 그림은 Jordan(요르단)의 연결어이다(만화 8.11).

"I also fixed myself a cup of tea and sliced a *lemon* for it(나는 차 한 잔을 타고 레몬을 잘라 넣었어요)."에서 Lemon(레몬)은 Lebanon(레바논)의 연결어이고(만화 8.12),

만화 8.12

만화 8.13

만화 8.14

만화 8.15

"Finally, I ran for the *railroad* train(마지막으로 나는 기차를 타고 기찻길을 달렸어요)."
에서 Railroad(기찻길)는 Israel(이스라엘)의 연결어이다(만화 8.13). "When I got to my
office, I was so hot and thirsty I ran straight to the vending machine and got a *soda* to pick
me up(사무실에 도착했을 때 나는 너무 덥고 목이 말라서 자판기로 곧장 달려가서
시원한 탄산음료를 뽑아 왔어요)."에서 Soda(탄산음료)는 Saudi Arabia의 연결어이다
(만화 8.14 및 8.15).

이처럼 그림과 함께 발음 위주의 연결은 학생들이 새로 배우는 단어와 알고 있던
단어, 문자 그리고 시각 자료를 연결할 수 있도록 도와주고, 새로운 자료에 익숙해질
수 있도록 도와준다. 약간 재미있고 우스꽝스러운 어조가 연결을 더욱 생생하게 만
들어 준다.

그 외 기억 보조 체계

다수의 유명한 "기억 체계"가 개발되었는데, Pressley와 Levin 그리고 그의 동료들이
수행한 연구는 그 어떤 체계도 지지하지 않았다. 그러나 이 연구와 동일한 원칙을
사용한 기억체계도 있다. Lorayne와 Lucas의 ≪The Memory Book≫(1974)과 Lucas의
≪Learning How to Learn≫(2001)이 바로 그 예이다. 우리는 이러한 기억체계 원리들
을 적용하는 절차에 대해 몇 가지를 제안한다.

우선 어떤 것을 기억할 수 있으려면 먼저 그것에 주의를 기울여야 한다는 중요한
원리를 다시 언급하고자 한다. 효과적인 기억 모형은 학습되어야 할 것에 주의를 기
울이도록 하는 것을 필요로 한다. 왜냐하면 우리가 보고 느끼고 만지고 냄새 맡고 맛
을 볼 수 있는 모든 실체는 기억과 강력한 유대관계를 생성하기 때문에 여러 가지의
감각 채널로 표현되는 최선의 아이디어를 기억한다. 각 감각 채널은 새로운 것과 관
계를 맺을 수 있는 오래된 것의 기억을 갖고 있다. 예를 들어 만약 "꽃"을 시각적 이
미지로 본다면, 특정 방식으로 지각되거나, 특징적인 향기를 가지거나, 줄기가 잘려
져 나갈 때 아삭거리는 소리를 내는 무엇을 볼 때, 우리는 다양한 형태의 지각을 통
해 꽃과 연결된다. 우리가 꽃을 단지 하나의 감각으로만 관찰하는 것에 비해, 다양
한 지각과 연결하면 그것(또는 그 이름)을 기억할 가능성이 더 클 것이다. Lorayne와
Lucas(1974)는 Aristotle의 말을 다음과 같이 인용했다. "정신의 이미지 만들기는 보다
높은 수준의 사고 과정이 수행될 수 있도록 한다. 따라서 사고는 결코 정신적 이미지
없이는 생각할 수 없다. 사고 능력은 이미지 안에서의 형태를 기억한다."(p. 22)

Lorayne와 Lucas는 (1) 학습할 것에 대해 주의 기울이기, (2) *주의*를 기울이는 것과 관련된 *감각*, (3) 새로운 자료와 이미 이전에 배웠던 것들 사이에 만들어지는 연합을 증가시키기 위한 모형을 고안했다. 이 모형이 어떻게 적용되는지는 다음 글에서 확인할 수 있다.

시나리오

연설하기

Boris는 초등학교의 총학생회장이다. 그는 학생들 앞에서 연설할 연설문을 준비해 왔다. 그러나 그는 자신의 연설문을 외우는 것이 어려워 선생님에게 도움을 요청했다. 선생님은 기억 전략을 활용해 보라고 권했다. 이 기억 전략은 새로운 단어와 Africa나 Latin America의 나라들을 학습할 때 적용되었던 전략이었다. 비공식적으로, 선생님은 총학생회장에게 Lorayne과 Lucas가 그들의 고객에게 했던 것과 동일한 방법으로 모형의 단계를 알려줬다.

첫째, 선생님은 Boris가 그의 연설의 주안점을 식별(주의집중)하게 한다. 그는 조심스럽게 주요 아이디어를 하나씩 나열한다. 다음 선생님은 그에게 각각의 주요 아이디어에 대해 그 아이디어 전체가 생각나게 할 수 있는 단어를 하나만 식별하도록 한다. Boris는 하나씩 하나씩 아이디어를 분리하고, 핵심 단어(주장을 대표할 수 있는 것)에 밑줄을 긋는다.

다음으로 선생님은 Boris에게 생생한 의미를 갖는 친숙한 단어를 식별하고, 이 단어를 핵심 단어와 연결하도록 한다. 그는 qualifications(자격)이라는 용어에 선생님의 여동생 Kate를 선택하고, peer(동료)에 대해서는 pear(서양배)를 선택한다. 선생님은 그가 이 두 가지 생각을 기억하도록 그가 할 수 있는 바보 같은 방법을 생각해 보라고 한다. Boris는 잠깐 생각해 본 후 선생님의 여동생 Kate를 뒤쫓는 거대한 서양배 사진을 건넨다. 그는 기억을 하는 중이다. Boris는 이 두 가지를 묶을 수 있는 아주 별난 사건을 상상해 낸 것이다.

Boris가 핵심 단어들을 모두 찾아내고, 적당한 이미지로 만든 후에, 선생님은 그에게 단어를 반복하고 이미지를 여러 번 그려 보라고 한다. 그런 후 선생님은 그의 기억을 확인하기 위해 연설을 전부 해 보도록 시킨다. 그는 편안하게 연설을 할 수 있게 된다. 그는 주안점에 집중했고 핵심 단어와 대체 단어를 시각화했고 생생한 감각적

이미지로 핵심 요점들을 연결했다.

　　Boris가 새로운 어휘나 중요한 과학 개념을 배우고 있었다면, 선생님은 그에게 그가 이전에 배웠던 자료와 관련시켜 새로운 자료를 연결시켜 보도록 했을 것이다. 그리고 선생님은 그가 새로운 자료를 즉시 사용하도록 제안했을 것이다. Boris가 이렇게 능동적으로 반복하면 그것을 오랫동안 기억하는 데 도움이 될 수 있을 것이다. 그러나 Boris의 연설은 단지 짧은 기간의 기억을 필요로 하는 단발성의 활동이기에 연설을 여러 번 해 봄으로써 단지 연합을 되짚어 보고, 기억을 검증하는 것이면 충분하다.

기억에 관한 개념

다음 개념들은 학습을 함에 있어 기억력을 강화시키는 본질적인 원칙과 기술이다.

의식

무언가를 기억할 수 있기 전에 기억해야 할 것에 주의를 기울이거나 집중해야 한다: "관찰은 고유한 자각에 있어 핵심적 요소이다."(Lorayne & Lucas, 1974, p. 6) Lorayne과 Lucas에 따르면 우리가 고유하게 자각하는 것은 잘 잊혀지지 않는다.

연합

주의집중 다음으로 중요한 법칙은 "당신은 새로운 것이 이미 당신이 알거나 기억하고 있던 것과 연결될 경우 새로운 정보를 기억할 수 있다"는 것이다(Lorayne & Lucas, 1974, p. 7). 예를 들어 학생들이 "piece"의 철자를 기억하고자 할 때 교사들은 "piece of pie"의 단서를 제공할 것이고 이 단서는 철자와 의미 모두에 도움을 줄 것이다.

연결 체제

연합 과정의 핵심은 두 아이디어를 연결하는 것, 두 번째 아이디어로 첫 번째 아이디어를 촉발하는 것 등이다. 우리는 일반적으로 유의미한 자료를 학습하는 데만 에너지를 쏟지만, 잠재적으로는 유용하지 않은 자료에 삽화를 곁들인 것도 이 방법이 어떻게 작동하는지를 알게 하는 데 유용하다. 예를 들어 다음의 다섯 단어를 차례대로 기억하고 싶다고 가정해 보자: 집, 장갑, 의자, 난로, 나무. 당신은 특이한 사진을 상상해야만 한다. 먼저, 집과 장갑이 있는 사진, 다음으로 장갑과 의자가 있어야 한다. 예를 들어 첫 번째 사진에서는 집의 현관을 열었을 때 장갑 가족이 환영하는 것을 상상한다. 두 번째 사진에서는 큰 장갑이 작은 의자를 잡고 있는 것을 상상한다. 이러한 사진들을 생각하는 데 집중을 하면서 시각화하면 그것들을 차례대로 연결하는 연합을 개발하게 될 것이다.

기억 문제는 대부분 두 가지 생각의 연합을 다룬다. 우리는 종종 이름과 날짜 또는 장소, 이름과 생각, 단어와 그것의 의미 또는 두 개의 생각 간의 관계를 정립시키는 하나의 사실을 연합하기를 원한다.

우스꽝스러운 연합

비록 연합이 기억의 기초라고 하더라도 연합의 효력은 그 이미지가 생생하고 우스꽝스럽고, 불가능하고 비논리적일 경우에 향상된다. 장갑이 주렁주렁 달린 나무와 장갑 가족이 우스꽝스러운 연합의 사례이다.

연합을 우습게 하는 방법에는 여러 가지가 있다. 첫 번째는 대체의 법칙을 적용하는 것이다. 만일 차와 장갑을 가지고 있다면, 차를 몰고 있는 장갑을 시각화한다. 둘째, 비조화의 법칙을 적용할 수 있다. 작은 것을 아주 거대하거나 작은 것을 아주 작게 바꿀 수 있다. 예를 들어 아주 거대한 야구 장갑이 운전을 하고 있다. 세 번째 방법은 과장의 법칙, 특히 수적으로 과장하는 것이다. 수백만의 장갑들이 길을 퍼레이드하고 있는 것을 그려 봐라. 마지막으로 연합에 행위를 부여한다. 앞서 언급했던 예들 중에서 장갑은 현관의 초인종을 울리고, 거리를 행진하고 있다. 우스꽝스러운 연합을 상상하는 것은 우리가 어릴 때는 어렵지 않다. 그러나 우리가 나이가 들수록 그리고 더 논리적으로 바뀔수록 우스꽝스러운 연합을 만드는 일은 어려운 일이 된다.

대체 단어 체계

대체 단어 체계는 "무형의, 유형의 그리고 의미 있는" 것을 만드는 방법이다(Lorayne & Lucas, 1974, p. 21). 이 작업은 꽤 단순하다. 단지 추상적으로 보이는 어떤 단어나 구문을 선택하고 "그 추상적인 자료와 비슷하게 들리거나, 그것을 기억나게 하거나, 당신의 마음 속에 그림으로 그려질 수 있는 무언가를 생각한다"(Lorayne & Lucas, 1974, p. 22). 어린아이였을 때 알래스카를 기억해 내기 위해 "선생님에게 물어볼게."라고 애기한 적이 있을 것이다. 만약 다윈(Dawin)의 이름을 기억하고자 한다면 어두운 바람 (dark wind)을 시각화할 수도 있다. 힘(force)의 개념은 포크(fork)로 표현될 수 있다. 여기서 구성된 그림은 단어, 생각, 어구가 표현된 것이다. 만화 8.16과 만화 8.17은 학생들에게 유럽의 나라 이름을 소개할 때 사용한 단어와 이미지를 연결한 것이다.

만화 8.16

핵심 단어

핵심 단어 체제의 본질은 보다 긴 사고나 여러 자기 종속적인 사고를 대표하는 단어를 하나 선택하는 것이다. Boris의 연설은 단어 하나를 사용하여 여러 구술 문장들을 촉발한 사례이다. Boris는 그의 여러 가지 뛰어난 자질을 대표하는 핵심 단어로 자격을 선택했다. 그의 경우에서처럼 핵심 단어가 추상적이라면, 기억 가능한 이미지를 만들어 내기 전에 대체 단어 체제를 사용해야 한다.

교수 모형

Pressley, Levin 그리고 Delaney(1982)의 연구로부터 우리가 개발한 교수 모형은 다음의 네 가지 단계로 이루어져 있다: 자료에 주의 집중하기, 연결고리 개발하기, 감각적 이미지로 확장하기, 회상 연습하기 등이다. 이러한 단계들은 주의 집중의 원칙과 회상을 강화하는 기술에 기반을 두고 있다(표 8.1).

모형의 구조

첫 번째 단계는 학습자가 학습할 것에 집중을 하고 학습자가 기억하기 쉬운 방법으로 조직화하는 활동을 필요로 한다. 일반적으로 이것은 기억될 필요가 있는 주제와 사례들에 집중하는 것이다. 밑줄을 긋는 것도 한 가지 방법이다. 또 다른 방법으로, 각 개념을 분리하여 나열하고, 자신의 언어로 재진술하는 것도 주의를 집중하도록 하는 것이다. 마지막으로 자료를 성찰하고, 아이디어를 비교하고, 아이디어 간의 관계를 결정하는 것이 세 번째 주의 집중을 위한 활동이다.

일단 학습해야 할 자료가 명료해지고, 평가되면, 학습해야 할 것들과의 연결을 개발하기 위해 여러 암기법들이 사용되어야 한다. 두 번째 단계는 연결어, 대체 단어(추상적인 단어의 경우), 길거나 복잡한 문단을 위한 핵심 단어와 같은 기법을 사용하는 것이다. 이것은 새로운 자료를 익숙한 단어, 익숙한 사진 또는 익숙한 개념에 연결시키는 것, 그리고 이미지와 단어를 연결하는 것을 의미한다.

〈표 8.1〉 기억 모형의 구조

1단계: 자료에 집중	밑줄치기, 목록화하기, 반추하기 등을 사용한다.
2단계: 연계성 계발	주제어, 대체어, 연결어 등의 체계를 사용하여 자료를 친숙하게 하고 연계성(connection)을 만들어 낸다.
3단계: 감각적 이미지 확장	우스꽝스런 연합이나 과장하기 등을 사용하여 이미지를 수정한다.
4단계: 회상 연습	완전하게 학습될 때까지 자료에 대한 회상을 연습한다.

일단 최초의 연합이 식별된 후에, 학생들에게 한 가지 감각 이상의 것들로 연결시키도록 요구하고, 우스꽝스러운 연합과 과장으로 재미있는 드라마를 구성하도록 함으로써 이 이미지는 강화될 수 있다(3단계). 이때 이미지는 회상 효력이 더 강하도록 수정될 수 있다. 네 번째 단계에서 학생들은 이러한 자료의 회상을 연습하게 된다.

사회적 체제

사회적 체제는 협력적이다: 학생과 교사는 팀을 이뤄 새 자료를 기억에 관련되도록 모양을 만든다.

반응의 원리

이 모형에서 교사의 역할은 학생들이 자료로 작업하는 것을 도와주는 것이다. 학생들의 참조체제 내에서 교사들은 학생들이 핵심 요소, 짝, 이미지를 확인하도록 돕는다.

지원 체제

이 모델에는 특별한 지원 체제가 필요하지 않다. 그러나 그림, 구체적인 보조물, 영화, 다른 시청각 매체들은 감각적 연합이 풍부하게 이루어지도록 하는 데 매우 필요하다. 또한 《Names and Faces Made Easy》와 《Learning How to Learn Lucas Education》과 같은 책을 포함하여 오디오와 비디오카세트와 함께하는 《Dr. Memory》 연재물을 추천한다. 비록 학자들은 기억술의 효과를 상당한 정도로 보고했지만, Lucas는 이 분야의 전문가이며, 그의 조언과 예시들은 매우 즐겁고 효과적이다.

적용

정보처리 유형에 속하는 다른 모형들은 모두 암기법의 효과를 포함하고 있다. 범주의 생성과 획득은 연합을 생성한다. 은유적 연결은 *연결일 뿐이다.* 과학의 과정은 연결을 *생성한다.* 그리고 연결은 암기법의 필수 요소이다. Mastroieri와 Scruggs(1991)은 다수의 적용 사례를 제시하고 있는데, 여기에는 지리적, 역사적 장소나 인물과 같이 학생들이 어려움을 겪는 여러 영역을 위해 개발된 자료가 포함되어 있다.

이 기억 모형은 자료를 암기해야 하는 모든 교육과정 영역에 적용 가능하다. 이 모형은 모둠(주기율표를 배우는 화학 수업)으로 사용하거나 개별(시, 문학, 웅변, 희곡의 한 부분을 배우는 학생)로 사용할 수 있다. 교사 주도의 "기억 수업"이 많이 이루어지고 있지만, 학생들이 이것을 숙달하고 독립적으로 사용할 수 있을 때에 비로소 가장 폭넓게 적용될 수 있다. 그러므로 이 모형은 교사에 대한 의존을 줄이고 학생이 암기를 필요로 할 때 언제든지 과정을 사용할 수 있도록 가르쳐져야 한다. 학생들은 다음에 제시되는 단계에 따라 배운다.

1. *학습할 정보 조직하기.* 기본적으로 정보가 조직되면 될수록 학습하고 유지하기 쉬워진다. 정보는 범주에 의해 조직될 수 있다. 개념 획득, 귀납적, 선행 조직자 모형은 학생들이 범주 내에 자료를 연합하도록 도움으로 암기를 촉진한다. 다음은 유명한 철자법 서적에 제시되어 있는 단어 목록으로 이 철자법 서적에서 아이들에게 제시한 순서로 되어 있다. 이를 고려해 보자.

soft	plus	cloth	frost song
trust luck	club	sock	pop
cost	lot	son	won

우리가 학생들에게 시작, 끝, 모음의 유무에 따라 단어를 분류하게 한다고 가정해 보자. 분류하는 행동은 학생들이 단어를 면밀히 살피고 비슷한 요소를 포함하는 단어를 연합하는 것을 필요로 한다. 학생들은 각 분류에 범주의 이름("c" 집단과 "st" 집단)을 붙이고, 각 집단의 일반적인 속성에도 주의를 기울이게 한다. 또한 학생들은 서로 어울리는 단어를 연결시킬 수 있다("pop song", "soft cloth" 등). 그 다음으로 학생들

은 한 번에 한 범주의 철자를 연습하는 것으로 넘어간다. 같은 원리가 수치와 같은 다른 유형의 자료에도 적용된다. 학생들에게 범주가 제공되거나 또는 학생들이 범주를 만들거나 상관없이 그 목적은 동일하다. 또한 정보는 마음 속에 있는 범주를 사용하여 선택될 수 있다. 앞서 제시된 목록은 겉으로 보면 거의 무작위적이다. 의도적이고 조직적으로 변화를 준 목록은 조직하기 더 쉬울 것이다(이미 그 안에는 적어도 암묵적인 범주가 들어 있다).

2. 학습할 정보 순서 매기기. 연속적으로 학습된 정보(특히 연속이 의미가 있다면)는 동화하고 파지하기가 더 쉽다. 예를 들어, 호주의 주 이름을 배우길 원한다면, 항상 우리는 같은 것부터 시작(큰 것부터 말하기)하여, 같은 순서로 진행하면 더 쉽다. 연대기로 된 역사적 사건들은 무작위로 나열된 사건들보다 쉽게 학습된다. 순서는 간단히 말해 정보 조직의 또 다른 방법이다. 우리는 학생에게 철자법 단어 목록을 알파벳 순으로 배열하게 할 수도 있었다.

3. 정보를 익숙한 자료에 연결하기(소리와 의미 모두 고려한다). 주의 이름을 학습하고 있다고 가정해 보자. "Georgia"의 "George", "Louisiana"의 "Louis", "Maryland"의 "Mary" 등과 같이 연결이 가능하다. 주의 이름을 범주화하거나 지역이나 크기 순서로 배열하면 더 많은 연합이 제공된다.

4. 정보를 시각적 표현과 연결하기. Maryland는 결혼(marriage) 그림, Oregon은 총 그림, Maine은 파열된 상수도관(main) 등과 연관 지을 수 있다. 글자와 숫자는 소리와 영상을 환기시키는 것과 연결될 수 있다. 예를 들어, "하나(one)"는 "빵(bun)"과 빵을 먹는 소년, "b"는 벌(bee)과 벌 그림과 연결될 수 있다. 이러한 연결은 반복해서 사용될 수 있다. "4월은 죽은 땅의 라일락 꽃이 번식하는 가장 잔혹한 달이다"라는 문장은 봄 꽃 위에 심술궂게 휘감겨 있는 심란한 금속 용수철을 생각하면 더 쉽게 기억된다.

5. 정보를 연합된 정보로 연결하기. 사람의 이름은 같은 이름을 가진 유명한 사람, 소리가 비슷한 것, 그 사람의 개인적 정보 등과 같은 정보에 연결하면 이름 그 자체만으로 연습하는 것보다 더 쉽게 기억된다. Louis(Louis Armstrong)는 Jacksonville(그가 태어난 곳)에 "어렴풋이 나타났다(loom)." 방위와 다수의 이름이 영국에서 유래(New

South Wales)된 것을 생각하면서 호주의 주를 학습하면 각각 순서대로 학습하는 것보다 더 쉽다.

6. *정보를 생생하게 만드는 장치 사용하기.* Lorayne과 Lucas는 정보가 재미있는 연합에 연결된 "우스꽝스런 연합"을 좋아한다("바보 둘이 쌍둥이를 등에 업어서 그들은 진짜 넷이다). 각색이나 생생한 묘사의 사용을 좋아하는 사람도 있다(5 + 5는 10이라는 것을 설명하기 위해 2개의 팀에서 농구선수들을 세는 것과 같이).

7. *연습하고 피드백 주기.* 과거에 암기를 요구하는 과제에서 성공하지 못했던 학생들에게는 비교적 짧은 과제를 할 때 유익하고, 성공했을 때 즉각적이고 명확한 피드백이 주어져야 한다.

교수적, 육성적 효과

기억 모형은 정보를 저장하고 회상하는 능력을 향상시키기 위해 고안된 것이다. 이 모형은 상상하고, 환경에 주의 집중하며, 익숙하지 않은 자료를 숙달하는 능력에 대한 인식 등의 지적인 능력을 육성하기 위한 것이다(그림 8.1).

이 모형의 가장 중요한 성과는 학습이 전혀 통제할 수 없는 신비하고 타고난 과정이 아니라고 학생들이 인식하는 것이다. Ian Hunter(1964)는 다음과 같이 지적했다.

어떤 간단한 기억술을 숙달하면 사람은 자신의 심리 활동을 조절하고 변경할 수 있다는 것을 처음으로 깨닫기도 한다. 그리고 이 깨달음은 사람들을 지적 발달의 중요한 부분인 학습과 기억 절차에 대해 자기 비판적인 실험을 수행하도록 하게 한다.

그러므로 어떻게 학습하고 어떻게 학습을 향상시키는지에 대한 인식은 사람의 미래 전반에 걸쳐 조절하고 숙달할 수 있는 능력을 갖게 한다.

두 번째 성과는 형상화 능력의 향상과 사고의 창의적 형태는 보다 수렴적, 정보기반의 학습에 필수적인 부분이라는 인식이다. 형상화 훈련에서 창의성은 육성되고, 장난을 관대하게 다루면, 창의적 사고가 격려된다. 형상화는 주변을 관찰하고 주의를

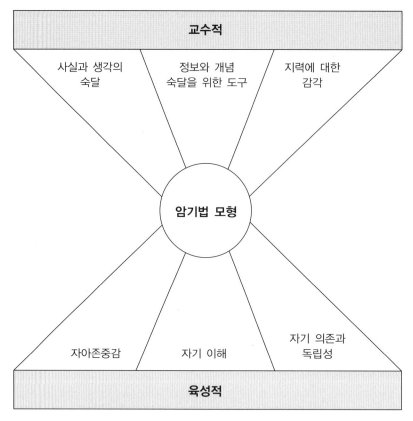

[그림 8.1] 암기법 모형의 교수적, 육성적 효과

기울이는 것이 요구된다. 결과적으로, 기억의 일부로 형상화를 사용하는 것은 우리의
환경을 자동적으로 주의깊게 보도록 훈련시킨다.

　　마지막으로, 특정 자료를 기억하는 능력은 우리가 보다 효과적으로 기억할 수 있
게 하는 이 모형으로 강화될 수 있다.

요약 도표 암기 모형 요약

모형의 구조

- 1단계: 자료에 주의 기울이기
- 2단계: 연결하기
- 3단계: 감각적 이미지 확장하기
- 4단계: 회상 연습하기

사회적 체제

사회적 체제는 협력적이다. 교사와 학생은 팀으로 새로운 자료를 함께 배운다: 학생들이 전략을 다룰 수 있게 되고, 이 전략을 아이디어, 단어, 공식을 기억하는 데 사용하면서 주도권은 점점 학생에게로 넘어간다.

반응의 원리

1. 학생들이 핵심 요소, 짝, 이미지를 식별하도록 돕기
2. 제안하되 학생의 참조 틀 내에서 하기
3. 익숙한 요소는 일차적으로 학생들의 자료 보관 장소에서 가져오기

지원 체제

교육과정 영역의 모든 일반적인 도구가 활용될 수 있다. 그림, 구체적 보조물, 영화, 그 외 시청각 매체들은 감각적 연합을 풍부하게 하는 데 특히 유용하다.

제9장

설명식 수업 설계를 위한 선행 조직자의 활용

강의에서의 비계, ICT, 원격 수업

수업 시작부터 (생각의) 비계를 제공하는 것은 어떨까요?
학생에게 지식 구조의 비밀을 알려 주세요. 앞으로의 탐구 과정에서 그 구조가
어떻게 지속적으로 생성될지에 대한 이해를 포함해서 말입니다. 그러면 수업이
진행됨에 따라 학생의 사고활동이 활발해질 겁니다.

— *David Ausubel*이 *Bruce Joyce*에게

| 핵심 아이디어 |

설명식 수업을 개발할 때 중요한 개념에 대한 비계를 만들고, 비계를 설명, 서면 자료, 동영상, 원격 수업, 세미나 등의 초반부에 제공하라. 내용을 비계와 연관 짓도록 학생들을 돕는 것이다. 브리태니커 백과사전(www.britannica.com)의 내용은 수업 중 교사의 개념 조직을 돕는 비계가 된다.

▒▒ 시나리오 ▒▒

미술관에서 근무하는 안내원

고등학생들로 구성된 한 팀과 미술관 관람을 시작한 안내원이 이렇게 말한다.

"이제부터 여러분이 보게 될 그림과 조각을 이해하는 데 도움이 될 아이디어 하나를 주고 싶어요. 간단한 아이디어예요. 개인적인 표현이긴 하지만, 미술은 그것이 만들어진 문화와 시대를 여러모로 반영하고 있어요. 우선 동양 미술과 서양 미술의 차이를 떠올려보면 금세 알게 될 거예요. 하지만 각 문화가 변하기 때문에 미술도 변하죠. 그렇기 때문에 미술의 시기에 대해 이야기할 수 있는 거랍니다. 변화는 화가의 기법, 주제, 색깔, 방식에 반영되곤 하죠. 중요한 변화는 미술품의 유형에 반영되기도 하고요."

그런 다음 안내원은 이러한 특성들 중 한두 가지 변화를 예로 든다. 안내원은 학생들에게 초등학교에 다니던 시절을 기억해 보라고 하면서 5세 또는 6세 때 그린 그림과 그보다 나이가 많을 때 그린 그림들이 어떻게 달랐는지 물어본다. 안내원은 학생들의 다양한 성장 시기를 다양한 문화와 비유해 설명한다.

관람을 이어가면서 안내원은 시대에 따라 달라진 점을 언급한다.

"이 그림에서 사람의 몸이 옷에 거의 완전히 덮여 있는데, 옷 안에 사람이 있다는 흔적이 없는 게 보이나요? 중세 시대 교회에서는 몸이 중요하지 않고 영혼이 전부라고 가르쳤어요."

조금 후에 안내원은 말한다.

"이 그림에서 여러분은 이 남자의 근육상태가 어떻게 옷을 통해 두드러지는지, 이 남자가 어떻게 땅에 굳건히 서 있는지를 보고 있어요. 이것은 사람이 우주의 중심이고, 사람의 몸과 마음과 힘이 사실 매우 중요하다는 르네상스 관점을 나타내는 것입니다."

이 안내원은 *선행 조직자*를 활용하고 있다. 이 경우, 미술 사학자들이 사용하는 강력한 개념이 선행 조직자가 되고 있다. 이 선행 조직자는 무수한 하위 아이디어를 포함하고 있어 학생들이 보고 있는 미술 작품의 특정한 특성과 연계될 수 있다. 이 시나리오에서 교사는 수업 중에 맞닥뜨리는 아이디어와 사실을 구조화하기 위해 학생들에게 "지적 비계(intellectual scaffolding)"를 제공한다. 지적 비계는 David Ausubel이 만든 용어이다.

시나리오

원소주기율표

Wendy 선생님과 Keith 선생님은 화학 수업을 시작한다. 원소주기율표를 가르치기 위해 먼저 귀납 및 기억 모형을 복합적으로 사용한다. 학생들은 원소 이름과 원자량을 배우고, 10℃ 상태를 기준으로 원소를 분류한다. 학생들은 원소, 원자량, 화학 결합을 학습한다.

이 개념들과 주기율표 그 자체에 대한 지식은 수업의 개념적 구조 역할을 한다. 학습하게 될 정보는 이 구조와 연결되고, 수업이 진행되면서 개념들이 정제되고 확대될 것이다.

시나리오

문자 그대로의 의미와 시사적 의미

Kelly Young 선생님은 학생들에게 문자 그대로의 단어와 비유적 단어의 차이, 즉 외연적 언어와 내포적 언어의 차이를 소개하고 있다. 먼저 Kelly 선생님은 조직자를 제시한다. 사물, 행위, 존재의 상태 등을 나타내는 단어이면서 무언가를 암시하는 단어를 제시하는 것이다. puppy라는 단어는 강아지를 의미하지만, '장난기(playfulness)'와 '껴안아 주고 싶음(cuddliness)'이라는 뜻을 내포하고 있다. 강아지에 대해 우리는 장난기 많고 껴안아 주고 싶다고 생각하기 때문이다. Limousine은 자동차라는 뜻이지만, 위상, 부, 속물근성, 과시적 소비를 시사하기도 한다.

다음 Kelly 선생님은 짧은 이야기들을 제시하고, 학생들에게 읽어 보고 문자 그대로의 지시적 의미만을 갖고 있다고 생각하는 단어를 골라 보라고 한다. 또한 직접적으로 관련이 없는 내용을 시사하는 단어를 찾아보라고 한다. 학생들은 단어 목록을 작성한 다음, 왜 어떤 단어는 문자 그대로의 뜻만 있는지, 왜 어떤 단어는 문자 그대로의 뜻과 비유적 의미를 모두 갖고 있는지 논의한다. 학생들은 좋아하는 작가의 작품을 보고 계속 목록을 만들어 나가면서, 범주를 만들고 탐구를 이어간다.

모형 소개

David Ausubel은 특이한 교육 이론가이다. 다른 교육 이론가들과 사회 비평가들이 설명식 수업 방법의 타당성에 이의를 제기하고, 설명식 학습의 '수동성'을 비판하고 있는 시기에, Ausubel은 설명식 교수 방법(강의 및 읽기)의 개선을 옹호하면서 학습 내용의 목표를 직접적으로 다루고 있다. 지금까지 다루었던 발견식 교수법, 열린 교육, 경험 기반의 학습 모형 등을 옹호하는 이들과는 달리, Ausubel은 설명을 통한 교육 자료의 숙달이 가능하다고 태연히 주장하고 있다.

Ausubel은 또한 학습, 교수, 교육과정을 동시에 다루는 몇 안 되는 교육 심리학자 중 한 명이다. Ausubel의 유의미 언어 학습 이론은 다음의 세 가지를 다루고 있다. (1) 지식(교육과정 내용)은 어떻게 조직되는가, (2) 새로운 정보를 학습(정보처리)하기 위해 생각이 어떻게 작동하는가, (3) 교사가 새로운 자료를 학생에게 제시할 때(수업) 교육과정과 학습에 대한 생각을 어떻게 적용할 수 있는가이다.

목표와 가정

Ausubel의 주요 관심사는 많은 양의 정보를 가능한 한 유의미하고 효율적으로 조직하고 전달할 수 있도록 교사를 돕는 것이다. Ausubel은 정보의 획득이 학교교육의 본질적인 목표이며, 교사는 학생에게 지식을 전달함에 있어 이론의 안내를 받을 수 있다고 믿는다. Ausubel의 방법은 교사가 내용 조직자의 역할을 수행하고, 강의와 읽기, 그리고 학습 내용을 통합하기 위한 과제 등을 통해 정보를 제시하는 상황에 적용된다. Ausubel의 접근에서, 교사는 학습될 내용을 조직하고 제시하는 역할을 맡는다. 학습자의 주요 역할은 아이디어와 정보를 완전히 익히는 것이다. 귀납적 접근이 학생들로 하여금 개념을 발견하거나 재발견하도록 이끄는 반면, 선행 조직자는 학생들에게 직접적으로 개념과 원리를 제공한다. 흥미롭게도 Ausubel은 학생이 지식의 적극적인 구성자가 되어야 한다고 믿고 있다. 그러나 Ausubel의 방법은 학생이 지각하는 세계로 시작해 문법 구조를 유도하도록 학생들을 이끄는 것이 아니라, 교과의 상위 수준에서 수업에 대해 생산적으로 반응하도록 하는 메타인지를 가르치는 것이다.

선행 조직자 모형은 주어진 시간 안에 특정 과목의 지식을 얼마나 제대로, 명확하고, 안정적이게 습득하는지와 관련한 학생의 *인지* 구조를 강화시키기 위한 것이다 (Ausubel, 1963, p. 27). Ausubel은 사람의 기존 인지 구조가, 새로운 자료가 유의미한지 아닌지, 얼마나 잘 획득되고 유지되는지를 결정하는 가장 중요한 요인이라는 입장이다. 새로운 자료를 효과적으로 제시하기에 앞서, 학생의 인지 구조의 안정성과 명확성을 증가시켜야 한다. 이를 위해서는 앞으로 제시될 정보를 지배하는 개념을 학생들에게 제공해야 한다. 앞서 살펴본 미술관 관람 예시에서, 안내인은 미술이 문화 및 시대적 변화를 반영한다는 아이디어를 제시했다. 이는 학생들이 미술 작품 안에 들어있는 정보를 보다 명확하게 볼 수 있도록 지적 비계를 제공한 것이다. Wendy 선생님과 Keith 선생님의 화학 수업 사례에서는, 학생들이 화학에 대한 지식이 거의 없는 상황이기 때문에, 조직자로서 그 수업이 기반으로 할 개념 구조를 제공했다. 이런 방식으로 학생의 인지 구조를 강화하면, 새로운 정보의 획득과 유지가 용이해진다. Ausubel은 듣기, 보기, 읽기를 통한 학습이 반드시 암기식이거나 수동적이거나 무의미하다는 입장에 반대한다. 물론 무의미할 수도 있지만, 학생이 정보를 수용하고 처리할 마음의 준비가 되어 있다면 그렇지 않을 것이다. 학생이 준비되어 있지 않다면, 학생은 암기식 학습(자료의 반복)으로 퇴보하게 될 것이다. 이는 고되고, 잊어 버리기 쉽다. 교수방법이 잘못 실행되면, 암기식 학습으로 이어질 수 있다. 설명식 교수도 예외는 아니다. 교수가 잘 이루어지면, 정보의 적극적인 처리가 증진된다. Ausubel은 무엇이 의미를 만드는지, 무엇이 적극적인 학습을 가능하게 하는지 등 중요한 질문에 답하고 있다.

유의미한 것은 무엇인가?

Ausubel에 따르면, 자료가 유의미한지의 여부는 자료의 제시 방법보다는 학습자의 준비와 자료의 조직에 더 많이 좌우된다. 학습자가 준비된 상태로 학습을 시작하고, 자료가 바르게 조직되어 있다면, 유의미한 학습이 이루어질 수 있다.

수용 학습은 수동적인가?

Ausubel은 적절한 조건이 조성되어 있다면 수동적이지 않다고 말한다. 강의 또는 다른 설명식 교수 중에 청취자 또는 관찰자는 매우 적극적인 반응을 보일 수 있다. 자신의 고유한 인지 구조에 관련 자료를 연계시키고, 선행 조직자가 이 구조 내에서 일시적인 비계를 제공할 때 그렇다. Ausubel은 학습자가 자료와 씨름하는 것에 대해 언급한다. 다른 각도로 자료를 보고, 유사하거나 모순적인 정보를 받아들이며, 마침내 참고자료와 전문용어에 대한 자신의 고유한 틀로 자료를 해석한다. 이런 과정은 자동적으로 일어나지 않는다.

정보 조직하기: 교과목과 인지 구조

Ausubel에 따르면, 내용이 조직되는 방식과 사람들이 생각(인지 구조) 속에 정보를 조직하는 방식 간에는 유사한 점이 있다. Ausubel은 각 교과목이 위계적으로 조직되는 개념 구조(명제)를 가지고 있다고 밝히고 있다(Ausubel, 1963, p. 18). 이는 각 교과목의 상위에, 매우 광범위하고 추상적인 개념이 있고, 하위 단계에는 보다 구체적인 개념이 있다는 것을 의미한다. 그림 9.1은 경제학 과목의 위계적 구조를 나타내는 것으

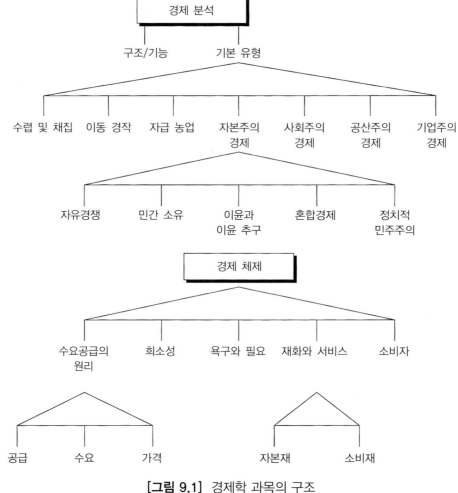

[그림 9.1] 경제학 과목의 구조

출처: Based on Clinton Boutwell, *Getting It All Together*(San Rafael, CA: Leswing Press, 1972).

로, 피라미드의 상단에 보다 추상적인 개념이 자리잡고 있다.

Jerome Bruner(1961)와 마찬가지로 Ausubel은 각 교과목의 구조적 개념을 학생들에게 가르칠 수 있다고 믿고 있다. 구조적 개념은 정보처리 체제 역할을 하면서 학생들이 특정 분야를 분석하고 이 분야 내의 문제를 해결하는 데 사용할 수 있는 지적 지도가 된다. 예를 들어, 학생들은 경제적 관점에서 사건을 분석하기 위해 경제 개념을 사용할 수 있다. 농장, 식료품점, 평범한 가계, 증권사에서의 활동을 묘사한 비디오 사례를 제시한다고 가정해 보자. 각 사례는 많은 정보를 담고 있다. 학생들은 다양한 활동에 참여하는 사람들을 보고, 많은 행동들을 관찰하고, 여러 대화를 듣는다. 만약 학생들이 이들 사례에 대해 경제 분석을 한다면, 수요와 공급, 욕구와 필요, 재화와 서비스, 소비자와 생산자 등과 같은 개념을 기준으로 사람들의 행동과 활동을 분류할 것이다. 이들 개념은 여러 방식으로 도움이 된다. 학생들은 각 사례가 차이를 보이면서도 근원적인 공통점이 있다는 사실을 발견하면서, 많은 양의 자료를 이해할 수 있게 되고, 4건의 각 사례를 비교할 수 있게 된다.

Ausubel은 인지 구조를 교과목의 개념적 구조에 비교할 수 있는 정보처리 및 정보 저장이라고 묘사한다. 인지 구조는 교과목처럼 위계적으로 조직된 아이디어군으로, 정보와 아이디어의 정착을 돕고, 정보와 아이디어의 저장고 역할을 한다. 그림 9.2는 경제학 과목의 위계적 인지 구조를 보여 준다. 음영 처리된 원이 나타내는 개념이 가장 포괄적이다. 이 개념들은 '학습되어' 왔고 학습자의 인지 구조에 존재하고 있는 것으로 전제된다. 빈 원이 나타내는 개념은 잠재적으로 유의미하다. 왜냐하면 기존 개념과 연계될 수 있기 때문이다. 검은색 원은 잠재적으로 유의미하지 않다. 왜냐하면 적절한 정착이 인지 구조에서 아직 일어나지 않았기 때문이다. 이 정보처리 체제는 새로운 정보와 아이디어를 획득할 때, 새로운 아이디어에 동화되는 방향으로 재조직된다. 따라서 이 시스템은 계속 변화하고 있는 중이다.

Ausubel은 새로운 아이디어가 유용하게 학습될 수 있으며, 이미 획득된 개념 또는 관념적 닻을 제공하는 명제와 관련될 수 있는 한도 내에서만 유지된다는 입장이다. 만약 새로운 자료가 기존 인지 구조와 너무 강하게 충돌하거나, 아무런 연결고리가 없을 정도로 관련이 없다면, 정보 또는 아이디어는 통합이나 유지가 이루어지지 못할 수 있다. 이러한 일이 일어나지 않게 하려면 교사는 학습 자료를 차례로 배열해야 하며, 관념적 닻이 제공되는 방식으로 자료를 제시해야 한다. 또한 학습자는 새로운 자료에 대해 적극적으로 사고해야 하며, 연결고리를 통해 생각해야 하고 차이 또

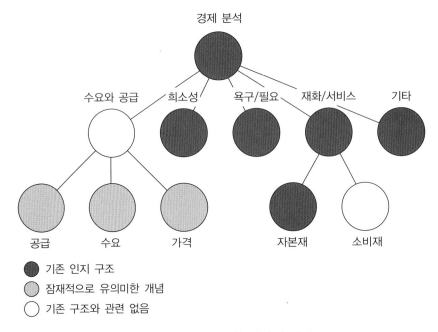

[그림 9.2] 경제학에 대한 개인의 인지 구조

출처: Based on Clinton Boutwell, *Getting It All Together*(San Rafael, CA: Leswing Press, 1972).

는 불일치를 조화롭게 수용하고, 기존 정보와의 유사성에 주목해야 한다.

교육과정에 미치는 영향

교과목과 인지 구조에 대한 Ausubel의 생각은 교육과정과 수업 절차를 짜는 데 중요하고 직접적인 함의점을 갖는다. 그는 두 가지 원리, 즉 점진적 변별과 통합적 조화를 이용하여, 학생의 인지 구조 내에 일부로서 개념들이 자리잡을 수 있도록 돕는 내용의 구조화를 설명했고, 학생의 그러한 인지적 역할을 설명했다.

점진적 변별이란 해당 학문의 가장 일반적인 아이디어를 먼저 제시하고, 다음 점차적으로 더 세밀하고 구체적으로 나아가는 것이다. 통합적 조화란 새로운 아이디어들이 의식적으로 이전에 배운 내용과 연결되어야 한다는 뜻이다. 다시 말해, 교육과정의 순서를 각 연속된 학습이 앞에 나온 내용과 주의깊게 연결되도록 짜는 것이다. 모든 자료가 점진적 변별의 원리에 따라 개념화되어 제시된다면, 학습자의 적극적인 노력과 함께, 통합적 조화가 자연히 따라올 것이다. 점차적으로, 두 원리에 따라 학습자의 생각에 교과 내용이 자리잡게 되는 것이다.

교과 내용과 수업의 순서가 위에서 아래로 가는 하향식으로 이뤄지고, 가장 포괄적인 개념, 원칙, 명제가 처음에 제시된다. Ausubel은 많은 교과서들이 각 주제를 모두 같은 수준의 추상성과 일반성을 갖는 별개의 장으로 구분하고 있다고 지적한다. 따라서 "대부분의 경우, 학생들은 수용할 수 있는 적절한 수준에서 관련된 하위 개념을 학습하기도 전에, 새롭고 낯선 교과목들의 세부사항들을 배워야만 하는 것이다."(Ausubel, 1968, p. 153).

언뜻 보기에, 주요 아이디어를 먼저 제공하고 다음 점차적으로 하위 아이디어들을 제공하는 것은 귀납 모형, 개념 획득 모형, 과학적 탐구 모형과 반대되는 듯 보인다. 하지만, 개념 형성에 초점을 두고 있고, 학생이 개념들과 정보들을 연결하는 데 적극적으로 관여한다는 점에서 큰 유사점이 있다. 또한 교육과정에 있어서 교사는 아이디어 구성을 아이디어 제시로 대체할 수 있다.

교수에 대한 함의점

선행 조직자(advance organizer)는 인지 구조를 강화하고 새로운 정보의 파지를 향상시킨다. Ausubel은 선행 조직자를 학습 과제 이전에 제시하는, 그리고 학습 과제 자체보다 더 높은 추상성과 포괄성의 수준에서 제시하는 초기 자료라고 설명한다. 선행 조직자의 목적은 학습 과제에 대한 자료를 이전에 학습한 자료와 연관시키고, 통합하여 설명하는 데 있다(또한 학습자가 새로운 자료와 이전에 학습한 자료를 구분하게 돕는다)(Ausubel, 1968, p. 148). 가장 효과적인 조직자는 학습자들에게 이미 익숙한 개념, 용어, 명제들을 이용하는 적절한 그림이나 비유 같은 것이다.

예를 들어, 교사가 현재의 에너지 문제에 대한 정보들을 학생들이 습득하기를 원한다고 하자. 교사는 가능한 전력 원천, 미국 경제 성장 및 기술에 대한 일반적 정보, 에너지 위기와 미래 계획에 대한 대안적 정책들에 관한 데이터 등을 포함한 학습 자료를 제공한다. 학습 자료는 신문 기사, 강의, 혹은 영화의 형태를 띤다. 학생들의 학습 과제는 정보를 내면화하는 것이다. 즉, 중심 아이디어와 중요한 사실들을 기억하는 것이다. 그러나 교사는 학생들에게 학습 자료를 소개하기 전에, 선행 조직자의 형태로 초기 자료를 제공하여 학생들이 새로운 자료에 공감할 수 있게 한다.

이 사례에서, 에너지의 개념을 조직자의 기초로 이용할 수 있고, 에너지 효율성, 에너지 절약 같은 관련 개념들은 보조 조직자가 될 수 있다. 혹은 생태계의 개념과, 환경, 경제, 정치, 사회 구조 등과 관련된 다양한 하위 체제가 다른 조직자로 사용될 수 있다. 이 두 번째 조직자들의 묶음은 학생들의 주의를 옛 에너지 원천 및 새로운 에너지 원천이 생태계의 하위 체제들에 미치는 "영향"에 쏠리게 하고, 첫 번째 조직자들의 묶음은 학생들이 에너지 효율성과 에너지 절약을 고려하면서 데이터를 이해하도록 도울 것이다.

조직자는 그 자체로 중요한 내용이고, 학생들에게 가르칠 필요가 있다. 조직자는 개념이나 관계의 진술이 될 수 있다. 교사들은 시간을 들여 조직자를 개발하고 설명해야만 한다. 이는 조직자가 완전히 이해되어야지만 이후 제시되는 학습 자료를 잘 조직화할 수 있기 때문이다. 예를 들면, 학생들은 교사가 문화의 개념을 이용하여 여러 문화 집단에 대한 사실적 정보들을 제시하기 전에 "문화"라는 개념을 이해해야만 한다. 선행 조직자들은 일반적으로 주요 개념, 명제, 일반화, 원칙, 학문의 법칙들에 기초를 둔다. 예를 들어, 인도의 카스트 제도를 설명하는 수업에서 사회 계층이라는 개념을 기초로 한 조직자를 제공할 수 있다. 이와 유사하게, "기술적 변화는 사회와 문화에 주요 변화를 유발할 수 있다."라는 일반화는 여러 역사적 기간 및 장소의 연구에 앞서는 조직자의 기초가 될 수 있다.

대개, 조직자는 그 뒤에 나오는 학습 자료와 긴밀히 연결되어 있다. 그러나 조직자는 다른 분야에서 새로운 관점을 제공하기 위해 사용한 비유에서 만들어질 수도 있다. 예를 들어, 균형이나 형태 같은 개념은 예술에서는 일반적이지만 문학, 수학, 정부의 입법부, 사법부, 행정부의 기능, 심지어 우리의 일상 활동에까지 적용할 수 있다. 교회에 대한 연구도 많은 다른 조직자의 분류 아래에서 볼 수 있다. 즉, 교회가 경제에 끼치는 영향에 초점을 둔 조직자, 문화적 혹은 사회적 관점, 혹은 건축의 관점에 초점을 둔 조직자 등이다.

설명 조직자와 비교 조직자

선행 조직자에는 두 유형, 설명 조직자와 비교 조직자가 있다. 설명 조직자는 가장 추상적인 개념은 아닐지라도 기본적인 개념을 제공한다. *설명 조직자*는 학생들이 새로운 정보를 만났을 때 이 새로운 정보를 "걸어둘" 인지적 비계인 것이다. 설명 조직자는 특히 익숙하지 않은 자료를 이해하도록 돕는 관념적 비계를 제공함으로써 유용하다. 그러므로, 경제학의 기본 개념들은 한 도시의 경제 상황에 대해 연구하기 전에 제시될 수 있다.

반면에 *비교 조직자*는 일반적으로 비교적 익숙한 학습 자료와 함께 사용된다. 이들은 학습된 개념과 새로운 개념을 구분하여 둘 사이의 유사성으로 인한 혼란을 예방하기 위해 이용된다. 예를 들어, 복잡한 나눗셈을 배울 때, 비교 조직자를 이용하여 나누기 표와 구구단표 사이의 유사점과 차이점을 지적할 수 있다. 곱셈에서는 승수와 피승수의 자리를 바꿔도 곱이 바뀌지 않지만(3 곱하기 4는 4 곱하기 3), 제수와 피제수는 바꾸면 몫이 달라진다(6 나누기 2는 2 나누기 6과 같지 않다). 비교 조직자는 학습자가 곱셈과 나눗셈의 관계를 알게 돕고, 둘의 차이를 명확히 이해하게 돕는다. 그러면 학습자는 차이를 헷갈리지 않은 채 곱셈에 대한 지식을 빌어와 나눗셈을 배운다.

근거 자료

Ausubel과 연구자들은 Ausubel의 이론이 타당한지 알아보기 위해 다양한 연구를 실시했다. Lawton(1977a, 1977b)의 연구는 학습과 자료의 기억력에 관해서뿐만 아니라 이 이론이 논리적 작용에 영향을 줄지 모른다는 잠재성, 즉 생각하는 능력을 기르는 데 도움을 줄 수 있다는 점에서 특히 흥미롭다.

일반적으로 볼 때, Lawton의 연구들은 가르쳐 준 것은 학습될 것이다라는 개념을 지지하는 듯 보인다. 교사가 학생들에게 자료를 제시하면, 자료의 일부는 학습될 것이다. 자료를 조직적인 구조를 가지고 제시하면, 다소 더 많은 것이 학습될 것이다. 교사가 학생이 특정 사고 방식을 개발하도록 돕는 과정을 이용한다면, 그러한 사고 방식의 일부가 학습될 것이다. 따라서, 교사가 특정한 지적 구조를 제공하고 특정한 사고 과정을 요구하는 교수 모형을 이용하지 않는다면, 학생이 그러한 구조와 사고 과정을 습득하게 될 확률을 줄이는 것이다. 일반적으로 말해, (제시적 방법을 통해서든 귀납적 방법을 통해서든) *지적 구조*의 개발은 학생들이 그러한 구조와 관련된 사고 과정과 구조를 배울 가능성을 높이고, 자료를 보다 완전하게 기억할 가능성을 높인다. 이러한 영향은 후기 아동기 학생들에게 가장 강하게 나타났다. 이러한 효과는 문제 해결 행동에서 볼 수 있었는데, 학생들은 이전에 마주치지 못했던 문제를 만났을 때 그러한 지적 구조를 적용한다(Bascones & Novak, 1985; Maloney, 1994).

교수 모형

여기서 개발된 교수 모형은 주제, 인지 구조, 적극적인 수용 학습, 선행 조직자에 대한 Ausubel의 아이디어를 기초로 한 것이다.

모형의 구조

선행 조직자 모형에는 세 단계의 활동이 있다. 1단계는 선행 조직자 제시, 2단계는 학습 과제 혹은 학습 자료 제시, 3단계는 인지 구조 강화이다. 세 단계는 학습 자료와 기존의 아이디어들의 관계를 검증하여 능동적인 학습 과정을 유발한다. 표 9.1은 선행 조직자 구조를 요약하고 있다.

학습 활동들은 새로운 학습 자료의 명확성과 안정성을 높여 더 많은 아이디어들을 이해하고, 다른 아이디어와 혼동하는 경우를 줄이기 위해 설계되었다. 학생들은 자료를 받으면 새로운 학습 자료를 개인적 경험이나 기존의 인지 구조와 연결시킴으로써, 또 지식에 대해 비판적 자세를 취함으로써 자료를 학습한다.

1단계는 세 개의 활동으로 구성되어 있다. 수업 차시의 목적을 명확히 밝히고, 선행 조직자를 제시하고, 관련 선행 지식을 일깨우는 것이다. 수업의 목적을 명확히 밝

〈표 9.1〉 선행 조직자 모형의 구조

1단계: 선행 조직자 제시	수업 목표를 명료하게 제시한다. 조직자를 제시한다: 　속성에 대한 정의 찾기 　사례 제시하기 　문맥 설명하기 학습자가 선행 지식이나 경험을 떠올릴 수 있도록 단서를 제공한다.
2단계: 학습 과제 혹은 자료 제시	자료를 제시한다. 주의 집중하게 한다. 구조를 명확하게 한다. 학습 자료의 논리적 구조를 명확하게 한다.
3단계: 인지적 구조 강화	통합적 이해의 원리를 사용한다. 적극적인 수용 학습을 촉진한다. 교과 주제에 대한 비판적 사고를 명시한다. 의미를 명확하게 한다.

히는 것은 학생들을 주목시키고 학습 목표의 방향을 알려 주는 한 방법으로, 둘 다(학
생 주목시키고 학습 목표 방향 알려 주기) 의미 있는 학습을 촉진하기 위해 필요하다
(목적을 명확히 밝히는 것은 수업 계획을 세우는 교사에게도 유용하다).

앞에서 언급했듯이, 조직자는 짧고 간단한 진술만이 아니다. 조직자는 그 자체로
하나의 아이디어이고, 학습 자료처럼 지적으로 탐구되어야만 한다. 조직자는 또 수업
도입부분에서 소개하는 말과 구별되어야 한다. 소개하는 말은 수업에서 유용하지만,
선행 조직자는 아니다. 예를 들어, 많은 교사는 가르칠 때 학생들에게 지난 주 혹은 지
난 해에 무엇을 했는지 상기해 보라고 하면서, 혹은 학생들에게 내일 무엇을 할 것인
지 말해 줌으로써 수업을 시작한다. 이렇게 함으로써, 교사는 학생들에게 교사의 설
명을 위한 맥락이나 방향성을 제공한다. 혹은 교사는 학생들에게 개인적인 경험을 상
기해 보라고 하고 그 다음 교사가 하려는 이야기가 그 상황과 비슷하거나 학생이 이
전에 한 경험을 이해하게 도와줄 것이라는 점을 말한다. 교사는 또 학생들에게 수업
의 목적을 말해 줄 수 있다. 즉, 학생들이 설명이나 토의에서 얻어 가기를 교사가 희망
하는 바가 무엇인지를 말해 줄 수도 있다. *지금 설명한 기법들은 어느 것도 선행 조직
자가 아니다.* 그러나 이들 모두 잘 조직된 제시의 일부이고, 또 몇몇은 Ausubel의 의미
있는 구두 학습 이론에 중심적인 원칙들을 반영하고 있어 교수 모형의 일부이다.

그러나 실제로 조직자는 주요 개념이나 학문의 명제, 혹은 연구 분야를 중심으로
구축된다. 첫째, 조직자는 학습자가 그것을 그것 자체로 인식할 수 있게 구성되어야
만 한다. 조직자는 학습 과제 그 자체에 들어 있는 자료와 뚜렷이 구분되면서 더 포괄
적인 아이디어이다. 조직자의 주요 특징은 학습 자료보다 더 높은 수준의 추상성과
일반성을 가지고 있다는 점이다. 더 높은 이 추상성이 조직자를 수업 도입부분의 개
관과 구분시킨다. 도입에서의 개관은 사실 학습 자료의 간단한 소개이기 때문에 학
습 자료와 동일한 수준의 추상성에서 제시된다.

둘째, 조직자는 설명 조직자든 비교 조직자든, 그 개념이나 명제의 본질적 특징들
을 지적하고 주의깊게 설명해야만 한다. 그러므로, 교사와 학생들은 학습 과제뿐만
아니라 조직자도 탐구해야만 한다. 교사에게 이것은 본질적인 특징들을 열거하고, 이
들 특징을 설명하고, 예들을 드는 것을 의미한다. 조직자에 대한 제시는 장황하게 길
게 할 필요가 없지만, 학습자가 조직자를 인식하고, 명확히 이해하고, 조직자는 조직
하고 있는 자료와 계속적으로 관련되어야만 한다. 이것은 학습자가 조직자의 언어와
조직자에 담긴 아이디어에 이미 익숙해 있어야만 한다는 의미이다. 여러 맥락에서

조직자를 설명해 주고, 여러 번 반복해서 설명하는 것도 도움이 된다. 특히 새로운 용어나 특별한 용어는 여러 번 반복해 설명한다. 마지막으로, 이 학습 과제 및 조직자와 관련 있을 수 있는 학습자의 이전 지식 및 경험을 일깨우는 것이 중요하다.

1단계에서 선행 조직자를 제시한 후 2단계에서는 학습 자료를 강의, 토의, 영화, 실험 혹은 읽기 형식으로 제시한다. 자료를 설명하는 동안 학습 자료의 조직을 학생들이 명확하게 이해하게 해서 학생들이 전체적인 방향을 감지하고, 자료의 논리적 순서를 알고, 조직이 선행 조직자와 어떻게 연관되는지를 알게 할 필요가 있다.

3단계의 목적은 새로운 학습 자료를 학생들의 기존 인지 구조에 자리잡게 하는 것이다. 즉, 학생들의 인지 조직을 강화하는 것이다. 교수의 자연스런 흐름에서, 이들 절차의 일부는 2단계에 통합될 수도 있다. 그러나 교사에게 그 새로운 학습 자료는 그 자체와 관련한 활동들과 기능들을 요구하는 별개의 교수 과제이다. Ausubel은 네 개의 활동을 구분하고 있다. (1) 통합적 조화를 증진한다. (2) 적극적 수용 학습을 증진한다. (3) 주제에 대해 비판적 접근방식을 끌어낸다. (4) 뜻을 명확히 밝힌다.

새로운 자료를 기존 인지 구조에 조화롭게 통합되도록 촉진하는 방법은 여러 가지이다. 교사는 (1) 학생들에게 아이디어를 상기시키고, (2) 새로운 학습 자료의 주요 특징들을 요약하라고 요청하고, (3) 정확한 정의를 반복해 말하고, (4) 자료의 여러 측면들 사이의 차이점을 말해 보라고 하고, (5) 학생들에게 학습 자료가 어떻게 조직자로 이용되는 개념이나 명제를 뒷받침하는지를 설명해 보라고 할 수 있다.

활동적 학습(active learning)은 (1) 학생들에게 새로운 자료가 어떻게 조직자와 연관되는지를 설명해 보라고 하고, (2) 학생들에게 학습 자료에 담긴 개념이나 명제의 추가적인 예를 들어 보라고 하고, (3) 학생들에게 자신들의 용어와 준거 틀을 이용하여 소재의 본질을 말해 보라고 하고, (4) 학생들에게 다른 관점에서 자료를 살펴보라고 함으로써 증진할 수 있다.

지식에 대한 비판적 접근방식은 학생들에게 학습 자료에 담긴 가정들이나 추론들을 알아내고, 이들 가정과 추론이 옳다 그르다 판단하고 이의를 제기하고, 또 이들 가정과 추론 사이의 모순을 조화롭게 어우러지게 해 보라고 하면 촉진된다.

한 차시 안에서 이 모든 기법을 이용하는 것은 가능하지 않고 바람직하지도 않다. 시간의 제약, 소주제, 특정 학습 상황과의 적절성에 따라 이들 기법을 사용해야 한다. 그러나 이 단계의 네 가지 목표와 효과적인 설명적 교수를 위한 구체적인 기법들을 염두에 두는 것은 중요하다.

이상적으로는, 3단계의 시작은 교사와 학생들이 공유해야 한다. 그러나 처음에는 교사가 학생들이 소주제의 일부분에 대해 명확히 모를 때 이를 명확히 밝혀 주고, 학생들이 새로운 자료를 기존 지식에 통합할 수 있게 해 준다.

본질적으로, Ausubel은 교사들에게 설명 능력을 향상시킬 뿐만 아니라 학생들이 설명에서 학습하는 능력도 향상시키는 방법을 제공했다. 교사가 학생들을 적극적으로 학습하도록 가르치면 가르칠수록(짜임새를 주는 아이디어들을 찾고, 정보와 아이디어들을 조화시키고, 학생들 자신의 조직자를 생성하고(읽거나 보면서 귀납적 활동을 함)), 학생들이 설명에서 이득을 얻게 될 가능성은 더욱 커진다.

그런데, 아이디어를 구조화하는 것은 개념 획득으로 설명될 수 있을까? 물론 가능하다.

사회적 체제

이 모형에서, 교사는 지적 구조를 통제하고자 한다. 이는 지적 구조의 통제가 계속적으로 학습 자료를 조직자에 결부시키고, 학생들이 이전에 배운 자료와 새로운 자료를 구분할 수 있도록 돕는 것이기 때문이다. 그러나, 세 번째 단계에서 학습 상황은 질문과 발언을 많이 하는 학생들과 함께일 때 훨씬 더 많은 상호작용이 일어나므로 이상적이다. 자료 습득의 성공 여부는 이전 지식과 자료를 통합하려는 학습자의 노력, 비판적 능력, 교수자의 설명과 자료의 조직 등에 달려 있다.

반응의 원리

학습자의 반응에 대한 교사의 응대는 새로운 학습 자료의 의미를 명확하게 하고, 새로운 학습 자료와 기존의 지식을 조화시키거나 변별하려는 목적, 그 자료를 학생 개인에게 관련 있는 것으로 인식시키고, 지식에 대한 비판적 접근을 유도하려는 목적에 의한 것이다. 학생들이 자신의 인지 구조에서 의미화하는 과정에서 나타나는 질문을 먼저 시작하는 것이 이상적이다.

지원 체제

잘 조직된 자료는 이 모형의 중요한 필요조건이다. 선행 조직자의 효과성은 개념 조직자와 내용 간의 필수적이고 적절한 관계에 달려 있다. 이 모형은 수업 자료를 조직하는 지침을 제공해 준다.

적용

선행 조직자 모형은 특히 구조가 확장된 교육과정 혹은 과목에 유용하며, 학생들에게 학문 분야의 핵심 개념을 체계적으로 가르칠 때 유용하다. 학기 말로 갈수록 주요 개념과 명제들은 설명되고 통합되며, 학습자들은 학습한 전체 분야에 대한 시각을 획득하게 될 것이다. 또한 교사들은 핵심 개념에 의해 설명되고 연결되는 실제적 정보에 대한 학습자의 이해도가 향상될 것을 기대할 것이다. 예를 들어, 사회화의 개념은 다른 문화와 하위문화의 사회화 양상을 반복적으로 학습함으로써 도출될 수 있다. 따라서 이러한 선행 조직자는 문화에 대한 학생들의 지식을 확장하는 데 도움을 줄 수 있다.

이 모형은 또한 효과적인 반응 학습의 전략을 가르치는 데 사용될 수 있다. 정돈된 사고와 지식 위계의 개념으로 직접적인 수업을 받는 학습자들에게 비판적 사고와 인지적 재편성이 설명될 수 있다. 궁극적으로, 그들은 이러한 기술을 새로운 학습에 독립적으로 적용할 수 있다. 다시 말해, 이 모형은 읽기나 영화 감상, 또는 그 밖에 "반응" 활동들의 효과를 향상시킬 수 있다.

다른 모형들은 또한 선행 조직자에 의해 만들어진 자료를 적용하고 평가하는 데 유용하다. 예를 들면, 연역적이고 설명적인 방법으로 새로운 자료를 소개하는 선행 조직자 모형 뒤에, 자료를 강화하거나 비공식적으로 학생의 자료에 대한 지식 습득을 평가하는 귀납적 개념 획득 활동이 이어질 수 있다.

교수적, 육성적 효과

이 모형이 가질 수 있는 교수적 가치는 분명하다. 이 모형은 학생에게 정보를 제시할 때뿐만 아니라, 학생이 조직자를 학습하는 그 자체인 것이다. 탐구에 대한 흥미와 세심하게 사고하는 습관뿐만 아니라, 읽기와 강의, 그리고 교사의 내용 전달에 사용된 매체들을 통해 학습하는 능력도 또 다른 효과라고 할 수 있다(그림 9.3).

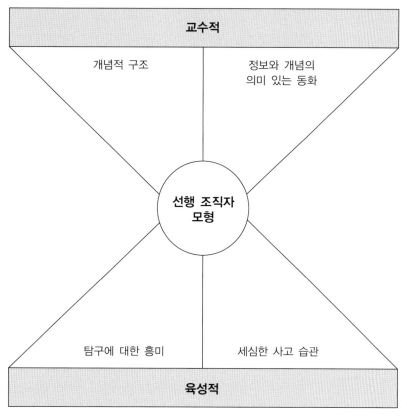

[그림 9.3] 선행 조직자 모형의 교수적, 육성적 효과

요약 도표 선행 조직자 모형

모형의 구조

- *1단계: 선행 조직자 설명하기. 수업의 목적을 명료하게 하기. 설명 조직자. 학습 자의 관련 지식 및 경험 인지 촉진하기*
- *2단계: 학습 과제 및 자료 설명하기. 자료 설명. 학습 자료의 논리적 순서 명확 히 하기. 자료와 조직자 연결하기*
- *3단계: 인지적 조직 강화하기. 생각 명료하게 하기. 적극적으로 개념 적용하기 (시험 등을 통해)*

사회적 체제

사회적 체제는 교사와 학습자 간의 적극적 협력을 필요로 하며 고도로 구조화되어 있다.

반응의 원리

1. 의미화에 대한 협상

2. 조직자와 학습 자료의 대응적 결합

지원 체제

모형은 풍부한 정보와 잘 조직된 자료를 요구한다(*주의*: 상당수의 교과서가 개념적으로 조직된 자료를 포함하지 않고 있다. Britannica가 좋은 예시가 되어 줄 것이다.

제10장

탐구 훈련 모형

직접적으로 탐구 기능 훈련하기

어떤 특정 수업과 연습에 요구되는 가장 고차원적 20세기 기능일지라도,
일반적으로 저차원적 기능의 훈련과 관련된다.

— 사색적 관찰자

| 핵심 아이디어 |

독서는 생각하는 것이다. 개념 형성에는 생각이 요구된다. 갈등 해결에도 생각이 요구된다. 우리는 왼쪽이든 오른쪽이든 어느 정도 관련성을 인지하지 않으면 갈등상황에서 무엇도 할 수 없다 그러면, 학생들에게 사실 관계를 확인하고, 인과적 관계를 찾음으로써, 문제상황을 해결하는 법을 가르쳐 볼까?

▒▒ 시나리오 ▒▒

어느 날 아침, Nikki Harrison 선생님의 4학년 학생들이 수학 활동지를 준비하고 있을 때 Nikki 선생님 책상의 백열전구가 꺼졌다.

"무슨 일이지?" 한 학생에게 물었다.

"못 봤어?" 다른 학생에게 말했다. "전구가 꺼졌어."

"네." 첫 번째 학생에게 물었다. "근데 이게 무슨 의미지?"

"'무슨 의미?'라니요?"

"방금 우리는 많은 전구가 꺼지는 것을 봤어. 근데 이게 정말 무엇을 의미하지? 무슨 일이 일어난 거지?"

Nikki 선생님은 전구를 분리하여 높이 들어올렸다. 학생들이 주위에 모였고, 선생님은 전구를 학생들에게 건네주었다. 선생님이 전구를 돌려받은 다음에 말했다. "자, 너희가 어떤 일이 일어났는지에 대한 가설을 설정할 수 있다면, 한번 보자."

"유리 안에 무엇이 있어요?" 한 학생이 물었다.

"그 질문에는 대답할 수 없을 것 같은데요." 선생님이 대답했다. "다른 방식으로 말해 볼까요?"

"유리 안에 공기가 있나요?" 한 학생이 물었다.

"아니." Nikki 선생님이 대답했다.

"유리 안은 진공상태인가요?"

"오래전에 어떤 것들은 그런 식으로 만들어졌지. 하지만 요즘에 만들어진 것들은 아니야."

"안에 가스가 있나요?" 다른 학생이 물었다.

"맞았어요." Nikki 선생님이 대답했다. 아이들은 어리둥절하며 서로를 쳐다보았다.

선생님은 "너희들은 아마도 왜 그 속에 공기가 없는 상태로 만들어지는지 배워 보고 싶을 거야."라고 거들었다.

"배워 볼까?" 한 남학생에게 물었고, 학생들은 모두 기뻐서 나지막히 탄성을 질렀다. "좋아요. 좋아요." 그 학생은 말했다. "나는 네, 아니오 질문을 하지 않았어요."

Nikki 선생님은 그 아이에게 미소 지었다. "그럼, 나에게 다른 질문을 해 볼까?"

"전구가 정말 뜨거워요. 그렇지 않아요?"

"맞아요."

"만약 안에 공기가 있다면, 불이 날 만큼 뜨거워요?"

"네."

"그럼 이 안에 들어 있는 (특정 종류) 가스는 열의 영향을 받지 않아요?"

"그렇지." Nikki 선생님이 말했다.

"작은 철사는 무엇으로 만들어졌어요?" 다른 학생이 물었다.

"그 질문에는 대답할 수 없지요." Nikki 선생님이 상기시켜 주었다. "다른 방식으로 질문해 볼까요?"

"작은 철사는 금속으로 만들어졌나요?"

"맞아요." 그녀가 대답했다.

이러한 질문을 하면서 아이들은 점차 전구와 전기가 어떻게 불빛을 만드는 것과 관련되는지에 대한 정보를 얻게 된다.

이제 Nikki 선생님은 탐구(inquiry) 과정을 끌어들인다. 학생들은 질문 목록을 만들고, 분류하고, 그들의 탐구 팀에 할당한다. 그리고 인터넷으로 향한다. 선생님은 위키피디아(Wikipedia)에서 얻은 정보는 브리태니커(Britannica)나 다른 백과사전에서 점검해야 함을 상기시켰다. 또한 선생님은 학생들이 다른 어떤 사이트에서 정보를 얻었는지에도 관심이 있다고, 학생들은 선생님이 학교 도서관, Nova, 공중파 텔레비전의 정보 및 의회 도서관에 방문해 볼 것을 당부한 것을 알고 있다.

Nikki 선생님은 우리가 *탐구 훈련*이라 부르는 교수-학습 모형을 적용한 수업을 준비했다. 일반적으로 수업에서 탐구 훈련은 미리 정해진 영역을 탐구하기 위해 사용된다. 즉, Nikki 선생님은 탐구를 자극하기 위해서 수업의 단원을 조직하고 어리둥절한 상황을 고르거나, 학생들은 탐구를 위해 어리둥절한 것을 확인한다. 이번 사례에서는 익숙한 사건이 학생들을 움직이게 했다—아이들은 일전에 전구가 꺼졌을 때, 왜 그렇게 된 것인지에 대해 생각해 본 적이 없다. 이와 같이, 학생들은 아직 그들에겐 어리둥절한 주변 사건에 대한 이론들을 형성하기 위해서 탐구 훈련의 기술을 사용한다. 학생들의 탐구 과정에서는 더 많은 어리둥절한 것들이 나타날 것이다. 그리고 전기 에너지가 불빛으로 (나머지는 열로) 전환되는 것에 대해서는 약 10% 정도밖에 알지 못했지만, 학생들은 또한 그들의 탐구 과정에서 과거에 백열 전구를 법적으로 허용했던 것에 대한 질문들을 연결시킨다. 호주에서는 2009년에 백열 전구를 대체하기 위한 법률이 통과되었다. 그러나 무엇으로 대체할 것인가? 학생들은 또 다른 탐구 과정을 시작하는 것이다.

탐구 훈련은 Richard Suchman(1981)이 학생들에게 비일상적인 현상을 조사하고 설명하는 과정을 가르치기 위해 만들었다. Suchman의 모형은, 학생들이 학자들이 사용하는 과정의 축소판을 통해서 지식을 조직하고 원리를 생산하게 한다. 과학적 방법 측면에 기초하여 학생들에게 학술적 탐구의 기능과 언어의 일부를 가르치기 위해 시도된다. Suchman은 특히 자연과학 분야의 창의적 연구원의 탐구방법을 분석하여 모형을 개발했다. 그는 탐구 절차의 요소를 확인하고 이를 *탐구 훈련*이라 불리는 교수 모형에 적용했다. 특히 "스무고개" 놀이를 차용했다.

근거 자료

탐구 훈련은 단기간에 과학적 절차를 압축하는 연습을 통해서 학생들이 직접적으로 과학적 절차를 이끌도록 설계되어 있다. 효과는 무엇인가? Schlenker(1976)는 탐구 훈련이 과학의 이해, 창의적 사고의 생산성, 정보 획득 및 분석력을 증진시킨다고 보고했다. 이전의 전통적인 정보 습득 수업방법보다 더 효과적일 뿐만 아니라, 암송이나 실험실 경험을 동반한 강의만큼 효과적이었다. Ivany(1969)와 Collins(1969)는 이 방법이 학생들이 주제를 탐색하기 위해 사용하는 자료가 교수적인 것이고, 자극에 대해 지적으로 직면하고자 하는 동기가 분명하며, 인지적인 혼란스러움을 유발할 경우 가장 효과적이라고 보고했다. 이 모형은 초등학교와 중학교 학생들 모두에게 효과적이다(Voss, 1982). 한 가지 흥미로운 연구는 Elefant(1980)가 청각장애 아동들에게 이 모형을 성공적으로 적용한 사례로, 이는 이 모형이 심각한 감각기관 장애를 가진 학생들에게도 효과적일 수 있음을 시사한다.

모형 소개

목표와 가정

탐구 훈련은 독립적 학습자의 개발에 대한 신념으로부터 출발한다. 탐구 훈련의 방법은 활동적이고 조사중심의 탐구를 요구한다. 아이들은 호기심이 많고 성장하기를 열망한다. 탐구 훈련은 이러한 아이들의 태생적인 활동적 탐구열을 이용하며, 그들이 새로운 영역을 효과적으로 탐험할 수 있도록 일정한 방향성을 제공한다. 중요한 목표는 학생들이 질문을 만들고 정답을 찾아 나가기 위해 필요한 지적인 훈련과 기술을 발전시킬 수 있도록 돕는 것이다. 그러므로 Suchman은 학생들이 독립적이지만 통솔된 방식으로 탐구하도록 돕는 일에 관심이 있었다. 그는 학생들이 탐구를 수행하고 논리적으로 정보를 수집하고 처리하며 왜 그 사건이 발생했는지 질문하기를 원했다. 또한 그는 학생들이 왜 그 상황이 발생했는지를 밝혀 내는 데 사용할 수 있는 일반적인 지적 전략을 개발시키기를 희망했다.

탐구 훈련은 학생들에게 이해되지 않는 혼란스러운 사건에 대해 제시하는 것에서 시작된다. Suchman은 이와 같은 상황에 직면하는 개인들은 자연스럽게 이해되지 않는 상황을 해결하도록 동기부여가 될 것이라 믿었다. 이처럼 자연적인 탐구를 통해 제시된 기회는 훈련된 탐색의 과정을 가르치는 데 사용할 수 있다.

더욱 중요한 점은, 학생들이 점점 더 탐구 과정을 인식하게 되고, 결국 과학적 과정에 대해 직접적으로 배우게 된다는 점이다. 우리 모두는 자주 직관적으로 탐구한다. 그러나 Suchman은 우리가 그것들을 의식하지 않고는 우리의 생각을 분석하고 개발시킬 수 없다고 생각했다. 초인지에 대한 인식은 탐구 과정의 필수적인 과정이다.

> 모든 분야의 현재 핵심 교과과정 서류와 동일하게, 학생들은 모든 지식이 일시적이라는 태도를 가질 필요가 있다. 하지만 일시적이라는 말이 쓸모 없다는 말과 동일한 뜻은 아니다. 50년 전에 만들어진 Suchman의 이론이 현재까지 유효성을 가지는 것을 고려해 보라.

학습 과정 내에서 학생들의 관점

학습 과정 안에서 학생들의 역할을 지배하는 다섯 가지 신념이 있다.

1. 학생들은 이해되지 않으면 자연스럽게 탐구한다.
2. 학생들은 그들의 사고 전략에 대해 깨닫고 분석하는 법을 배운다.
3. 새로운 전략들은 직접적으로 가르쳐질 수 있으며, 학생들이 가지고 있는 전략들에 더해진다.
4. 협력적 탐구는 사고를 확장시키고 지식이 잠정적이고 돌연히 나타날 수 있는 성질을 갖는다는 점을 학생들이 배울 수 있도록 도우며, 대안적 설명을 인식할 수 있도록 한다.

교수 전략 개요

인간이 자연적으로 탐구하고자 하는 동기가 있는 존재들이라는 Suchman의 믿음에 따라, 탐구 훈련 모형은 지적인 직면을 기반으로 만들어졌다. 학생들은 이해되지 않는 상황에 대해 탐구한다. 기이하고 예상되지 않으며 알려지지 않은 어떠한 것이라도 모순되는 사건의 자료로 사용될 수 있다. 최종 목표는 학생들이 새로운 지식을 창조하는 경험을 갖는 것이기 때문에, 지적인 '직면'은 발견 가능한 개념에 기초해야만 한다.

다음 예시는 금속 조각을 불길 위에 두어 탐구의 순환을 시작한다.

이 가늘고 긴 조각은 다른 금속 조각(강철이나 놋)과 다르게 적층 구조물로 만들어져 하나의 날을 만들기 위해 용접되었다. 한쪽 끝에 손잡이가 있어 좁은 칼이나 주걱과 같은 모양을 하고 있다. 이 조각이 열을 받을 때, 안에 들어 있는 금속이 확장되는데, 두 금속 간에 확장되는 정도가 다르다. 결과적으로 적층 날 두께의 반은 다른 한쪽보다 약간 더 길어진다. 두 금속이 서로 붙어 있어 결국 내부의 힘이 날이 가장 많이 확장된 금속이 바깥을 둘러싸고 있는 곡선의 형태를 띠게 만들었다(Suchman, 1981, p. 28).

Suchman은 의도적으로 충분히 놀라운 결과를 보여 주어 학생들이 그것을 마주했을 때 절대로 무관심하게 있을 수 없는 사건을 선택했다. 보통 열을 받은 물체는 커다란 곡선으로 휘지 않는다. 이 금속 조각이 구부러졌을 때 학생들은 자연적으로 왜 그러한지 알고 싶어진다. 학생들은 명백하게 해결책을 찾을 수 없다. 그들은 반드시 상황에 대한 설명을 해야 하고 이 과정의 결과물은 새로운 시각, 개념, 이론이다.

이해되지 않는 상황을 제시받은 후, 학생들은 선생님에게 질문을 한다. 그런데, 이 질문들에 대한 답은 반드시 예/아니오여야 한다. 학생들은 아마 교사에게 그들에게 현상에 대해 설명해 달라고 요청하지 않을 것이다. 그들은 문제를 풀기 위해 그들의 가설에 집중하고 구조화해야 한다. 이러한 맥락에서 각각의 질문들은 제한된 가설들이 된다. 그러므로 학생들은 "어떻게 열이 금속에 영향을 끼쳤죠?"라고 질문하지 않을 것이다. 반드시 "열이 금속의 용해점보다 컸나요?"와 같이 질문해야 한다. 첫 번째 질문은 필요한 정보에 대한 구체적인 진술이 아니다. 이것은 단지 교사에게 개념화를 요청한 것이다. 두 번째 질문은 학생들에게 열, 금속, 변화, 액체와 같은 여러 요소들을 함께 고려하기를 요구한다. 학생들은 교사에게 학생들이 개발하고 있는 가설을 입증하기 위한 질문을 해야 한다(열은 금속을 액체로 변화시킨다).

학생들은 질문을 계속한다. 학생들이 예 또는 아니오로 대답할 수 없는 1단계에 있을 때, 교사는 학생들에게 규칙을 상기시켜 주고 그들이 적절한 형식의 질문을 제시하는 방법을 찾을 때까지 기다린다. "선생님이 예, 아니오로 대답할 수 있게 질문을 다른 방식으로 해 줄 수 있을까?"와 같은 언급은 학생들이 탐구방식에서 벗어나 질문했을 때 교사가 대응할 수 있는 흔한 방법이다.

시간이 지날수록 학생들은 첫 번째 단계에서의 탐구는 상황에 관한 사실들을 입증하는 단계라는 것을 배우게 된다. 즉, 사물, 사건 그리고 이해되지 않는 혼란스런 사태들을 둘러싼 조건들의 본질과 정체성을 확인하는 과정인 것이다. "그 조각은 금속으로 만들어졌나요?"와 같은 질문은 사실을 확인하도록 돕는다. 이 사례는 사물의 속성에 대한 사실을 묻는 질문이다. 학생들이 사실에 대해 인지했을 때, 가설들을 마음속에 떠올리게 되고, 더 심화된 탐구를 이어가게 된다. 학생들은 사물의 행동 지식을 사용하여 그들의 질문을 그 상황에 대한 변수들의 관계에 대한 질문으로 돌릴 수 있다. 학생들은 탐구를 언어로, 또는 실제 실험을 통해 이러한 인과관계를 검증할 수 있고, 새로운 자료를 선택하거나 기존의 자료를 새로운 방식으로 구조화했을 때 어떤 일이 벌어질지를 탐색하게 된다. 예를 들면 학생들은 "만약 내가 불을 줄이면, 구부러지는 현상이 나타날까?"와 같은 질문을 할 수 있다. 실제로 실험해 보면 더 확실해질 것이다. 새로운 조건을 집어넣거나 기존의 조건을 바꾸어, 학생들은 변인을 통제하고 그들이 어떻게 서로에게 영향을 끼치는지 알아가게 된다. .

학생들과 교사는 "그것이 무엇인지(현재 상태)"에 대한 질문과, 변인들 간의 관계를 가지고 실험하는 질문 혹은 활동들과의 차이를 인식하는 것이 중요하다. 이와 같은 질문과 활동은 이론을 발전시키는 데 필수적이지만 사실에 대한 정보 수집은 반드시 가설 설정에 앞서 일어나야 한다. 문제 상황에 대한 본질과 그것의 요소들에 대한 충분한 정보가 입증되지 않으면, 학생들은 많은 가능한 관계들에 의해 압도되기 쉽다.

만약 한 아동이 그 아이에게는 관련된 것처럼 보이는 모든 변인들에 대한 복잡한 관계들의 가설을 즉시 만들려고 한다면, 그는 눈에 띄는 진전을 보이지 않은 채 무기한적으로 계속해서 실험을 실시하게 될 것이다. 반면 변인들을 통제하고 개별적으로 그들을 실험한다면, 그는 관계없는 변인들을 제거할 수 있고 각각의 독립된 변인들 사이에 존재하는 관계에 대해 발견할 수 있을 것이다(예를 들어, 열과 날). 또한 관련된 변인에 대해서도 발견할 수 있다(이 실험의 경우, 날의 구부러짐)(Suchman, 1962, pp. 15-16).

마지막으로, 학생들은 무엇이 일어났는지에 대해 완벽하게 설명할 가설을 발전시키기 위해 노력한다(예를 들어, "그 금속은 어떤 이유로 함께 두 가지의 금속 성분으로 이루어져 있나요? 이 금속 성분들은 다른 수치로 확장되고, 열을 받았을 때 확장되는 한 금속이 다른 한쪽에 강한 압력을 주어 둘이 함께 구부러지나요?"). 길고 많은 입증과 실험활동을 실시한 후에도, 여전히 현상에 대한 많은 설명이 가능하다. 그리고 교사는 학생들이 첫 번째 설명이 사실과 맞는 것처럼 보이더라도 만족하지 않고 계속 탐구하도록 권장한다.

탐구는 설정될 수 없으며 생산적인 탐구 전략의 범위는 방대하다. 그러므로 학생들은 그들의 질문과 관련하여 탐구 과정을 구조화, 순서화시키며 자유롭게 실험해야 한다. 그럼에도 불구하고, 탐구는 대체로 폭넓은 단계로 나누어질 수 있는데, 이러한 단계들은 서로를 기반으로 하기 때문에 논리적 순서를 가지고 단순화되어 있다. 이 순서를 따르는 것이 실패한다면 잘못된 가정으로 향하거나 낮은 효과성과 두 배의 노력을 필요로 할 수 있다(Suchman, 1962, p. 38).

이 모형의 강조점은 특정 문제 상황의 내용이 아니라 탐구 과정 전체를 명백하게 인식하고 익히도록 하는 데 있다. 또한 모형은 정보를 얻고 사용하는 방식에 있어 매우 흥미롭고 효과적이어야 하지만, 교사는 주제 자체의 범위나 "올바른 답을 찾는 것"에 너무 신경을 쓰면 안 된다. 오히려 그러한 행동이 더 정확하고 모든 현상에 대한 강력한 설명을 찾으려는 학자들의 모습을 그려볼 때, 과학적 탐구의 전체적인 정신을 침해하는 것일 수 있다.

교수 모형

모형의 구조

탐구 훈련은 총 다섯 단계로 이루어진다(표 10.1). 첫 번째 단계는 학생들이 이해가

〈표 10.1〉 탐구 훈련 모형의 구조

1단계: 문제 상황 직면	탐구 과정에 대해 설명하고 학생들에게 모순되는 사건에 대해 제시한다.
2단계: 가설 입증을 위한 자료 수집	사물의 특징과 상태에 대해 확인한다. 문제 상황의 발생에 대해 확인한다.
3단계: 실험을 통한 자료 수집	관련된 변수를 통제한다. 임시적인 관계에 대해 가설을 세운다(평가한다).
4단계: 조직화, 가설 설정	규칙과 설명을 명확하게 나타낸다.
5단계: 탐구 과정의 분석	탐구 전략에 대해 분석하고 효과적인 방법을 개발시킨다.

되지 않는(puzzling) 상황에 *직면*하는 단계이다. 두 번째와 세 번째 단계는 가설 입증을 위한 *자료 수집* 단계와 *실험* 단계이다. 이 두 단계에서 학생들은 교사가 '예', '아니오'로만 대답할 수 있는 여러 질문을 한다. 또한 학생들은 문제 상황의 환경에서 여러 가지 실험을 실시한다. 네 번째 단계에서 학생들은 자료 수집 단계에서 모았던 정보들을 *조직화*하고 차이점을 설명하기 위해 노력한다. 마지막으로 다섯 번째 단계에서, 학생들은 탐구 단계에서 그들이 사용했던 문제 해결 전략에 대해 *분석*한다.

1단계는 교사가 학생들에게 탐구 과정(탐구 활동의 목적, 예/아니오 질문의 과정)에 대해 설명하고 문제 상황에 대해 제시하는 단계이다. 두 가지 금속으로 된 조각과 같이 모순되는 상황의 구성은 비록 이 전략이 퍼즐, 수수께끼 아니면 마술의 속임수와 같이 엄청난 배경지식을 요구하지 않는 상대적으로 간단한 문제에 근거한다 해도 약간의 생각을 요구한다. 물론 탐구의 궁극적인 목적은 학생들 중 특히 학년이 높은 학생들이 학자와 같이 새로운 지식을 생성하는 경험을 하는 것이다. 하지만 탐구의 시작은 매우 간단한 생각에 근거하여 이루어질 수 있다.

모순의 특징은 우리 현실의 개념과 상충되는 사건과 관련이 있다는 점이다. 이러한 관점에서 모든 혼란스러운 상황이 모두 이해되지 않는 모순적인 사건인 것은 아니다. 혼란스러운 상황은 우리가 답을 모르기 때문에 혼란스러울 것이다. 하지만 우리는 이러한 현상을 이해하기 위해 새로운 개념이 필요하지는 않다. 그러므로 우리는 탐구를 시작할 필요가 없다. 때때로 교사는 학생들에게 진정으로 이해되지 않는 혼란스러운 사건을 선택하지 않는다. 위의 사건들은, 학습 활동이 "20개 질문 구성방식" 이상의 진전을 보이지 않는다. 질문하는 활동은 그 자체로 가치 있지만 그것이 과학적 탐구의 개념을 혼란스럽게 하면 안 된다.

2단계에서, 입증 단계는 학생들이 그들이 보고 겪은 사건에 대해 정보를 수집하는 활동에 의한 과정이다. 3단계, 실험 활동은 학생들이 만약 사건이 다르게 일어났더라면 어떻게 되었을까를 보기 위해 상황에 대한 새로운 요소들을 소개하는 과정이다. 비록 탐구 모형에서 입증 단계와 실험 활동은 분리된 단계로 묘사되지만 학생들의 생각과 그들이 만들어 내는 질문의 종류는 보통 정보 수집의 두 측면 사이에서 교대로 이루어진다.

실험 활동은 두 가지 기능을 제공한다. *탐구*와 *직접적인 실험*이다. 물체를 변화시켜 어떠한 현상이 벌어지는지 보기 위한 탐구 활동은 꼭 이론이나 가설에 의해 안내될 필요는 없다. 하지만 이론을 위한 생각들을 제공할 수 있다. 직접적인 실험은 학생들이 이론과 가설을 시험해 보고자 할 때 일어난다. 가설을 실험으로 돌리는 과정은 쉽지 않고 실행되기 어렵다. 많은 입증과 실험적 질문이 단 하나의 이론을 조사하기 위해 필요하다. 심지어 수준이 높은 어른들조차 이론을 시험할 때 도움이 되는 연속적인 질문들을 생각하기보다는 단지 "여기에 무엇인가 할 수 있는 것이 있을 텐데…" 와 같은 말을 한다. 또한 몇 가지의 이론은 하나의 실험의 근거에서 버려진다. 비록 첫 번째 실험을 지지하지 않으면 변인들을 버리고 싶어지지만 그럼으로써 실험을 잘못 인도할 수 있다. 선생님의 역할들 중 하나는 학생들이 변인들 중 하나가 실제로는 그렇지 않은데 틀렸다고 가정했을 때 학생들을 저지하는 일이다.

교사의 두 번째 역할은 학생들이 얻는 정보들의 종류를 확장시켜 줌으로써 학생들의 탐구를 넓어지게 하는 것이다. 입증 단계에서, 학생들은 물체, 사건, 상태, 속성에 관한 질문을 할 것이다. *물체*에 대한 질문은 물체의 본질이나 독자성을 확인하기 위한 것이다(예: 칼이 금속으로 만들어졌나요? 그것은 액체의 물인가요?). *사건*에 대한 질문은 행동의 발생이나 본질에 대해 확인하는 질문이다(예: 칼은 두 번째에 위로 구부러졌나요?). *상태*에 대한 질문은 특정 시간에 물체의 상태나 체제에 대한 것과 관련이 있다(예: 날은 교사가 그것을 들어올리고 날이 구부러지는 것을 보여 주었을 때 방의 온도보다 뜨거웠나요? 액체가 더해졌을 때 날의 색깔이 바뀌었나요?). 속성에 대한 질문은 이론을 만들기 위해 돕는 새로운 정보를 수집하는 과정에서 특정 조건에서 물체의 행동에 대해 입증하는 것을 도와주는 질문이다(예: 구리는 뜨거워질 때 항상 구부러지나요?). 학생들이 문제의 모든 측면을 입증하려 하는 것은 아니기 때문에 교사가 필요한 질문의 종류와 질문 방식을 바꿀 수 있는 작업들에 대해 인지할 수 있어야 한다. 웹, 온라인 백과사전, 상호작용할 수 있는 칠판, 정보와 범주화의 공유를 도와주는 매체, 그리고 재범주 또한 탐구의 필수적인 부분이다.

　4단계에서 교사는 학생들에게 정보들을 조직하고 현상에 대한 설명을 만들어 보라고 한다. 몇몇 학생들은 그들이 모은 정보를 이해하는 데에서 명확한 설명을 구성하는 지적인 단계의 변화를 어려워한다. 학생들은 본질적인 세부사항들을 빼먹은 적절치 못한 설명을 하게 될 수도 있다. 가끔 같은 정보를 기반으로 여러 가지의 다양한 이론이나 설명이 나올 수도 있다. 이러한 상황에서는 학생들에게 자신들의 가설을 설명해 보라고 하는 것이 가설의 기능 범위를 명확하게 하는 데 유용하다. 모둠과 함께 문제 상황에 대한 완전한 설명을 만들어 낼 수도 있다. 마지막으로 5단계에서는 학생들에게 탐구 양식을 분석해 보라고 요청한다. 그들은 가장 효과적인 질문, 가장 생산적인 질문, 그렇지 않은 질문, 혹은 그들이 필요하고 얻지 못한 정보를 결정한다. 이 단계는 탐구 과정을 자각하고 조직적으로 개선하려 할 때 필수적이다.

사회적 체제

Suchman에 따르면, 사회적 체제는 협력적이고 엄격하다. 지적 환경은 관련된 모든 생각을 수용할 수 있어야 한다. 교사와 학생들은 동등한 입장에서 아이디어를 낸다. 학년이 올라갈수록, 학생들은 더 주도적으로 탐구를 하게 된다.

　교사 주도로 구조화된 탐구 수업에서의 훈련을 마치면, 학생들은 더욱 학습자 주도적인 환경에서 탐구를 수행할 수 있다. 교실에서 자극 사건이 정해지고, 학생들은 자료를 바탕으로 주관식 문제 탐색과 정보 수집을 동시에 하며, 개별적으로나 비공식적 모둠을 형성하여 탐구를 수행할 수 있다. 이러한 과정에서 학생들은 모둠별 탐구와 개별 학습을 번갈아 할 수 있다. 이러한 탐구 훈련 모형의 활용은 교사의 역할이 수업 관리나 모니터를 하는 것에 그치는 개방된 교실 환경에 적합하다.

　탐구의 첫 단계에서, 교사의 역할은 문제 상황을 선택하거나 제시하고, 탐구 과정에 따라 탐구를 중재하기도 하며, 필요한 정보를 조사하는 학생들의 질문에 대응하고, 탐구 과정에 집중할 수 있도록 초기에 학생들을 준비시키고, 학생들이 문제 상황에 대해 토론할 수 있도록 돕는 것이다.

반응의 원리

교사의 가장 중요한 반응은 2단계와 3단계에서 발생한다. 2단계 동안, 교사는 학생들을 위한 탐구를 실시하는 것이 아니라, 학생들의 탐구를 돕는 것이다. 만약 교사가 '예' 혹은 '아니오' 로 대답할 수 없는 질문을 받으면, 교사는 나중에 학생들 스스로 자료 수집을 시도하고 문제 상황에 대해 생각할 수 있도록 질문을 다시 만들어서 질문해야 한다고 말한다. 교사는 모둠이 사용할 수 있는 새로운 정보를 만들어 특정 문제 상황에 집중하게 함으로써, 혹은 질문을 발전시킴으로써 학생들이 탐구를 계속 진행하도록 돕는 역할을 할 수도 있다. 마지막 단계 동안, 교사의 과제는 탐구가 그대로 조사 그 자체의 과정으로 향하도록 하는 것이다.

지원 체제

최적의 지원 체제는 지적인 과정과 탐구 전략을 이해하는 교사와, 그 문제와 관련된 학습 자원에 대해 직면할 수 있게 하는 과정이라고 할 것이다.

적용

탐구 훈련은 원래 자연과학을 위해 개발되었다. 하지만 탐구 훈련의 절차는 모든 교과 영역에 사용될 수 있으며, 혼란스러운 상황으로 만들어질 수 있는 주제라면 어떤 것도 탐구 훈련의 대상이 될 수 있다. 미궁에 빠진 살인사건, 공상 과학 이야기는 혼란스러운 상황을 만들기에 탁월한 주제이다. 기이하고 실제로 있을 것 같지 않은 일에 관한 신문 기사들도 자극을 위해 사용될 수 있다. 나는 얼마 전 중국 음식점에 갔었는데, 그곳에서 다음과 같은 질문을 받고 혼란스러웠다. "어떻게 쿠키 속에 행운의 쪽지가 들어가 있을 수 있나요? 그 쿠키는 탄 것처럼 보이지도 않고 어떤 식으로든 요리된 것 같지도 않은데요." 나는 이 역시 아이들의 탐구 훈련을 위한 탁월한 주제라고 생각했다. 사회과학 역시도 탐구 훈련을 위해 수많은 가능한 일을 제공한다.

혼란스러운 상황을 구성하는 것은 중요한 과제이다. 왜냐하면 그러한 상황은 교육과정의 내용을 탐구해야 할 문제로 바꾸어 주기 때문이다. 어떤 문제 상황들은 도구를 이용하여 해결하는 것이 어렵거나 적절하지 않다. 이러한 경우에 교사는 학생들에게 *문제 진술서*와 *참고자료*를 제공할 수 있는데, 교사가 이렇게 하기를 권장한다. 문제 진술서는 모순적인 사건을 설명해 주고, 처음에 학생들과 공유할 정보를 제공해 준다. 주제와 관련된 사실들이 기록된 참고자료는 교사들에게 문제에 관한 추가적인 정보를 주며, 이는 학생들의 질문에 응답하기 위한 자료로 활용된다. 다음은 사회 과목에서의 한 예이다.

▨▨▨ 시나리오 ▨▨▨

사라진 마을
사회 과목 수업에서, 한 교사가 어떠한 문제에 대한 문제 진술서와 인류학적 논쟁에 기초한 참고자료를 학생들에게 제시했다. 아래에 교사가 학생들에게 제시한 진술서가 나와 있다.

문제 진술
이 지도는 어떤 한 호수의 한가운데에 있는 섬을 보여 주고 있다. 호수의 밑바닥에서 표면까지 수북이 쌓여 있는 돌이 둑길을 만들고, 이 둑길이 호수와 호수 기슭을 연결한다. 둑길을 만든 돌들은 시간이 지날수록 점점 평탄해지게 되고, 그러면서 길이 만들어지게 된다. 산이 호수 주변을 둘러싸고 있으며 호수의 근처만이 거의 유일한 평지이다. 섬에는 건물이 빼곡히 있는데 건물의 벽은 세워져 있지만, 지붕은 사라져 버리고 없다. 이곳은 사람이 전혀 살 수 없는 곳이 되었다.

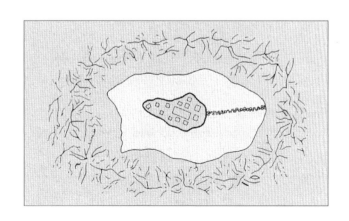

여러분의 과제는 이곳에 살았던 사람들에게 무슨 일이 일어났는지를 알아내는 것이다. 이 곳에 사람이 살 수 없게 된 이유는 무엇일까?

다음은 교사에게 제공되는 사실 문서이다. 학생들이 탐구할 때, 교사는 문제와 관련된 사실들을 적어 놓은 이 문서를 가지고 있다.

교사에게 제공되는 참고자료

1. 호수의 깊이는 500피트이며, 지름은 600피트이다.

2. 호수는 해발 6,500피트이며, 산맥은 11,000피트 높이이다.

3. 둑길은 버려진 돌들로 만들어졌다.

4. 집들은 서로 가까이 있다. 각 집은 20~25피트 정도이며, 하나 이상의 방을 가지고 있다. 집은 석회석 덩어리로 지어졌다.

5. 집에서 깨진 도구와 도자기 몇 개를 발견했다.

6. 중심에는 3층짜리의 큰 건물이 있는데 그것은 대리석으로 만들어졌다. 그 건물은 다른 집들에 비해 6배나 크다. 건물의 꼭대기에서는 돌의 좁은 틈으로 행성이나 별들을 볼 수 있다. 12월 21일 즈음 금성이 가장 낮게 떠 있을 때, 여기서 금성을 볼 수 있다.

7. 섬에 살았던 사람들이 낚시를 했다는 증거가 있다. 또한 섬 사람들은 양, 소, 닭과 같은 가축을 기르고 있었다.

8. 분명 예술은 없었다. 하지만 그림 문자의 증거는 있다.

9. 석회석으로 만들어진 길 아래에서 물탱크가 발견되었다.

10. 80마일 이내에는 주거지가 없다.

11. 이 섬은 약 300년 전부터 사람이 살고 있지 않다.

12. 이 지역은 1900년에 발견되었다.

13. 섬은 남아메리카 아열대 지역에 위치해 있으며, 식수가 풍부하고, 이용할 수 있는 모든 땅이 경작되어 있다. 관개의 증거는 있지만 윤작의 증거는 없다. 대개 이런 땅은 농사에 적합하지 않다.

14. 석회석 지층 위에 얇은 표토 층이 있다.

15. 약 1,000~1,500명의 사람들이 섬에 살았다.

16. 섬 주변의 산들은 어렵기는 하지만 넘을 수 있다.

17. 산 가까이에 채석장이 있고 호수 건너에 매장지가 있다.

18. 시체들이 손이 포개져 있는 상태로 발견되었다.

19. 전염병, 질병, 전쟁의 증거는 없다.

이것을 가지고 무엇을 할 수 있을까?

연령별 적응

탐구 훈련은 모든 연령의 아동들에게 사용될 수 있다. 하지만 각 연령 집단에 맞춰 조정할 필요가 있다. 어떤 방법은 유치원 아이들에게 적용할 때는 성공적이었지만, 3학년 아이들에게는 적용하기가 어려웠다. 교수에도 다양한 양상이 있듯이 각 집단과 각 학생은 저마다 다른 특색을 가지고 있다. 그러나 모형은 학생들이 모든 단계에 관여할 수 있을 때까지는 몇 가지 방식으로 단순화될 수 있다.

매우 어린 아이들에게는 문제의 내용을 간단하게 기억할 수 있도록 해 주는 것이 최선이다. 그러므로 어쩌면 인과관계의 원리보다는 인과관계의 발견에 더욱 노력을 기울이는 것이 나을 것이다. 다음과 같은 문제들이 적절할 것이다. "이 상자 안에는 무엇이 있을까?", "이 특이한 물건은 무엇일까?", "계란이 굴러가는 모양은 왜 다른 것들과 다를까?"

한 과학 교사가 학생들에게 날아다니는 다람쥐 그림을 보여 주었다. 다람쥐가 날아다닌다는 것은 명백히 모순된 사건이다. 왜냐하면 대부분의 학생들은 포유동물이 날지 못한다고 믿기 때문이다. 교사는 학생들에게 탐구 절차를 이용하여 이 현상에 대한 해답을 찾아보라고 요구했다.

Bruce와 Bruce(1992)는 사회 과목에서 사용할 수 있는 수많은 모순적인 사건들을 제공했다. 이 사건들은 넓은 범위의 사회 과목의 일반적 주제들에 적용될 수 있으며, 모든 학년에 걸쳐 사용될 수 있다. 아이들을 위한 수많은 과학 책은 간단한 과학 실험들로 가득 차 있는데, 대부분이 초등학교 학생들에게 적합한 수준이다. 불가사의한 이야기나 수수께끼는 어린아이들에게 좋은 자극을 줄 수 있으며, 이는 어린아이들을 위한 탐구 훈련에 적합할 것이다. 어린아이들의 탐구 훈련을 위한 또 다른 방법은 시각 자료(문제 해결의 실마리를 제공하는 소도구)를 사용하는 것이다. 시각 자료는 자극을 단순화시켜 주며, 기억을 위해 필요한 것들을 줄여 준다. 1회의 탐구 훈련 활동에는 단지 1~2개의 구체적인 목표만을 갖는 것이 좋다. 처음에는 (모든 연령의 학생들과) 간단한 게임을 하면서 시작하는 것이 좋다. 예/아니오 질문을 하도록 하는 간단한 게임은 학생들에게 그들이 질문을 만들어 낼 수 있고 직접적인 이론에 관한 질문은 피할 수 있다는 확신을 줄 것이다. 어떤 교사들은 수수께끼 가방을 사용하기도 한다. "나는 내가 뭔가를 입고 있다고 생각해. 근데 이게 무엇인 것 같니?" 이 같은 간단한 추측 놀이를 통해 학생들은 이론에 관한 질문("그것은 셔츠니?")과 속성에 관한 질문("그것은 면 소재니?")을 구별할 수 있게 될 것이다. 나는 교사들이 탐구의 각 요소들을 개별적으로 소개하고 강조하기를 원한다.

처음에 교사들은 모든 예/아니오 질문들을 내놓을 수 있다. 그리고 학생들에게 그 질문들을 실험으로 바꾸어 보라고 요구할 수 있다. 학생들에게 각각의 요소를 가르치면서 교사들은 탐구에 관해 제약을 하나씩 더해 갈 수 있다. 모든 요소들을 한번에 설명하고 강요하게 되면, 이는 학생과 교사 모두를 좌절시키는 결과를 가져올 것이다.

우선, 고학년 학생들이 탐구 과정 그 자체를 더 잘 다루며, 그들이 배우는 과목(특히 과학)이 좀 더 탐구 훈련에 적합하도록 설계되어 있다. 그러나 분명 초등학교 고학년과 중학교의 교육과정에 적합한 모순적 사건이 더 많이 있긴 하나, 교사는 수업에서 사용할 자료를 설명에 적합한 형태가 아닌 탐구에 적합한 형태로 바꿀 필요가 있다. 즉, 교육과정 자체에 모순적인 사건이 많다 하더라도 모순적인 사건을 만들어 낼 필요도 있다는 것이다.

교수적, 육성적 효과

이 모형은 탐구에 필요한 능력, 필수적인 가치관 및 태도를 함양할 수 있도록 해 준다. 탐구에 필요한 능력, 가치관 및 태도는 다음과 같다.

- 처리 능력(자료를 관찰, 수집, 조직하는 능력/변수를 확인, 통제하는 능력/가설과 설명을 형성, 검증하는 능력/추론하는 능력)
- 활동적, 자율적 학습 능력
- 언어적 표현 능력
- 애매모호함을 견디는 능력, 끈기

- 논리적 사고
- 모든 지식을 잠정적인 것으로 여기는 태도

처리 능력(자료를 관찰, 수집, 조직하는 능력/변수를 확인, 통제하는 능력/가설과 설명을 형성, 검증하는 능력/추론하는 능력(그림 10.1)은 탐구 훈련의 주된 학습 결과이다. 이 모형은 이 모든 처리 능력들을 멋지게 통합시킴으로써 하나의, 의미 있는 경험을 만들어 낸다.

이 모형은 학생들로 하여금 질문을 만들어 내고 그들의 발상을 검증하도록 하는데, 이는 활동적이고 자율적인 학습을 촉진시킨다. 질문하기는 용기가 필요한 일이다. 하지만 질문은 학생들에게 있어 제2의 천성이 될 것이다. 즉, 학생들에게 아주 간단하고 자연스러운 일이 될 것이다. 아울러 학생들은 다른 사람의 말을 듣고, 그것을 기억하는 것뿐만 아니라 유창한 언어적 표현 능력도 갖추게 될 것이다.

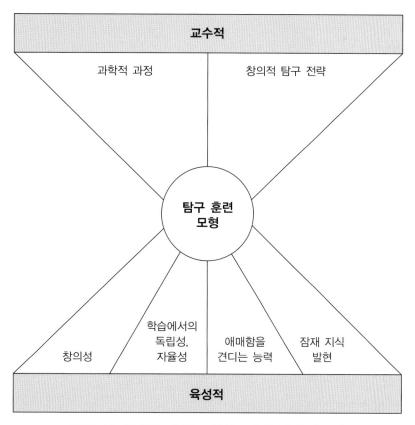

[**그림 10.1**] 탐구 훈련 모형의 교수적, 육성적 효과

탐구 훈련 모형은 과정에 강조점을 두면서도, 교육과정의 어떤 영역에서도 문제를 선택할 수 있으며, 문제가 선택된 영역에 있는 어떠한 내용도 다룰 수 있다. 예를 들어, Suchman은 경제와 지리 과목의 전 교육과정을 개발했다. 이 모형은 모든 초, 중등학교의 교육과정 영역에 적용이 가능할 것이다.

요약 도표 탐구 훈련 모형

모형의 구조

- 1단계: 문제 직면
- 2단계: 자료 수집 — 검증
- 3단계: 자료 수집 — 실험
- 4단계: 설명 조직, 형성
- 5단계: 탐구 과정 분석

사회적 체제

탐구 훈련 모형은 교사가 상호작용을 통제하고 탐구 절차를 규정할 경우 심하게 구조화될 수도 있다. 그러나 일반적인 탐구에 대한 규범은 협동, 지적 자유, 평등이다. 학생들 간의 상호작용은 독려되어야 한다. 학습 환경은 관련된 모든 발상이 허용될 수 있도록 개방적이어야 한다. 교사와 학생은 아이디어를 만들어 내는 데 있어 동등하게 참여할 수 있다.

반응의 원리

1. 질문은 반드시 예, 아니오로 대답할 수 있도록 하고, 교사가 탐구하지 않도록 한다.
2. 학생의 질문이 잘못되었을 경우, 고쳐서 다시 말하도록 한다.
3. 검증되지 않은 내용에 대해서는 지적한다.
   (예를 들어, "우리는 아직 이것이 액체라고 확증하지 않았다.")
4. 탐구 과정과 관련된 언어를 사용한다.

(예를 들어, 학생의 질문들을 이론으로 확인한 후 검증(실험)한다.)

5. 학생들의 이론을 평가하지 않음으로써 자유로운 연구 환경을 제공하도록 한다.

6. 이론에 대해 분명하게 진술하도록 하고, 이론을 일반화시킬 수 있도록 지원한다.

7. 학생들 간의 상호작용을 격려한다.

지원 체제

최적의 지원은 문제에 직면하도록 하는 자원들과 지적 과정과 탐구 전략을 이해하는 교사, 문제와 관련된 물적 자원들이다.

제4부

사회적 교수 모형

이 책에서 설명하고 있는 교수 모형들은 인간의 본성과 인간의 학습 방법에 대한 믿음에 터하고 있다. 이 믿음은 연구로부터 나오지만, 이 연구는 종종 인간이 학습하는 방법에 대한 통찰력에서 얻어진 이론들을 검증하기도 한다. 이 두 가지 중 어느 경우에서든지 이 모형군은 인간과 하급의 특정 측면에 대한 지향점에서 구분된다. 사회적 모형은 그 이름에서 드러나듯이 우리의 사회성, 우리가 사회적 행동을 학습하는 방법, 사회적 상호작용이 학습을 향상시킬 수 있다는 것 등을 강조한다. 사회적 모형을 개발한 학자들 거의 모두가 교육의 핵심 역할이 통합적이고 민주적인 행동을 하는 시민, 개인적인 동시에 사회적인 삶을 사는 시민, 민주적인 사회 질서를 보이는 시민을 만드는 것이라고 믿는다. 그들은 선천적인 협동심이 기쁨과 열정, 그리고 비생산적인 사회적 갈등과 소외를 줄이는 친밀감을 키움으로써 우리의 삶의 질을 향상시킬 수 있다고 믿는다. 게다가 협동적인 행동은 사회적 및 지적으로도 자극을 준다. 그렇기 때문에 학문적 학습을 촉진시키기 위해 사회적 상호작용을 요구하는 과제가 설계된다. 이러한 과제들은 생산적인 사회적 행동과 학문적 능력 및 지식 모두를 갖추도록 도와줄 것이다.

다행히도 교실에서 사용하는 교수방법의 레퍼토리의 주요 부분으로 다양한 사회적 모형들을 제공할 수가 있다. 사회적 모형에서는 학교를 학생 개개인의 개별적인 교육 공간으로 보기보다 생산적인 작은 사회로 본다. 때문에 이 모형은 전체 학교 환경을 설계하는 데에도 사용되었다. 협동적인 학교 문화에서, 학생들은 사회적 교수 모형이 개발한 지식과 능력을 배우기 위해 다른 교수 모형 집단들을 사용하는 것에 대해서도 배울 수 있다. 중요한 건, 사회적 모형이 학문적인 내용을 학습시키기보다는 사회적 기능을 개발시킨다는 것이다. 인간의 협동성은 기본적으로는 선천적인 것이지만 향상될 수 있는 것으로, 이는 다중지능 가운데 "사회적 지능"을 높일 수 있다(Johnson & Johnson, 2009a, 2009b; Sharan, 1990; Thelen, 1960 참조). Johnson과 Johnson의 최근 연구에 의하면, 협동성은 연습을 통해 향상될 수 있다. 그들은 이 믿음을 바탕으로 이론들을 만들었으며, 이 이론들은 연구로 이어졌다.

사회적 모형을 개선시키는 작업이 세 연구단체에 의해 부지런히 이루어지고 있다. 하나는 Minnesota 대학의 연구소로 David와 Roger Johnson이 이끌고 있으며, 두 번째는 John Hopkins 대학의 연구소로 Robert Slavin이 이끌고 있다. 세 번째는 이스라엘에 있는 것으로 Yael Sharon, Rachel Hertz-Lazarowitz, 그리고 다수의 교사 연구원들로 구성된 연구소이다. 이들은 연구의 기준으로 삼은 틀이 서로 다르지만 서로를 존중하고, 협력한다. 그리고 적당히 국제적인 편이다. 점점 유럽의 연구자들도 이 연구들에 참여하고 있으며, 일부 연구는 저자를 포함하여 아시아의 공동 연구자들에 의해 활용 및 확장되고 있다. 교육 IASCE 소식지(Education's ISACE Newsletter; www.iasce.net)는 공동 연구 국제 연합(The International Association for the Study of Cooperation)을 지속적으로 상호작용하는 단체로 묘사하고 있으며, 이 연합은 그들의 개발 및 연구에 대한 사례를 제공해 준다. 교육자들은 이 조직에 가입하는 것이 좋다.

4부에서는 기본적인 협동 학습 모형(모든 교과목과 모든 학생들에게 사용될 수 있는 모형 중 하나)으로 사회적 모형을 시작하려고 한다. 그리고 사회적, 학문적 학습에 극적인 효과들을 가져오는 가장 복잡한 협동 학습 모형인 집단 탐구 모형을 다룰 것이다. 그리고 마지막으로 학생들이 가치를 배우고, 갈등을 해결하며, 공공 정책 문제를 생각하도록 하는 모형에 대해 다룰 것이다.

제11장

학습 동료

모두 참여시키기

태어날 때부터 유전적인 것이 있다면, 사회적 본능이다.
사회적 본능이 없었다면, 우리는 우리가 누구인지조차 몰랐을 것이다.

— Herb Thelen이 Bruce Joyce에게

| 핵심 아이디어 |

존중할 만한, 탐구심 강한 학습 공동체를 조직하는 것이 기본이다; 사회 모형 개발자는 공동체를 조직하는 데 집중하고 있다. 다른 모형도 모두 생산적인 사회적 상호작용을 통해 향상되었다.

시나리오

시에 대한 협동적 조사연구 하기

Louisa Hillterpper 선생님은 10학년 영어 수업을 시작하면서 100편의 유명한 현대 시 작품 중 12편을 선정해서 학생들에게 제시했다. 학생들은 두 명씩 짝을 이루어서 시를 읽고 시의 구조, 형식, 그리고 주제에 따라 시를 분류하도록 한다. 시를 분류하면서(3장의 귀납 모형의 구조 참조), 다른 학생의 범주와 서로 공유해 보도록 한다. 공동 작업을 통해, 시의 구조, 형식, 그리고 주제를 인식하는 방식을 축적한다. 그 다음, Louisa 선생님은 12편의 시를 추가로 제시하고 검토한 후, 본인들이 분류한 범주대로 시를 분류하고 필요하면 범주를 확장하도록 한다. 이런 과정을 반복함으로써 48편의 시에 익숙해지도록 한다. 선생님은 학생들에게 또 다른 과제를 제시한다. 하나는 특정한 주제가 형식과 구조에 의해 다루어지는 방식을 알아내는 것이며, 그 반대의 경우도(형식과 구조가 서로 연관되어 있는지, 그리고 형식과 구조가 주제와 연관되어 있는지) 알아내는 것이다. 다른 하나는 특정 작가의 시에서 시의 형식, 구조, 그리고 주제를 독특하게 조합한 방식에 대한 가설을 세우는 것이다.

시집과 비평 분석 책을 학생에게 주고, 원작자에 관해 학생 자신이 세운 가설을 검증하고 학생 자신이 만든 범주와 같은지 확인해 보도록 한다.

Louisa 선생님은 동료-기반 학습이 가능한 수업을 조직하고 있다. 귀납적 교수 모형에서 분류 형식의 인지적 과제는 탐구를 촉진시키는 데 사용되곤 한다. 단원의 주요 내용과 더불어 다음 단원―시를 쓰거나 단편에 대한 학습이 협동적으로 이루어질 수 있도록 학생을 준비시키고 있다(그 다음 번에는 뭘 사용할 건가요?). 선생님은 얼마 지나지 않아 좀 더 복잡한 집단 조사 활동을 학생들에게 소개할 것이다.

시나리오

개학 날 짝을 지어서 이름 학습하기

Savannah 초등학교 개학 날 Kelly Farmer 선생님의 5학년 교실 책상 위에는 학급 명단이 놓여져 있다. Kelly 선생님은 웃으며 학생들에게, "우리의 이름과 올해 함께 공부하게 될 학습 방법 중 하나를 배워 보도록 합니다. 여러분은 책상이 두 개씩 짝으로 정렬되어 있다는 것과 함께 앉은 학생들은 오늘 활동을 함께할 동료라는 것을 알게 될 겁니다. 각자 학급 명단을 가져다가 발음에 따라 이름을 분류하도록 하세요.

그 다음 자신의 짝과 자신이 만든 분류 또는 범주를 공유하도록 합니다. 이런 방식으로 우리는 서로의 이름을 알도록 합니다. 올해 철자법과 다른 여러 주제를 학습할 방법 중 하나를 소개할 겁니다. Annis 선생님 수업에서 지난해 귀납적 학습을 통해 분류하는 방법을 익혔다는 것을 알고 있지만, 아직도 어려운 점이 있다면 알려 주길 바랍니다."라고 말한다.

학생은 무엇을 해야 하는지를 알고 있다. 그리고 몇 분 내로 자신들의 분류 내용을 공유한다. "Nancy와 Sally를 함께 묶었는데 그 이유는 'y'로 끝났기 때문이다." "Georgy와 Jerry를 함께 묶었는데 그 이유는 철자는 다르지만 시작 발음이 같기 때문이다." "세 명의 Kevin을 함께 묶었다." 몇 분 후 짝과 함께 중얼거리면서 명단에 있는 이름의 철자를 학습하는 것을 서로 도울 것이다.

Kelly 선생님은 학기를 시작할 때 학생들을 "협동적 집단"으로 조직했는데, 이것은 협동 학습을 위한 조직을 의미한다. 선생님은 2인조 그리고 3인조로 함께 학습하도록 학생들을 지도할 것이다. 학생들은 4인조, 5인조, 또는 6인조를 구성할 수도 있다(과제나 학습 집단이 클수록 일반적으로 훨씬 낮은 성취도를 나타낸다). 학습 동료는 활동에 따라 변경될 수 있다. 자신의 동료로 학급의 학생 중 누구든 받아들여야 한다는 것과 학급의 학생 모두가 각 활동의 목표 성취를 보장하기 위해 서로 함께 학습해야 한다는 것을 배울 것이다.

교사는 우선 두 명이 짝을 이루도록 하는데 이 형태가 가장 간단한 사회 조직이기 때문이다. 사실, 협동 활동에 있어 대부분의 초기 교육은 둘 그리고 셋으로 이루어진 집단으로 이루어지는데, 그 이유는 상호작용이 더 큰 집단보다 더 간단하게 이루어지기 때문이다. 교사는 같은 이유로 초기 학습에서는 아주 간단하고 친숙한 인지적 과제를 사용해야 한다―동시에 복잡한 활동을 습득하지 못할 때는 학생들이 함께 학습하는 것이 더 쉽다. 예를 들어, 교사는 학생들이 짝을 바꾸고 새로운 짝에게 문제를 내고 서로 간단한 지식―나라와 그 나라의 수도와 같은―을 가르쳐 주도록 한다. 다시 짝을 바꾸고 크기에 따라 분류하도록 한다. 학생은 과제에 따라 학급에서 다른 학생들과 함께 협동하는 방법을 배우게 될 것이다. 이후에 교사는 좀 더 복잡한 협동 집단을 구성할 뿐만 아니라 좀 더 복잡한 정보처리 교수 모형의 인지적 과제를 하도록 가르칠 것이다. 10월까지는 학생들이 집단 탐구를 시작할 수 있을 정도로 숙련되어 있을 것으로 교사는 기대하고 있다.

Louise와 Kelly 선생님은 학습 공동체를 만드는 작업을 시작했다. 그들은 학생이 객관적이면서도 긍정적으로 함께 학습하도록, 정보를 수집하고 분석하도록, 가설을 세우고 검증하도록, 기능을 개발할 때 서로 조언해 주도록 가르칠 것이다. 학년 간 발달의 차이는 탐구의 세련된 정도에 영향을 미칠 것이다. 그러나 그 기본적 과정은 동일하다.

이 선생님들은 협동 학습이 생산적으로 이루어질 수 있도록 다양한 학생 지도 전략을 갖고 있다. 이 선생님들은 ≪Cooperative Learning in the Classroom≫(Johnson, Johnson, & Holobec, 1994), 그리고 ≪Cooperative Learning Resources for Teachers≫(Kagan, 1990) 같은 종류의 서적을 갖고 있다. 교사는 학생을 연구하고, 학생이 효과적으로 협동하도록 하는 방법을 배우고, 학생들이 좀 더 효과적으로 협동하도록 가르치기 위해 다음 활동을 설계하는 방법을 결정해야 한다.

기본 가정

협동적 학습 공동체 개발에 전제되는 가정은 간단하다.

1. 협동적 환경에서 나타나는 시너지 효과는 개별적이고 경쟁적인 환경보다 좀 더 동기부여가 가능하다는 점이다. 통합된 사회적 집단이, 사실상, 집단 구성원 개개인의 합보다 크다. 유대감은 긍정적 에너지를 만든다.

2. 협동 집단의 구성원끼리는 서로 가르치고 배운다. 각자 분리된 환경에서보다 학습자들이 서로 돕는 것이 쉬워진다.

3. 상호작용은 개인 학습과 비교할 때 학습을 증가시키는 좀 더 지적인 활동을 만들어 내면서, 사회성뿐만 아니라 인지를 발달시킨다.

4. 협동은 서로에 대한 긍정적 감정을 증가시키고, 소외감과 외로움을 감소시키고, 관계를 쌓고, 타인에 대한 긍정적 견해를 제공한다.

5. 협동은 자존감을 높여 준다. 이것은 증가된 학습 때문이 아니라 타인으로부터 존경을 받고 존중받고 있다는 감정 때문이다.

6. 학생은 협동을 필요로 하는 과제를 체험해 봄으로써 함께 생산적으로 학습할 수 있는 능력을 증진한다. 다시 말해, 학생들은 협동하는 기회를 더 가짐으로

써, 더 잘 협동할 수 있고, 이를 통해 사회성을 키울 수 있다.

7. 모든 학생들은, 초등학생을 포함해서, 학습을 통해 협동하는 능력을 증진할 수 있다.

연구자의 강조점

협동적 과제와 보상 구조가 학업 성취도에 긍정적인 영향을 미치는지에 관해 구체적으로 연구되고 있다. 물론, 집단 응집력, 협동적 행동, 그리고 집단 관계가 협동 학습 단계를 거치며 향상되었는지도 연구되고 있다. 일부 연구에서는 학생이 습득할 학습 자료를 제공하는 "전통적" 학습 과제에 대한 보상 구조와 협동적 과제의 효과를 검토하였다.

협동 학습을 지향하는 교육자들의 공동체는 생산적 경험과 비공식적 연구물들을 IASCE 소식지(www.iasce.net)에 전하고 있다. 이전에 언급했듯이, 여기서도 동료 연구자의 토론과 기록을 통해 유용한 조언을 얻을 수 있다. Johnson과 Johnson(2009)은 협동 학습 활용의 유용한 분류 체계를 제공한다.

1. 공식적 협동 학습: 장기간 프로젝트나 학습 공동체 조직 방법
2. 비공식적 협동 학습: 학생이 짧은 시간이나 수업 시간 동안 즉시 구성된 집단으로 학습 과제에 접근한다.
3. 협동 기반 집단: 장기간, 비동질적 집단으로 서로를 지원하고 함께 조사 활동에 참여한다.
4. 협동 학교: 동반 상승 작용을 증가시키고, 학교 폭력을 증가시키는 경쟁을 줄인다.

연구자의 작업을 복잡하게 만드는 협동 학습 이론의 활용이 몇 가지 있다. 비공식적 형태로, 단기적일수록 복잡하다. 공식적 형태가 학교에서 가장 일반적이다.

협동적 집단이 결과적으로 학문적 학습을 증가시키는 에너지를 만들어 내는가? 이와 관련된 증거는 대개 긍정적이다. 교실에서 짝으로 또는 좀 더 큰 집단으로 학습하거나, 서로 가르쳐 주고, 보상을 공유하는 것이 전통적인 암송-동반-개별-학

습 형태보다 교재를 더 잘 습득하게 한다. 공동 책임과 상호작용은 과제와 다른 학생에 대해 좀 더 긍정적인 감정을 갖게 하고, 집단 간 관계를 더 좋게 하고, 이전에 성취도가 낮았던 학생들이 스스로 좀 더 좋은 이미지를 갖도록 한다. 다시 말해, 이 결과는 협동 학습 방법 사용에 기저를 이루는 가설을 대부분 지지한다(Sharan, 1990).

여러 모형의 효과를 결합하려는 노력으로, 이 모형을 다른 모형군들의 모형과 결합할 때 협동적 절차에 관한 흥미로운 연구가 이루어졌다. 예를 들면, Baveja, Showers와 Joyce(1985)는 인도에서 개념 획득과 귀납 절차에 관한 연구를 협동적 집단으로 수행했다. 그 효과는 정보처리 모형과 사회적 모형의 결합에서 기대되었던 것을 충족시켰으며, 동일한 자료를 집중적으로 개인 지도하고 집단 지도를 받은 비교 집단에 비해 두 배가 높은 것으로 나타났다. 유사하게, Joyce, Murphy, Showers와 Murphy(1989)는 협동 학습을 다른 여러 교수 모형과 결합함으로써 저성취 학생의 진급 비율을 극적으로 증가(30에서 95퍼센트로)시켰을 뿐 아니라, 방해하는 활동은 그에 상응하게 대폭 감소하고, 협동적이고 통합적 행동은 역으로 증가했다.

협동 학습을 혁신이라고 생각하는 교사는 학생을 두 명이나 세 명이 짝이 되도록 조직하는 것이 수월하다는 것을 알았다. 그리고 이 집단이 즉각적인 효과를 얻는다. 사회적 지원의 조합과 사회적 상호작용에 의한 인지적 복잡성 증가는 내용과 기능의 학습에 온건하지만 빠른 효과를 가져왔다. 뿐만 아니라, 학습에서 동료의식은 즐거운 환경을 만들어 주고 사회적 기술과 타인에 대한 공감능력을 키울 수 있도록 해 주었다. 과제와 관련되지 않는 방해 행동은 상당히 줄었다. 학생은 협동 환경에서 좋은 감정을 느끼고, 자신과 다른 학생들에 대한 긍정적 감정이 향상되었다.

또 다른 좋은 점으로 성취도가 낮은 학생에게서 빠른 효과를 얻을 수 있었다. 동료의식은 참여를 증가시키고, 협동에 집중함으로써 자기몰두를 감소시키고 개인학습을 위한 책임감을 증가시킨다. 학습 성취도에서 효과 크기는 크지는 않지만 일관성을 보이는 반면, 사회적 학습과 개인적 존경의 효과는 개인별 교실 조직과 비교해 보면 상당했다(Joyce, Calhoun, Jutras, & Newlove, 2006; Joyce, Hrycauk, Calhoun, & Hrycauk, 2006). 이러한 연구들에서 학문적 학습 분야에서의 진전이 크게 이루어졌다.

동료의식의 효율성 증가시키기

협동 학습 환경에서 학문적으로 재능 있는 학생

흥미롭게도, 부모와 교사 중 일부는 개인주의적 환경에서 가장 성공을 거둔 학생은 협동적 환경에서는 이득을 얻지 못한다고 믿는다는 사실을 알았다 — "재능 있는 학생은 혼자 공부하는 것을 선호한다"고 때로는 표현되듯이. 비록 많은 증거들이 이런 표현을 반박하지만(Joyce, 1991; Slavin, 1991), 개인 학습과 협동 학습 간의 관계에 관한 오해는 이런 주장을 뒷받침해 준다. 동료의식을 개발하는 것은 개인적 노력이 불필요하다는 것을 의미하지는 않는다. Hilltepper 선생님은 수업에서, 모든 학생들이 시를 읽고, 함께 시를 분류할 때, 학생 자신의 생각을 제시하고 다른 학생의 생각을 연구하도록 했다. 학생들은 서로가 방해하는 것이 아니라 다른 학생과 동료의식을 통해 향상되는 것이다. 성취도가 높은 학생이 덜 협동적으로 타고난 것이 아니다. 고도로 개인주의적인 환경에서는 성취도가 높은 학생이 성취도가 낮은 학생을 경멸하는 경우가 있는데, 결과적으로는 학생이나 인간적인 면에서도, 학교에서나 미래에도 스스로에게 해를 끼치는 것이다.

협동을 위한 학습

그 이유가 전체적으로 분명하지는 않지만, 학생들이 함께 협동 학습을 한다는 제안에 대한 초기 반응 중 일부는 학생들은 어떻게 해야 생산적으로 함께 학습할 수 있는지 모른다는 것이다. 사실, 간단한 과제를 함께하는 동료는 많은 사회적 기능을 요구하지 않는다. 학생 대부분은 무엇을 해야 하는지 명확한 경우는 잘 협동할 능력이 있다. 그러나, 함께 학습하기 위한 좀더 효율적인 방법을 개발하는 것은 매우 중요하다. 그리고 학생이 잘 연습할 수 있고 능력을 갖추도록 도울 수 있는 안내서를 포함해야 한다. 이런 안내서는 집단의 크기, 복잡성 그리고 연습과 관련된 것이다.

시나리오에서는 학생이 기본적이고 복잡한 내용을 탐구하는 것을 돕기 위해 두 명이 짝을 이룬 간단한 형태를 강조했다. 짝은 사회조직에서 가장 간단한 형태이다. 학생이 협동 학습을 배우도록 돕는 한 가지 방법은 둘 또는 셋을 한 집단으로 하는 간단한 환경에서 연습하도록 하는 것이다. 기본적으로, 구성하는 집단의 크기와 주어지는 과제로 복잡성을 조정한다. 학생이 협동 학습에 익숙하지 않다면, 가장 작은 집단에서 간단하거나 친숙한 과제를 다루는 경험을 하고 나서 더 큰 집단에서 학습하도록 하는 것이 좋다. 6명 이상의 집단은 다루기 힘들고 숙련된 지도자가 필요해서 경험이나 훈련 없이는 힘들다. 두 명, 세 명, 또는 네 명의 동료가 가장 일반적이다. 여기서는 두 명의 집단으로 시작할 것을 추천한다.

연습은 궁극적으로 효율성을 증가시킨다. 동료와 학습을 시작하고 몇 주 동안 간단히 연습을 한다면, 학생들이 점차적으로 생산적으로 변하는 것을 발견할 것이다.

효율성 훈련

또 다른 방법으로는 학생들이 보다 효율적으로 협동하고 "긍정적으로 상호의존"할 수 있도록 훈련시키는 방법도 있다(Kagan, 1990; Johnson, Johnson, and Holubec, 1994 참조). 분주한 집단의 주목을 얻는 데 간단한 수신호가 사용될 수 있다. 일반적인 방법 중의 하나는 교수자가 자신의 손을 들어올리면, 그것을 본 학생들도 교수자에게 주목하고 그들 또한 손을 올리도록 지도하는 것이다. 그러면 다른 학생들도 알아차리곤 그들의 손을 올릴 것이고, 이내 수업 집단 전체가 참여하게 된다. 분주하게 돌아가는 집단 학습 상황의 왁자지껄함을 누르고자 큰 소리를 내지 않고 싶을 때 이 방법이 효과가 있을 것이며, 또한 학생들이 수업 운영 절차에 참여하도록 지도할 수 있기 때문에 좋다.

Kagan(1990)은 학생들이 함께 목표를 달성할 수 있고, 모든 학생들이 집단 활동에 공평하게 참여할 수 있도록 하기 위한 여러 가지 방법을 개발했다. 일례로, "번호 부여하기"라고 칭하는 방법이 있다. 3명이 한 조로 협동 학습을 하고 있다고 가정해 보자. 각 조원에게 1부터 3까지 번호를 매기고, 간단한 과제가 주어진다(이 페이지에 있는 글 속에는 몇 개의 은유가 있을까요?). 모든 조원들은 각 과제를 숙달해야만 한다. 적당한 시간이 흐른 후, 교수자가 숫자 하나를 부른다. 예를 들어, "2번"을 부르면, 각 조의 2번이 손을 든다. 각 조의 2번이 그들의 조를 대표하게 된다. 교수자는 그 중에 한 명에게 정답을 말해 보라고 요청한다. 모든 조원들은 경청하고 발표자의 정답을 확인해야 한다. 예를 들어, "정답은 7개입니다."라고 말한다면, 다른 학생들은 그들이 찾은 답과 일치하는지 확인해 봐야 한다. "동의하는 사람? 혹은 동의하지 않는 사람?" 이 방법은 일부 사람들만 "학습자" 혹은 "대변인"이 되지 않도록 만들어 주고, 집단 활동에 다른 학생들도 함께 어울릴 수 있도록 설계되었다.

또한 이 방법이 적절한지 알아보기 위해서 사전검사가 필요할지도 모른다. 예를 들어 단어 철자 목록이 있다고 해 보자. 사전검사가 끝나면, 학생들에게 단어 학습에 도움이 되는 여러 가지 활동 과제들을 내준다. 그리고 사후검사에 앞서, 학생들끼리 서로 지도할 수 있도록 휴식 시간을 제공한다. 그리고 나서 각 집단은 그들이 획득한 점수를 계산할 것이고(사후검사에서 맞힌 수에서 사전검사에서 맞힌 수를 뺀다), 이 때 모든 조원들이 모두의 학습에 관계했음을 고려한다. 협동 학습의 측면 이외에도, 이 방법은 여러 가지 활동을 하는 목적이 학습을 통해 무언가를 얻기 위함이라는 것을 분명하게 보여 준다. 사후검사만 진행한다면, 학생들이 실제로 무엇을 *배웠는지*가 분명하게 나타나지 않는다. 학생들은 사전검사에서 얻었을 점수와 다를 바 없는 높은 점수를 받았을 것이다.

여러 가지 훈련 과제들은 학생들이 협동 학습 상황에서 보다 효과적으로 배울 수 있도록 도울 수 있고, 모두에 의한 학습을 통해 열심히 활동하고 서로 간의 관계를 증진시키는 데 도움이 될 수 있다.

상호의존을 지향하는 교육

보다 효율적인 협동 활동을 위한 실제 및 훈련과 함께, 학생들이 진정으로 상호의존하도록 돕기 위해 사용할 수 있는 방법들이 있다. 가장 간단한 방법으로는 조별 활동 과정에 대한 성찰과 가장 효과적으로 협동하는 방법에 대한 논의 등이 있을 수 있다. 조금 복잡한 방법으로는 상호의존 활동을 요구하는 과제를 제시할 수도 있다. 예를 들어, 다른 사람에게 가치가 있는 카드를 버려야만 이기는 카드 게임이나, 다른 사람의 입장을 이해해야 이기는 의사소통 게임 등이 있다. "Charades" 혹은 "Pictionary"와 같이 친숙한 게임들도 흔히 쓰인다. 왜냐하면, 이러한 게임들이 다른 사람을 대신해 보는 능력과 결속력을 증진시켜 주기 때문이다. 또한 모든 사람들이 하위 과제부터 상위 과제까지 돌아가며 할 수 있도록 하거나, 각 조원들이 번갈아 가면서 조정자 역할을 해 보도록 하는 방법들도 있다.

Johnson과 Johnson(2009)은 이러한 과제들이 상호의존, 공감 및 역할 취득 능력을 향상시킬 수 있다는 것을 여러 차례 입증해 왔다. 또한 학생들이 상호 관계와 공동 책임을 강화하는 집단 분위기를 만들고, 집단의 역학관계를 분석하는 데 있어 상당한 전문가가 될 수 있음을 증명했다. 13장에서 다룰 '역할극 교수 모형'은 학생들이 그들의 가치를 분석하고, 상호 간의 준거 틀을 개발하기 위해 함께 활동하도록 설계되었다.

집단 내 분업

학생들이 업무 분담을 통해 서로를 돕는 방법을 배울 수 있도록 하기 위한 여러 가지 방법들이 개발되었다. 기본적으로, 과제들은 분업할 때 효율성이 높아지는 방식으로 제시된다. 근본적인 이론적 근거에 따르면 분업은 집단의 결속력을 높여 주는데, 이는 정보와 기술을 학습하기 위해 집단으로 활동할 때, 모든 조원들이 학습에 대한 책임과 집단 내에서의 중요한 역할을 모두 가지도록 해 주기 때문이다. 예를 들어, 아프리카에 대해 배우고 있는 한 학급이 네 개의 조로 편성되어 있다고 생각해 보자. 4개 국가가 학습 내용으로 선정되었다. 각 조에 조원 한 명이 "국가 전문가"로 임명된다. 국가 전문가들이 모여서 그들이 배정받은 국가에 대해 공부한 후 자신의 원래 조로 돌아가 교수가 되어 그들이 공부한 내용을 요약해서 다른 조원들에게 설명해 주는 책임을 맡는다. 유사하게, 기억력이 필요한 과제가 수업 중에 제시되었을 때, 집단은 자료의 양상에 대한 연상기호를 만드는 책임을 배분한다.

직소(*jigsaw*) 방법(Aronson, E., Blaney, M., Stephan, C., Sykes, J., & Snapp, M., 1978; Slavin, 1983)은 분업을 위한 공식 조직을 개발하기 위해 만들어졌다. 이는 분업 절차에 대한 도입으로서 매우 구조적이고 적절하다. 개별적 교실 조직은 개인이 각자의 가장 잘 개발된 기술을 연습하도록 만들어 주는 반면, 분업 방식은 학생들이 역할을 번갈아 맡음으로써 모든 영역의 기술을 개발할 수 있도록 만든다.

협동적이고 경쟁적인 목표의 구조화

일부 개발자들은 서로 경쟁시키기 위해 팀을 조직하는 반면, 대부분의 개발자들은 협동적 목표를 강조하고 경쟁을 최소화하는 데 주목한다. Johnson과 Johnson(1974, 2009)은 연구를 통해 협동적 목표 구조를 지지하는 증거를 주장했다. 그러나, Slavin(1983)은 팀 간의 경쟁이 학습에 이롭다고 주장했다. 근본적인 질문은 학생이 상호 경쟁 지향인가 아니면 협동적 목표 지향인가 하는 것이다. 최근 저자의 동료 선생님들이 전체 수업을 협동적 목표를 지향하는 학습으로 운영했다. 예를 들면, 고등학교 과학 과목에서 학생들이 원소주기율표의 기본적 특징을 숙달하도록 운영함으로써 화학 수업을 시작했다. 학생들은 조를 이루어 학급 전체가 사용할 수 있는 연상기호를 만들었다. 2주 안에 모든 학생들이 주기율표를 속속들이 알게 되었으며, 과목 전체에서 구조적 조직자(9장 참조)로서 정보를 제공했다.

5학년 수업의 조별 활동에서, 사회 탐구 과목은 주, 대도시, 강과 산 등 미국 지리의 기초 정보에 대한 기억 학습을 통해 시작한다. 수업 점수가 산출된다(예를 들면, 50개 주를 30명의 학생이 반복하면 1,500항목이 된다). 목표는 학급이 다 같이 완전한 점수를 달성하는 것이다. 학급 전체가 완전한 점수를 달성하기 위해 개인이 숙달해야 할 내용은 적지만, 학급은 1주일 안에 1,450점 이상을 달성하게 된다.

동기 부여: 외적 동기로부터 내적 동기로?

협동적 혹은 개인적 목표의 구조화를 얼마나 강조하느냐에 대한 논의는 동기의 개념과 관련이 있다. Sharan(1990)은 협동 학습이 동기의 지향점을 외적 요소로부터 내적 요소로 이동시키기 때문에 부분적으로 학습을 증진시킨다고 주장했다. 다시 말하자면, 학생이 학습과제를 두고 협동할 때, 그들은 외적 보상보다는 협동 학습 그 자체에 더 흥미를 가지게 된다는 것이다. 따라서, 학생은 내적 만족을 위해 학습에 참여하고, 교사 혹은 다른 권위자들의 칭찬에 점점 덜 의존하게 된다. 내적 동기는 외적 동기보다 훨씬 더 강력하며, 학습 속도를 향상시키고, 정보 기술의 보존을 증진시키는 결과를 낳는다.

협동 학습 공동체는 상당수의 학교들이 학생의 학업 성취도를 위해 시험과 보상을 이용하도록 지도한 논리들에 대한 직접적인 도전이다. 의심할 나위 없이, 일반 교육의 근본 목적 중 하나는 학습에 대한 내적 동기를 향상시키고, 학생들이 성장 과정에서 순수한 만족을 위한 학습을 할 수 있도록 고무시키는 것이다. 협동 학습이 이러한 교육의 근본적 목적에 기여한다는 이유로 부분적으로 성공적이라고 본다면, 현재 대부분의 학교에 만연해 있는 시험과 보상 체계는 사실상 학습을 지연시키고 있는 것인지도 모른다. 학습 환경을 근본적으로 변화시키는 강력한 모형인 이 집단 조사 모형에 의지하려면, 현재 많은 학교에서 볼 수 있는 과제, 협력 구조, 동기부여의 원리가 어떻게 다른지를 고려해야 한다.

요약 및 효과

협동 학습은 다양한 형태를 수반한다(그림 11.1). 다음 그림은 집단이 협동적 방법으로 학습할 때 활용될 수 있는 기본 전략의 요약 도표이다.

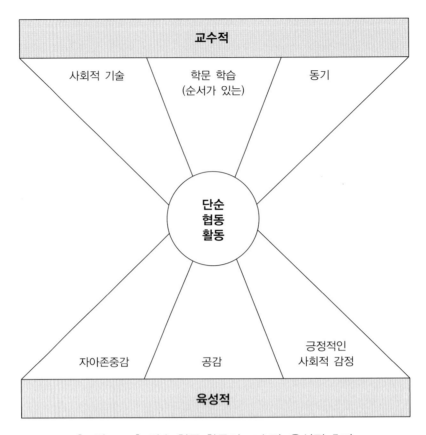

[**그림 11.1**] 단순 협동 활동의 교수적, 육성적 효과

요약 도표　입문 절차

1단계: 집단의 수준에 맞는 학습 과제를 제시하라. 예를 들면, 그림책을 주고, 학생들에게 표지를 분류해 보라고 제안한다.

2단계: 학생들을 둘씩 짝지어 주고 가까이 있는 학생들과 한 집단이 되도록 배정한다.

3단계: 짝끼리 표지를 공부하도록(혹은 다른 유사한 자료) 만들고 범주를 만들도록 한다.

4단계: 모든 짝들에게 그들의 범주를 공유하고 그 이유를 설명하도록 한다.

5단계: 그들의 생각에 있어 공통점과 차이점을 집단으로 토론하고, 공통 혹은 차별된 관점으로부터 그들이 배운 것을 논의한다.

6단계: 짝끼리 그들이 함께 과제에 접근했는지 혹은 분업했는지, 왜 그렇게 했는지 논의한다.

7단계: 공동 활동 혹은 분업 활동과 관련하여 짝들을 조사한다.

8단계: 과제를 하면서 형성한 범주에 대해 짧은 문장으로 만들어 보도록 한다.

전체적으로, 이러한 활동은 협동을 계속해서 진행시킨다. 그리고 협동 활동이 사용되고 개선되고 일상화되는 일련의 탐구를 시작하게 한다.

제12장

집단 조사

민주적 과정을 통한 철저한 탐구

단지 학생에게 상황을 떠넘기고 좋은 결과가 있기를 희망하는 것만으로는 민주적인 조사 과정이 개발되지 않는다. 능동적으로 이끌면서, 동시에 조사 도구를 가르치고, 내용에 대한 학습이 이루어지도록 한다. 우리는 본래 태생적으로 협동적이지만, 세련된 사회적 기술이 육성될 필요가 있다.

— 사색적 관찰자

| 핵심 아이디어 |

시민의식은 연습에 의해 학습된다. 우리는 유치원에서부터 고등학교 졸업까지 14년간, 함께 작업하는 것을 통해 학습되는 민주적 과정을 계속적으로 연습한다.

▒▒▒ 시나리오 ▒▒▒

Tom 선생님의 학생들이 세계의 국가들을 조사한다

탐구는 다양한 문화 속의 가족들에 대한 영상을 보는 것으로 시작한다. 학생들은 다양한 인간 경험에 대해 질문하기 시작한다. 행동 중에 어느 정도가 문화의 산물인가? 얼마나 많은 것들이 그 종의 기질인가? Maryland 주의 Annapolis에서, Tom 선생님은 9~12학년 학생들이 국제 이해의 기초를 쌓을 수 있는 1년짜리 교육과정을 개발했다. Tom 선생님은 이 과정을 전적으로 협동/귀납적 경험으로 설계했다. 학생들은 세계의 수많은 국가들에 대한 정보를 수집하고, 국가를 분류하고, 공통점과 차이점을 형성하고 검증하며, 특정 국가와 국제적 쟁점에 대한 탐구를 시작한다. 이 사례에서는 세계의 정치 기구가 주제이며, 국가는 초점이 맞춰지는 독립체이다. 대량의 정보군이 다양한 변수에 대한 통계를 제공하고, 백과사전, 신문 그리고 정보원들 역시 정보를 제공한다.

사실상, 이 교과목의 최상위 내용 목적은 세계 각 지역의 물리적 및 문화적 특징과 사회적 및 정치적 맥락에 대한 지식을 형성하는 것이다. 이러한 목적은 협동적/귀납적 활동에서의 고차원 기술을 개발하고, 참고 도서와 ICT 체계를 사용하는 법을 배우고, 학생들이 정치적 세계를 익히게 하고, 세계의 국가들에 대한 정보를 수집하게 하고, 특정 탐구에 대해 멀티미디어를 활용한 보고서를 만들도록 하는 것이다. Tom 선생님은 학생들의 탐구 역량 향상이 정보와 이해를 형성할 뿐만 아니라, 장기적으로 지적 능력을 발달시켜 줄 것이라 생각한다. 학생들이 배우는 특정 사회과학 기술은 학생들을 사회 과학을 학습하는 학생이자 세계 시민이 될 수 있도록 만들어 준다.

자원

학교는 학생들에게 학기 내내 수업 중 혹은 가정에서 사용할 수 있는 노트북을 제공한다. 모든 학생은 Gmail 계정을 가지고 있고, 학급은 학생들이 메시지를 게시하고 채팅도 할 수 있는 웹 페이지를 가지고 있다. 학생들은 그들이 원한다면 개인적 용도로 노트북을 사용할 수 있다. Tom 선생님의 학생들은 Dan Smith(2012)가 지은 ≪The State of the World Atlas≫라는 책을 가지고 있는데, 이 책은 평등과 불평등의 측정과 같이 다른 자료군에서 흔히 찾아볼 수 없는 사회적 쟁점이나 정치에 관련된 정보들을 담고 있다. 학생들은 또한 Britannica 백과사전과 함께 "the World Factbook"(www.

cia.gov/library/publications/the-world-factbook)의 온라인 판을 사용할 수 있는데, 이는 전 세계의 거의 모든 국가에 대한 정보를 담고 있다. 학생들은 짝지어져 있고, 각 짝에게 지구본이 배정되어 있으며, Google Earth와 같은 가상의 지구본에도 접근할 수 있다. 결국, 학생들은 다른 나라에 있는 학생들과 선생님, 그리고 다양한 주제에 대한 권한을 가지고 여러 가지 출처들을 활용하게 될 것이다. Tom 선생님의 교과목은 "혼합형" 개념에 정확하게 일치한다. 교실 수업과 ICT 자원의 활용이 함께 이루어진다. 이러한 경우에, 교실 수업은 탐구 활동을 지도하기 위한 질문과 주제를 형성하고, 정보와 가설들을 공유하고 논의하는 포럼 역할을 한다. ICT 자원은 학생들의 조사 활동을 지원하고 더 잘 이루어지도록 한다.

초기의 학생

사전 지식에 관하여, Tom 선생님은 이 수업에 등록한 40명의 학생들 중 20%만이 국가 이름이 명시되지 않은 지구본에서 10개 나라 정도만 위치를 정확하게 찾아낼 수 있으며, 심지어는 그 학생들이 이 소수의 나라에 대해서도 정보가 거의 없음을 확인했다. 즉, 학생들은 내용에 관해 처음부터 시작했다. 그들은 디지털 자료를 효과적으로 사용하는 데 필요한 지식과 기술이 조금씩 달랐다. 그러나 단지 2명의 학생만이 국가가 표시된 지구본을 다루는 데 있어 인쇄물이나 ICT 자료들을 사용했다. 많은 학생들이 파워포인트 프레젠테이션을 작성했고 아주 일부 학생이 다양한 목적을 위해 비디오를 편집했다.

결론적으로, Tom 선생님은 수업의 시작 단계에서 그가 학생들에게 귀납적인 학습 단계와 정보들, 또한 어떻게 그것들을 활용해야 할지에 대해 소개할 필요가 있음을 알았다. 뿐만 아니라 학생들은 스스로 그들이 필요한 미디어 기술과 웹을 반드시 배워야 한다는 것을 확신했다. 금년에 선생님은 학생들을 조직하는 것으로써 자신이 정한 20개의 나라(올해 말까지 여러 다른 나라를 공부하게 될 것이다)를 공부하는 것을 시작했다. 그들은 기준으로써 미국, 캐나다, 멕시코의 일부 측면을 살펴보기 시작했다.

선생님은 학생들에게 자료를 사용하며 자료를 관리하고 조작할 방법을 탐구하도록 고안된 과제를 줌으로써 수업을 시작하되, 인구통계학적 변수로 시작한다. 선생님은 학생들이 "World Factbook"으로 시작하도록 하고 미국, 캐나다, 멕시코가 인구 크기로 비교될 수 있는 표를 만들었다(인구는 각각 314백만, 34백만, 114백만). 그리고 1인당 평균 국내총생산(각각 47000, 39000, 14000)과 출생률(각각 2.06, 1.58, 2.29)도

비교했다.

1인당 평균 국내총생산은 학생들에게 새로운 개념이다. Tom 선생님은 학생들이 찾고 토론하고 마침내 정의를 만들어 내도록 했다. 그들이 도출한 정의는 World Factbook에서 내린 정의와 거의 흡사하다. 학생들은 출생률에 대한 의미도 잘 몰랐고 확실히 해야 했다. 학생들이 그러한 용어에 대해 학습하고 있는 동안, Tom 선생님은 학생들이 Factbook 개발자들이 어떤 근원 자료를 가지고 추정치들을 만들어 냈는지 알아보도록 이끌었다. 즉 학생들은 그들이 2차 자료를 상의할 때마다 자료의 출처를 찾을 필요가 있을 것이다.

학생들은 미국의 인구 수와 세 나라의 인구 규모에서의 차이와 같이 세 나라의 이세 가지 항목이 그들에게 아주 흥미롭고 새롭다는 것에 놀랐다. 이전부터 출생률에 관심을 둔 학생은 일부였다. 캐나다가 이민자 없이는 줄어들 것이라는 생각은 놀라왔다. 일부는 멕시코의 출생률이 현재보다 훨씬 더 커질 것이라고 상상했었다.

다음으로, Tom 선생님은 학생들이 가계 소득, 문맹률을 조사하게 했다. 유럽의 3개 국가를 추가하여 5개의 변수를 살펴보도록 했다. 그는 네덜란드, 룩셈부르크 그리고 이탈리아를 선택했다. 다시, 학생들은 놀랐다. 학생들은 "왜?" 질문을 만들기 시작했다. "왜 룩셈부르크는 그렇게 GDP가 높지?" "왜 이탈리아와 네덜란드는 그렇게 출생률이 낮지?" 그들은 또한 다음과 같은 사실에 놀라움을 표현했다. "우리는 네덜란드가 그렇게 작은 나라일 것이라 생각했지만 그 나라에 그렇게 많은 사람이 있을 줄이야." "나는 독일과 네덜란드가 국경을 공유하는 줄 몰랐어." "몇 년 전, 나는 Kim Clijsters가 테니스 게임을 이겼을 때 그녀가 관중에게 "감사해요" 인사를 영어, 프랑스어로 얘기했고 아나운서는 그녀가 독일어도 역시 할 줄 안다고 말하는 것을 듣고 깜짝 놀랐었어. 이제 나는 왜 그녀가 세 가지 언어를 배우게 되었는지 알아보기 시작해야겠어."

그들은 아프리카, 남동 아메리카, 아시아 그리고 중동 아시아의 나라도 살펴보았다. 이 과정에서 학생들은 항상 더 많은 정보를 얻기 위해 묻고자 하는 질문을 적고, 그 이유를 찾고, 차이에 대한 추측(가정)을 세웠다.

학생들이 각 나라의 지역을 탐색한 후에 Tom 선생님은 그들에게 동시에 두 변수를 비교하는 표, 예를 들면 출생률과 문맹률을 비교하는 표를 만들게 했다. 이러한 활동은 추측과 가정을 세울 수 있는 계기가 되었다.

Tom 선생님은 학생들이 신중하게 이제까지 그들이 알아낸 것을 표현할 수 있도록 이끌었다. 특히 일부 큰 나라가 낮은 출생률을 지니고 있고 작은 나라가 높은 출생률을 지니고 있는 것 등과 같이 혼란스러운 사실들을 알아내었기에 그것을 표현할 수 있도록 했다. 그는 학생들이 십 년 후의 사진을 그려 보게 했고 출생률에서의 변화를 기준으로 나라를 재분류하게 했다. 그리고 왜 이런 변화가 일어났는지에 대한 질문을 만들게 했다. 그러한 질문에 적절한 대답을 찾기 위해, 학생들은 백과사전, 신문기사(많은 나라들이 영어 신문은 갖고 있다)를 찾고 다른 시청각 자료를 찾는다.

Tom 선생님은 조사의 이러한 측면들을 학생들의 질문들과 섞는다. 그 질문들은 학생들이 20개의 나라를 연구함에 있어 다른 변수를 추가하게 만들었다. 학생들은 20개 나라들의 변수 사이에서 명백한 관계에 대해 학습하면서 그들의 가정을 검증하기 위해 다른 나라를 포함시키며 기반을 확장시킬 것이다. 학생들은 또한 관계자—그 지역의 전문가—들과 이야기할 수 있을지 없을지를 알아보기 위해 관계자를 찾고자 노력할 것이다. Tom 선생님은 학생들이 그들과 정보를 교환하기를 원하는 학교를 찾을 수 있도록 도왔다.

Tom 선생님은 그의 학생들이 나라의 물리적 크기와 인구 같은 비교적 이해하기 쉬운 변수들을 학습하는 것부터 시작했다. 그런 후 선생님은 교차분석을 어떻게 하는지 가르쳐 주면서 학생들이 연관성 계산을 할 수 있도록 도왔다. 결국 선생님은 학생들에게 통계적 유의도를 검증하는 방법을 가르칠 것이다. 선생님은 학생들이 가정을 세우고 가정을 활용하여 자료에 대해 더 깊은 탐구를 할 수 있도록 했다.

학생들은 그들의 노트북에 수업 개요를 갖고 있으며 부모 역시 갖고 있다. Tom 선생님은 부모들에게 진행과 수업 초기에 학생들에게 주어진 과제, 선생님과 부모들이 서로 그리고 학생들과 소통하는 것을 쉽게 만들어 준 프로그램에 대해 메모를 한다. 이 메모의 단순한 활용은 부모들이 과제가 무엇인지 알 수 있게 하기 위해서 과제를 게시하는 것이다. 강의계획서 역시 일부 수업에는 게시된다. 이 경우에는 단원도 기술되고 학생들이 작성한 짧은 보고서를 포함하여 진척사항 역시 게시된다. 일부 부모는 수업에 참석하기를 요청하고 그들은 초청된다. 일부 저녁 시간에 학생들은 그들의 조사와 결과를 부모에게 발표한다. 그들의 결과 보고서는 종종 Tom 선생님의 견해와 함께 부모에게 제공된다.

학생들이 점점 세계의 특별한 지역 또는 관심사에 대해 많은 것을 알게 되면 Tom 선생님은 그들이 학교 내외의 다른 집단에게 프레젠테이션을 할 기회를 찾아본다. 때로는 온라인을 통해, 때로는 직접 만나서 프레젠테이션을 할 수 있다. 선생님은 학생들이 여러 가지 형태로 잘 짜인 정보를 프레젠테이션하도록 요구하고 연습하기를 원했다. 또한 그들과 다른 관점이나 경험을 가지고 있는 집단이나 개인으로부터 다양한 질문에 답하는 연습을 하기를 원했다. 반면에 Tom 선생님은 학생들이 개발해야 할 조사 기법과 사회 연구 기법에 대해 매우 명확히 알고 있고 종종 학생들이 귀납적인 작업이나 조사를 진행할 때 찾아낸 일부 관심거리나 질문에 놀라움을 표했다.

Tom 선생님의 혼합된 과정은 매우 간단하다는 것을 기억하라. 내용은 이국적이 지만 학생들이 그들에게 새로운 문화를 탐구하는 데 웹이 사용되었다. Tom 선생님은 학생들에게 QuadBlogging(전 세계의 교실을 서로 연결할 수 있는 조직)을 소개함으로 써 조사 연구에 대한 기반을 고려했다(Coiro, 2011 참조).

집단 조사에 대한 생각의 근원지

집단 조사 모형으로 알려져 있는 교수 모형은 John Dewey의 사고에서 시작되었다. 이 모형에서 학생들은 문제 해결 집단으로 나누어져 학술적인 문제를 해결하며 민주적 인 절차와 과학적인 조사 방법을 배우게 된다. 교실에서 민주주의를 실천하는 움직 임은 미국에서의 첫 번째 주요한 개혁이었으며, 대단한 반응을 일으켰다. 학교에서 민주적 과정의 교육이 실험되었던 1930년대와 1940년대에 학교는 심하게 비판을 받 았다. 개혁자들에 의해 진행된 연구의 첫 번째 사항은 사실 방어하기 위한 것, 즉 사 회적 목적에 대한 의존도가 높으면 학생들의 학문적인 발전을 후퇴시킬 것인지를 우 려하는 시민들에 의해 제기된 질문에 대한 반응으로 개발되었다. 이 연구들은 전반 적으로 사회적 및 학문적인 목표는 전혀 공존할 수 없다는 것을 보여 주었다. 그러나 이 학교 소속 학생들은 손해를 보고 있는 것이 아니었다. 사실, 여러 측면에서 그들 은 사회적 교육이 강조되지 않는 대비되는 환경의 학생들을 능가했다(Chamberlin & Chamberlin, 1943). 그러나 반대는 계속되었다—정치적, 상업적인 기관이 통합적 조 직 행동에 아주 많이 의존하는 민주주의에서는 비정상으로 보이는 반응이었다.

사회의 기원으로부터 도출된 교육 모형들은 아주 선하고, 심지어 이상향 같 은 사회 안에서 인간이 갖춰야 할 모습을 대개 꿈꾼다. 그 교육방법은 이 사회 안 에서 살 수 있고, 향상시킬 수 있는, 그리고 그 사회를 창출하고 개선을 도울 능력 을 갖춘 이상적인 시민을 계발하는 것을 목표로 한다. 이러한 모형은 그리스 시대

때부터 있었다. Plato의 ≪Republic≫(1945)은 이상적인 사회에 대한 청사진이며 이상적인 사회를 지지하는 교육적 프로그램이다. Aristotle(1912) 역시 이상적인 교육과 사회를 다루었다. 그들의 시대로부터 다른 이상주의자 다수가 교육적 모형을 만들어 냈다. St. Augustine(≪The City of God≫, 1931), Sir Thomas More(≪Utopia≫, 1965), Comenius(≪The Great Didactic≫, 1967) 그리고 John Locke(≪Some Thoughts Concerning Education≫, 1927)와 같은 모형이 바로 이에 해당된다.

사회를 향상하기 위해 교수법을 사용하려는 시도가 이루어졌음은 당연하다. 미국에서 민주주의 과정 모형으로써 교실 수업을 개발하기 위한 노력이 폭넓게 이루어졌다. 사실, 민주주의 과정에 대한 여러 가지 변형된 것들은 교육적 문헌에 한정해서 보면 아마 다른 어떤 일반적인 교수법보다도 흔했다. 수업 모형 측면에서, *민주주의 과정*은 교실에서 집단을 구성하여 다음의 과업 모두 또는 일부를 수행하도록 하는 것을 지칭했다.

1. 민주주의 과정에 기반을 둔, 그리고 생성된 사회적 체제를 개발한다.
2. 사회 생활과 과정의 특성에 관한 과학적 탐구를 실시한다. 이 경우, *민주주의적 절차*란 용어는 과학적 방법과 탐구와 같은 의미를 지닌다.
3. 탐구를 통해 사회적 또는 대인관계에 관련된 문제를 해결한다.
4. 경험에 바탕을 둔 학습 환경을 제공한다.

민주주의적 교수법을 실행하는 것은 극도로 어려웠다. 이 방법은 교사에게 높은 수준의 대인관계와 교수 기술을 요구한다. 마찬가지로, 민주주의적 과정은 소모적이고, 대개 속도가 느리다; 따라서 부모, 교사, 그리고 학교 임원들은 종종 이 방법이 비효율적인 교수법이라고 염려한다. 게다가 교수학습 자원이 풍부하게 필요한데, 이것들이 항상 가용하지는 않다. 아마도 가장 중요한 장애물은 학교가 단순히 사회적이고 지적인 민주주의 과정을 가르치도록 조직되어 오지 않았다는 것이다. 대신에, 학문적인 교과목에 있어 기본적인 수업에 맞춰져 있고, 조직되어 있다. 그리고 학교 관계자들과 후원자들은 대부분 그러한 방향이나 조직을 바꾸려 하지 않았다. 모든 영역에서 학생의 학습에 긍정적인 영향을 미쳤다는 점을 고려할 때, 전체 학교의 교수법 목록에 집단 조사를 필수적인 것으로 포함하지 않는 것은 심각한 실수이다.

참조의 대안적 틀과 행동 방침에 대한 지각은 사회적 협상에 있어 필수적이다. 그러나 다른 사람들의 관점을 이해하기 위해서는 개인적으로 아주 성숙해야 한다. 공동의 실제가 형성되려면 이러한 인지를 공유하는 것이 필수적이다(Berger & Luckmann, 1966 참조).

기능적 민주주의의 본질은 문제의 정의와 상황에 대한 협상이다. 타인과 협상하는 이 능력은 개인이 그 또는 그녀 자신의 세계와 협상하는 데 도움이 된다. 이해와 목적에 대한 감각을 유지하는 것은 실제를 다루는 유효하고 융통성 있는 방법을 개발하는 것에 의존한다. 인생을 이해 가능하게 만들거나 다른 타인과의 실제를 협상하는 데에서 실패는 혼돈의 감정을 초래한다. 개인의 가치관을 지속적으로 재구성하는 능력과 부합하는 가치체제를 개발하는 능력은 모두 성숙해 가는 데 필수적이다.

교수에 대한 접근 중에는 학습자에게서 특정의 결과를 얻으려면 구별되는 무엇인가를 수행해야 한다고 가정하는 것들이 많다. 민주주의 과정을 강조하는 모형은 어떠한 교육적 경험의 결과도 완벽히 예측될 수 없음을 가정한다. 민주적 모형 제작자의 추론에 의하면, 만약 학생들이 경험의 특성을 탐구하고, 세계를 보는 고유의 시각을 개발하도록 설득하는 데 성공하더라도, 어떤 상황이 주어지면 그것에 어떻게 대응할 것인지 또는 특정의 문제를 어떻게 해결할 것인지를 예측하는 것은 불가능하다. 그러므로 만일 학생들이 학문을 배운다면, 그들이 다른 사람들에 의해 알려진 학문을 정확히 그대로 알기 위해서가 아니라 그 학문에 의해 질식당하지 않고, 그 학문이 터하고 있는 개념들을 생성하는 데 도움을 주기 위해서이다.

목표와 가정

Herbert Thelen은 National Training Laboratory의 창립자 중 한 명이며, 조직 개발에서의 경험과 연구, 그리고 학문적 탐구를 바탕으로 집단 조사 모형을 구성했다. 그는 경험 기반 학습 환경에 대해 연구하고 있다. 그는 경험 기반 학습 환경을 구성하려고 하는데, 이 환경은 학습 이후의 삶에서 상황에 쉽게 전이될 수 있고, 탐구가 맹렬하게 이루어지는 특징을 가지고 있다.

Thelen(1960, p. 80)은 "다른 사람들과 함께 사회적 실제를 구성하는 규칙과 합의를 이루어 가는 사람들"과 같은 사회적 존재의 개념으로 시작한다. 사람들이 어떻게 개발해야 하는지에 대한 관점은 삶이 *사회적*이라는 피할 수 없는 사실을 언급하게 한다. 사회적 존재는 지구상의 동료를 참조하지 않고서는 행동할 수 없다. 그렇게 하지 않으면, 자기를 유지하고 자율성을 추구하는 과정에 유사한 노력을 하고 있는 타인과의 갈등에 처하게 된다. 사회적 합의를 세울 때 개개인은 행동에 대한 금지와 자유 둘 다 결정하는 데 도움을 준다. 행동 규칙은 모든 분야—종교, 정치, 경제, 그리고 과학—에서 작용하고, 한 사회의 문화를 구성한다. Thelen에게 사회 질서에 대한 이러한 협상과 재협상은 사회적 과정의 본질이다.

> 따라서 집단과 사회에서 순환 과정이 존재한다. 즉, 자신의 요구를 충족시키고자 하는 개인은 사회 질서를 세워야만 한다(그리고 그들이 집단과 사회를 만드는 과정에서). … 살아가는 방식이 변함에 따라 규칙은 개정되어야 하고 새로운 통제와 합의에 대한 타결이 이루어져야 하고, 사회적 규칙에 통합시켜야 한다(Thelen, 1960, p. 80).

교실은 더 큰 사회와 유사하다. 교실에는 사회 질서와 교실 문화가 있고, 그 안의 학생들은 그 안에서 이루어지는 삶의 방식, 즉, 그 안에서 세워지는 기준과 기대에 관심을 기울인다. 교사는 사회 질서를 생성하고자 하는 관심에 의해 자연스럽게 야기된 에너지를 이용해야 한다. 교수 모형은 사회에서 요구되는 협상 형태를 그대로 모사한다. 합의를 통해 학생들은 학문적인 지식을 공부하고 사회 문제 해결에 관여한다. Thelen에 의하면 학문적 영역에 대한 지식은 그것이 협상된 사회적 과정과 함께 가르쳐야 한다.

> 교사의 과제는 탐구를 지향하도록 교실에서 사회적 질서가 개발되도록 하는 것이다. 그리고 개발되어야 할 "집단의 규칙"은 배워야 하는 지식 영역의 방법과 태도이다(Thelen, 1960, p. 8).
>
> 교실에서의 삶은 일련의 "탐구"의 형태가 된다. 각 탐구는 학생들이 반응하고, 그들의 태도, 생각 그리고 인지 방식에서의 기본적인 갈등을 발견할 수 있는 자극 상황으로 시작한다. 이러한 정보를 기반으로 그들은 조사할 문제를 식별하고, 그것을 해결하기 위해 필요로 하는 역할을 분석하고 이러한 역할을 담당하도록 조직한 후 수행하고, 발표하고, 그 결과를 평가한다(Thelen, 1960, p. 82).

수업은 문제를 해결하고, 또한 문제 해결을 통해 지식을 얻고, 더 효과적인 사회적 집단이 되는 민주주의의 축소판이 되어야 한다. 그런데 집단에는 그들이 선출하지 않은 대표가 있다. 바로 사회에 의해 지명된 교사가 그 역할을 한다.

기본 개념

Thelen의 전략은 (1) 탐구와 (2) 지식의 개념을 바탕으로 구성되어 있다.

조사의 시작—불확실함의 역할

탐구는 문제를 대면하면서 시작되고, 지식은 탐구로부터 얻어진다. 사회 과정은 탐구를 향상시키고, 그 자체도 검토하고, 향상시킨다. 모둠 조사의 핵심은 탐구 집단의 개념 그 자체에 있다.

첫 번째 탐구 요소는 집단에 속한 개별 학생들이 해결해야 할 문제에 대면하고 당황하는 사태이다. 10장을 회상해 보면, 당황스러운 상황은 탐구의 자극이 된다. 교실에서 교사는 내용을 선택할 수 있고, 문제 상황으로 던질 수 있다—예를 들어, "어떻게 우리 지역사회가 이런 방식으로 되었니?" 그러나 단순하게 문제를 던지는 것은 탐구를 위한 주요 에너지원인 당황스러움을 만들지 않을 것이다. 학생들은 여기에 자신에 대한 인식과 개인적 의미를 추가해야 한다. 게다가 그들은 지속적으로 문제를 탐구하는 것과 탐구자로서의 자신을 관찰하는 참여자와 관찰자의 이중적 역할을 모두 맡아야만 한다. 탐구는 사회적이고도 개인적인 과정이기 때문에 학생들은 어리둥절해하는 다른 사람과의 상호작용과 반응을 관찰함으로써 자신에 대한 관찰자의 역할에 도움을 얻는다. 또한 서로 갈등하는 관점이 생겨나면 문제에 대한 학생들의 흥미가 증가하게 될 것이다.

비록 교사는 문제 상황을 제공할 수 있지만, 문제를 식별하고, 만드는 것은 탐구자인 학생에게 달려 있다. 탐구는 실제 상황에서 직접적 활동과 새로운 자료를 끊임없이 만들어 내는 지속적인 경험을 필요로 한다. 그렇게 함으로써 학생들은 방법을 유념하여 자료를 수집하고, 지난 경험을 회상하면서 생각을 분류 및 연상하고, 가설을 수립 및 검증하고, 결과를 살피고, 계획을 수정한다. 최종적으로, 그들은 성찰력 또는 명시적인 참여 행동을 상징적인 언어적 행동과 종합하는 능력을 발달시켜야만 한다. 학생들이 연구 결론을 명시적으로 구성하고, 그것들을 기존의 아이디어에 통합하는 경험에 의식적으로 주의를 기울이도록 해야 한다. 이렇게 함으로써 사고가 새롭고 보다 강력한 형태로 재조직된다.

교수 모형

모형의 구조

이 모형은 학생들이 자극적인 문제에 직면(직면은 학문적 탐구에서 사용되는 것—논쟁자들이 습득한 더 형편없는 움직임을 *직면하기*보다 학습해야 하는 것을 명확하게 하는 것과 같은 의미이다)하는 것으로 시작한다. 이 직면은 구두로 이루어질 수도 있고, 행동적 경험일 수도 있다; 이는 자연스럽게 생기거나, 교사에 의해 제공될 수도 있다. 만약 학생들이 반응하면, 교사는 학생들의 반응에서 차이점들—학생들이 취하는 입장, 학생들이 인지하는 것, 그것들을 조직하는 방법, 학생들이 느끼는 것 등—에 학생들이 주의를 기울이도록 한다. 학생들은 반응의 차이점에 흥미를 느끼게 되면서, 교사는 학생들을 스스로 문제를 만들고 구조화하는 방향으로 이끈다. 다음, 학생들은 필요한 역할을 분석하고, 조직을 구성하고, 수행하고, 결과를 보고한다. 최종적으로, 각 집단은 원래의 목적 측면에서 그 해결책을 평가한다. 이 과정은 다른 직면이나, 그 조사에서 드러난 새 문제에 대해 반복된다(표 12.1).

사회적 체제

이 모형의 사회적 체제는 집단의 경험으로부터 형성되거나 타당성이 입증된 결정에 의해 지배되는 민주적 체제이다. 이러한 민주적 체제는 학습의 대상으로서 교사에

〈**표 12.1**〉 집단 조사 모형의 구조

1단계:	당황스러운 상황에 맞닥뜨리기(계획된 것 또는 계획되지 않은 것)
2단계:	상황에 대한 반응을 탐색하기
3단계:	연구 과제를 만들고 연구를 위해 조직하기
4단계:	독립적 연구와 집단 연구
5단계:	진행과 과정을 분석하기
6단계:	활동을 반복하기

의해 정의된 복잡한 현상과 관련되어 있고, 교사가 식별한 경계 안에서 형성된 것이다. 교사는 집단 활동이 이루어지는 데 최소한의 외부 구조를 제공한다. 학생과 교사는 역할이 다르다는 점을 제외하면 동등한 지위를 가진다. 분위기는 이성과 협상으로 이루어져 있다.

반응의 원리

집단 조사에서 교사의 역할은 상담자, 자문가, 친근한 비평가 중의 하나이다. 그들은 다음 세 수준에서 집단의 경험을 이끌고, 성찰해야 한다: 문제 해결 또는 과제 수준(문제의 특성이 무엇인가? 관련된 요인들은 무엇인가?), 집단 운영 수준(지금 필요한 정보는 무엇인가? 그것을 얻기 위해 어떻게 조직할 수 있겠는가?), 개인적 의미의 수준(이 결론들에 대해 어떻게 생각하는가? …에 대해 알았더라면 무엇을 다르게 할 수 있었을까?)(Thelen, 1954, pp. 52-53). 이러한 교수의 역할은 탐구의 핵심이 학생의 활동—문제가 부여될 수 없는 것—이기 때문에 어렵고, 민감하다. 동시에 교수자는 반드시 (1) 집단 과정을 촉진해야 하고, (2) 집단에서 에너지가 잠재적인 교육적 활동으로 유입되도록 개입해야 하고, (3) 이러한 교육적 활동을 감독하여 경험으로부터 개인적 의미가 생겨날 수 있도록 해야 한다(Thelen, 1960, p. 13). 교수자에 의한 중재는 집단이 심각한 수렁에 빠지지 않는 한 최소한으로 제한되어야 한다. Gertrude K. Pollack(1975)의 ≪Leadership of Discussion Groups≫ 16장에서 18장에는 집단에서 리더십에 대한 좋은 최신의 논의를 제공한다. 비록 이 자료가 치료 집단을 이끄는 사람들을 위해 준비되었지만, 일반적인 수준으로 진술되어 있고, 집단 탐구 중심의 교실을 꾸미고자 하는 교사에게 유용한 조언을 많이 제공한다.

지원 체제

집단 조사를 위한 지원 체제는 학생의 다양한 요구에 부응해야 한다. 학교에는 폭넓고 다양한 매체를 갖춘 최고 수준의 도서관이 구축되어야 한다; 또한 외부 자원에 접근하는 것이 가능해야 한다. 아동은 학교 담장 밖에 있는 자원들을 조사하고, 접하도록 격려되어야 한다. 이러한 유형의 협력적 탐구를 찾아보기 힘든 것은 지원 체제가 탐구의 수준을 유지하는 데 부적합하다는 이유도 있다.

적용: 회전 모형(즉, 단계들을 앞으로 진행하다가 되돌아가기도 함)

집단 조사를 하려면 교사와 교실 조직이 유연해야 한다. 이 모형은 "열린" 교실의 환경에 잘 들어맞을 것으로 보이지만, 전통적 교실 환경에서도 동일하게 활용 가능할 것으로 보인다. 우리는 보다 구조화된 교수 주도 형태의 수학이나 국어 수업에서 성공적으로 집단 조사를 실시하는 교사들을 관찰했다. 학생들이 이 모형에서 요구되는 사회적 상호작용, 의사결정, 그리고 독립적 탐구 등을 경험하는 기회를 갖지 못했다면, 이 학생들이 높은 수준에서 기능하는 데는 상당한 시간이 걸릴 것이다. 반면에, 자기주도적이고 탐구에 근거한 학습을 지향하는 교실 모임에 참여한 학생들은 보다 쉽게 시간을 보내게 될 것이다. 어떤 경우든지 이 모형의 사회적 측면이 학생들에게 지식적 측면만큼 친숙하지 않다는 것과 기능 습득이 많이 요구된다는 점을 교사들이 유념하면 좋을 것이다.

비록 여기에 기술된 모형의 예시들이 조직적으로 정교한 것처럼 보이지만, 모든 조사가 그렇게 복잡할 필요는 없다. 집단 조사가 생소한 어린 유아기 학생들에게는 아주 작은 규모의 조사도 가능하다; 최초의 직면에서 주제, 쟁점, 정보, 대안적 활동의 범위를 좁혀서 제공할 수 있다. 예를 들어, 학교에서 저녁 시간에 오락을 제공하는 것은 에너지 위기를 해결하는 것에 비해 초점이 맞춰진 것이다. 교실의 동물을 누가 어떻게 관리할 것인지에 대한 결정은 더욱 좁혀진 것이다. 당연히 탐구의 본질은 학생들의 흥미와 나이에 달려 있다. 학생이 나이가 더 많으면 더 복잡한 쟁점을 생각하는 경향이 있다. 그러나 숙련된 교사는 학생들의 능력과 조사를 관리할 교사 자신의 능력에 적합한 탐구를 계획할 수 있다.

집단 조사 연구에서 Sharan과 Hertz-Lazarowitz(1980a)는 협력적인 분위기가 더욱 편만할수록 학생들이 학습 과제와 서로서로에 대해 더욱 긍정적이 된다고 보고했다. 게다가 사회적 복잡성이 더 커지면 더욱 복잡한 학습 목표(개념과 이론)뿐만 아니라 정보와 기본적 능력의 학습에서의 성취가 증가한다는 것을 발견했다. 오리건 주의 고등학교에서 교사가 연구한 아주 소규모 연구는 집단의 역동성과 학생들에 대한 그 효과성에 관한 통찰력을 위해 읽어 볼 가치가 있다(Huhtala, 1994).

교수적, 육성적 효과

이 모형은 매우 다목적이고 포괄적이다; 학문적 탐구, 사회 통합, 사회적 과정 학습의 목표들이 섞여 있다. 이것은 교사가 정보를 미리 조직하고 미리 결정한 것을 흡수하는 것보다 공식과 지식적 측면에서 문제 해결을 강조할 때 모든 연령의 단계와 모든 주제 영역에서 사용될 수 있다.

지식과 재구성에서 Thelen의 시각이 수용된다면, 집단 조사 모형(그림 12.1)은 사회적 과정뿐만 아니라 학문적 지식을 가르치는 직접적이고 효율적인 방법이다. 또한 대인간의 온정과 신뢰, 협상에 의한 규칙과 정책, 학습에서 독립성, 그리고 타인의 존엄성 등에 대한 존중을 육성하는 것으로 보인다.

이 모형의 사용 여부에 대해 결정할 때, 잠재적 육성적 효과는 직접적인 교육적 효과를 분석하는 것만큼 고려되어야 한다. 학문적 탐구를 가르치는 데 적합한 모형

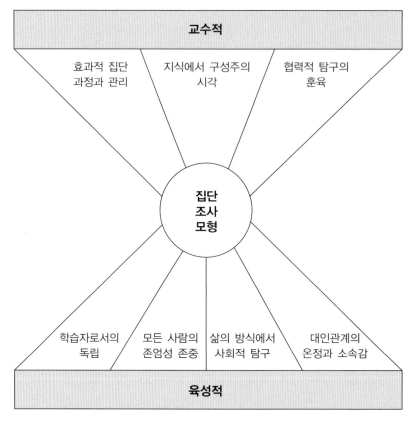

[**그림 12.1**] 집단 조사 모형의 교수적, 육성적 효과

은 다른 것일 수 있지만, 이 모형이 육성하는 것 때문에 집단 조사를 선호하는 교사도
있을 것이다.

요약 도표 집단 조사 모형

모형의 구조

- 1단계: 당황스러운 상황에 맞닥뜨리기(계획된 것 또는 계획되지 않은 것)
- 2단계: 상황에서 반작용을 탐색하기
- 3단계: 연구 과제를 만들고 연구를 위해 조직하기
- 4단계: 독립적 연구와 집단 연구
- 5단계: 진행과 과정을 분석하기
- 6단계: 활동을 반복하기

사회적 체제

이 체제는 민주적 과정과 집단 토의를 기초로 하고 외적 구조는 낮은 수준이다.
당황스러움은 있을 수 있으나 의도적으로 부여된 것은 아니다. 실재적인 상호작
용이 필수적이다. 분위기는 이성과 협상을 바탕으로 조성된다.

반응의 원리

교사는 집단 과정(학습자들이 계획을 세우고, 실행하고, 집단 운영을 돕는 것)과
탐구 요건(방법에 대한 의식)에서 요구되는 촉진자의 역할을 한다. 교사는 또한
학문적 조언자 역할을 한다. 학생들은 곤혹스런 상황에 반응하고, 일반적인, 그리
고 상이한 반응의 본질을 조사한다. 학생들은 문제에 다가가기 위해 필요한 자료
유형을 결정하고, 관련 자료를 수집한다. 학생들은 가설을 만들고 그것들을 검증
하기 위해 필요한 정보를 수집한다. 학생들은 결과를 평가하고 탐구를 계속하거
나 새로 시작한다. 교수의 핵심은 협력적 사회 환경을 만들고 학생들에게 민주적
문제 해결을 위한 협상과 갈등 해결 및 협상의 기술을 가르치는 방향으로 가는 것
이다. 더불어, 교사는 학생들에게 자료 수집과 분석의 방법에 대해 안내를 제공하

고, 가설을 검증 가능한 형태로 도출하도록 돕고, 가설을 합리적으로 검증하는 방법을 결정한다. 집단마다 구조의 필요도(Hunt, 1971)와 응집성(Thelen, 1981)에 있어 상당히 다르기 때문에 교사는 기계적으로 행동할 수 없지만 학생들의 사회적, 학습적 행동을 "읽어야"만 하고, 지속적으로 탐구에 전념할 수 있도록 도움을 제공해야 한다.

지원 체제

환경은 학습자 요구의 다양성에 반응할 수 있어야만 한다. 교사와 학생은 그들이 필요로 할 때 필요한 것을 조합할 수 있어야 한다.

제13장

역할극

가치 공부하기

> 가치 분석은 중요한 일이다. 역할극은 분석만 제대로 된다면 가치를 볼 수 있게 한다.
> 행동하는 것이 가치를 드러내는 것임을 이해하는 것에서 탐구는 시작된다.
>
> — Fannie Shaftel이 Palo Alto 교사들에게

시나리오

9 · 11 비극

Laurie 선생님은 8학년을 대상으로 읽기 수업을 진행 중이다. 읽고 있는 책은 David Halberstam의 놀라운 소설 ≪Firehouse≫(2002)로, 2001년 9 · 11 테러 전, 중, 후 Manhattan West Side 지역 'Engine 40 Ladder 35'(40/35로 알려져 있다)의 사회 체제를 서술하고 있다. 40/35 소방관 중 13명이 9 · 11 테러 당일 World Trade Center로 돌진했고, 이 중 한 명만 살아 돌아왔다. Halberstam은 이 소방관들과 가족, 그들의 관계를

기술하고 있으며, 이들 소방관으로 하여금 생명의 위험을 무릅쓰고 극단적으로 위험한 상황 속으로 누차 뛰어들어 협력할 수 있게 만든 규범에 대해 다루고 있다.

Laurie 선생님의 학생들은 Halberstam의 생생한 이야기를 듣고 깊이 생각해 보면서, 미국 전역에서, 자신의 일에 대해 인식하고, 자부심과 충성심을 가지고 임무를 수행하는 사람들의 공동체가 거의 없다는 사실을 깨닫기 시작한다. Laurie 선생님은 학생들이 쟁점을 알아차릴 때까지, 아무렇게나 상호작용하도록 잠시 내버려둔다. 선생님은 기록할 사람을 지목하고, 학생들은 질문과 진술문의 목록을 만들기 시작한다. 목록은 정보, 제도적 쟁점, 명료화 등으로 점차 체계화될 것이다. 목록은 사고와 관찰이 혼합된 가운데 작성되기 시작된다.

"보통 한 해에 뉴욕에서 화재로 사망하는 소방관이 몇 명입니까?"

"소방관들이 다른 일을 할 때 받는 것보다 적은 돈을 받는 이유가 무엇입니까?"

"맹렬한 속도로 위험한 불에 뛰어들어가는 것은 과연 어떤 모습일까요?"

"소방관들은 어떻게 불에 뛰어들어갈 수 있는 걸까요?"

"소방관들은 슬픔을 어떻게 감당하나요?"

"이들 소방관 중에 소방관의 아들, 심지어 손자가 있다는 사실이 흥미로워요."

"아무도 소방관 일을 하지 않는다면 어떤 일이 벌어질까요?"

"낮은 건물보다 높은 건물이 위험하다는 것을 알면서 왜 그렇게 높은 건물을 짓는 걸까요?"

"다치거나 사망한 소방관의 가족들에게는 어떤 일이 벌어지나요?"

학생들은 지역과 관련된 질문도 던진다.

"우리의 소방 담당 부서는 어떤가요?"

"뉴욕과 비교하면, 훨씬 작나요?"

집단 조사 형식으로 이루어지는 탐구 학습이 이제 막 시작된 것인데도, Laurie 선생님은 정보처리 탐구가 이루어지기에 앞서 개인적인 감정과 가치가 탐구 과정에 포함되도록 수업을 이끌어 나가고 있다.

Laurie 선생님은 학생들에게 한 상황을 주고 연기를 해 보라고 한다. 즉, 가족 중에 소방관이 되고자 하는 사람과 나머지 가족 구성원들이 갈등을 빚는 장면이다. 이 역할극의 핵심은 소방관이 되려는 이의 형제와 자매가 빚는 갈등이다. Laurie 선생님은 첫 번째 역할극을 맡게 될 여러 학생들을 지목하고, 다른 학생들에게는 관찰자 및 기록자 등 다양한 역할을 맡긴다.

놀랍게도 학생들의 역할극은 매우 열성적이었다. 소방관이 되려는 자는 점점 결의를 다진다. 형제와 자매 역할을 맡은 학생들은 더 열띤 반응을 보인다. 관찰자들은 감정이 논리를 앞선다는 사실을 발견한다.

이렇게 시작된 탐구는 여러 방향의 길을 안내한다. 결국 이 수업에서는 공공정책의 기저를 이루거나 정책이 결정될 때 조화를 이루는 여러 가치를 확인하게 될 것이다. 그리고 나서 Laurie 선생님은 학생들과 다른 영역의 수업으로 넘어간다. 가치에 대한 학습은 사회 과목의 핵심이다.

학생들은 탐구 과정에서 여러 웹 자료를 찾게 될 것이다. 일부 자료는 9 · 11 테러가 일어난 주의 사건들에 대한 다량의 정보를 제공하고, 일부 자료는 소방관들과 다른 유형의 긴급구조원에 대한 정보를 제공한다. "소방관(firefighters)"으로 시작된 검색은 다량의 정보와 논평으로 학생들을 이끌게 될 것이다.

13장에서 우리는 학생의 가치 학습에 도움이 되는 방법을 살펴볼 것이다. 역할극은 학생들이 생활 속에서 맞닥뜨리는 문제 상황에서 시작된다. 역할극을 통해 학생들은 가치가 행동에 어떠한 영향을 주는지를 탐구하고, 자신과 타인의 삶 속에서 가치의 역할이 무엇인지에 대한 의식이 고취된다. 역할극의 직접적인 효과는, 사람들과 상호작용하는 가운데 가치의 차이점에 대해 더욱 폭넓게 이해하고, 공감할 수 있게 된다는 것이다. 또 다른 직접적인 효과는 인도적 가치에 대한 합의가 필요하다는 생각을 버리지 않고 자신과 다른 견해를 존중하는 방식으로 갈등을 해결하는 전략을 확보할 수 있다는 것이다.

시나리오

대립 상황 이해하기

미국 캘리포니아 주 East Los Angeles의 7학년 교실이다. 학생들은 휴식을 취하고 교실로 돌아와서 서로에게 불평을 늘어놓고 있다. Williams 선생님은 무슨 일인지 물어보고는 휴식시간 내내 지속된 일련의 문제들에 대해 바로 이야기해 보자고 한다. 누가 바깥에 운동 장비를 가져갔는지를 두고 학생 두 명이 옥신각신하기 시작했다. 그리고 나서 모든 학생이 무슨 경기를 할지를 두고 다퉜다. 다음, 경기 편을 나누는 문제를 두고 논란이 있었다. 여기에는 여학생과 남학생이 경기를 함께 할지 따로 할지에 대한 논쟁도 포함되었다. 마침내 배구를 하기 시작했지만 판정 문제를 두고 바로 또 논쟁이 벌어졌다. 경기는 끝을 맺지 못했다.

처음에 Williams 선생님은 반 학생들의 다툼을 언짢아했다. 선생님은 화가 났다. 단지 이번 사건 때문만이 아니라 연초부터 이런 다툼이 계속 발생해 왔기 때문이다. 마침내 선생님이 말한다.

"좋아요. 이제 정말 이 문제를 직시해야겠어요. 여러분도 나만큼 진저리가 날 게 분명해요. 그러니 우리는 탐구 방법을 써봐야겠어요. 좀 더 일찍 했더라면 좋았겠네요. 이 방법은 개인 간 문제를 확인하는 것부터 시작돼요. 지금부터 30분 동안 개별 독서로 분위기를 식힐 거예요. 그리고 나서 네 모둠으로 나눠 우리가 갖고 있는 문제점의 유형들을 살펴보기로 하죠. 오늘 당장 해 보죠. 우리를 이 난관에 빠뜨린 상황이 무엇인지 한 번 알아봅시다."

학생들은 바깥에 운동 장비를 가지고 간 문제부터 다룬 다음, 다른 문제들을 살펴본다. 모둠별로 목록을 만든 후에 Williams 선생님은 학생 한 명한테 각 모둠이 말한 문제 상황들의 유형에 대해 논의를 이끌게 한다. 각 모둠은 학급에서 6개의 문제가 지속적으로 발생해 왔다는 데 동의한다. Williams 선생님 또한 자신이 이 활동을 통해 달성하고자 하는 목표를 명확히 밝힌다.

"나는 여러분이 개인으로서 그리고 모둠의 입장에서, 여러분의 행동을 조절할 수 있기를 바랍니다. 나는 여러분이 스스로 경기를 준비하고, 경기와 관련해 발생하는 문제를 스스로 해결하기를 바랍니다. 혹시나 해서 얘기하는데, 운동하면서 좋은 시간을 보내는 것이 목표입니다."

학생들은 목록에 적힌 문제들을 분류하기 시작한다. 첫 번째 범주는 장비를 준비하고 심판이 될 사람을 정하는 일 등 노동의 배분에 관한 것이다. 두 번째 범주는 편을 선택하고 성별 문제를 정하는 등 팀을 정하는 원칙에 관한 것이다. 세 번째 범주는 공이 경계선 바깥으로 나갔는지의 여부, 선수의 아웃 또는 세이프 여부 등 경기의 세부사항을 두고 발생한 분쟁을 해결하는 데 초점을 두고 있다. 이 범주에는 심판의 판정에 어떻게 대처하는지도 포함된다. 그러고 나서 Williams 선생님은 각 모둠에 문제 범주 하나씩을 할당해 문제가 발생하는 상황을 기술해 보라고 한다. 기술을 마친 후 학생들은 어떤 문제부터 다룰지 투표한다. 학생들이 선택한 첫 번째 문제는 규정에 대한 논쟁이다. 학생들이 선택한 문제는 배구에서 판정에 대한 다툼이 벌어지는 상황이다.

학생들은 다 같이 이 문제 상황이 어떻게 진행되는지 논의한다. 문제 상황은 공이 경계선에 가깝게 떨어질 때 시작된다. 한 팀은 공이 경계선 안에 떨어졌다고 보고, 다른 팀은 공이 경계선 바깥에 떨어졌다고 주장한다. 그런 다음 학생들은 서로 다툰다. 경기가 지속될 수 없을 정도로 다툼이 지속된다.

일부 학생들이 이 상황을 재연하는 역할을 맡았다. 다른 아이들은 모여 이 역할극의 특정 양상들을 관찰하는 역할을 맡았다. 일부 학생들은 논쟁의 양상에 대한 특이점을 지켜보기로 한다. 몇몇 학생은 역할극을 하는 학생들을 지켜보면서 이들이 상황을 어떻게 다루는지를 알아본다.

역할극은 활기를 띤다. 경기 중 반대편 선수의 역할을 맡은 학생들은 현재의 상황인 것처럼 역할극 중에 다툼을 하게 된다. 마침내 그들은 소리를 지르며 교실 중간에 서 있다. 이때 Williams 선생님이 외친다.

"잠깐 멈추세요!"

그런 다음 선생님은 학생들에게 무슨 일이 벌어지고 있는지를 묘사해 보라고 한다.

모두가 말하려고 안달이다. 참여자들의 태도가 문제 해결을 어떻게 방해하는지에 논의의 초점이 맞춰진다. 어느 누구도 다른 사람의 말을 듣지 않는다. 그리고 어느 누구도 진심으로 다툼을 해결하려 들지 않는다. 결국 Williams 선생님은 학생들에게 이런 유형의 분쟁이 발생할 때 일반적으로 어떤 방법으로 해결할 수 있는지 제안해 보라고 한다. 일부 학생들은 품위 있게 승복하는 방법이 있다고 언급한다. 하지만 다른 학생들은 자신이 옳다고 믿는다면, 품위 있게 승복하기란 쉬운 일이 아니라고 주장한다. 마침내 학생들은 앞으로 집중적으로 다룰 만한 중요한 문제를 만들어 낸다.

"판정을 누가 내릴 것인지에 대한 정책을 어떻게 하면 만들 수 있을까요? 그리고 다른 사람들이 이 판정을 어떻게 받아들이게 될까요?"

학생들 모두 수비팀이 판정을 해야 한다고 판단함에 따라 학생들은 다시 역할극을 해 보기로 한다.

역할극이 진행된다. 이번 역할극에서 선수들은 수비팀이 판정을 내릴 수 있는 권한을 가지는 한편 공격팀이 판정에 문제를 제기할 수 있다는 규정을 따르려고 한다. 또다시 역할극에서 큰소리가 난다. 하지만 역할극이 종료된 후, 역할극을 지켜본 학생들은 선수 역할을 맡아 연기를 한 학생들이 이 상황에 대한 해결책이 있는 것처럼 행동하지 않았다고 지적한다. 학생들은 경기에서라면 누가 판정을 선언할 수 있는지에 대한 합의와 양측에 대한 일정한 수준의 신뢰가 있어야 한다는 점을 인식한다. 이들은 또한 '다툼에서 이기는 것'에 대한 태도와 비교해 보면서 문제를 해결하는 것과 같은 가치에 대해 논의하기 시작한다.

학생들은 세 번째 역할극을 시도해 보기로 한다. 이번에는 두 명의 새로운 학생이 심판으로 투입된다. 심판의 도입은 세 번째 역할극을 완전히 바꾼다. 심판들은 선수들이 자신에게 주의를 기울일 것을 강조한다. 선수들은 그렇게 하지 않으려고 한다. 이 역할극에 대해 이야기하면서 학생들은 합리적인 질서와 분쟁의 해결을 보장할 제도가 필요하다고 말한다. 또한 학생들은 현 상태로는 심판 없이는 다툼을 해결할 능력이 없으나, 심판의 판정을 받아들이지 않는다면 어느 심판도 효과적이지 않을 것이라는 데 동의한다. 학생들은 마침내 다음 경기에는 두 명의 학생을 심판으로 선임하기로 결정한다. 심판 역할의 학생들은 경기 전에 선발될 것이다. 그들의 기능은 경기를 중재하고 경기 규정에 맞게 모든 판정을 내리는 것이다. 학생들은 이 제도가 어떻게 작동하는지를 파악해 보기로 한다. Williams 선생님과 그의 학생들은 현장 연구자라고 할 수 있다.

다음날 Williams 선생님은 두 번째 현안을 가지고 수업을 시작했고, 학생들은 탐구의 과정을 반복했다. 다른 논쟁에 대한 탐색은 다음 몇 주간 지속된다. 우선, 명확해진 개념들 다수가 특정 문제를 해결하는 방법에 대한 실제적인 내용들이 된다. 그러나 점차적으로 Williams 선생님은 개인의 행동을 지배하는 기본 가치에 대해 생각해 보는 토론으로 방향을 이끌어 간다. 학생들은 공동체 생활의 문제들을 파악하기 시작하고, 개인 및 집단으로서 자신의 행동을 조절하기 위한 규정을 만든다. 또한 학생들은 협상의 기술을 발달시키기 시작한다. 갈등을 겪은 학생들이 점차 조금 다른 방식으로 행동한다면, 다른 이들 또한 행동을 바꿀 수도 있으며, 그렇게 되면 문제 해결이 더 용이해진다는 점을 배워 가는 것이다.

학생들은 궁극적으로 순환적인 상호작용에 대해 배워야 한다. 이는 누군가가 하는 행동은 다른 누군가로부터의 반응을 끌어내고, 또 그에 대한 실질적인 반응을 만들어 낸다는 것이다. 부정적인 순환이 다툼과 연관되어 이루어질 때 나쁜 감정이 생성될 수 있는데, 이 때 순환의 고리가 끊어지지 않으면 다툼이 고조될 수 있다. 반면, 감정적 고리가 끊어지고 통합적인 행동이 합리적이고 중립적인 정서를 이끌어 내면, 갈등은 보다 합리적으로 다뤄질 수 있다. 학생들은 감정적으로 대응하지 않도록 차분하고 통합적인 상태에서 상호작용을 시작하는 법을 배울 필요가 있다.

역할극은 긍정적인 관점에서 상호작용을 하는 행동을 모방하는 기회를 제공한다.

또한 갈등 상태를 변화시키고, 통합적인 상호작용을 통해 관계를 형성하는 방법에 대해서도 파악하게 한다. 기본적인 사회적 모형들은 갈등 상황을 세심히 다루고 민주적인 방식으로 해결책을 추구하도록 하는 긍정적인 감정들을 만들어 낸다.

근거

역할극에서 학생들은 문제 상황에 대해 연기하고 그 행동에 대해 토론함으로써 인간관계에 대해 탐색한다. 학생들은 감정, 태도, 가치, 문제 해결 전략 등을 탐색할 수 있다. 연구자들은 역할극에 대해 실험 연구를 해 왔는데 이들 연구들의 처치는 매우 유사하다. 여기서는 Fannie와 George Shaftel(1967)의 모형을 알아볼 것이다. 또한 Mark Chesler와 Robert Fox(1966)의 연구에서 모형의 근거를 도입했다.

교수 모형으로서의 역할극은 교육의 개인적 그리고 사회적 차원에 근간을 둔다. 역할극은 사람들이 그들의 사회적 세계 내의 개인적 의미를 찾도록 하며 사회적 집단 내에서 개인적 딜레마를 해결할 수 있도록 돕는다. 사회적 딜레마 내에서 개인은 인간관계 문제와 같은 사회적 상황을 분석하여 그러한 문제 상황을 극복할 수 있는 방법을 발달시킨다. 사회 집단은 인간 발달의 한 부분이며 역할극은 인간관계의 사회적 딜레마를 해결하기 위한 방법을 제공할 수 있기 때문에 사회적 모형군으로 분류될 수 있는 것이다.

모형 소개

목표와 가정

간단히 말해서, 역할극은 특정 문제를 그려내고 연기하며 토론하는 행위를 통해 문제를 다루는 것이다. 학생들은 역할극에서 연기자가 될 수도 있고, 관찰자가 될 수도 있다. 다른 사람의 입장에 자신을 놓고 연기함으로써 또 다른 사람과의 상호작용을 시도한다. 공감, 동정, 분노, 사랑 등이 역할극에서 모두 표출되기 때문에 역할극은 삶의 한 부분이 될 수 있다. 말과 행동뿐만 아니라 이러한 정서적 내용은 후속 분석의 일부가 될 수 있다. 연기를 마쳤을 때, 관찰자들은 왜 그 사람들이 그런 결정을 내렸는지, 반대의 이유가 무엇인지, 다른 대안은 없는지 등에 대해 알고 싶어하게 된다.

역할극의 핵심은 참여자와 관찰자를 실제적인 문제 상황에 참여하게 하는 것과, 이러한 참여를 통해 얻어지는 문제 해결과 이해에 초점을 둔다는 것이다. 역할극의 과정은 인간 행동의 생생한 사례를 제시하며, 학생들에게 (1) 그들의 감정을 탐구하고, (2) 그들의 태도, 가치, 인식 등에 대한 통찰력을 갖게 하며, (3) 문제 해결 기술과 태도를 발달시키고, (4) 다양한 방법으로 교과를 탐구하게 하는 수단을 제공한다.

이러한 목표는 역할극이 갖는 학습 과정에 대한 몇 가지 가정을 반영하는 것이다. 첫째, 역할극은 암묵적으로 "지금, 여기"가 수업의 내용이 되는 경험 기반 학습 환경을 지지한다. 그 모형은 실제적인 삶의 문제 상황과 매우 유사한 환경을 제공할 수 있으며, 이러한 재창조를 통해 학생들이 삶의 실제적인 '예'를 경험할 수 있다고 가정한다. 따라서 역할 연기는 학생들로부터 진정한 정서적 반응과 행동을 이끌어 낸다.

또 하나의 가정은 역할극이 학생들의 정서를 그려 낼 수 있다는 것이다. Shaftels의 역할극 모형은 정서적 측면만큼 인지적 측면도 강조한다. 역할 연기에 대한 분석과 토론은 역할극 그 자체만큼 중요한 것이다.

또 다른 가정은 창조적 사고법 모형(7장)의 가정과 유사하다. 정서와 아이디어들이 집단에 의해 인식되고 발전될 수 있다는 것이다. 또래 집단의 공통된 반응은 새로운 아이디어를 생성해 내고 성장과 변화를 이끌어 갈 수 있다. 그 모형은 교사의 전통적인 역할을 강조하기보다는 또래의 말에 귀 기울이고 그들로부터 학습할 수 있는 기회를 강조한다.

마지막 가정은 즉흥적인 연기와 분석을 통합함으로써 자신의 태도, 가치, 신념 체계 등과 같은 심리적 과정을 의식할 수 있게 한다는 것이다. 더 나아가, 개인들은 그들의 가치와 태도를 인식하고, 다른 사람들의 견해와 비교하여 그것이 검증되면 그에 대한 어느 정도의 통제력을 갖게 될 것이다. 그러한 분석은 그들의 태도와 가치, 신념의 결과를 평가하도록 도와주며, 이를 통해 점점 성장해 가는 것이다.

역할의 개념

각 개인은 사람, 상황, 사물 등에 대한 자신의 관계 방식을 가지고 있다. 어떤 사람은 대부분의 사람들이 정직하지 못하고 신뢰할 수 없다고 느낄 수도 있다. 또 어떤 이는 모든 사람을 흥미롭게 여기고 새로운 사람을 만나고 싶어할 수 있다. 사람들은 또한 그들 자신이 힘있고, 영리하거나 혹은 겁많고 부족하다고 여기는 등 일관되게 평가하고 행동한다. 다른 사람과 상황들, 그리고 자신에 대한 이러한 감정은 사람의 행동에 영향을 미치며, 다양한 상황에 반응하는 방식을 결정짓게 한다. 어떤 이들은 불량배의 모습으로 공격적이고 적대적으로 행동할 수도 있고 어떤 이들은 수줍거나 뽀루퉁한 모습으로 위축되거나 홀로 남아 있을 수 있다.

사람들이 보여 주는 이러한 부분을 역할이라고 한다. 역할은 "감정, 말, 행위의 유형화되고 연속된 행동이다. 그것은 타인과의 관계에서 독특하고 익숙한 방식인 것이다"(Chesler & Fox, 1966. p. 5). 일부러 찾으려고 하지 않으면, 행동에서 특정한 일관성이나 유형을 인식하는 것은 쉽지 않다. 그러나 대체로 역할은 있다. '친절한', '괴롭히는', '생색내는', '박식한', '시무룩한' 등의 용어는 특징적인 반응이나 역할을 묘사하는 데 도움이 될 것이다.

개인의 역할은 여러 해에 걸쳐 다양한 요인에 의해 결정된다. 어떤 사람이 만나는 사람들의 유형은 그 사람들에 대한 일반적인 느낌을 결정한다. 사람들이 그 개인에 대해 어떻게 행동하고, 그개인이 자신을 향한 그들의 감정을 어떻게 인식하는가는 그 개인에게도 자신에 대한 감정에 영향을 준다. 한 사람의 독특한 문화와 제도의 규칙은 그가 갖게 될 역할과 그 역할을 어떻게 수행할지를 결정하게 하는 것이다.

역할을 맡는 것은 불편한 감정을 만들기도 한다. 사람들은 그들이 가정한 역할에 만족스러워하지 않을 수도 있는 것이다. 그들이 다른 사람의 역할에 대한 태도나 감정을 잘못 인식하고 있을 수도 있다. 두 사람이 동일한 감정을 공유할 수도 있지만 매우 상이한 방식으로 행동할 수도 있는 것이다. 동일한 목표를 추구할 수도 있지만, 한 사람의 행동이 다른 사람들에 의해 잘못 인식되면 그 목표에 도달할 수 없을 수도 있다. 그러나 이러한 어수선한 불확실성이 역할극의 중요한 부분일 것이다. 즉흥적으로 나타난 상황이 개인의 태도, 신념, 가치 등에 대해 연구할 수 있는 기회가 될 수 있고, 그것을 통해 개인적, 사회적 탐구를 위한 내용을 생성할 수도 있는 것이다. 자신과 타인에 대한 명확한 이해를 위해서는 역할들을 이해해야 하고, 어떻게 그 역할을 수행할 것인지를 이해하는 것이 중요하다. 이를 위해 각 개인은 다른 사람의 입장이 되어 그 사람의 사고와 감정을 가능한 한 많이 경험할 수 있어야 한다. 만일 누군가가 공감할 수 있다면, 우리는 사회적 사건과 그 상호작용을 정확하게 해석할 수 있게 된다. 역할극은 사람들에게 다른 사람의 역할을 경험할 수 있게 하는 수단인 것이다.

역할의 개념은 역할극 모형의 핵심적 이론 기반이며, 주요한 목표이다. 학생들은 다른 역할들을 인식하는 것을 배워야 하며, 역할의 개념에서 그들 자신과 타인의 행동에 대해 생각할 수 있어야 한다. 이 모형은 다양한 측면과 다양한 분석 수준을 갖는다. 예를 들면, 역할극에서 학생들은 문제의 내용, 문제 해결책, 역할 연기자의 감정, 연기 그 자체 이 모든 것에 관여하게 된다.

교수 모형

모형의 구조

역할극의 효과는 역할 연기의 질과 그에 따른 분석에 달려 있다. 또한 실제 삶과 유사한 상황에서 역할을 인식하는가도 중요한 요인이다. 학생들이 처음 역할극과 분석에 참여할 때 항상 효과적인 것은 아니다. 학생들은 도출된 내용이 진지하게 분석될 수 있도록 역할극에 성실하게 참여하는 방법을 배워야 한다. 교사가 단순히 문제 상황을 던져 주고 소수의 아이들에게 연기를 하게 하며, 그 극에 대해 토론만을 하게 한다면 성공하기 어려울 수 있다.

Shaftels는 역할극 활동이 아홉 가지 단계로 구성되어 있다고 제안했다. (1) 집단 준비시키기, (2) 참여자 선정하기, (3) 무대 설치하기, (4) 관찰자 준비시키기, (5) 연기하기, (6) 토론과 평가하기, (7) 재연하기, (8) 토론과 평가하기, (9) 경험을 나누고 일반화하기. 각 단계들은 특정한 학습 목표를 가진다. 이러한 목표는 학습활동을 풍부하게 하고 활동의 초점을 제공하는 것이다. 이 모든 단계들은 활동의 복잡성에 따르는 일련의 사고 과정을 따른다. 즉 역할을 준비하고, 역할극의 목표를 확인하며, 후속 토론이 단순히 여러 가지의 반응을 모아 놓는 수준 이상이 될 수 있도록 하는 것이다. 표 13.1은 역할극 모형의 단계와 활동을 요약해 놓은 것이다.

1단계는 "집단 준비시키기"로서, 학생들이 제시된 문제를 학습할 필요가 있는 것으로 인식하도록 하는 단계이다. 예를 들어 집단 내에서 하나의 문제를 찾아내게 함으로써 준비될 수 있다.

교사: 여러분은 Jane의 점심값에 대한 지난번 토론을 기억하나요? Jane은 돈을 자기 주머니에 넣고 교실에 왔을 때 나에게 주지 않았기 때문에 잃어 버렸어요. 우리는 돈을 찾는 것에 대해 얘기했었습니다. 돈을 가지고 있을지, 내놓을지. 때

때로 어떻게 해야 할지 결정하는 것은 쉽지 않아요. 여러분은 어떻게 해야 할지 모를 때가 없나요? (Shaftel & Shaftel, 1967, p. 67)

교사는 학생 집단에게 문제를 민감하게 인식하고 수용하는 분위기를 만들어 주어 학생들이 모든 관점, 감정, 행동들을 수용적으로 탐색할 수 있도록 느끼게 한다.

준비의 두 번째 부분은 사례를 통해 문제를 생생하게 표현하는 것이다. 이것은 학생들에게 문제를 보여 주는 가상 혹은 실제 상황에 대해 설명하거나, 교사가 상황을 선정하고 영화, 텔레비전 쇼, 혹은 문제 이야기를 제시해 주는 것이다.

Shaftel은 ≪Role Playing of Social Values: Decision making in the Social Studies≫(1967)에 수업에서 읽어 줄 많은 문제 이야기를 담았다. 가각의 이야기는 갈등 상황이 분명해질 때 중단한다. Shaftel은 문제 이야기가 몇 가지 장점을 가지고 있다고 생각한다. 그들은 아이들이 특정한 문제에 초점을 두고 있지만, 문제를 다룰 수 있을 만큼 문제로부터 자신을 분리할 수 있을 것이라고 확신한다. 학생들에게 일상에서 경험하거나 집단 전체가 경험한 사건들은 상당한 스트레스를 유발할 수 있고 분석이 어려울 수 있다. 문제 이야기의 또 다른 장점은 극적이며 비교적 쉽게 역할극을 시작할 수 있다는 것이다. 아이들을 그 활동에 참여시키는 부담감을 덜어 줄 수 있는 것이다.

준비의 마지막 부분은 아이들에게 생각하게 하고 그 이야기의 결말을 예측하게 하는 질문을 던지는 것이다. "그 이야기는 어떻게 끝이 날까요?" "Sam의 문제는 무엇이고, 어떻게 해결할 수 있을까요?" 다음의 사례에서 교사는 이러한 단계를 다루고 있다(Shaftels의 책에서 참조함).

교사: 오늘 여러분에게 한 소년에 대한 이야기를 들려주려고 해요. 그 소년의 부모는 그가 어떤 일을 하기 바랐지만, 친구들은 다른 것을 하라고 강요했어요. 모두를 기쁘게 해 주려고 했기 때문에 그 소년은 어려움에 처했어요. 이 문제 이야기는 아직 완전히 끝나지 않았어요.

학생: 지난 주에 우리가 했던 것처럼 말이에요?

교사: 네, 그래요.

학생: 이야기의 끝을 말해 주시면 안 되나요?

교사: 여러분이 궁지에 빠졌을 때, 누군가가 항상 옆에서 그 문제가 어떻게 끝날지를 말해 주나요?

〈표 13.1〉 역할극 모형의 구조

단계	내용
1단계: 워밍업	문제 제기 및 소개하기 문제 명료화하기 문제 상황 해석하기 이슈 탐색하기 역할극 설명하기
2단계: 참여자 선정	역할 분석하기 역할 담당자 선정하기
3단계: 무대 설정	행동 방향 설정하기 역할 재설명하기 문제 상황 이해하기
4단계: 관찰자 준비	무엇을 볼 것인지 결정하기 관찰 과제 할당하기
5단계: 연기	역할극 시작하기 역할극 지속하기 역할극 마치기
6단계: 토론과 평가	역할극에서의 연기 평가하기(사건, 배역, 현실성) 주요 초점 논의하기 다음 재연에 대해 토론하기
7단계: 재연	수정된 역할 연기하기 다음 단계 혹은 행동적 대안 제시하기
8단계: 토론과 평가	6단계 반복하기
9단계: 경험 공유와 일반화	문제 상황과 실제 경험 및 현 문제를 연결시키기 일반적인 행동 원리 탐색하기

출처: Fannie Shaftel & George Shaftel, *Role Playing of Social Values*.(Englewood Cliffs, NJ: Prentice-Hall, Inc., 1967)

학생: 아니요, 거의 없어요.

교사: 일상에서 대개 우리는 스스로 결론을 내려야 해요. 자신의 문제를 스스로 해결해야 하는 것이죠. 그것이 이런 문제 이야기를 여러분에게 읽어 주는 이유입니다. 어떤 것이 우리에게 가장 적합한지를 보기 위해 많은 다양한 문제들을 다루어 보면서 결론내리는 연습을 할 수 있어요. 내가 이 이야기를 읽어 줄 때 여러분은 자신이 Tommy Haines의 입장이라면 어떻게 할지에 대해 생각해 볼

것입니다.(Shaftel & Shaftel, 1967, p. 67)

이 이야기는 한 소년에 관한 것으로 그는 아버지의 견해와 친구들 모임과의 견해 사이에서 어려움을 겪고 있다. 그는 아버지가 허락하지 않은 친구들과의 클럽에서 결성한 프로젝트에 돈을 내기로 했다. Tommy는 돈이 없으며, 돈을 구하기 위해 좋지 못한 방법에 의지하게 된다. 그는 보고서를 대신 써 주는 집단에 들어가 한 대학생의 보고서를 대신 써 주기로 했다. 그 대학생에게 보고서를 주고 돈을 받기로 한 시간이 되자, Tommy는 걱정하기 시작했다. 그 이야기를 읽은 후에 교사는 그 다음에 무슨 일이 일어날 것인지에 대해 토론하고 그 상황에 대한 역할극을 준비한다.

교사: Tommy가 어떻게 할 거라고 생각하니?

학생: 저는 Tommy가 돈을 갖게 될 거 같아요.

교사: 그래?

학생: 왜냐하면, 그는 클럽에 돈을 내야 하니까요.

학생: 아니야. 그렇게 하지 않을 거야. 들키게 될 것이고, Tommy도 그걸 알고 있어.(Shaftel & Shaftel, 1967, p. 67)

2단계는 참여자를 선정하는 단계로서, 학생들과 교사는 다양한 배역들에 대해 묘사한다. 그들이 어떻게 생겼는지, 어떻게 느끼는지, 어떤 행동을 할지 등에 대해 논의하는 것이다. 그리고 아이들에게 어떤 역할을 맡을지 자원하도록 요청한다. 그들에게 어떤 특정 역할을 하도록 배정할 수도 있다. Shaftel은 누군가에 의해 어떤 역할을 맡도록 요청받은 아이에게 그 역할을 주는 것에 주의할 것을 당부한다. 제안을 한 사람은 그 아이를 특정한 유형으로 선입견을 갖게 하거나 곤란한 상황에 빠뜨릴 수 있기 때문이다. 역할은 원하는 사람에게 주어져야 한다. 교사는 아이들의 선호도를 고려하더라도 상황에 대해 통제할 수 있어야 한다.

역할을 배정하는 데에는 몇 가지 기준이 있다. 역할은 문제에 적극적으로 개입해서 구체적인 역할을 찾아낼 수 있을 것 같은 아이들, 탐색될 필요가 있는 태도를 보이는 아이들, 혹은 역할을 구별해 내거나 스스로 다른 사람의 입장이 되는 것을 배워야 하는 아이들에게 배정되어야 한다. Shaftels은 그 역할에 대해 "성인들이 일반적으로 생각하는, 사회적으로 수용될 수 있는" 방향으로만 해석하는 아이들에게 배정하지 않을 것을 지적한다. 그렇게 빨리 쉽게 문제를 해결하려고만 하는 것은 기본적인 이슈에 대한 토론과 탐색의 기회를 저해하기 때문이다(Shaftel & Shaftel, 1967, p. 67).

이 사례에서, 교사는 한 학생에게 Tommy의 역할을 맡기고 난 후, 그 학생에게 어떤 역할들이 필요한지를 묻는다. 그 학생은 학생 클럽의 회장, 대학생 손님, 학생 클럽의 다른 멤버 등의 역할을 대답한다. 교사는 몇 명에게 이 역할들을 맡도록 부탁한다.

3단계는 무대를 설치하는 단계이다. 역할을 맡은 학생들은 장면을 구상하지만 구체적인 대사를 준비하지는 않는다. 그들은 단순히 상황을 그리고 한 인물의 행동 라인을 구상한다. 교사는 학생들이 어디서 무엇을 연기하게 될지에 대해 간단한 질문을 할 수 있다.

교사는 Tommy역을 맡은 학생에게 그가 원하는 곳에서 극을 시작하도록 시키고 그 학생은 학기 말 보고서를 전달하는 장면에서 시작하기로 한다.

4단계에서는 관찰자가 활발하게 참여하는 것이 중요하다. 그럼으로써 전체 집단이 그 역할극을 경험한 후에 그 극을 분석할 수 있도록 하는 것이다. Shaftel은 교사가 관찰자들에게 여러 과제를 부여함으로써 역할극에 참여토록 해야 한다고 제안한다. 예를 들면 관찰자들은 역할극의 현실성을 평가하거나, 역할 연기자의 행동의 효과성과 계열성에 대해 논평하고, 그려진 역할자의 감정과 사고방식을 확인하는 등의 과제를 수행한다. 관찰자들은 역할 연기자들이 무엇을 얻으려고 했는지, 역할자가 취한 행동이 도움이 됐는지 그렇지 못했는지, 어떤 다른 경험이 일어났는지 등에 대해 생각해야 한다. 또는 그 대상의 감정을 이해하기 위해 특정한 역할을 관찰할 수도 있다. 관찰자들은 대부분의 경우에 역할극이 한 번 이상 이루어지며 다른 방식으로도 그 역할이 연기될 수 있다는 것을 이해해야 할 것이다.

이 사례에서 교사는 다음과 같이 관찰자들을 준비시킨다.

교사: 자, 여러분은 역할극을 보면서 Jerry가 선택한 이야기의 결말이 실제로 일어날 수 있는 것인지 생각해 보세요. 사람들은 어떻게 느낄까요? 여러분은 다음에 어떤 일이 일어날 것 같아요? 아마 여러분은 다른 생각을 가질 수도 있어요. Jerry가 극을 마치면 여러분의 생각을 얘기해 보고 역할극을 해 봅시다.

5단계는 연기를 하는 단계이다. 연기자들은 역할을 맡아서 서로에게 현실적으로 반응할 수 있도록 생생하게 그 상황을 연기해야 한다. 역할극은 능숙한 연기를 기대하지도, 각 역할 연기자가 어떻게 반응해야 할지를 항상 기대하는 것도 아니다. 이러한 불확실성은 역할에 대한 느낌일 뿐만 아니라 삶의 일부이기도 하다. 어떤 사람은 무슨 말을 해야 할지 혹은 무엇을 해야 할지에 대한 일반적인 생각을 가지고 있을 수 있지만, 적시에 그것을 연기로 보여 줄 수 있는 것은 아니다. 행동은 아이들에게 달려 있고, 그 상황에서 어떤 일이 일어나는가에 따라 나타난다. 준비 단계가 중요한 이유가 여기에 있다.

Shaftel과 Shaftel이 제안한 바에 따르면, 역할에 대한 연기는 짧아야 한다. 교사는 목표하는 행동이 분명히 드러나고, 하나의 성향이 개발되며, 하나의 행동적 기술이 훈련되거나, 교착상태에 도달하고, 하나의 관점이나 생각이 행동으로 표현되었을 때까지만 역할극이 진행되도록 통제해야 한다. 사후 논의 단계에서 학생들이 사건이나 역할에 대한 이해가 부족하다고 보이면, 교사는 그 장면의 역할극을 다시 해 보도록 제안할 수 있다.

첫 번째 역할극의 목적은 이후 역할극에서 조사하고, 분석하고, 수정될 사건과 역할을 간단하게 설정해 보는 데 있다. 지금 다루고 있는 사례에서, Tommy가 역할을 맡은 그 소년은 거래를 완수하거나 혹은 그만둘 수 있다. 첫 번째 역할극을 하는 동안, 역할의 다양성을 입증하거나 혹은 토론을 위한 더 많은 정보를 만들기 위해 주요 역할의 연기자가 바뀔 수 있다.

여섯 번째 단계인 토론과 평가에서는, 다루고 있는 문제가 중요하고, 참여자와 관찰자가 지적 혹은 감정적으로 몰두하고 있다면, 토론이 자연스럽게 시작될 것이다. 토론 초기 단계에서는 역할극에서의 묘사를 해석하는 차이에 초점이 맞춰지거나, 그 역할을 어떻게 연기했어야 하는가에 대한 의견 충돌 위주로 토론이 진행될 것이다. 그러나, 보다 중요한 것은 연기자의 행동과 심리적 동기의 결과를 논의하는 것이다. 다음 단계를 준비하기 위해 교사는 토론이 이러한 부분에 초점을 맞추어 진행될 수 있도록 해야 한다.

관찰자들이 연기자처럼 생각할 수 있도록, 교사는 "그가 그렇게 말했을 때, John은 어떤 기분이었을까요?"와 같은 질문을 해 볼 수 있다. 토론은 이제 역할 내에서 그리고 전반적인 행동 양상 내에서 대안을 찾는 방향으로 흘러갈 것이다. 그렇게 되었을 때, 역할 연기자가 그들의 해석을 바꾸고, 같은 역할을 다른 방식으로 연기해 보는 2차 연기를 위한 무대가 준비된다.

이 사례에서, 첫 번째 연기에 대한 토론은 다음과 같이 이루어진다.

교사: 음, Jerry가 한 가지 해결책을 내주었군요. 다른 사람들은 이에 대해 어떻게 생각하나요?

학생: 어어! 그건 말이 안돼요!

Jerry: 왜요?

학생: 그 남자는 그가 돈을 얼만큼 가지고 있는지 기억해 내고 있어요. 그는 이에 대해 약사한테 전화를 걸 거예요.

Jerry: 그래서요? 그는 나에 대해 아무것도 입증하지 못했어요. 나는 그가 나에게 돈을 더 내지 않았다고 말할 거예요.

학생: 당신은 실직하게 될 거예요.

Jerry: 그들이 그걸 입증할 수 없다면요?

학생: 그들이 입증할 수 없다고 하더라고 그럴 거예요.

교사: John, 왜 그렇게 생각하죠?

학생: 왜냐하면 약사는 그의 고객 편을 들어야 하기 때문이에요. 그는 Tommy를 해고하고 다른 사람을 고용하면 돼요. 그러나 그의 고객을 화나게 만들고 싶진 않을 거예요.

학생: 그는 속으로는 꽤 괴로울 거예요. 만약에 그가 돈을 가져간 거라면 말이에요.

교사: 무슨 뜻이에요?

학생: 당신이 뭔가 잘못한 일이 있다는 걸 스스로 알고 있다면 그게 당신을 괴롭힐 거예요.

교사: 이 문제를 해결할 수 있는 다른 방법이 있을까요?

학생: 네. Tommy가 문을 두드리고 고객에게 돈을 더 내셨다고 말해야 해요. 아마도 그 남자가 Tommy에게 돈을 가져가게 할 거예요.

교사: 좋아요. Dick 학생의 방식대로 해 봅시다.(Shaftel & Shaftel, 1967, p. 71)

일곱 번째 단계인 재연(reenacting)은 여러 차례 이루어질지도 모른다. 교사와 학생들은 역할에 대한 새로운 해석을 공유할 수 있고, 새로운 사람이 그 역할을 한번 연기해 볼지 결정할 수도 있다. 이 활동은 토론과 재연을 번갈아 가며 진행한다. 가능한 한 많이 해 볼수록, 새로운 역할극은 원인과 결과에 대한 새로운 가능성을 탐색하게 만든다. 예를 들어, 한 가지 역할이 계속 바뀔 수 있는데, 이러한 변화가 또 다른 역할들의 행동을 어떻게 바꾸어 놓는지를 모든 사람이 관찰할 수 있도록 만든다. 혹은 역할극 중 중요한 부분에서, 참여자가 다른 방식으로 행동해 보고, 어떤 결과가 뒤따르는지 볼 수 있다. 이러한 방식으로 역할극은 극적인 개념적 활동이 된다.

지금 다루고 있는 사례에서, 두 번째 연기는 Tommy가 그 남자에게 그의 과잉 지불에 대해 기억하게 하고, 정직하게 돈을 가져가도록 하는 해결책을 만들어 냈다. 여덟 번째 단계인 토론과 평가는 두 번째 연기 이후에 이루어지는 토론으로, 이 단계에서 학생들은 흔쾌히 해결책을 받아들인다. 그러나 교사는 그들이 이러한 결과가 정말로 일어날 수 있을지에 대해 질문함으로써 현실적인 해결책을 내놓도록 만든다. 한 학생은 이와 유사한 경험이 있지만, 그는 그가 허용할 수 있는 겨우 1.25불을 더 냈었다. 교사는 학생들에게 만약 5불이었다면 상황이 달라졌을지 묻는다. 교사는 또 다른 해결책을 요구하고, Tommy는 어머니와 상의해 봐야 한다고 제안한다. 이번에는 Tommy의 아버지, 가족의 개념, 부모의 역할 등에 대한 토론이 이어진다. 교사는 이러한 세 번째 해결책을 연기해 보자고 제안한다. 세 번째 연기는 다음과 같이 이루어질 수 있다.

Tommy: 엄마, 저 진짜 나쁜 일이 있었어요.

엄마: 무슨 일이니, Tommy?

Tommy: (엄마에게 전체 이야기를 말한다.)

엄마: 네가 그런 이상한 거래를 했다는 걸 믿을 수가 없구나. 그렇지만, 나는 네가 이 문제를 해결할 방법을 알아낼 거라고 생각해. 우리 셋은 어떻게든 이 문제를 이해해 낼 거야.

Tommy: 제가 그럴 준비가 됐는지 잘 모르겠어요.

엄마: 음, 너는 오늘 밤에 준비될 만큼 충분히 성장하게 될 거야.(Shaftel & Shaftel, 1967, p. 73)

이 역할극에 대해 토론하는 동안, 교사가 그 다음엔 어떤 일이 벌어질지 묻고, 일부 학생들이 Tommy가 당분간 난처해질 거라고 이야기한다.

아홉 번째 단계는 경험 공유와 일반화이다. 이 단계에서 특정 상황의 인간 관계에 대한 즉각적인 일반화를 기대해서는 안 된다. 일반화는 많은 경험이 필요하다. 그러나 교사는 역할극 전략을 통한 경험 후에 아이들이 문제 상황에 대한 접근과 이러한 접근의 결과를 일반화할 수 있도록 만드는 토론을 시도해야만 한다. 토론의 양상이 적절하면 적절할수록, 보다 일반적인 결론에 도달할 수 있게 되며, 아이들은 그들의 일상에서 사용할 수 있는 행동의 가설적인 원칙에 보다 가까워질 수 있을 것이다. 그러나 초기의 목표는 비위협적인 방식으로 아이들의 경험을 문제 상황에 연관시키는 것이었다. 이러한 목표는 아이들이 이와 유사한 경험을 가진 사람을 알고 있는지를 질문함으로써 달성될 수 있다. Tommy와 돈에 대한 사례에서, 교사는 학생들에게 Tommy와 같은 상황에 있었던 사람의 사례가 있는지 물어본다. 한 학생이 그의 아버지의 경험을 설명한다. 교사는 그러고 나서 그들의 자녀들의 돈과 관련한 부모의 태도와 아버지의 역할에 대해 묻는다.

이러한 토론은 모든 학생이 생각을 표현하고 사용할 수 있는 원칙을 만들어 낸다. 이러한 원칙은 특정한 문제에 적용될 수도 있고, 아이들이 다른 문제를 탐색함에 있어 도약판으로 사용될 수도 있다. 이상적으로, 아이들은 그들의 조직 내에서나 혹은 그들이 공부하고 있는 주제에서 문제가 나타났을 때 사용할 수 있는 전략을 점차적으로 숙달해 나가게 될 것이며, 그 문제를 명료하게 하고, 이에 대한 통찰력을 얻기 위해 역할극을 사용할 수 있게 될 것이다. 예를 들면, 학생들은 학급 민주주의의 질을 향상시키기 위해 역할극을 조직적으로 활용할 수 있다.

사회적 체제

이 모형은 적절히 구조화된 사회적 체계를 필요로 한다. 교사는 첫 단계를 시작하면서, 학생들에게 각 단계 안의 활동을 하도록 안내하는 것에 책임감을 가진다. 그러나 토론과 규칙의 특정한 내용들은 대부분 학생들에 의해 결정된다.

교사의 질문과 의견은 학생들이 생각과 감정을 자유롭고 진실되게 표현할 수 있도록 도와주는 것이다. 그러기 위해선 반드시 교사와 학생들 사이에 평등함과 신뢰가 있어야 한다. 가치가 담겨 있지 않은 판단을 규정으로 만들 때, 교사들은 학생들의 제안을 받아들이고, 아이들의 감정 혹은 태도를 고려함으로써 신뢰를 얻을 수 있다.

사려 깊고 학생들에 대해 지지적인 교사들이라도 수업의 방향을 제시할 책임이 있다. 교사는 자주 탐구할 문제를 선택하고 토론을 이끌어 가고, 역할극을 할 학생들을 선택하고, 언제 역할극이 끝날지를 결정하고, 역할극의 설계를 도우며, 가장 중요하게는 무엇이 조사될 것이고 어떤 제안을 탐구할 것인지 결정한다. 본질적으로, 행동 탐구 모형은 교사가 학생들에게 제시하는 질문의 종류와 그 질문을 하는 과정에 초점이 있다.

반응의 원리

이 모형에는 다섯 가지 중요한 반응의 원리가 있다. 첫째, 교사들은 학생들의 반응과 제안, 특히 그들의 의견과 감정을 평가하지 말고 수용해야 한다. 둘째, 교사들은 학생들이 다양한 방향으로 문제 상황을 탐구, 인식하고 대안들을 비교할 수 있도록 도와야 한다. 셋째, 학생들의 반응을 고려하고, 이를 다른 말로 바꾸어 표현하거나 요약함으로써, 학생들이 그들의 생각과 감정을 인식하는 것을 발달시키도록 돕는다. 넷째, 교사는 같은 역할을 다른 방식으로 연기할 수 있다는 것과 그들이 어떻게 탐구하는지에 따라 다른 결과를 가져온다는 것을 강조해야 한다. 다섯째, 문제를 해결하는 대안적인 방법은 여러 가지가 있을 수 있다: 하나의 방식만이 정답은 아니다. 교사는 학생들이 해결법을 평가할 수 있도록 그리고 대안적인 방식들과 선택된 해결책을 비교해 보도록 도와야 한다.

지원 체제

역할극을 위한 자료는 아주 적지만 중요하다. 주요한 교과 도구는 문제 상황이다. 때로는 각 역할에 대해 요약한 종이가 도움이 될 것이다. 이 종이에는 역할 묘사 혹은 등장인물들의 감정을 묘사한 내용이 담겨 있다. 때때로 이 종이는 관찰자들에게 무엇을 보아야 하는지 말해 주고 그들에게 그것들에 대해 적을 공간이 되기도 한다.

영화, 소설 그리고 짧은 이야기는 문제 상황에 훌륭한 자료를 제공한다. 문제 상황에 대한 이야기나 문제 상황의 개요 또한 유용하다. 문제 상황에 대한 이야기는, 그들의 이름에서 암시되듯, 배경, 문제 상황, 행동, 그리고 상황의 대화에 관해 묘사하고 있는 짧은 서술이다. 하나 혹은 더 많은 등장인물들은 반드시 선택을 해야 하거나 행동을 취해야 하는 딜레마와 마주친다. 이야기는 해결되지 않은 채 끝이 난다.

현실의 삶 또한 많은 딜레마를 제공한다. 이 중 어떤 것은 갈등이 매우 심한 것이고 또 어떤 것은 그렇지 않다. 이런 것들이 역할극 분석에 유용한 것들이다.

적용

역할극 모형은 다방면에서 중요한 교육적 목적을 달성하기 위해 사용될 수 있다. 역할극을 통해, 학생들은 그들 자신과 다른 사람의 감정을 인식할 수 있는 능력을 발달시키고, 미리 어려운 상황을 다룸으로써 새로운 행동 습성을 얻을 수 있다. 또한 그들의 문제 해결 기술 또한 발달된다.

이 모형의 다양한 활용 가능성과 더불어, 역할극 모형은 매력적인 학습활동들을 제공한다. 학생들은 활동과 역할극을 모두 좋아하기 때문에 역할극 자체가 수업 내용이라는 것을 쉽게 잊게 만든다. 이 모형의 단계들은 단계 자체로 끝나지 않고 학생들의 가치, 감정, 태도 그리고 문제를 탐구할 수 있도록 하는 문제 상황에 대한 해결 방법을 드러낼 수 있도록 도와준다.

왜 역할극을 사용하는가? 두 가지 이유가 있다. 첫 번째 이유는 *사회교육의 체제적 프로그램*을 시작하는 것이다. 역할극 상황은 토론과 분석에 필요한 많은 자료를 제공한다. 이러한 목적 때문에, 특정한 종류의 문제 이야기가 선택될 수 있다. 두 번째 이유는 아이들에게 *당면한 인간관계 문제*를 다룰 수 있도록 조언하기 위해서이다. 역할극은 학생들이 이러한 문제를 탐구하고 그 문제를 해결할 수 있도록 돕는다.

다음 사회 문제들은 이 역할극 모형의 도움을 받아 탐색될 수 있다.

1. *개인 간 갈등.* 역할극은 사람들 간 갈등을 밝혀내어 학생들이 그것을 극복할 수 있는 기술을 발견할 수 있도록 하는 데 주요한 목적이 있다.

2. *집단 간 관계.* 민족 그리고 인종적인 고정관념 혹은 권위주의적인 믿음에서 발생하고 역할극을 통해 탐구될 수 있다. 이러한 문제들은 명백히 드러나지 않는 갈등을 포함한다. 이러한 종류의 역할극 상황은 고정관념과 편견을 드러내고 다른 의견을 수용하는 태도를 고무시키는 데 사용될 수 있다.

3. *개인적인 딜레마.* 이러한 상황은 개인의 두 가지 상반된 가치 혹은 학생들 자신의 흥미와 다른 사람의 흥미가 상반될 때 발생한다. 이와 같은 문제들은 특히 아이들이 다루기 어려운 문제일 수 있다. 왜냐하면 그들의 도덕적 판단은 아직 자기중심적이기 때문이다. 역할극의 가장 섬세하고 까다로운 활용 방법은 이러한 딜레마를 아동들에게 제시하고 문제 상황이 왜 발생했고 무엇을 해야 하는지를 이해하도록 돕는 것이다. 개인적인 딜레마는 또래집단의 요구와 아동들의 부모들의 요구가 다를 때, 혹은 또래집단의 압력과 아동 자신의 선호가 다를 때 발생한다.

4. *역사적 혹은 현시적 문제.* 이러한 문제들은 과거와 현재의 문제, 정책 입안자,

판사, 정치적 지도자 혹은 국회의원들이 마주쳐야만 하는 상황 혹은 사람과 결정을 내려야만 하는 문제들과 관련되는 중대한 상황들을 포함한다.

사회 문제의 종류와 상관없이, 학생들은 그들에게 중요한 것처럼 보이는 상황의 측면에 자연스럽게 집중할 것이다. 학생들은 표현되어야 하는 감정, 그들의 말과 행동을 통해 역할극 연기자가 보여야 하는 태도와 가치들, 문제의 해결, 행동의 결과와 같은 것에 집중할 것이다. 교사들은 이러한 규칙과 토론의 측면들 중 아무거나 혹은 모든 것을 강조하는 것이 가능하다. 심화된 교육과정의 계열은 다음의 항목에 기초를 둔다.

- 감정에 대한 탐색
- 태도, 가치, 지각에 대한 탐색
- 문제 해결의 태도와 기술 개발
- 교과 내용에 대한 탐색

역할극은 종종 다양하고 포괄적으로 이뤄질 수 있다. 토론은 감정, 결과, 역할, 역할을 연기하는 방식, 대안적인 해결방안 등의 분석에 따라 다양한 방향으로 갈 수 있다. 역할극 모형에 대한 수년간의 연구끝에, 우리는 특정한 목표 혹은 아이디어가 적절하게 개발된다면, 교사는 그와 관련한 하나의 특정한 강조점을 집중적으로 탐구하는 데 노력을 기울여야 한다고 생각하게 되었다. 역할극의 이러한 측면들은 역할극 과정 중에 나오기 때문에 피상적으로만 다루어지기 쉽다. 우리가 마주한 하나의 골치 아픈 점은 어느 하나라도 심도 있게 다루기 위해서는 시간이 많이 필요하다는 것이다. 특히 처음에 학생들이 이 모형에 익숙해지려고 하는 때와 그들의 행동 습성과 감정을 탐구하려고 할 때, 한 기간에 주요한 하나 혹은 아마 두 개 정도에 초점을 두도록 선택하는 것이 중요하다. 생각을 발전시키는 방향으로 다른 측면들이 고려될 수는 있으나 그들의 위치는 부차적이어야 한다. 예를 들어, 교사가 학생들이 문제에 대한 대안 가능한 해결책에 집중하도록 노력할 때, 등장인물들의 감정이 논의될 수 있지만, 이 경우, 등장인물의 감정은 해결책을 숙고하고 진화시키는 것에 연결될 것이다.

규칙을 위한 하나 혹은 둘 정도의 강조점을 선택하고 학생들의 생각에 대해 신중히 질문하고 대답하며 이전 단계의 생각들을 확장시킴으로써, 교사는 점진적으로 각각의 단계들이 학기에 선택된 특정 교육 목표를 뒷받침할 수 있도록 단계들을 개발시킨다. 이것이 하나의 초점을 개발하는 것의 의미이다(표 13.2).

주제의 선택은 학생들의 연령, 그들의 문화적 배경, 문제 상황의 복잡성, 주제의 민감성, 역할극에 대한 경험과 같은 많은 요소들에 의해 결정된다. 일반적으로 학생들이 역할극에 대한 경험이 있을수록, 그리고 높은 집단 응집성 정도, 서로의 수용력을 가지고 있을수록 또한 교사와의 관계가 친밀할수록 역할극의 주제는 더 민감해질 수 있다. 처음 몇 개의 문제 상황은 학생들에게 관련 있는 문제여야 하지만 너무 민감한 주제여서는 안 된다. 학생들은 그들 스스로 그들이 탐구해 보고 싶은 주제나 문제들에 대한 목록을 발전시킬 것이다. 그러면 교사는 주제와 맞는 특정 문제 상황을 만들어 낼 수 있다.

학생들의 성별, 민족, 사회경제적인 배경은 그들의 역할극 주제 선택에 영향을 끼친다. Chesler와 Fox(1966)에 의하면, 역할극에 대한 기대에도 영향을 끼친다. 다른 문화 집단은 문제 상황, 문제에 대한 관심 그리고 해결책을 다르게 경험한다. 대부분의 교사들은 이러한 차이가 그들의 교육과정상에서도 항상 발생한다고 설명한다. 특정한 민족 혹은 연령의 집단, 특정 성별 혹은 사회경제적인 계층의 전형적인 문제들은 기본적인 문제 상황이 될 수 있는 것이다.

문제 상황에 대한 다른 입장은 다음과 같은 근거에서 나타난다. (1) 학생의 연령과 발달 단계에 따른 개인적 혹은 사회적 관심, (2) 정직 혹은 책임감과 같은 윤리적 주제의 가치, (3) 동의 혹은 회피와 같은 문제 행동, (4) 가게에 대한 불평 혹은 새로운 누군가를 만나는 것과 같은 골칫거리의 상황들, (5) 인종차별, 성차별 혹은 노동파업과 같은 사회적 문제들이다. 이러한 다양한 문제 상황의 원천은 표 13.3에 요약되었다.

문제 상황을 선택하는 데 있어 고려해야 할 또 다른 사항은 많은 등장인물 혹은 문제의 추상성에 기인하는 문제 상황 자체의 복잡성이다. 문제 상황의 어려움의 정도에 대한 확실한 규칙은 없지만 직감적으로 다음에 제시하는 복잡성의 단계가 타당해 보인다. (1) 한 명의 주인공, (2) 두 명의 등장인물과 대안적으로 선택 가능한 해결책, (3) 복잡한 음모와 많은 등장인물, (4) 주제의 가치, 사회적 문제와 지역사회의 문제이다.

〈표 13.2〉 역할극에서의 주안점

감정

- 자신의 감정을 탐구하기
- 다른 사람의 감정을 탐구하기
- 감정을 연극에서 실연하고 분출해 보기
- 다른 사람들 혹은 자신의 인식을 바꾸기 위해 높은 지위의 역할을 경험해 보기

태도, 가치관, 인식

- 문화나 하위문화의 가치관을 발견해 보기
- 자신의 가치관이나 가치관의 갈등을 분명히 하고 평가해 보기

문제 해결 태도와 기술

- 가능한 해결책에 대해 마음이 열려 있음
- 문제를 발견할 수 있는 능력
- 대안 가능한 해결책을 생성해 낼 수 있는 능력
- 문제에 대해 자기 자신과 다른 사람의 대안 가능한 해결책의 결과를 평가할 수 있는 능력
- 결과물을 경험하고 이러한 결과들에 대한 최종 결정을 해 보기
- 대안의 기준과 가정을 분석해 보기
- 새로운 행동 습성을 얻기

교과 주제

- 참가자의 감정들
- 역사적 현실: 위기, 딜레마 그리고 결정들

〈표 13.3〉 문제 상황의 원천

1. 발달 단계로부터 발생하는 문제
2. 성차별, 민족 혹은 사회경제적 계층으로부터 발생하는 문제
3. 가치관(윤리적인) 주제
4. 다루기 어려운 감정
5. 원고 혹은 "사람들이 하는 게임"
6. 골치 아픈 상황
7. 사회적 문제
8. 지역사회 문제

교수적, 육성적 효과

역할극은 구체적으로 (1) 개인의 가치 및 행동 분석, (2) 대인관계 문제 및 개인 문제의 해결을 위한 전략 개발, (3) 타인에 대한 공감능력 개발을 위해 고안된 것이다. 역할극의 양육적 효과에는 사회적 문제 및 사회적 가치에 대한 정보 획득, 자유로운 의사 표현 등이 있다(그림 13.1).

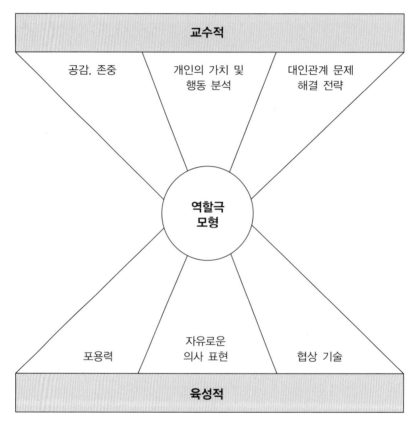

[그림 13.1] 역할극 모형의 교수적, 육성적 효과

요약 도표　역할극 모형

모형의 구조

- 1단계: 활동 준비
- 2단계: 참가자 선정
- 3단계: 배경 및 상황 설정
- 4단계: 관찰자 준비
- 5단계: 연기
- 6단계: 토론 및 평가
- 7단계: 재연
- 8단계: 토론 및 평가
- 9단계: 경험 공유 및 일반화

사회적 체제

이 모형은 중간 정도로 구조화되어 있다. 교사는 단계를 시작하고 각 단계의 활동들을 학생들에게 안내한다. 연기와 토론에 대한 자세한 사항은 대체로 학생들이 결정한다.

반응의 원리

1. 학생의 반응에 대해 평가하지 않는다.
2. 학생들이 문제 상황을 다양한 측면에서 탐색하고, 가능한 여러 대안들을 비교할 수 있도록 도와준다.
3. 성찰하기, 재진술하기, 요약하기 등의 기술을 사용함으로써 학생들이 자신의 견해와 감정을 인식할 수 있도록 도와준다.
4. 역할의 개념을 사용하도록 하고, 역할 연기에 다양한 방식이 있음을 강조한다.
5. 문제 해결에는 여러 가지 방식이 있을 수 있음을 강조한다.

지원 체제

역할극은 경험을 기반으로 하는 모형으로, 초기의 문제 상황 이외의 지원은 최소한으로 한다. 다음에 소개될 법리적 모형은 훨씬 복잡한 자료와 정보를 필요로 한다.

제5부

개인적 모형

우리는 태어나면서부터 세상에 의해 행동한다. 우리의 사회 환경은 우리에게 언어를 주고, 행동하는 방법을 가르쳐 주고, 사랑을 준다. 그러면서도 우리는 스스로를 설정하고 개인의 내적 환경을 만들어 갈 수 있다. 이러한 세상 속에서 우리는 각자의 정체성을 만들어 간다. 우리의 성격은 생애 초기부터 상당한 연속성을 가진다. 그러나 우리는 이를 바꿀 수도 있다. 우리는 다양한 기후와 물리적 환경에 적응할 수 있다. 우리는 혼자서는 불완전하며, 사랑을 하고, 사랑을 받는 존재이다. 우리는 어쩌면 함께 있을 때, 가장 큰 성과를 만들어 낼지도 모른다. 그러나 역설적이게도, 우리는 되지도 않는 행동을—세상이 우리의 가장 나쁜 특성을 드러내게 만드는 것 같은—고집스럽게 붙들 능력도 있다. 우리는 위대하다. 그리고 우리는 고집스럽기도 하다.

개인적 교수 모형들은 두 가지의 주된 목적을 공유한다. 첫째는 교사와 학생이 자신감과 자신에 대한 현실감, 그리고 타인에 대한 공감 반응을 발달시킬 수 있도록 하여 정신적, 정서적으로 더 건강할 수 있게 하는 것이다. 둘째는 학생 자신의 필요와 열망에서 나온 교육을 증가시키는 것이다. 교사는 학생의 동반자로서 학습의 내용 및 방법을 학생과 함께 결정한다. 그 목표는 창의성과 개인적 표현과 같이 질적 사고의 특정한 유형들을 발달하게 하는 것이다.

개인적 모형은 네 가지로 사용될 수 있다. 첫째, 개인적 모형은 일반적인 교수 모형으로 사용될 수 있다. 교육과정도, 학교도 그 핵심에 비지시적 철학을 두고 설계될 수 있다. 수백 년 동안 비지시적 철학자들에 의해 교육과정과 학교가 만들어져 왔다(Rousseau, 1983; Neill, 1960; Chamberlin & Chamberlin, 1943; Calkins, 2000 참조).

둘째, 개인적 모형은 다른 모형을 바탕으로 설계된 학습 환경을 보완하기 위해 사용될 수 있다. 예를 들어 교사는 학생의 자아 개념에 대한 관심을 늘 염두에 두고, 학생들이 스스로를 긍정적으로 느끼고, 학생을 인간으로서 존중하기 위해 할 수 있는 것을 어떻게 만들어 갈지를 주의깊게 생각해 볼 수 있다. 다시 말해서, 교사는 이 모형을 사용함으로써 학생 개개인의 감정에 관심을 가질 수 있고 그들을 동반자로 만들 수 있으며, 그들과 긍정적으로 소통할 수 있다. 저자는 모형의 이러한 사용에 집중할 것이다.

셋째, 교사는 학생이 좀 더 완전하고 긍정적인 세상으로 나아가는 것을 배울 때, 개인적 모형의 독특한 특성을 활용하여 그들을 도와줄 수 있다.

넷째, 교사는 학생의 능력과 경험을 고려하여 교과과정을 만들 수 있다. 예를 들어, "경험"을 활용하여 읽기를 가르칠 수 있다. 최초의 읽기 자료로 학생이 진술한 이야기를 활용하고, 읽기가 어느 정도 능숙해지면 주 자료로 학생이 선택한 문학 작품을 활용하는 것이다. 그림-단어 귀납적 모형(PWIM, 5장 참조)은 학생들이 생성한 단어와 발상을 가지고, 학생들이 범주, 제목, 문장, 문단을 만들어 가는 방식으로 진행된다. 개인적 모형은 다른 모형과 결합하여 개별 학습 과정과 자원기반 수업에 활용될 수 있다. 모든 학년에서 교육의 상당 부분이 개별 학습으로 이루어진다.

학습자를 한 인간으로 발전시키는 것은 그 자체로 가치 있는 교육의 목표라는 신념과 더불어, 이러한 개인적 모형군의 주요 가설은 잘 발달되고, 더 긍정적이며, 자아 실현적인 학습자일수록 학습 능력도 증가한다는 것이다. 그러므로 개인적 모형에 따르면, 학업 성취도를 증가시키기 위해서는 학습자의 심리를 잘 살펴주어야 한다. 개인적 모형을 활용한 교사들의 교수 방식이 학생들의 학업 성취도를 높였음을 보여 준 많은 연구들(Roebuck, Buhler, & Aspy, 1976)이 이 모형의 가설을 지지한다. Hunt와 Joyce, 그리고 동료들의 공동 연구는 교과과정에서 다양한 교수 모형을 사용하여 학생에게 맞게 조정하는 것이 얼마나 효과적인지를 보여 준다.

개인적 모형은 "처치"를 통해 학생이 자신을 발전시킬 수 있는 사람으로 변화시킬 수 있다고 보는 모형으로, 연구가 매우 어렵다. "과거의 교수 모형(X)"은 신중하게 고안된 것이더라도 학생에게 쉽게 사용될 수 없다. 우리의 세계에서, 학생이 변화하는 것처럼 교수 조건들도 변한다. 지난 50년간의 연구를 추적한 아주 흥미로운 논문이 있다(Cornelius-White, 2007). 대체적으로, 시행이 잘 되었던 개인적 모형들은 인지적(실질적인 학습), 정서적(행복감, 자아 개념 향상), 행동적(자신의 학습 및 발달에 책임을 지는 능력) 결과가 긍정적이었다. 이 연구(Cornelius-White, 2007)는 비지시적 교육과 이 교육의 기원 및 효과에 대해 친절하게 설명해 주고 있다.

예술 장르를 이용한 개인적 모형들이 있다. 저자는 이러한 모형들 중에 몇 가지를 선택했다. 14장 Carl Roger의 비지시적 교수 모형에서는 집단의 주 대변인이 가져야 할 철학과 기법에 관해 다룰 것이다. 그리고 자아 개념과 성장 상태에 대한 장(15장)에서는 학습자 중심의 공동체 조직에 관해 다룰 것이다.

비지시적 교수

학습자 중심

가르치는 방법을 배울 때, 가장 어려운 것은 침묵할 때를 배우는 것이다.
우리는 대부분의 시간을 침묵해야 한다.

—*Carl Rogers, Columbia* 대학교 강연 중

시나리오

부모가 위험한 곳으로 보내질 때

이 곳은 독일 국방부 직원 자녀학교(Department of Defense Dependents School; DODDS)이다. Charley Wilson 선생님은 군인 자녀로 구성된 5학년 아이들을 맡고 있다. 아이들의 부모 대부분이 공격 부대로부터 비행장을 지키기 위해 막 아프가니스탄에 보내졌다. Charley는 가장 좋은 행동 방침은 학생들이 학업에 열중할 수 있게 돕는 것이라고 생각했다. 그래서 그는 작문 수업에 영화를 활용하기로 했다.

그러나 VCR(비디오 카세트 녹화기)을 켰을 때, 그는 평소와 다른 긴장이 학생들

의 얼굴에 감돌고 있음을 발견했다. "무슨 일이니?" Charley가 물었지만 대답이 없었다. "반쯤 넋이 나간 것 같은데?" Charley가 다시 말했다.

여전히 침묵이 흘렀다. 그때 한 학생이 강하게 대답했다. "우리는 아플까 봐 걱정이 돼요." 다른 아이들이 고개를 끄덕였다.

"좋아. 그러면 우리 그것을 다루어 보는 게 어떨까? 그것에 대해 이야기해 볼까?"

"저는 무엇을 말해야 할지 모르겠어요. 저는 몸이 얼어 붙는 것 같아요."라고 Pamela가 말했다. 더 많은 아이들이 고개를 끄덕였다.

"얼어 붙는 것 같다는 게 무슨 말이니?"

"저는 살아있지 않은 것 같아요. 저는 동굴 속에 숨어 있어요."

그러자 Josh가 말했다. "말하자면, 그건 좋은 방법인 것 같아요. 저는 어딘가 다른 곳에 있는 것 같아요. 저는 일어나는 일을 몰아내기 위해 노력하고 있어요."

Nancy는 이렇게 말했다. "만약 두려움을 내버려둔다면, 정말 그대로 둔다면, 견디지 못할 거예요. 그것을 쫓아내야 해요."

학생들은 Charley 선생님을 똑바로 쳐다봤다. 하지만 서로의 얼굴은 쳐다보지 않았다. Charley 선생님은 "차가 한 대도 없어요. 정부는 군인들을 밖으로 보내서 죽게 하거나 부상을 입게 했어요. 그리고 정작 그들은 집에 앉아서 팝콘을 먹으면서 멍청한 뉴스가 보여 주는 사상자의 수를 봐요."와 같은 말들과 위에서 언급한 것과 같은 말들을 주로 끄집어 내면서 토의를 지속시켰다.

그리고 잠시 뒤, Charley 선생님과 학생들은 잠깐의 휴식을 가졌다. 학생들이 다시 모이자, Charley 선생님은 다시 토의를 시작했다.

"그거 아니? 우리 모두는 우리의 부모님과 친구들에게 무슨 일이 일어나지 않을까 두려워한단다." 모두 고개를 끄덕였다. "두려운 게 당연한 거란다. 그건 미친 게 아니야. 밖에는 정말 위험이 존재해." 그제서야 학생들은 서로를 쳐다보면서 고개를 끄덕였다. 그들은 비참했지만, 덜 외로웠다. Charley 선생님은 계속 이야기했다.

"문제는 우리가 부모님을 도와야 하고, 겁이 나고 불안한 상황 속에서 스스로를 지켜내야 한다는 거야." 학생들은 Charley 선생님을 쳐다보며 더 크게 고개를 끄덕였다. "그러니 우리, 해야 할 일을 똑바로 마주하자."

Charley 선생님은 당면해 있는 문제를 가지고 아이들이 어떤 행동을 해야 할지, 생명을 위협하는 위험에 놓여 있는 부모를 어떻게 도와야 할지에 대한 탐구를 시작했다.

시나리오

읽기에 어려움을 겪는 학생의 마음상태

"수업시간에 매일 20분씩 내가 혼자 읽기를 기대하시나요?"

"물론이다. 더 잘 읽는 법을 배워야만 하는 데 더 많이 읽지 않으면 잘 읽을 수 없단다."

"누가 그런 말을 했죠?"

"좋아, 지금 누가 너에게 말하고 있지, Tom?"

"저는 잘 읽을 수 있어요. 그런데 왜 제가 이 수업을 들어야 하죠?"

"이것 좀 읽어 주겠니, 지금." Tamron 선생님은 책을 펼쳐서 Tom에게 주었다. "이 페이지의 왼쪽 상단부터 읽어 보겠니."

"이 단어가 뭐예요?"

"첫 단어 말이니, Tom?"

"네."

"이 쪽의 제목 말이니?"

"네, Tamron 선생님."

"아마도 이 쪽에서 말하려고 하는 단어 말이니?"

"네, 빨리요, 뭐예요?"

"Tom, 잘 들어봐. 이 단어는 addition이다. 1학년도 이 단어를 읽는 것을 배워야 한다. 너는 6학년이다. 이걸 어떻게 생각하니?"

"저는 읽기 싫어요."

"네가 읽는 방법을 배우면, 읽을 수 있을 거야."

Tamron 선생님은 Tom이 읽기 능력에 대한 자신의 상황을 인지하고 무엇을 해야 하는지를 알게 하려고 노력했다. 여러 해 동안, Tom은 읽는 법을 가르치려는 교사에게 반항해 왔다. 위의 대화는 비지식적 방법이 "나약함"을 의미하는 것이 아니라는 것을 설명한다. 비지시적 교수 모형은 Carl Rogers의 저서(1961, 1971)와 비지시적 지도에 관한 다른 지지자들의 저서를 기반으로 한다. Rogers는 그의 치료적 견해를 학습의 관점으로서 교육에까지 확대했다. 그는 긍정적인 인간관계가 사람이 성장하도록 한다고 믿었다. 그러므로 수업은 교과의 개념과 대조되는 인간관계 개념을 바탕으로 해야 한다.

이번 장의 도입에서 언급했듯이, "풍미를 곁들인(flavor)" 교수 모형의 활용에 중점을 둘 것이다—이는 학생들 마음에 참조 틀을 세우고, 자아 성장을 중심에 놓으며, 그들이 학습 문제를 해결하도록 돕기 위한 교수 모형이라는 것이다. .

교사는 학생들과 상담 관계를 형성하고, 학생의 성장과 발전을 안내하는 촉진자의 역할을 한다. 이 역할에서, 교사는 학생이 자신의 삶, 학교생활, 그리고 다른 학생과의 관계에 대해 새롭게 생각해 보도록 도와준다. 이 모형은 학생과 교사가 학습의 동반자로, 서로의 생각을 자유롭게 공유하고, 서로 솔직하게 의사소통할 수 있는 환경을 만든다.

비지시적 모형은 학습 과정을 통제하기보다는 학생을 양육한다. 강조할 점은 단기적인 수업이나 내용 목표보다는 효과적이고 장기적인 학습 양식과 강인하고, 적절한 개인 성격의 계발이다. 비지시적 교사는 인내심을 갖고 있으며, 즉각적 결과를 강요함으로써 장기적 목표를 희생시키지는 않는다.

▰▰ 시나리오 ▰▰

조사에 책임을 갖도록 학생을 지도하기

Ann Espinosa 선생님은 10학년 학생들에게 국제적 문해 능력을 성취하도록 돕고 있다. Ann 선생님은 학생들에게 80개국의 수백 여 개의 신문을 포괄한 온라인 신문 데이터베이스(www.refdest.com/paper)를 소개했다. Ann 선생님은 학생에게 두세 개의 질문을 했다. 그리고 그 다음 학생이 스스로 질문을 만들고 스스로 더 조사하도록 하는 데 중점을 두었다. 첫째, 교사는 학생에게 이 데이터베이스에서 미국 이외에 영자 신문을 발행한 나라의 수를 조사하도록 했다. 학생들은 영자 신문을 발행하고 있는지 여부에 따라, 그리고 지역적으로 군집을 형성하고 있는지 여부를 찾아서 지도를 만들었다.

둘째, 월드컵 시기이므로, 학생들에게, 언어에 상관없이, 신문에 월드컵 축구 경기를 다루고 있고 또한 야구 정규시즌을 보도하고 있는 나라의 수를 조사하도록 했다. 이후 토론이 이어졌다. 학생들은 월드컵 축구 경기는 거의 모든 나라에서 보도되었지만, 야구 경기는 단지 일부 나라에서만 보도되었다고 결론을 내렸다. 학생들은 이런 차이에 대해 여러 이유를 추측했다.

셋째, 영어를 공용어로 사용하는 나라보다 영어 이외의 언어를 공용어로 사용하는 나라의 영자신문에서 어떤 사건이 보도되었는지를 조사하도록 했다. 기본적으로, 정보의 주제와 출처를 알려 준 후에, 학생들을 위해 조사를 구조화하기보다는 비지시적으로 정보 획득 과정을 생각해 볼 수 있도록 질문을 하는 것으로 단원을 개발했다.

Ann 선생님은 활동적이었으며 학생들이 조사를 해 나가면서 스스로 정보를 모으고 분석에 도전해 보도록 이끌었다.

시나리오

그녀는 다소 수줍어하는 건가, 아니면 …

Jona Dengro 선생님은, 26세의 시카고 교외에 있는 고등학교 영어 교사이며, 그의 학생인 Mary Ann Fortnay에 많은 관심이 있다. Mary Ann은 문학 과제를 훌륭히 해내고, 짧은 이야기를 훌륭하게 써내는 학생이다. 그러나, Mary는 급우들과 자신의 이야기를 공유하기 꺼리고 문학 활동에 참여하는 것을 좋아하지 않는다.

Denbro 선생님은 이런 문제가 강요되어서는 안 된다는 것을 알지만, Mary Ann이 왜 그녀의 재능을 다른 사람에게 보여 주기를 꺼려하는지 알고 싶었다. Ann은 자신의 생각을 공유하는 활동에 참여할지를 결정할 것이다.

어느 날 오후 Ann은 Denbro 선생님에게 그녀의 작품 일부를 읽어 보고 의견을 달라고 했다.

Mary Ann: Denbro 선생님, 이것을 잠깐 봐 주실래요?

Denbro: 물론이지, Mary Ann. 다른 단편이니?

Mary Ann: 아니요, 지금 쓰고 있는 시예요. 그렇게 좋지는 않지만 선생님의 생각을 듣고 싶어요.

Denbro: 언제 쓴 거니?

Mary Ann: 몇 주 전 일요일 오후에요.

Denbro: 어떻게 시를 쓸 생각을 하게 됐는지 기억하니?

Mary Ann: 그냥 슬프고 지난달에 "황무지"를 읽으려고 했던 때였어요. 그리고 그 책은 일상적으로 말할 수 없는 많은 것들을 말하려고 했었던 것 같아요. 저는 첫 구절이 좋아요. "사월은 가장 잔인한 달, 죽은 땅에서 라일락을 키워 내고."

Denbro: 그러면 이것이 네가 쓴 시니?

Mary Ann: 네, 제가 처음으로 써 본 시예요.

Denbro: (몇 분 동안 읽은 후 Mary를 보면서) Mary Ann, 정말 훌륭하구나.

Mary Ann: Denbro 선생님, 어떤 시가 훌륭한 거예요?

Denbro: 글쎄, 시를 판단하는 데는 여러 가지 방식이 있단다. 일부는 기술적인 것으로 표현의 질과 은유와 비유 그리고 다른 문학적 장치를 사용한 방식과 관련이 있단다. 다른 것은 주관적인 것으로 표현의 질과 문장 그 자체의 진정한 아름다움과 관련이 있단다.

Mary Ann: 처음에 시를 쓸 때는 매우 훌륭하다고 느꼈지만, 다 쓰고 나서는 멍청한 것처럼 들렸어요.

Denbro: 무슨 말이지?

Mary Ann: 오, 저도 잘 모르겠어요. 만약 다른 사람이 이 시를 본다면 저는 부끄러움을 느낄 것 같다는 생각이 많이 들었어요.

Denbro: 부끄럽다니?

Mary Ann: 잘 모르겠어요. 만약 교실에서 큰 소리로 이 시를 읽는다는 것을 알게 된다면, 저는 굴욕감으로 죽고 싶을 거예요.

Denbro: 너는 정말로 친구들이 네 시를 비웃을 거라고 생각하니?

Mary Ann: 선생님도 아시듯이 저는 제가 쓴 것을 다른 사람이 보는 것을 원치 않아요.

Denbro: 너는 정말로 누구도 네 작품을 보지 못하도록 그것들을 어딘가로 치워 버리기를 원하니?

Mary Ann: 네, 저는 그렇게 하기를 바래요. 그 이유는 정확히 모르겠어요. 그러나 우리 반 누구도 제 작품을 이해할 수 없으리라고 확신해요.

Denbro: 그래도 네 작품을 이해할 수 있는 누군가가 있을지 생각해 보겠니?

Mary Ann: 잘 모르겠어요. 저도 누군가가 있을까 생각해 봤지만, 아마도 제 주위에는 없는 것 같아요.

Denbro: 부모님은 어떠실까?

Mary Ann: 물론, 저희 부모님은 좋아하시죠.

Denbro: 좋아, 그러면 좋아하는 사람이 세 명이 있구나. 그 밖의 다른 사람은?

Mary Ann: 제 생각에 어른들은 좋아할 것 같아요. 그러나 다른 학생들은 확실하지 않아요.

Denbro: 학생들은 어른들과 뭐가 다르지?

Mary Ann: 글쎄요, 학생들은 이런 종류의 것들에 관심이 없는 것 같아요. 이런 종류의 글을 쓰는 사람들을 바보로 만들 것 같아요.

Denbro: 너는 수업시간에 읽은 작가들을 그렇게 생각했니?

Mary Ann: 글쎄요, 때때로 그랬지만, 대부분은 그 이야기들을 좋아했어요.

Denbro: 그렇다면, 왜 다른 학생들은 네 작품을 좋아하지 않을 거라고 생각하니?

Mary Ann: 정말 잘 모르겠어요, Denbro 선생님. 좋아할 것 같지 않는데, 정말 꼭 집어서 말할 수 없어요.

Denbro: 무엇 때문인지 주저하는 것 같구나

Mary Ann: 여러 가지 방식으로, 저는 누군가 제가 쓴 작품을 좋아하는지를 알아보고 싶어요. 저는 어떻게 해야 하는지 모르겠어요.

Denbro: 만약 내가 너의 단편을 읽어 주고 누가 쓴 건지는 학생들에게 얘기하지 않는다면 어떻겠니?

Mary Ann: 약속하실 수 있어요?

Denbro: 물론이지. 그리고 다른 학생들이 어떤 반응을 보였는지 얘기해 보도록 하자. 다른 학생들은 누가 썼는지 모른다는 걸 기억해.

Mary Ann: 잘 모르겠지만, 재미있을 것 같아요.

Denbro: 어떤 일이 일어나는지에 따라, 다음 번에 어떤 전략을 사용할지 결정하도록 하자.

Mary Ann: 좋아요. 선생님은 제가 아무런 피해도 입지 않도록 해 주실 거라고 생각해요.

Denbro: 그래, 네가 아무런 피해도 입지 않도록 해 보자. Mary Ann, 그러나 우리 자신에 대해 말하는 데는 늘 위험이 따른단다.

Mary Ann: 우리 자신에 대해 말한다는 것이 무슨 의미인가요?

Denbro: 내 생각에 지금 하려고 하는 것 말이다. 그러나 내가 너의 작품 중 하나를 고르고 다음 주에 읽도록 하마. 그리고 그 다음 수요일 날 만나서 그 결과에 대해 얘기해 보자.

Mary Ann: 좋아요, 그리고 약속은 지켜 주실 거죠?

Denbro: 약속하마. 수업 끝나고 다음 주 수요일 날 보자.

Mary Ann: 네. 수요일 날 봬요.

모형 소개

목표와 가정

지금부터는 특수 교육의 중요한 요소인 상담이 개인적 모형에 의해 설계된다는 것을 기억하면서, 학생들과의 상호작용에 있어 비지시적 분위기를 형성하게 해 주는 요소들을 집중적으로 살펴보자.

비지시적 교수 모형은 학습을 촉진시키는 데 중점을 둔다. 학생들이 보다 큰 개인적 통합, 효과성, 현실적 자기 평가를 획득할 수 있도록 환경이 조직된다. 새로운 인식을 자극하고, 시험하고, 평가하는 것이 주로 일어나는데, 이는 그들의 자원과 결과에 대한 필요와 가치를 재검토하는 것이 개인적 통합을 얻는 데 매우 중요하기 때문이다. 학생들이 반드시 달라져야 하는 것은 아니지만, 교사의 목표는 학생들이 그들 자신의 교육적 결정을 효과적으로 지휘할 수 있도록 자신의 요구와 가치에 대한 이해를 돕는 것이다.

이 모형의 핵심은 Rogers의 비지시적 상담에 대한 입장에서 나왔는데, 이는 의뢰인이 자신의 인생을 건설적으로 대하는 능력이 존중되고 양성되어야 한다는 입장이다. 따라서, 비지시적 교수 모형에서, 교사는 학습자가 그들의 문제를 확인하고 해결책을 만들어 내는 능력을 존중해야 한다.

비지시적으로 운영할 때, 교사는 학생의 자기 지시가 양성되고 발전될 수 있는 공감적 의사소통의 분위기를 형성하면서, 학생들이 세상을 바라보는 방식대로 세상을 보려고 노력한다. 상호작용을 하는 동안, 교사는 학생들의 생각과 감정을 잘 보여 준다. 성찰적 발언을 함으로써, 교사는 학생들의 인식과 감정의 자각을 일깨우고 그들의 생각을 명료하게 하도록 도와준다.

교사는 또한 자애로운 또 하나의 자아로서 역할을 하는데, 이는 학생들이 두려워하는 감정과 생각 혹은 잘못하거나 처벌받을지도 모른다고 여기는 관점까지도 받아들여 주는 존재이다. 수용적이고 비처벌적인 태도를 가지면서, 교사들은 모든 생각과 감정들이 받아들여질 수 있다는 것을 학생들과 간접적으로 의사 소통한다. 사실상, 긍정적 감정과 부정적 감정에 대한 인지는 감정적 발전과 긍정적 해결책에 있어 중요하다.

교사는 전통적인 의사결정 역할을 버리고, 학생들의 감정에 중점을 두는 촉진자의 역할을 선택한다. 비지시적 면담에서 학생과 교사의 관계는 동반자 관계로 설명되는 것이 가장 적절하다. 따라서, 학생이 학습에서의 무능함과 나쁜 성적에 대해 불평을 토로했을 경우, 교사는 좋은 학습 습관에 대한 설명함으로써 단순히 문제에 대한 해결책을 주려고 해서는 안 된다. 그 대신에, 교사는 그 학생이 집중하기 어렵도록 만드는 감정들을 표현하도록 격려해야 한다. 이러한 감정들을 모두 찾아내고 이에 대한 인식이 명료해질 때, 그 학생은 적절한 변화를 찾아보고 그것들을 적용하려고 노력한다.

비지시적 분위기는 네 가지 특징을 갖고 있다. 첫째, 교사는 학생에 대한 진정한 관심을 표현하고 학생을 한 명의 사람으로 받아들이면서 따뜻함과 적극적 반응을 보인다. 둘째, 감정 표현에 대한 관대함이 특징이다. 교사가 판단하거나 훈계하지 않는다. 감정의 중요성 때문에, 일반적으로 관습적인 교사-학생 관계가 되지 않도록 경계하면서 상당한 내용이 논의된다. 셋째, 학생은 상징적으로 감정을 표현하는 데 자유롭지만 교사를 통제하거나 충동적인 행동을 하는 것은 자유롭게 할 수 없다. 넷째, 관계는 어떠한 압력이나 강제로부터 자유롭다. 교사는 개인적 편견을 표현하거나 학생에게 개인적으로 비판적인 방법으로 반응하는 것을 피한다. 모든 학습 과제는 학생이 한 사람으로 성장하는 것을 돕는 기회로서 여겨진다.

Rogers에 따르면, 학생의 문제에 대해 순전히 지적인 근거로만 대응하는 것은 성장 문제의 근간이 되는 감정 표현을 억제시킨다. 예를 들면, 한 학생이 작문에 어려움을 겪고 있는 경우, 지적 반응은 "개요를 만드는 것부터 시작하라"와 같이 응답하는 것이다. 공감적 반응은 "나는 이러지도 저러지도 못할 때 종종 공황상태에 빠지게 된단다. 너는 어떠니?"

통찰력은 이 과정의 단기 목표이다. 감정을 표현함으로써 학생은 문제를 더 잘 살펴볼 수 있게 된다. 앞에서 살펴본 John Denbro 선생님과 Marry Ann의 사례의 경우, 다른 사람들에게 자신의 작문 경험을 공유하는 문제이다. 통찰력은 학생이 원인과 결과의 관점이나 개인적 의미의 관점에서 행동을 설명하는 서술에서 암시된다. 그 시나리오에서, 학생은 다른 사람들의 판단의 객관성이 아니라 그녀의 공포에 문제가 있음을 깨닫게 된다. 학생들이 그들의 행동의 이유를 이해할 때, 그들은 그들의 요구를 만족시키는 보다 실용적인 방법을 찾기 시작한다. 감정을 드러냄으로써, 학생들은 선택지를 보다 명료하게 인식할 수 있다. 새로운 통찰력은 즉각적이지만 일시적인 만족을 줄 뿐인 목표보다는 학생들이 더 만족스러움에도 불구하고 미루어 왔던 목표를 선택할 수 있도록 만든다.

궁극적으로, 개인적 통찰력의 점검은 학생들이 새로운 목표를 향해 동기 부여된 행동이 존재하는가에 달려 있다. 우선, 이러한 긍정적인 행동은 사소한 논점과 관련되어 있을지도 모른다. 그러나 이러한 사소한 논점들은 학생들에게 자신감과 독립심을 키워 준다. 시나리오에서 교사는 작문을 공유하는 행동을 위해 "안전한 공간"을 만들고자 노력했다. 점차적으로, 학생의 긍정적인 행동은 새롭고 보다 포괄적인 시작을 이끌어 낸다. 이것이 통합 단계이다. 첫 번째 시나리오에서, Charley는 고통과 공포에서 학생들을 도와주고, 정말로 끔찍한 문제의 한가운데에서 좋은 인생을 만들어 낸 다른 사람들을 돕는 문제로 학생들을 다시 보낸다. 이 장의 끝부분에 나오는 시나리오에서, 장기 목표는 공유의 사회적 역동성에 대해 더 잘 이해함으로써 작문을 공유하는 원숙한 능력을 기르는 것이다. 다시 말해서, 그 학생은 점차적으로 공유라는 행동에는 나쁜 결과보다 좋은 결과가 더 많이 따른다는 것과, 만족은 공유의 문제에 대한 통합된 이해로부터 나올 수 있다는 것을 알게 될 것이다.

비지시적 접근은 한 문제에 내재된 감정을 드러내는 가장 효과적인 방법은 학생들이 자유롭게 표현할 때 그 감정의 양상을 따르는 것에 있다고 주장한다. 드러내고 있는 감정의 의도를 직접적으로 질문하는 대신, 교사는 학생들이 자신의 생각과 감정의 흐름을 지휘하도록 둔다. 만약 학생이 그들 자신을 자유롭게 표현한다면, 문제와 그 저변의 감정이 나타날 것이다. 이러한 과정은 학생의 감정을 성찰함으로써 촉진되고, 그렇게 함으로써 그들을 의식과 첨예한 관심 안으로 끌어들이게 된다. 이러한 과정은 대부분의 교사들에게 어려운 기술이다. 왜냐하면 교사들은 의사소통의 정서적 측면보다는 사람들이 말하는 객관적 내용에 더욱 익숙해져 있기 때문이다.

주도하기

학생과 교사는 토론에 대한 책임감을 나눠 지고 있다. 그러나, 종종 교사들이 대화를 이끌거나 유지하기 위한 반응을 "주도(lead-taking)"해야만 한다(표 14.1). 이 표는 교사가 토론을 시작할 때 도움을 주거나, 열린 태도로 지시하도록 만들고, 학생들에게 그들이 토론해야 하는 것에 대해 구체적 혹은 개괄적으로 몇 가지 암시를 줄 때 유용한 문장들을 포함하고 있다.

학생들에게 주어진 책임감이 줄어들지 않도록 이끄는 것이 필수적인 기술이다. 비지시적으로 주도하는 표현들은 긍정적이고 정감 있는 어조로 분명하게 언급되어야 한다. 예를 들면 다음과 같다.

- "그 문제에 대해 어떻게 생각하니?"
- "그 문제에 대해 좀 더 말해 줄 수 있니?"
- "그런 일이 일어났을 때 너는 어떻게 반응하니?"

감정에 대한 비지시적 반응은 학생이 표현한 감정이나 표현의 내용에 반응을 보이려는 시도이다. 이러한 언급을 함에 있어, 교사는 해석하거나, 평가하거나, 조언해 주려고 해서는 안 되며, 성찰하고, 명료하게 하고, 받아들이고, 이해를 표현하려고 해야 한다. 이러한 언급의 목적은 학생이 그가 표현하고자 하는 생각을 흔쾌히 확장시킬 수 있는 분위기를 형성하는 것이다. 대개 이러한 반응은 학생들이 토론을 계속 이어갈 수 있도록 만들고 지지하는 짧은 문장들이다.

- "나도 이해가 된다."
- "혼자가 된다는 건 정말 힘든 일이지."
- "이게 너에게 아무 문제가 되지 않는 것처럼 해봐. 그럼 그런 식으로 흘러갈 거야."

〈표 14.1〉 면담 상황에서의 비지시적 반응

감정에 대한 비지시적 반응	비지시적 주도 반응
1. 단순한 수용 2. 감정의 성찰 3. 내용에 대한 의역	1. 구조화 2. 지시적 질문 하기 3. 학생이 주제를 선택하고 발전시키도록 만들기 4. 비지시적 주도와 열린 질문 5. 대화에 대한 소극적인 요구

해석은 드물게 이루어진다. 교사들은 학생들을 해석하고 싶어한다. 그러나 학생이 자신의 행동에 대한 어떠한 설명도 해 줄 수 없을 때까지 토론을 이어가고자 할 때는 때때로 해석이 유용하다. 해석적 반응은 토론을 계속할 수 없는 학생들의 이유를 제안하려는 시도이다. 그러나 해석은 학생들에 의해 분명하게 받아들여질 수 있는 감정에 대해서만 가능하다. 해석의 사용에 대한 결정은 교사에 의해 조심스럽게

이루어지고, 이는 교사가 해석이 대화를 종료시키기보다는 진전시킬 수 있다는 자신이 있는 상황에서만 사용된다. 전반적인 목적은 학생들이 상대적으로 폐쇄되어 있는 영역에 대해 탐구하도록 돕는 것이다.

- "너는 이렇게 했어. 왜냐하면…"
- "어쩌면 너는 성공할 수 없다고 느꼈나 보구나."
- "그 말은 마치 이번 주 너의 행동들의 이유가 …라는 것처럼 들리는구나."
- "너는 지금 문제가 …라고 말하고 있는 거구나."

따뜻함이 필요하다. 그렇지만 생각을 강화하는 표현도 진정한 진척이 이루어질 때가 종종 필요하다. 이러한 표현은 드물게 사용되어야만 하며, 비지시적 관계는 부지불식간에 급격히 전통적인 교사-학생 관계로 빠지기 쉽다는 것을 유념해야 한다. 그러나 다음과 같은 생각은 도움을 줄 수 있다.

- "그거 정말 재미있는 말이다. 다시 생각해 볼 가치가 있겠는걸."
- "마지막 생각은 특히 강렬하다. 그것에 대해 좀 더 자세히 말해 줄 수 있니?"
- "내 생각에 너는 정말 발전한 것 같구나."

지시적인 상담 조치 또한 드물게 사용된다. 이는 교사가 학생들의 생각을 바꾸려고 시도하거나 학생들의 자세에 영향을 미치려고 시도하는 상황에서 은연중에 나타난다. 예를 들면, "이게 더 낫다고 생각하지 않니?"라는 표현은 직접적으로 학생에게 선택을 제안한다. 직접적으로 학생을 지원하려는 시도는 대개 눈에 보이는 불안감을 줄이기 위해 쓰이기도 하지만, 실제적인 문제 해결에 도움이 되지는 않는다.

교수 모형

비지시적 입장은 다른 모형과 비교하여 몇 가지 흥미로운 문제점을 제시한다. 첫째, 책임이 공유된다. 대부분의 교수 모형에서 교사는 적극적으로 교수 사태를 만들고 학생의 활동 양상을 그릴 수 있어야 한다. 그러나 대부분의 비지시적 모형에서는 교수 사태가 상황에 따라 나타나고 활동의 유형이 유동적이다. 둘째, 비지시적 상호교류는 예측할 수 없는 순서로 발생한다. 학생이 어려운 문제에 대해 대화를 시작할 수 있도록 돕는 것은 반응을 예측하기 어렵다. 상담에서 진척이 있을 때에도 학생은 때로 다소 거만한 태도로 돌변하기도 하고, 교사는 다시 과정을 되돌려야 할 수도 있다.

모형의 구조

비지시적 교수의 유동적이고 예측 불가능한 특성에도 불구하고, Rogers는 비지시적 상담이 일정한 순서를 가지고 있다고 지적한다. 이러한 순서는 표 14.2에서와 같이 다섯 단계로 구분될 수 있다.

1단계는 도움을 규정하는 것이다. 이것은 학생이 자신의 감정을 표현할 수 있는 자유와 상담의 일반적인 초점에 대한 동의, 초기의 문제 진술, 관계에 대한 논의, 미팅의 절차에 대한 수립 등을 규정하는 구조화된 진술을 포함한다. 1단계는 일반적으로 문제에 대한 초기 세션에서 일어나는 것이다. 그러나 문제를 재규정하고 진행과정을 성찰하는 요약의 형태라도 교사에 의한 구조화와 규정의 과정은 때때로 다른 단계에서도 필요할 수 있다. 학생의 특정한 문제에 따라 당연히 구조화와 정의된 진술은 달라질 수 있다. 예를 들면 전공 선택이나 교육과정에 대한 결정은 학생의 행동적 문제 상황을 다루는 것과는 매우 다르다.

2단계에서 교사는 수용과 명료화의 전략을 통해 학생이 부정적이고 긍정적인 감정을 표현하고 문제를 진술하고 탐색하도록 격려해야 한다.

〈표 14.2〉 비지시적 모형의 구조

1단계: 도움 상황 정의하기	교사는 감정을 자유롭게 표현하도록 독려한다.
2단계: 문제 탐색하기	학생은 문제를 정의한다. 교사는 감정을 수용하고 명확하게 한다.
3단계: 통찰 계발하기	학생은 문제에 대해 논의한다. 교사는 학생을 지지해 준다.
4단계: 계획하고 의사결정하기	학생은 초기 의사결정을 계획한다. 교사는 가능한 결정들을 분명하게 제시한다.
5단계: 통합하기	학생은 더 깊은 통찰을 얻고 보다 긍정적인 행동을 발달시킨다. 교사는 학생을 지지해 준다.
6단계: 인터뷰 밖에서 행동하기	학생은 긍정적인 행동을 시작한다.

3단계에서 학생은 점차적으로 통찰력을 발달시킨다. 학생은 개인적인 경험에서 새로운 의미를 인식하고, 원인과 결과의 새로운 관계를 파악하며, 자신의 이전 행동의 의미를 이해하게 된다. 대부분의 상황에서 학생은 문제 자체에 대한 탐색과 자신의 감정에 대한 새로운 통찰의 발달을 교대로 경험한다. 두 가지 행동 모두 성장을 위해 필요한 것이다. 감정에 대한 이해 없이 문제를 논의하는 것은 학생 자신에 대해 회피함을 의미하는 것이다.

4단계에서 학생은 문제와 관련하여 계획하고 의사결정을 내리게 된다. 교사의 역할은 대안들에 대해 명료화하는 것이다.

5단계에서 학생은 자신이 선택한 행동을 보고하고, 더 깊은 통찰력을 개발하며, 보다 통합되고 긍정적인 행동을 계획한다.

여기에 제시된 모형의 구조는 일회의 세션에서 일어날 수도 있고, 여러 세션에 걸쳐 일어날 수도 있다. 후자의 경우에는, 1단계와 2단계는 처음 몇 번의 토론에서 일어날 수 있고, 3단계와 4단계가 그 다음에, 5단계는 마지막 상담 세션에서 발생할 수 있는 것이다. 만일 급박한 문제를 가진 학생과 임의적인 미팅을 갖게 되는 경우에는, 학생이 자신의 행동과 통찰에 대한 간단한 보고를 하도록 하여, 한 번의 상담 세션에서 1단계에서 4단계까지 모두 일어날 수도 있다. 반면 전공계열이나 교육과정 선택의 문제에 대한 상담 세션인 경우에는 일반적으로 일종의 계획과 의사결정을 포함하는 미팅이 일정 기간 동안 지속될 수 있고, 몇 차례의 세션에서 온전히 문제를 탐색하는 단계만 일어날 수도 있다. 학생 자신이 외부의 힘에 의해 무기력하게 남겨진 것이 아니라, 결과에 대해 궁극적으로 책임을 져야 하는 사람으로 스스로를 이해하는 것이 매우 중요하다.

사회적 체제

비지시적 전략의 사회적 체제는 교사가 촉진자와 성찰자의 역할을 수행해야 한다는 것을 전제로 한다. 규준은 감정에 대한 공개적 표현과 사고 및 행동의 자율성이다. 특정한 행동에 대한 승인의 의미로서의 상벌은 이 전략에 포함되지 않는다. 비지시적 상담에서 보상은 교사에 의한 수용, 이해, 감정이입과 같이 미묘하고 내재적인 의미이다. 심리적 보상은 학생들이 개인적으로 형성한 자존감을 바탕으로 얻어지는 것이다.

반응의 원리

반응의 원리는 학생이 정의적인 부분을 탐색하게 하는 데 기초를 둔다. 교사는 학생에게 다가가서 그들의 성격과 문제를 공감한다. 교사는 학생들이 그들의 문제와 감정을 스스로 이해할 수 있고, 그들의 행동에 책임감을 가지고, 목표를 세워 달성할 수 있도록 돕는 방법으로 반응한다.

지원 체제

이 전략의 지원 체제는 상담의 기능에 따라 다양하다. 교육과정 선택을 위한 협상적 세션의 경우에는 자기 주도적 학습에 대한 자원들을 이용할 수 있게 해야 한다. 만일 행동적 문제에 대한 상담 세션의 경우에는 교사의 기능 이외의 자원은 필요하지 않다. 두 가지 경우 모두 일대일 상황을 위해서는 사생활 보호와 외부의 압력으로부터 독립을 위한 공간적 지원이 필요하고, 적절하고 서두르지 않는 태도로 문제를 탐색할 시간이 허락되어야 한다. 읽기, 쓰기, 문학, 과학, 사회과학 등 학문적인 교육과정의 영역들에 대한 풍부한 자료가 준비될 필요도 있을 것이다.

적용

비지시적 교수 모형은 개인적, 사회적, 학문적인 여러 가지 유형의 문제 상황에서 적용될 수 있다. 개인적 문제의 경우 학생들은 자신에 대한 감정을 탐색한다. 사회적 문제의 경우, 학생들은 타인과의 관계에 대한 자신의 감정을 탐색하고, 이러한 관계에 자신의 감정이 어떻게 영향을 미치는지를 탐색한다. 학문적 문제의 경우, 학생들은 자신의 역량과 흥미에 대한 자신의 감정을 탐색한다. 각각의 경우에 상담 내용은 외적인 것이 아니라 개인 내적인 것이다. 각 개인의 자신의 감정과 경험, 통찰, 해결에 초점을 둔다.

비지시적 교수 모형을 효과적으로 사용하기 위해, 교사는 학생이 자신의 삶을 이해할 수 있고 대처할 수 있음을 믿고 수용해야 한다. 학생이 자신을 스스로 조정할 수 있는 능력을 가진 것에 대한 믿음은 교사의 태도와 언어적 행동을 통해 전달될 수 있다. 교사는 학생을 판단하려고 해서는 안 된다. 그것은 학생의 능력에 대한 제한된 신념을 드러내는 것이다. 교사는 문제를 진단하려고 시도해서도 안 된다. 대신에 학생이 그의 세계를 보고 느끼는 바대로 인식하려고 노력해야 한다. 이 모형에서 교사는 일시적으로 개인적인 생각과 감정을 제쳐놓고 학생의 생각과 감정을 성찰해야 한다. 이렇게 함으로써 교사는 감정에 대한 이해와 수용을 전달할 수 있다.

비지시적 상담은 인지적 요소보다는 상황에 대한 정서적 요소를 강조한다. 즉, 비지시적 상담은 온전히 지적인 접근보다는 감정의 영역을 통해 재조직하려고 애쓴다. 종종 이러한 관점은 교사들이 비지시적 방법을 적용하려 할 때, 교사의 모순된 역할들에 의문을 갖게 한다. 어떻게 내가 훈육자이면서, 중재자, 교수자이면서 친구가 될 수 있는가? 또한 어떻게 비지시적 원칙을 실천하는 상담자가 될 수 있는가?

비지시적 교수가 중요하게 사용되는 경우는 교실에 "생기"가 없어지고, 연습과 교과목을 통해 학생들을 "압박"하는 교사 자신을 발견할 때라고 할 수 있다. 한 6학년 교사는 훈육의 문제와 흥미를 잃은 학생들에 대한 문제에 직면하여 전통적인 방식으로 대처하려고 시도했었으나 실패했었다. 이에 학생중심 교수법을 시도해 보기로 결심한 이 교사는 학생들이 자신들의 학습에 보다 책임감을 갖도록 도와주고, 교과를 그들의 필요와 학습스타일에 관련 지어 가르칠 수 있도록 비지시적 접근을 사용했다. 다음 시나리오는 그 교사의 경험에서 발췌된 내용이다.

시나리오

교사의 실험

March 5: 시작하기

일주일 전 6학년 미술 수업에 학생중심 교수법—비구조적이거나 비지시적인 접근법—에 기초를 둔 새로운 프로그램을 시작하기로 결심했다. 실험을 할 것이라고 학급에 이야기하면서 시작했다. 하루는 내가 학생들에게 하고 싶어하는 것을 하도록 둘 것이라고 설명했다.—다른 학생들에게 방해가 되지 않는다면, 만약 학생들이 원하지 않으면 아무 것도 할 필요가 없었고, 혼자 공부를 해도 되었다. 나의 평소 방식은 매우 기능에 기초한 것이다—내 미술 수업은 기술이 많고, 자기 지시가 적다.

많은 학생들이 미술 프로젝트를 시작했다; 일부는 하루 종일 그리거나 색칠했다. 다른 학생들은 수학과 다른 과목에서 읽거나 공부를 했다. 하루 종일 흥미로운 분위기로 가득 찼다. 많은 학생들이 자신이 하는 작업에 빠져서 휴식시간이나 점심시간에도 밖에 나가려 하지 않았다.

마지막 날 학급에 실험을 평가하기 위해 질문했다. 대답은 매우 흥미로웠다. 어떤 학생들은 교사가 해야 할 것에 대해 말하지 않은 것, 완성을 위한 구체적인 과제가 없는 것을 혼란스럽거나 곤란해했다. 학급에서 다수의 학생들은 매우 훌륭한 하루였다고 생각했지만, 일부는 하루 종일 그냥 바보 같은 일부 학생들에 대해 설명했다. 대부분은 우리가 평소 하는 만큼의 공부를 했다고 느꼈고, 시간 제한의 압박 없이 성취할 때까지 과제를 하는 것에서 즐거움을 느꼈다. 학생들은 어떤 것을 하라는 강요 없이 하는 것을 좋아했고, 무엇을 할지 결정하는 것을 좋아했다. 학생들은 실험을 계속하는 것을 원했고, 우리는 이틀을 더 하기로 결정했다. 그 다음에 우리는 계획을 재평가할 수 있었다.

다음날 아침 "학습 계약"의 아이디어를 시행했다. 학생들에게 모든 교과목 아래 제안사항들이 적힌 동의 용지를 주었다. 각 영역에는 그들의 계획과 성취 후 학습을 확인하기 위한 공간이 있었다. 각 학생들은 학습하기 위한 장소를 고르고 무엇을 할지 구체적으로 계획하면서 자신들의 하루 계획을 썼다. 어떤 활동, 반복 연습, 검토 등의 완성에서 학생들은 교사의 설명을 사용하여 검사하고 스스로의 학습을 수정했다. 학습은 계획과 함께 폴더에 저장되었다.

스스로의 계획을 논의하기 위해 각각의 학생들과 만났다. 몇몇은 계획을 너무 빠른 시간 안에 완성했다; 우리는 모둠으로 만나 이것이 의미하는 것과 이것을 하기 위한 것을 논의했다. 계획이 도전하기에 충분하지 않을 수도 있었고, 하루의 계획을 지속하거나 다른 아이디어를 더하면서 조정이 있었다. 자료들이 제공되었고, 제안을 했고, 필요할 때 사용할 연습 자료가 제공되었다.

나는 더 많은 시간을 가질 수 있었고, 작업하고 이야기하고, 개별 학생들 혹은 학생 모둠과 시간을 보냈다. 세 번째 날 마지막에 각 학생들의 학습폴더를 평가했다. 성적의 문제를 해결하기 위해, 각 학생이 무엇을 배웠는지 나에게 설명하도록 했다.

March 12: 진행 보고

우리 실험은 사실 약간의 수정을 거쳐 프로그램으로 실행되었다. 몇몇 학생들은 계속 혼란스러워했고, 교사의 지시가 없음에 불안해했다. 또한 훈육은 여전히 문제가 되었고 나는 그들에게 너무 빨리 많은 것을 요구했음을 깨달았다. 그들은 아직 자기 주도적인 것에 준비가 되지 않았다.

나는 학급을 재조직해서 두 모둠으로 나누었다. 더 큰 모둠은 비지시적 집단이다. 더 작은 모둠은 이전의 교사 지시적인 방법으로 돌아가길 원하고, 여러 가지 이유로 자기 주도적인 상황에 적응할 수 없는 아이들로 구성되었다. 나는 어떤 일이 일어나는지를 관찰하기 위해 더 기다렸을 수도 있었을 것이다. 하지만 어떤 학생들의 경우 상황이 매일 점점 더 나빠졌고, 그것은 전체 학급에 불리하게 작용했다. 혼란스러운 요소는 모든 사람들을 화나게 만들었고, 학습을 원하는 학생들을 방해했다. 그래서 계획을 수정하는 것이 프로그램만이 아니라 전체 집단에게 최선일 것이라 생각했다.

실험을 계속한 아이들은 꾸준히 발전했다. 나는 그들에게 자신의 학습을 계획하고, 자신의 계획을 기본 안내로 사용하는 방법을 보여 주었다. 그들은 자신들을 가르칠 수 있고, 나는 단계가 분명하지 않거나 도움이 필요할 때 도움을 주는 사람임을 그들이 알게 되었다.

그 주의 마지막 시간에 학생들은 각 영역에서 자신들을 평가했다. 우리는 오류의 횟수가 실패나 성공의 기준이 되지 않는다는 것을 알게 되었다. 오류는 학습의 과정이 될 수 있고, 과정의 일부분이 되어야 한다. 우리는 우리 자신의 실수를 통해 배운다. 우리는 계속적인 만점은 학습이 충분히 도전적이지 않아서이거나 더 도전적인 것이어야 함을 의미한다는 것에 대해 논의했다. 자기 평가를 한 후에 각 학생들은 평가지와 작업 폴더를 가지고 와서 나와 논의했다.

나와 함께한 모둠의 몇몇 학생들은 "독립적인" 학생들이 되기를 매우 원했다. 우리는 매주 학생들 자신이 그들이 그 목표를 향해 발전해 가고 있는지를 함께 측정할 것이다. 원래의 교사 지시적인 프로그램으로 돌아가길 원하는 몇몇 학생들(2~3명)은 이제 자기 주도적인 프로그램으로 돌아가길 원한다(내가 그랬던 것처럼, 학생들도 이전 프로그램에 재적응하는 데 어려움이 있을 것이다).

교수적, 육성적 효과

활동들이 처방적이라기보다는 학습자가 교사나 동료 학생들과의 상호작용을 통해 결정되는 것이기 때문에, 비지시적 환경은 주로 육성적 효과에 의존하고 있고, 보다 효과적인 자아 발달을 이루는 데 교수적 효과가 있다(그림 14.1).

그러므로 이 모형은 특별하게 고안된 활동을 통해 내용과 기술을 수행하는 것보다 비지시적 환경을 경험하는 것에서 효과를 찾을 수 있는 상황에 의존한다.

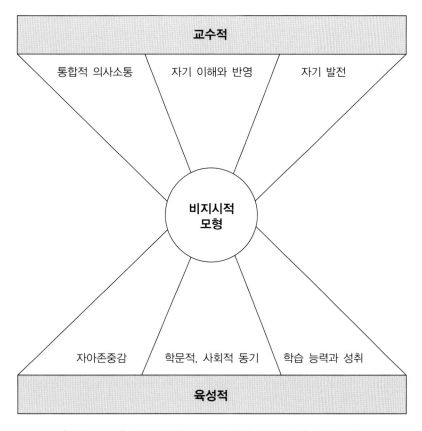

[**그림 14.1**] 비지시적 교수 모형의 교수적, 육성적 효과

요약 도표 비지시적 교수 모형

모형의 구조

- 1단계: 도움 상황 정의하기
- 2단계: 문제 탐색하기
- 3단계: 통찰력 기르기
- 4단계: 계획과 의사결정하기
- 5단계: 통합하기

사회적 체제

이 모형의 구조는 상호작용으로부터 나타난다. 즉, 교사는 촉진하고 학생은 주도하며, 논의는 문제 중심적이다. 보상(특별한 행동에 대한 허용의 일반적 의미)과 처벌은 이 전략에서는 적용되지 않는다. 보상은 내재적이고, 교사로부터의 수용, 감정이입, 이해를 포함하는 것이다.

반응의 원리

교사는 학생에게 다가가고, 감정이입을 하며, 학생들이 문제를 스스로 확인하고 해결책을 얻기 위한 행동을 취하도록 돕는다.

지원 체제

교사는 일대일 만남을 위해 조용하고 사생활이 보장된 장소와 교육과정 선택과 같은 교육 계획에 대한 상담을 수행할 수 있는 자원 센터가 필요하다.

제15장

긍정적 자아 개념의 개발

내적 자아 찾기와 자아 실현 학습하기

우리는 학교를 풍요롭게 만들고 싶습니다.
또한 우리는 아이들이 언제까지나 우리에게 의존할 수만은 없다는 사실을 알았으면
합니다.
아이들은 스스로 도약할 수 있어야 합니다.

— *Carlene Murphy*가 *Bruce Joyce*에게

이 책의 핵심이 인간, 그리고 인간의 성장인데, 일반 교육에서 가장 중요하고 근원적
인 요소로, 학교교육의 결과인 성장을 개념적으로 다루기는 15장이 처음이다. 따라서
15장에서 이 주제를 직접적으로 다루려는 만큼, 이 시점에서 인간에 대한 여러 진술
을 요약해 보는 것도 가치가 있을 것이다.

첫째, 다양한 유형의 교수 모형에 대한 연구는, 모든 학생이 학습하는 방법을 배
울 수 있고, 매우 다양한 교수-학습 환경에 반응하는 방법을 배울 수 있다는 전제를

지지한다. 학생은 기회가 주어지면, 여러 가지 방식으로 학습 능력을 가속화시킬 수 있다.

둘째, 학생이 기능을 더 많이 개발하고 자신의 목록을 더 많이 넓혀 갈수록 기능과 전략을 더욱 폭넓게 숙달할 수 있는 능력도 커지게 된다(이는 교사에게도 적용되는 말이다. 더 좋은 것을 가질수록 더 좋은 것을 얻게 되는 것은 당연하다!).

셋째, 학교와 교실에서 만들어지는 학습 공동체는 학생들이 스스로에 대해 어떻게 느끼며, 그들이 어떻게 상호작용을 하는지, 그리고 그들이 어떻게 배우는지에 영향을 준다. 즉, 사회적 분위기는 학교 교육이 지닌 본질의 일부이다. 사회적 분위기는 학문적 교육과정의 결과에 영향을 주는 또 하나의 '교육과정'을 제공하는 것이다.

중요한 점은, 학생들이 학문적인 내용과 사회적 기능뿐 아니라 세계에 도움이 되려고 애를 쓰고, 세계와의 거래에 기여하고 이를 통해 이익을 내는 통합적 존재가 되는 방법도 배울 수 있다는 것이다.

이제 학생들을 위해 능동적인 성장의 본을 보여 주는 것을 살펴보자. 아동과 성인이 세계와 상호작용하는 방식을 파악하는 하나의 틀을 살펴볼 것이다. 이 방식에는 능동적으로 성장을 추구하는 상태부터, 보다 수동적인 상호작용을 추구하는 상태, 경험을 꺼리는 상태까지 여러 방식이 있을 것이다. 학생은 여러모로, 우리가 그들에게 본보기로 보여 준 상태가 되며, 이때 학생들은 우리 자신의 성장 상태—우리의 고유한 자아 개념—및 학생과의 소통 방식에 의해 일정 부분 영향을 받는다.

개인차

성장, 구체적으로 성장 준비도에 대한 개인차를 생각할 수 있도록 하는 참조 틀을 먼저 살펴보자. 현재, 개인차에 대해 신뢰할 수 있는 이론은 적지 않다. 이 중 일부는 아동의 학습 방식을 생각해 볼 수 있도록 개발되었는데(Dunn & Dunn, 1975; McCarthy, 1981), 이는 성인에게도 적용될 수 있다. 일부 이론은 다양한 사고 방식을 구별하고(Gardner, 1983), 이들 방식이 문제 해결에 어떠한 영향을 주는지를 탐구하기 위해 개발되었다. 학습자로서 아동과 성인의 차이를 기술하려고 한 이론이 최소한 하나는 있다(Knowles, 1978).

성격을 광범위하게 개념화해 놓은 이론이 많은데, 이 이론들은 교수자 및 학습자로서의 교사 행동에 적용될 수 있다(Erikson, 1950; Harvey, Hunt, & Schroeder, 1961; Maslow, 1962). 특히 심도 있게 연구되어 온 개념 체제 이론(Hunt, 1971)은 교사-학생 간 상호작용, 교사가 사용하는 방식의 폭, 학생에 대한 민감성 및 반응도, (그리고 이 시점에서 가장 관련성이 높은) 교수 기능과 전략을 사용하는 역량을 습득하는 태도를 예측하는 데 유용한 도구로 활용되어 왔다(Joyce, Peck, & Brown, 1981 참고).

15장에서는 California Staff Development Study(Joyce, Bush, & McKibbin, 1982; Joyce & Showers, 2002)에서 교사의 직업적, 개인적 생활 연구를 통해 개발된 틀에 대해 논의할 것이다. 이 틀은 인적자원개발(HRD) 및 학교 개선 활동을 위주로 하는 기관에 도움을 주기 위해서 개발되었다(Joyce, Calhoun, & Hopkins, 1999; Joyce, Hersh, & McKibbin, 1983; McKibbin & Joyce, 1980). 실제적인 방향을 제시하는 이 결과는 성격 성장 이론들과 상관이 있고, 개념적 발달, 자아 개념, 심리적 성숙도를 고려하고 있다. 특히 Abraham Maslow(1962)의 공이 컸다.

성장 상태에 대한 개념

교사가 자신의 학교, 지역, 대학, 중간기관(교육청, 직업개발센터) 등에서 경험한 성장의 기회를 탐구해 볼 필요가 있다. 초기 조사연구에서는 7개 군, 21개 학군의 300명 이상의 교사를 대상으로 사례연구가 이루어졌고, 2천 명 이상이 설문지를 통해 설문에 응답했다. 공식적인 지원 체제(수업, 워크숍, 행정가 및 관리자의 지원) 참여 정보뿐 아니라 동료 간 상호작용도 검토되었고, 직업적 성장에 함의를 가질 수 있는 개인적 삶의 양상도 검토되었다. 이와 같이 수집된 자료는 공식적, 동료 생성적, 개인적 영역으로 명명되었는데, 이는 사람들이 참여하는 활동의 근원에 따른 분류이다.

여기서 초점은 개인적 상호작용이 환경과 얼마나 역동적으로 이루어지는지에 맞춰졌다. 어떤 주어진 환경(예컨대 San Francisco Bay Area의 한 학교)에서 이론적으로 성장을 이끄는 생산적인 상호작용의 기회가 동등하냐는 것이 논제였다. 즉, 공식적인 직원개발체제, 동료, 독서 · 영화 관람 · 공연예술 관람 · 육상경기 참여 기회 등이 모든 교직원에게 풍부하게 존재하느냐는 것이다. 따라서, 활동에서 차이가 난다면 그것은 환경과 생산적으로 상호작용하려는 개인의 성향에 의한 것이다. 만약 차이를 발견한다면, 그 차이의 근원을 이해하고, 차이를 활용하기 위한 아이디어를 개발하는 방향으로 나아갈 수 있을 것이다.

형식적, 동료 생성적, 개인적 영역

이 세 영역에서 상호작용의 정도는 큰 차이를 보였다. 도시와 지방, 초등 교사와 중등 교사 간에 차이가 컸다. 이 점은 Bay Area, Los Angeles Basin 등의 지역에서 쉽게 나타났는데, 이 지역은 수천 개의 과정 및 워크숍 참여가 가능한 곳으로, 대부분의 교장 및 관리자가 적극적인 실무 지원을 제공하기 위해 연수를 받고 있고, 주에서 운영하는 많은 전문성개발센터 등이 직원개발 기회를 교사들에게 제공하고 있으며, 작문, 과학 등 여러 교과과정 분야의 교사들에게 도움을 주려는 기관들이 많이 운영되고 있다. 더욱이, 이 대도시 지역에는 여러 종류의 개인적 활동 기회가 풍부하다. 이 지역은 산맥, 수로, 바다와도 가깝다. 각 분야에서 나타나는 차이점의 속성이 흥미롭다.

공식적 영역

지역에서 후원하고 요구하는 활동(한두 번의 워크숍 또는 강연, 한두 번의 관리자 또는 컨설턴트의 방문)만 참여해 본 경험이 있는 교사부터, 참여 기회를 거의 모르고 있는 교사, 전문성 향상을 위한 분명한 계획을 잘 알고 있는 매우 적극적인 교사까지 그 범위는 다양했다. 소수의 교사가 대학 및 보다 규모가 큰 교사교육 센터에서 제공하는 기회를 효과적으로 활용했다.

동료 생성적 영역

다른 교사와 전문적 토의를 해 본 적이 없는 교사부터, 긴밀하고 잦은 상호작용을 경험한 교사, 멘토링 관계를 경험한 교사(멘토 역할을 하거나 멘티 역할을 한 경우, 두 역할 모두 해 본 경우), 학교 개선에 필요한 혁신 방안 또는 주도 방안을 도입하기 위해 다른 교사들과 모임을 가져 본 교사까지 그 범위가 다양했다.

개인적 영역

일부 교사는 개인적 삶에서 매우 적극적인 성향을 보였는데, 이들은 한두 개 영역에서 매우 잘 참여하고 있었다. 자신이 살고 있는 곳의 풍부한 환경을 전혀 활용하지 않는 교사도 일부 있었다. 매우 적극적인 독자들이 있는가 하면, 일간지의 헤드라인을 수박 겉핥기 식으로 보는 독자들도 있었다. Sierra Club(민간 환경보호단체) 활동가들이 있는가 하면, Yosemite를 한 번도 가 본 적이 없는 사람들도 있었다. 공연예술 단체의 회원들이 있는가 하면, 10년 넘게 영화나 라이브 공연을 한 번도 본 적이 없는 사람들도 있었다.

성장의 특성

다소 놀랍게도, 활동의 수준은 앞서 언급한 영역과 상관이 있었다. 직업적으로 보다 적극적인 사람은 개인적 영역에서도 더 적극적이었다. 우리는 이러한 활동 수준의 차이가 환경에 대한 개인적 적응과 사회적 영향의 매개에 의해 생겨났다는 결론을 내렸다.

환경에 대한 적응

이 개념의 본질은 환경이 성장을 충족시킬 수 있는 기회로 간주되는 정도이다. 보다 적극적인 사람들은 환경을 상호작용을 충족시킬 수 있는 일련의 기회로 바라본다. 이들은 접촉을 시작하고, 기회를 활용한다. 반면 적극적이지 않은 사람들은 기회를 잘 인식하지 못하거나 기회에 대해 무관심하다. 가장 소극적인 사람들은 그들이 위협적이거나 불쾌한 환경으로 간주하는 것으로부터 스스로를 보호하고, 접촉을 피하고, 다른 이들이 주도하는 것을 막는 데 힘을 쏟는다. 따라서 더 적극적이고 더 주도적인 사람들은 더 선제적이다. 즉, 이들은 환경으로부터 더 많은 관심을 끌어 자신이 도달할 수 있는 한도 내에서 더 많은 기회를 가지게 된다. 결과적으로 많은 이들이 참여할 수 있도록 기회를 확대시키게 된다. 적극적인 사람들(일반적으로 적극적인 교장)로 구성된 일부 학교를 중앙 부처 인력, 교사교육 센터, 대학들이 컴퓨터 기술에서부터 공동체 참여 프로그램에 이르기까지 모든 프로그램의 "시범" 학교로 선정하고 정기적으로 접촉하는 것이 흔하게 발견되었다. 이들 교사와 학교는 더 많은 재원과 훈련을 받는 반면, 저항하는 이들이 무리를 이루고 있는 학교는 가장 나중에 선정되었으며, 많은 계획들이 이들 학교를 비켜 갔다.

사회적 영향

긴밀한 친구 및 동료, 직장의 사회적 분위기, 이웃은 성장을 향한 일반적인 분위기를 조정한다. 긍정적이고 적극적인 친구와 동료, 긍정적인 사회적 분위기는 사람들로 하여금 혼자 남겨져 있을 때에 비해 더 많은 활동에 참여하게끔 한다. 이러한 결과는 11장의 주제에 또 다른 차원을 제공한다. 이 상승적인 환경은 집단 행동에 있어 필수적일 뿐 아니라 동료애를 생성시켜 개인의 성장 상태에 도움이 될 것이다.

또한 후반부에 강조하겠지만, 인적자원개발 체제의 주요 목표는 이 체제 안에서 인력의 성장 특성을 증진시켜서 잠재적으로 개인과 조직에 혜택을 주고, 아동이 능동적이고 탐구적인 인성을 접하도록 돕는 것이다.

활동 수준

성장에 대한 적응이 하나의 연속선으로 표현되는 것이 가장 적절하겠지만, 사람들이 보다 분명하게 식별할 수 있는 경계를 지닌 유형을 점진적으로 개발하며, 그 유형들을 범주화하는 것은 합리적이다. 물론, 하나의 범주가 다른 범주와 어느 정도 겹쳐질 수는 있을 것이다. 이러한 위험 부담하에 다음과 같은 초안을 제시하고자 한다. 이 원형들은 행동을 설명하고, 인력개발 프로그램을 계획하고, 이를 활발히 활용하도록 구성원을 조직하는 데 도움이 될 것이다.

고급스런 잡식가(A Gourmet Omnivore)

여기 제시하는 유형은 성숙하고, 활동 수준이 높은 사람들로, 환경을 파악하고 성공적으로 활용하는 법을 배운 이들이다. 공식적 영역에서, 이들은 성장의 기회를 자각하고, 가능성이 높은 사건을 식별하고, 자신의 성장 잠재력에 스스로를 맞추기 위해 열심히 노력한다.

이들은 교사교육 센터, 자원자들에게 서비스를 제공하는 지역과 기관의 핵심 고객들이 된다. 이들은 프로그램 아이디어를 계획하고 정책 결정자들에게 영향을 주는 방법을 찾는다. 그러나 이들은 정부의 정책을 부정적으로 보지 않는다. 이들은 기관에 속해 있다는 인식과 개인적 관심사 간의 균형을 맞추려는 복잡성을 갖추고 있다.

이 유형은 전문적으로 상호작용을 하기 위해 비슷한 유형의 사람들을 찾는다. 이들은 동료들과의 비공식적 상호작용을 통해 배운다. 이 유형에 속하는 이들은 함께 일을 하고 주도책을 만들며 워크숍이나 훈련 과정에 함께 참여하기도 한다. 컴퓨터가 교육 현장에 등장했을 때 컴퓨터를 활용하는 법을 배운다. 학교에 컴퓨터 센터를 만든 이들은 주로 이 유형의 교사들이었다.

이 유형의 특성이 가장 명확하게 드러나는 부분은 개인적인 삶에서다. 인식 수준이 전반적으로 높되, 한두 분야에 열정적으로 참여하고 있는 것이 이들의 두드러진 특징이다. 참여하는 분야는 사람마다 다르다. 다방면에 두루 관심이 많은 독서가, 극장에 자주 가는 사람, 배낭여행가, 스키가 취미인 사람, 도예가 등 다양하다. 기업을 운영하기도 한다. 이들은 다른 이들과의 긴밀한 관계를 통해 활동을 생성한다. 테니스를 치는 이들의 배우자는 손에 라켓을 쥐고 있을 가능성이 높고, 영화가 취미인 이들과 친한 이들은 영화를 공유하라는 요청을 받을 것이다. 이러한 인간형의 사람들은 자신의 진취성으로 인해 다른 기회들을 막고 자신이 선택한 취미 활동을 위해 시간을 확보하는 법을 배웠다. 놀라운 것은, 자신이 속한 어떤 환경이든 그 환경을 활용하고 풍요롭게 하는 이들의 습관이다. 이들은 직장에서, 업무에 대해 자신이 할 수 있는 모든 것을 배우고, 동료에게 에너지를 주고 동료로부터 에너지를 받는 데 열심이다. 사적인 생활에서도 이들은 발전의 기회를 찾는다.

또한 이 유형의 사람들은 끈기에서도 구별된다. McKibbin과 Joyce(1980)의 연구에서, 이들은 현장 적용 가능성이 높은 훈련을 추구하고, 현장으로 돌아와서는 연습하고 동료들이 지원해 줄 수 있는 환경을 만들어 상당히 높은 수준으로 그 기능을 활용했다. 이들은 또한 다른 이들에 비해, 개인적 삶에서 얻은 아이디어를 직장으로 가져오고, 가르칠 때도 활용한다. 최근 연구(Hopkins, 1990; Joyce & Showers, 2002)에서도 이와 매우 유사한 결과가 있다.

수동적 소비자(A Passive Consumer)

우리가 연구한 사람들의 약 10% 정도가 앞의 고급스런 잡식가에 속하고, 또 다른 10%는 능동적 소비자라고 불리는 사람들로 자신의 여러 환경에 많이 관여하고 있는 이들이다. 그러나 대다수인 약 70%가 수동적 소비자로 불리는 유형의 모습과 닮았다.

수동적 소비자는 환경에 다소 우호적으로 순응하고, 가까운 사회적인 맥락에 매우 의존하는 구별되는 특징을 보인다. 다시 말해서, 그들의 활동성 수준은 그들이 누구와 함께 하느냐에 의해 좌우된다. 다른 수동적 소비자들과의 모임에서 이 유형은 다소 소극적이다. 우리는 교사들이 대다수 수동적인 학교를 연구했는데, 그들은 다른 사람들과의 교류에 우호적이었지만 교수와 학습에 관련된 심각한 토론은 거의 하고 있지 않았다. 그들은 서로의 교실을 좀처럼 찾지 않았다. 또 어느 누구도 행정적으로 반드시 참석해야 하는 것이 아니라면 교직원 계발 활동에 참여하지 않았다. 그들은 봄과 가을에 하루씩 실시되는 워크숍에 필수적으로 참여해야 한다는 것에 반대하지 않고 그 활동들을 즐겼지만 그 활동의 세부내용과 관련해서는 아무것도 하지 않았다.

학교 내의 다른 쪽에선 2명의 수동적 소비자들이 잡식가 2명, 능동적 소비자 1명과 함께 있었고, 그들보다 더 진취적인 동료에 의해 만들어진 많은 활동들에 참여하게 되었다. 수동적 소비자들은 스스로 학생들을 위한 컴퓨터 학습 공간을 만들고, 일정 관리와 소프트웨어 선정을 돕고, 문서 작업 프로그램과 학생들에게 개인 교수 프로그램 사용을 가르치는 법을 학습했다. 그들은 잡식가가 주동하는 연구집단과 함께 작문 수업에 관한 워크숍에 참석했고, 그들의 작문 수업 프로그램을 개선하기 시작했다.

수동적 소비자는 개인적인 삶에서 또한 배우자에게 의존한다. 만약 그들의 배우자나 친척이 다소 소극적이라면, 그들도 상대적으로 소극적일 것이다. 만약 그들이 활동을 계획 및 추진하는 친척이나 친구, 이웃들과 함께라면 그들의 활동성 수준도 증가할 것이다.

과묵한 소비자(A Reticent Consumer)

수동적 소비자가 상대적으로 덜 진취적인 세계관을 갖고 있는 반면에, 우리가 연구한 사람들의 10%는 실제로 성장을 위한 기회를 밀쳐내느라 애쓴다. 이러한 사람들은 문화적 환경과 긍정적으로 교류함을 꺼리는 성향을 계발해 왔기 때문에 과묵한 소비자라고 불린다. 이러한 역학은 직업 세계 및 가정 내에서도 발견된다.

과묵한 유형은 오직 필수적인 교직원 계발 프로그램에만 참여하고, 거기에 있어야 한다는 것에 화를 내고, 활동 내용이 무엇이든 비난하고, 사후 활동을 회피하려고 노력한다. 그리고 행정 시책과 동료에 의한 활동을 동일하게 불신하고, '체제'가 본질적으로 억압적이고 무정하므로 부정적인 태도가 정당하다고 믿는다. 심지어 이상적인 생각을 가지고 정책적 계획을 만들어 보려는 동료들도 행정적인 지원을 받을 수 없을 거라며 비난한다. 따라서 과묵한 소비자는 잡식가를 부정적으로 보는 경향이 있다. 과묵한 소비자 중에서 강경한 사람은 심지어 의사결정 참여를 근본적으로 악의적인 세력이 흡수하려는 움직임으로 간주하여 그 기회를 거부한다. 개인적인 삶에 대한 논의에서도 태도의 구조는 비슷하다. 과묵한 소비자는 그들이 본 것을 여러 분야의 사람이나 기관, 기회들의 결함으로 강조하는 경향이 있다. 영화, 극장, 운동, 주립 또는 국립공원, 책 그리고 신문 모두 급격한 쇠퇴를 겪고 있다("요즘은 단지 쓰레기만 출판된다." "영화는 섹스나 폭력으로 가득 차 있다."). 풍요한 도시적인 환경에서 그들은 혼잡함을 활동에 참여하는 데 있어 장애물이라고 강조하는 경향을 보인다 ("만약 내가 티켓을 구할 수만 있다면⋯", "만약 당신이 코트가 빌 때까지 기다릴 필요가 없다면⋯" "너는 절대로 좋은 영화에 제 시간에 도착할 수 없을 것이다."). 시골 환경에서는 시설 부족이 비난의 대상이 된다.

그렇다 하더라도, 과묵한 소비자는 가까운 사회적 맥락에 의해 영향을 받는다. 긍정적인 학교 환경에서 그들은 그들의 비관적인 관점을 그대로 드러내지 않는다. 잡식가와 함께라면 그들은 학교 개선 노력에 함께 할 수도 있다. 그들의 비뚤어진 의견을 자연스럽게 잘 참는 긍정적인 파트너는 놀랄 만큼 많은 활동에 그들을 관여하도록 한다. 적합한 환경하에서는 이들도 이러한 기회들을 잘 이용할 수 있도록 학습하게 된다.

개념 체제, 자아 개념, 성장의 특성

우리가 연구했던 교사들에게 드러난 성장 상태의 개인차에 대한 이유를 찾는 과정에서 우리는 많은 발달이론을 살펴보았다. 두 가지 이론에서 발달에 대한 설명이 우리가 발견한 성장의 특성(Joyce, McKibbin, & Bush, 1983)과 연관된 것으로 보인다. 하나는 개념 체제 이론(Harvey, Hunt, & Schroder, 1961; Hunt, 1971)이고, 또 다른 하나는 자아 개념 이론(Maslow, 1962)이다.

개념 체제

개념 체제 이론은 사람들이 세계에 대한 정보를 조직하기 위해 사용하는 개념 체제의 관점에서 사람들을 기술한다. 발달의 가장 낮은 단계에 속하는 사람들은 상대적으로 그들의 세계를 조직하기 위해 소수의 개념을 사용하고, 회색 지대가 극히 일부 있기는 하지만 이분법적인 시각을 가지는 경향이 있으며, 그들의 견해에 감정이 많이 들어 있다. 그들은 자신의 개념에 맞지 않는 정보들을 거부하거나 혹은 자신의 개념에 맞추기 위해 왜곡한다. 따라서 사람들과 사건을 오직 옳거나 그르다고만 본다. 이미 갖고 있는 개념들은 유지된다.

발달의 더 높은 단계에 속하는 사람들은 새로운 정보를 통합하는 능력을 더 높은 수준까지 발달시키는데, 더 분산적이고, 대안적인 의견들을 더 잘 허용할 수 있으며, 오래된 개념이 쓸모 없어지고 새로운 개념이 나왔을 때 그들의 개념 구조를 수정한다. 새로운 경험들을 수용하고 새로운 정보나 개념들을 거부하거나 이전의 개념들을 유지하기 위해 왜곡하기보다는 그것들을 수용한다.

예를 들어 발달의 낮은 단계와 높은 단계의 개인들이 외국문화에 처음 접하는 상황을 가정해 보자. 낮은 단계의 사람들은 다른 것들에 의심스러워하고 그것과 관련하여 결점을 찾으려는 경향이 있다("너, 사람들이 여기서 뭘 먹는지 믿을 수 없을 거다"). 그들은 여행버스에 앉아 곧 미국으로 돌아감에 감사함을 느끼며 버스 창문으로만 여행지를 둘러본다. 또 영어를 하지 못하는 무식한 호텔 직원들에게 큰 소리로 얘기하고, 비열하고, 부정직한 원주민들과 그 더러운 손들로부터 지갑을 지키려고 꼭 붙잡고 있다.

개념 수준이 더 높은 동료들은 새로운 시각, 소리, 냄새에 매력을 느낀다. 지역 음식을 신중하게 주문하고, 그것들을 익숙한 음식들과 비교하고 새롭고 흥미로운 맛을 찾아낸다. 그들은 시간이 허락된다면 버스를 피하고 걷는 것을 선호한다. 그들은 가게 주인에게 물건의 이름을 어떻게 발음하는지 물어본다. 구석에 있는 눈길을 끄는 항아리를 더 잘 살펴보기 위해 먼지를 털어낸다. 조용히 말하고, 지역의 풍습을 알려주기 위해 호텔 직원을 기다린다.

개념 발달과 우리가 연구한 교사와 행정가들의 성장 단계 사이에는 상당한 상관관계가 있다. 잡식가는 정보를 조직하는 더 생산적인 방법을 계속해서 찾으려고 하고, 그 결과 더 복잡한 개념적 구조를 갖게 된다. 그들의 새로운 경험에 대한 개방성은 그들이 접하게 된 새로운 개념들을 다룰 긍정적 세계관과 개념적 정교함을 요구한다. 수동적 소비자는 훨씬 제한적인 체계를 갖고 있고, 새로운 경험을 접하고, 다루는 방법을 찾아내는 능력이 좀 더 부족하다. 과묵한 소비자는 그들의 기존 개념을 지키기에 바쁘고, 새로움을 좋아하지 않는다. 또 그들은 새로운 개념과 기법들을 그들의 궤도 안으로 가져오려는 촉진자에게 그들이 이해하지 못하는 아이들에게 하듯 부정적이다. 개념 발달은 교수 스타일의 다양성과 유연성(Hunt, 1971), 새로운 교수적 접근에 대한 학습의 용이성, 그리고 학생들을 이해하고, 그들에게 맞춰 주는 것(Joyce, Peck, & Brown, 1981) 등과 상호 관련되어 있다.

성향이 더 생산적으로 변화하는 데에는 구조적 변화가 요구되는데, 다양한 견해에서 사람들과 사건들을 분석할 수 있는 더 복잡한 구조와 새로운 정보를 동화하고 수용하는 능력이 필요하다.

자아 개념

50여 년 전 Abraham Maslow(1962)와 Carl Rogers(1961)는 물리적, 사회적 환경에 대한 반응에서의 개인적 차이를 이해하고 다루기 위한 시도를 그 당시부터 안내해 온 개인의 성장과 기능에 대한 공식을 개발했다. 이 이론은 지적 적성과 발달보다 자아와 자아 개념에 초점이 맞춰져 있다. 그들은 환경과 관계하는 역량은 자신에 대한 자세에 큰 영향을 받는다는 입장을 취했다.

자아 개념이 강하면 상호작용이 생산적일 것이라는 자신감을 갖고 환경을 대하는 자기 활성화 행동이 따라온다. 자기 활성화된 사람은 사회적 환경과 풍부하게 상호작용하여, 성장과 향상을 위한 기회를 찾고, 다른 사람의 발달에도 자연적으로 공헌하게 된다.

발달이 다소 덜 된 사람은 환경을 잘 다루고 있다고 느끼지만, 환경을 그대로 받아들이고, 주도적으로 성장-생산적 관계를 발달시키려고 하지는 않는다. 그들은 그 환경 내에서 기회를 만들려고 하기보다는 환경이 그들에게 주는 것 내에서만 활용한다.

발달이 가장 덜 된 사람은 그들 주변 환경과 보다 더 불안정한 관계를 맺는다. 그들은 자신의 대처 능력에 대한 확신이 적다. 그들은 능력의 대부분을 다소 호의적이지 않은 세상에서 생존을 확실히 하는 데 소비한다.

우리가 연구한 사람들의 성장 단계와 그들 자신에 대한 개념 간의 관계를 알아낸 것은 놀랄 일이 아니다. 잡식가는 자기 활성화되어 있다. 그들은 자신과 주위 환경에 대해 긍정적으로 느낀다. 과묵한 소비자는 능숙하지만, 성장과 생산의 기회를 잡기보다는 환경에 의존한다. 과묵한 소비자는 그들이 불안정하고 위협적인 세상에서 살고 있다고 느낀다. 그들은 주변에서 결점을 찾는 것이 잘 발달되어서가 아니라, 그들이 두려워하는 세계로부터 자신들을 보호할 필요를 합리화한다.

성장의 잠재성 이해하기

개념적 성장과 자아 개념의 이론은 모두 우리가 성장 중심 프로그램을 계획하고, 수행할 때, 우리를 더 잘 이해할 수 있도록 도와준다. 이 이론들은 사람들이 왜 그렇게 반응하는지 이해하도록 도와주고, 프로그램의 내용과 그들이 의도한 대상 측면에서 생산적인 환경을 만들기 위한 기초를 제공해 준다

David Hopkins(1990)는 영국에서 미술 교사들이 선구자로서 자원하여 새로운 교육과정을 실행한 것에 대한 연구 결과를 발표했다. 그들은 자신의 교실에서 그 교육과정을 습득하고 그 후에 다른 교사들에게 퍼뜨리기로 되어 있었다. Hopkins는 교사의 성장 단계와 자아 개념, 그리고 그들이 근무하는 학교의 조직 분위기를 연구했다. 모든 것이 영향을 주었으나 성장 단계만으로도 교사가 교육과정의 사용을 예측할 수 있었다. 본질적으로 과묵한 소비자와 수동적 소비자는 어떤 분위기에서도 수행할 수 없었지만, 학교 조직 분위기는 능동적 소비자와 잡식가의 작업을 촉진했다. 성장 단계가 낮은 교사는 그들이 받은 훈련으로부터 성과를 얻을 수 없었을 뿐만 아니라, 그들의 학생들도 새로운 교육과정을 통해 배울 수 있는 새로운 기회를 박탈당했다.

성장의 특성 풍부하게 개발하기

우리는 사람답게 성장하고 우리의 학생들이 보다 더 성장할 수 있도록 돕기를 원한다. 이 두 가지는 서로 밀접하게 연관되어 있다. 이는 우리가 인간으로서 역할 모형이 되어 학생들에게 중요한 영향을 끼치기 때문이다. 만약 우리가 수동성을 본보이면, 학생의 수동성을 촉진하는 것이다. 만약 우리가 활동적이고 세상을 수용하는 경향을 취한다면, 학생들의 활동적인 특성을 독려하는 것이다. 좋은 점은 우리가 하향보다 상향적으로 발전하기 쉽다는 것이다. 또한 우리는 접하는 것, 즉 단순히 실행하는

것만으로도 발달한다. 따라서 우리가 성장의 풍부함과 탁월함을 위해 스스로 일련의 활동들을 개발하여 실행하는 것이 중요하다. 이러한 영역 간에는 균형이 필요하다. 독서나 영화는 사회적 혹은 신체적인 활동으로 균형을 맞추는 것이 필요하다. 우리는 학생들이 잡식성이면서 활동적인 독서가가 되도록 할 뿐만 아니라 또 다른 활동을 추구하도록 이끌어야 한다. 이 책에 서술된 교수 모형도 강력한 도구가 된다. 정보를 해석하고, 사회적 쟁점을 확인하고, 추가적 학습을 위한 방법을 모색하는 특징을 갖춘 협동 학습 공동체는 학생들에게 그러한 영향을 미칠 것이다.

우리의 자양분은 단순히 생물학적인 것이 아니라 사회적, 감정적인 것이다. 잘 조직되고, 긍정적인 환경 안의 풍부한 물질들이 우리를 더 풍부하고 더 자발적이고, 더 생산적으로 만들어 준다. 그리고 우리 전문적인 연구에서는 이것들이 자기 활성화된 학생들을 만들 수 있는 도구가 된다.

학교 환경 내에서 자기 활성화

의심할 여지 없이 우리는 학생들이 자기 활성화되고, 그들의 삶에서 성장 단계를 높게 발달시키기를 원한다. 그러나 학업으로서의 공부가 학교에서의 우선적인 과업이고 그것을 무시하기는 쉽지 않다. 학생을 위한 상담에 있어 주된 문제점은 당혹감 극복이다. 교사, 학교 행정가들, 학교 상담사들 그리고 학부모 또한 해결해야 할 쟁점에 관련되어 있다는 고유의 문제점을 갖고 있다. 달리 말하면, 그들의 도우려는 시도들도 순환적인 문제의 일부분이 될 수 있다는 것이다. 사이버공간에서 도움을 얻을 수도 있을 것이다. 약간의 검색만으로도 자아 개념과 관련하여 논의할 수 있는 훌륭한 웹사이트들을 여러 개 찾을 수 있다. 사실 좋은 기사들과 문학작품들이 참조되어 있는 Wikipedia에서 시작하는 것도 좋을 것이다. Wikipedia.org/wiki/self-actualization을 참조하면 된다.

제6부

행동주의 모형

많은 사람들에게 행동주의적 모형은 심리학이다. 초기 심리학 연구들이 조건화를 통해 어떻게 행동이 학습되는가에 초점을 두었기 때문에 행동주의 모형을 심리학으로 간주하게 되었다. 일부에서는 '행동주의자'들이 현대 심리학의 초석을 다졌다고 보고, 대부분의 심리학 개론서의 첫 장을 차지하게 했다. 행동과학이 명료하고 유용하긴 하나, 또 다른 한편으로는 두려움을 일으키는 논쟁을 만들어 낸다. 심리학적 이론이 너무 강력한 영향력을 갖다 보니 잘못된 사용이 따라오게 될 수 있다는 것이다. ≪Brave New World to Clockwork Orange≫에서 행동주의 이론은 어두운 측면(Dark Side)의 과학으로서 그려졌다. 또한 환경적 변인들이 우리의 행동을 만든다는 사상은 우리 자신을 우리가 결정지을 수 있다는 신념과 대치되는 것이다. 교육자들은 행동주의 이론을 기초로 개발된 프로그램에 대해 추종자와 비판자로 양분되곤 한다.

피상적인 판단은 옳지 않고, 논쟁은 생산적이지 않다는 것이 우리의 입장이다. 행동주의적 이론은 교사와 학생에게 많은 함의점을 제공하나, 이 책의 다른 모형들처럼 모든 상황에 적용되는 처치를 제시하는 것은 아니다. 학습에 대한 몇 가지 모형들을 지지하는 연구들의 기본 가정들을 설명하는 것으로 6부를 시작하고자 한다.

행동은 규칙적인 것이고, 환경 변인에 좌우된다

사람들은 조건화 효과에 따라 환경 변인에 반응한다. 이러한 외적 변인들은 개인의 특정 행동을 일으키거나 회피하도록 자극한다. 하나의 행동이 학습되면, 환경에 대한 반응에 따라 그 행동이 다시 일어날 확률도 높아지거나 감소한다. 따라서 두 살박이 아이가 방에서 '탁자'를 볼 때(자극) 그것을 가리키면서, '탁자'라는 말(반응 행동)을 하게 된다. 아이는 외부의 자극에 반응하고 있는 것이다. 만일 그 아이가 '탁자'라는 말을 할 때, 아이의 엄마가 꼭 안아 주면서 "맞아, 탁자야"(강화 자극)하고 반복해서 말해 주면, 아이는 다시 그 단어를 말하게 될 것이다(반응 행동). 반면, 아이가 험악한 표정의 동물 인형을 가까이에서 보았을 때(자극), 갑자기 불안과 두려움을 경험(반응 행동)하게 된다. 만일 아이가 도망가면서(또 다른 반응 행동) 그 장난감에서 멀어지게 되면 그러한 불안은 줄어들게 된다(강화 자극). 강화는 그 아이가 그 장난감을 회피하려는 행동이 일어날 확률을 높인다. 두 사례는 직접적 자극으로든 강화 자극으로든 외부의 변인을 통해 행동이 습득되거나 일어난다는 기본적 행동주의 개념을 보여 준다. 한 가지는 우리가 어떤 행동을 하게 되는 것을 학습하는 것이고, 다른 것은 무언가를 회피하는 행동을 학습하는 사례이다.

역조건화도 이와 관련이 있다. 역조건화는 불안에 대한 완화와 같이, 이전 행동과 상치되는 새로운 행동이 대체되는 것이다. 광장공포증(agoraphobia)을 치료하기 위해, 개인은 불안을 긍정적인 감정으로 대체한다. 사람은 미래의 상황에 대처하기 위해 자신을 준비시킬 수 있다. 분만을 위한 라마즈 기법은 여성이 분만 시에 긴장 완화를 할 수 있게 준비시키는 것이다.

이러한 입장에서 심리학자들의 과제는 어떤 환경 변인이 행동에 영향을 미치는지 알아내는 것이다. 교육자들의 과제는 생산적 학습을 촉진하는 수업 자료와 상호작용을 설계하고, 저해하는 환경 변인을 피하기 위한 지식을 알아내는 것이다. 우리가 할 수 있다면, 학생들도 그것을 배울 수 있을 것이다. 따라서 다른 사람을 조정할 수 있는 기술이 있다면, 이는 자신을 조정하는 능력을 증진시킴으로써 사람들을 자유롭게 하는 데 사용될 수 있다.

행동주의의 관점을 이용하기 위해, 모든 행동이 환경 변인에 의해 좌우될 수 있다는 생각을 받아들일 필요는 없다. 부분적으로 적용할 수 있다. 예를 들면, 어떤 행동을 학습할 수 있도록 자극을 형성하는 행동주의적 관점을 인정함과 동시에 학생들은 자신의 행동을 이끌 수 있다는 개인적 관점을 인정하는 것이다.

역사

교수학습에 대한 행동주의적 모형은 Pavlov의 고전적 조건화 실험(1927), Thorndike의 보상 학습에 대한 연구(1911, 1913), Watson과 Rayner(1921)의 연구 등에 기원을 두고 있다. Watson과 Rayner(1921)는 Pavlov의 고전적 조건화 원리를 인간의 심리적 장애에 적용하는 연구를 수행했다. B. F. Skinner의 ≪과학과 인간의 행동≫(1953) 연구는 행동주의 심리학 분야의 많은 연구에 영향을 미쳤고, 이는 교육에 적용되었다. 1950년대 후반 교육자들은 행동주의적 원리를 학교 환경에 적용하기 시작했고, 특히 수반성 관리와 프로그램 학습 자료를 만들어 냈다. 특정 유형의 학습자들에게 수반성 관리와 프로그램 학습 등은 큰 효과를 나타내었다. 예를 들면, 언어 발달과 사회적 학습에서 지체를 보이는 아이가 훈련 가능해지고 가끔은 일반 아이들과 함께 학습할 수도 있게 되었다. 가벼운 학습 장애에도 행동주의 모형이 적용될 수 있었다(Becker, 1977; Becker & Carnine, 1980; Becker, Englemann, Carnine, & Rhine, 1981).

지난 35년간, 많은 연구가 수학적 혹은 사회적 기술 부족, 행동적 문제, 시험 불안, 대상에 대한 공포증 등의 다양한 학습 문제를 돕는 행동주의적 수업 설계의 효과성을 검증하기 위해 이루어졌다. 이러한 행동주의 모형의 적용 과정은 비전문가에 의해서도 집단 상황에서 효과적으로 이루어질 수 있다고 연구들은 제안했다. 우리는 행동주의 이론이 교사와 교육과정 기획자, 교수 매체 제작자들에게 특히 유용한 모형들을 제공해 줄 것이라 생각한다.

학습 이론(learning theory), *사회적 학습 이론(social learning theory)*, *행동 수정(behavior modification)*, *행동 치료(behavior therapy)*와 같은 용어들은 6부에서 제시되는 교수 모형들과 관련되어 있으며, 여러 선구적 학자들에 의해 사용되었다(Bandura, 1969; Estes,

1976; Wolpe, 1969). 각 용어들은 이론의 특정 원리와 관련되어 있다. 6부에서는 조작적 조건화와 역조건화의 원리로부터 설명되는 과정을 다루기 위해 보다 중립적인 용어로서 행동주의 *이론*을 사용할 것이다.

원리

관찰 가능하고 인식 가능한 현상으로서 행동

행동주의 이론은 관찰 가능한 행동에 초점을 두어 낙관적 관점을 취한다. 적절한 상황과 충분한 시간이 주어진다면, 학습에 성공할 수 있다. 특히 자극은 그 결과로서 나타나는 행동(반응)을 일으키고, 강화가 주어진다면 유사한 자극에도 강화된 행동이 일어날 수 있도록 한다. 반대로, 부정적 결과는 그 행동을 이끌어 낼 가능성을 감소시킬 수 있다.

행동주의 이론가들은 실패에 대한 두려움과 같은 내적 반응이 관찰 가능한 외현적 반응 (실패에 대한 두려움을 일으키는 영역을 회피하는 행동)을 중재하며 이는 바뀔 수 있다고 믿는다(Rimm & Masters, 1974). 이러한 접근은 학생들에 대한 지속적인 탐색과 면밀한 연구를 바탕으로, 환경을 계획하며, 반응에 대해 연구하며, 일련의 행동들의 지속성과 변화에 대해 연구하는 것을 포괄한다.

부적응적 행동은 프로그램화된 것이 아니라 습득된 것이다

우리 사회에서 많은 아이들이 수학과 같은 특정한 대상의 학습에 있어 어려움을 내적 상태의 형태로 가지고 있고, 이는 변할 수 없다고 가정되어 왔다. 이러한 내적 어려움 중의 많은 부분은 단순히 학습된 혐오감이며 아이들은 이를 통제하는 것을 배울 수 있다. 두려움의 영역들에 대한 회피 경향을 그대로 내버려두면 그 혐오감은 더욱 커진다. 학생은 수학 교과의 내용이 점점 복잡해질수록 어려움을 더 갖게 된다. 학습 결손이 증가하는 것이다. 교과 내용에 접근하는 데 영향을 미치는 요인을 조정하는 법을 배우는 것이 중요하다. 간단한 기법으로도 가벼운 부적응의 경우에는 많은 도움이 될 수 있다.

행동적 목표는 구체적이고 개인화되어야 한다

행동주의적 원리가 시뮬레이션과 같이 많은 수의 학생들에게 사용되는 수업 자료를 설계하는 데 적용되어 왔지만, 행동주의 연구의 틀은 개별적이고, 구체적이며 개인화시키는 것에 초점을 두는 경향이 있다. 두 가지의 유사한 외적 반응이 하나의 같은 자극에 의해 나타나는 것은 아니다(우호적 행동이 사람들에게 매력적으로 보이기 때문에 겉으로 친절하게 반응을 하는 사람이 있고, 반면 무시되거나 소외당하는 것을 피하기 위해 유사하게 행동하는 사람이 있을 수 있다). 반대로, 두 사람 모두 정확히 같은 방법으로 같은 자극에 대해 반응하는 경우도 없다. 따라서, 새로운 행동을 촉진하는 과정은 구체적이고 개인화된 행동적 목표를 담고 있어야 한다. 이는 집단적 훈련이 불가능하다는 의미가 아니다. 각 학생들에 대한 목표가 다를 수 있으며, 훈련 과정은 훈련 내용과 진행 속도에 있어 개인화될 필요가 있다는 의미이다. 이러한 행동주의적 입장에서 개발된 수업 자료는 항상 학생 개인의 자기 진도에 따르는 것이다(Becker, 1977; Becker & Carnine, 1980; Becker, Englemann, Carnine, & Rhine, 1981). 오늘날 이러한 관점에서 개발된 원격 온라인 강좌들은 학생들이 학습 자료를 완전 습득하기 위한 자신의 진도에 맞게 수업을 이수하도록 한다.

행동주의 이론은 바로 여기, 현재에 초점을 둔다

행동주의 이론에서, 한 사람의 행동을 형성하는 데 과거의 역할은 강조되지 않는다. 형편없는 수업이 읽기 학습에서의 실패를 야기시켰다고 해도, 초점은 지금 현재 읽기에 대한 학습에 둔다. 행동주의자들은 학생들이 진보할 수 있고 빠르게 만족감을 얻을 수 있게 하는 조건화를 만들어 내거나 학생 스스로 만들 수 있도록 돕는 것에 집중한다. 이는 인간의 행동에 대한 낙관론적 관점이며 과거를 다시 숙고하지는 않는다. 과거의 실패가 적절하지 않을 수 있는 조건화의 결과는 아니라고 가정한다. 더 어려운 문제는 푸는 데 더 오래 걸릴 뿐인 것이다.

행동주의 실천가들은 부적응적 행동이 심각한 공포증이나 장기간 철회된 행동이더라도 단기간에 고칠 수 있다고 보고하기도 한다. 수줍은 성격의 사람들은 단기간 내에 안도감을 느낄 수 있었고, 사회성도 높일 수 있으며, 읽기 쓰기를 못했던 학생들도 빠르게 학습할 수 있다(Resnick, 1987).

조작적 조건화와 역조건화

행동주의자들은 수업을 준비하는 것을 좋아하는데 그 성공은 매우 확률적인 것이다. 프로그램화된 자기수업 자료는 올바른 반응을 얻어 내기 위해 여러 작은 단계에 따라 배열되고, 개념과 기술이 학습되는 것처럼 성공적인 활동을 만들어 내기 위한 자극들이 설계된다. 학생들이 자신의 답의 옳고 그름에 대한 정보를 갖게 하는 강화는 새로운 과제에 대해 지속적이고 발전적인 성취를 할 수 있도록 돕는다. 이것이 잘 구조화된 "프로그램 학습" 자료가 이전에 저성취를 경험했던 학생들에게 효과적인 이유이다. 또한 학생들은 그들의 환경을 통제함으로써 강화될 수 있다. 컴퓨터 프로그램화된 자기 진도 수업이 매력적인 이유는 기계적 조작을 통한 강화물의 질과 학습자 자신의 진도를 스스로 조절할 수 있는 기능을 갖추었다는 점이다.

교실에서의 관리는 혐오적 통제에 기초를 두며, 학생들이 학습하지 않거나 규칙에 따르지 않을 때의 벌로서 위협을 주곤 한다. 수년 전에는 자작나무 막대를 사용하기도 했고, 오늘날에는 혐오적 자극이 신체적인 것보다는 낮은 점수나 반감 등을 표현하는 방식이다. 행동주의 이론가들에 따르면 벌은 심각한 결점을 갖는다. 첫째, 그 효과가 일시적이다. 처벌된 행동은 다시 나타나기 쉽다. 둘째, 혐오적 자극이 벌로서 사용되었을 때는 도망가려 하거나 보복하려는 경향, 장애를 일으키는 불안증 등 원하지 않은 정서를 만들어 낼 수 있다(Skinner, 1953, p. 183). 부정적 사건은 제거되거나 감소되기를 바라는 행동에 대한 강화물이 될 수도 있다. 부적 강화의 사용은 학생이 학습하고자 하는 그 주체로부터 학생을 강제로 멀어지게 하는 것이다. 가능한 한 부적 강화보다는 정적 강화를 사용하는 것이 좋다.

강화 프로그램의 효과성은 강화물과 행동 간의 시간적 근접성을 형성하는 것만이 아니라 강화 자극의 주기와 횟수를 조절하는 것(강화 계획)으로 결정된다. 교사들이 습득하기 가장 어려운 기술은 바람직한 행동이 일어났을 때 일관적이고, 즉각적이며, 자주 보상을 제공하는 것이다. 어떤 행동이 강화되지 않은 경우, 그것은 점점 나타나는 횟수가 적어지고 종국에는 소거되는 것이다. 예를 들면, 학생들이 자신감과 긍정적 태도로 글 쓰기에 임하도록 가르치기 위해서, 교사는 자주 글 쓰기를 하도록 유도해 내고 산출물에 대해 강화를 해야 한다. 지나치게 자주 글 쓰기 반응을 유도할 경우 쓰기 과제에 대한 긍정적인 느낌과 자발적으로 글을 쓰는 행동을 감소시킬 수 있다.

둔감화(desensitization) 과정은 개인이 불안감 없이 반응할 수 있는 자극의 범위를 점차적으로 넓혀 가는 자극 통제를 사용한다. 스트레스 감소 모형은 신체적 긴장과 정신적 스트레스를 나타내는 단서들의 범위를 인식하고, 다양한 상황에서의 부정적 감정을 긍정적인 것으로 대체하려는 행동을 취하는 것이다.

모델링과 연습을 사용하는 훈련 모형은 기본적인 행동주의적 개념을 나타낸다. 예를 들면, 훌륭한 테니스 수업의 경우, 모델링 후에는 연습을 하게 하고, 언어적 강화가 있으며, 결과에 대한 관찰을 통해 자기 강화를 하게 한다. 한 수업에서 제한된 소수의 기술이 가르쳐질수록 학습자가 완전 습득하게 될 확률은 높아진다.

수학 불안 극복하기

Sheila Tobia의 저서(1993)는 학생들이 수학 학습에 대한 부정적인 감정을 극복할 수 있도록 돕는 행동주의적 원리 몇 가지를 활용했다. Tobia의 책의 많은 내용이 기본 연산과 수학적 개념에 대한 것이다. 왜냐하면 그 교과에 대한 불안을 극복하기 위해서는 그 과목 자체를 공부하지 않고서는 불가능하기 때문이다. 주제에 대한 접근방법을 학습하는 것은 대부분의 불안 치료 프로그램에 포함된다. 둘째는 학습에 대한 책임감을 개인에게 두는 것이다. 셋째, 사회적 지지를 제공할 집단을 활용하고, 수학 학습센터 내의 긍정적인 사회적 분위기를 개발하는 것이다. Tobia는 효과적인 학습을 저해하는 불안 그 자체의 기능을 사람들이 이해할 수 있도록 돕는 역할을 충분히 수행했다.

탐구를 위한 요구

많은 것들이 탐구되고 설명되었지만, 아직도 많은 것이 밝혀지지 않은 채 남겨져 있다. 전체적으로 봤을 때, 잘 설계된 소그룹 연구들은 다양한 영역에서 긍정적인 효과를 나타내었다. 학교구에서의 적용은 더 어렵다. 아마 Distar와 같은 프로그램에서 대부분의 일관된 결과를 확인할 수 있을 것이다. 각 교사, 학교 그리고 지역구는 행동주의적 이론에 기반을 둔 교육과정이나 수업 과정을 실행하기 위한 의사결정을 해야 할 때, 실행과 효과성에 대한 현장 연구를 요구한다. 이것은 다른 교수 모형들과 관련된 상황과 그리 다르지 않다.

행동주의적 입장에 근거한 교수 기법

행동주의적 관점에서의 낙관주의와 긍정적 태도는 다음에 기술될 교수 기법에서 가장 잘 요약될 수 있다.

교실 규칙

최고의 방법은 부적 강화와 연관되는 것을 피하는 행동의 목록(한 번 규칙을 어기면, 그들의 이름을 칠판에 적도록 하며, 두 번째 어기면 …결과를 낳는다)인가, 아니면 바람직한 행동의 목록과 보상("당신이 가장 뛰어납니다"를 나타내는 증명서)인가?

조언: 가능성이 높은 것은 긍정적인 규칙과 강화물, 혹은 육성 요인이다.

과제 외 행동

만약 28명의 학생들이 과제를 하고 있고 2명이 과제에서 벗어났다면 교사의 어떤 행동이 두 명을 다시 과제를 하도록 하는 데 성공할 수 있는 가장 높은 개연성을 가질까? 2명의 학생을 혼내는 것이 좋을까? 아니면 나머지 학생들을 칭찬해야 할까?

조언: 과제를 하고 있는 학생들을 칭찬하라. 그러나 과제를 하지 않고 있는 학생들을 달래는 방법은 권장되지 않는다. 성인은 성인이다. 잊혀지지 않는 것으로, 혹은 소그룹으로 과제를 할 수 있게 하는 것이 좋다. 일부 학생들은 과제에 도전하기를 싫어할 수 있다. 그 학생들은 학습의 어려운 고비를 넘어서면서 배운다는 것을 알 필요가 있다.

수업인가, 자기 학습인가?

다른 하나의 프로그램을 이미 사용할 수 있는 학생들에게 새로운 단어과정 프로그램을 소개할 때, 한 교사는 학생들이 설명서를 따라 단계대로 진행하도록 했다. 다른 교사는 학생들에게 프로그램을 제시하고 간단한 소개 후 그들에게 그들 스스로 그것을 어떻게 사용할 것인지 자기 교수해 보라고 요청했다. 어떤 방법이 가장 효과적일까?

조언: 스스로 학습 계획을 조절하는 것은 긍정적인 효과를 불러일으킨다. 학습 속도는 개인의 필요에 따라 빠르게 혹은 느리게 변화하므로 개인이 조절할 수 있어야 한다. 스마트폰, 태블릿 PC 그리고 컴퓨터의 사용법을 배우는 능력은 이 시대에 필요한 기술이다. 많은 생산적인 자기 학습이 이루어지고 있다.

가만히 있지 못하는 학생들

어떤 아이들은 몇 분 이상 가만히 앉아 있거나 주의집중을 하지 못하는 것처럼 보인다. 당신은 학생들이 과제에서 벗어나 돌아다닐 때 그들에게 추가 과제를 제공하겠는가? 아니면 완화 운동을 가르치고, 들뜬 기분이 생길 때 어떻게 그것을 이용할 수 있을지 가르칠 것인가?

조언: 첫 번째 대책은 학업 과제를 벌로서 사용하여 부적 강화를 제공하는 것이다. 부적 강화는 혐오적 반응을 일으킬 수 있다. 두 번째 대책은 효과적인 통제 방법을 제공하고, 그들의 행동을 조절하도록 돕는 동료 파트너를 만들어 주며 외적 강화와 함께 긍정적 자기-강화의 기회를 제공한다.

동기

수학에서 한 단원이 모두 끝난 후 시험을 치르고 나서, 한 교사는 학생들에게 그들의 시험지를 스스로 고쳐 보고 그들이 얻은 점수에 대해 확인해 보라고 했다. 다른 교사는 시험에 점수를 매기고 틀린 내용에 대한 분석을 제공했다. 어떤 방법이 학생들의 동기를 높이기에 좋은 방법인가?

조언: 자기-교정, 과정의 강조 그리고 새로운 목표를 세우는 것은 거의 대부분의 경우에 성공적인 방법이다.

이러한 조언들을 시도해 보고, 어떤 대안에 동의할 것인지 확인해 보자.

제16장

명시적 수업

읽기에서의 이해와 쓰기에서의 작문

읽기는 사고하는 것이다. 읽기를 가르치는 교사는 사고를 가르치는 교사이다.
아동의 코를 잡고 끌고 가는 것으로 읽기나 사고를 가르치지는 않는다.
아동이 글자, 단어, 구조를 배우고, 무엇보다도 읽은 것에서 의미를 끌어낼 때 사용할
수 있는 전략들을 계발하도록 도울 수 있을 뿐이다.
— Russell Stauffer의 60년 전 귀납적 경험중심 읽기 교수법 워크숍 개막 연설 중

시나리오

Gretchen 선생님은 이해 전략의 본을 보인다

매일 아침 Gretchen 선생님은 자신의 5학년 학생들에게 책을 읽어 주며 하루를 시작
한다. 선생님은 보통 학생들에게 새로운 지식을 알려 주는 실화를 읽어 주는데, 종
종 그들이 공부하고 있는 교과 단원을 읽어 주기도 한다. 선생님은 여러 가지 목표
가 있다.

학생들에게 정보를 제공하는 것이 그 목표 중에 하나이다. 학생들의 일상적인 읽기 수준을 넘어서는 원전으로부터의 정보를 제공하는 것이다.

유창하고 변화가 있는 읽기를 본 보이는 것이 또 하나의 목표이다. 소리 내어 읽을 때, 몇몇 학생들은 글에 도움이 되지 않는 단조로운 목소리로 따라 한다. 그리고 학생들은 선생님이 읽는 것을 즐겁게 듣는다.

선생님의 진정한 목표는 내용을 이해하기 위한 전략을 본 보이는 것이다. 선생님은 다수의 학생들이 독해 능력을 계발해야 한다는 것을 발견했다. 그들 중 일부는 단어들의 음을 능숙하게 알아채지만 의미를 전부 뽑아내는 것은 아직 많이 어려워한다. 따라서 선생님은 읽어줄 때, 잠깐 멈춘 다음 자신이 사용하고 있는 전략들에 대해 얘기한다. 가끔 선생님은 단어의 의미에 집중한다. 선생님은 전자석을 만드는 지시문을 읽을 때, 잠시 멈춘 다음 단어를 나눠서 발음한 뒤 전자석이 전기에 의해 활성화되는 자석을 가리키는 것이라고 알려 준다.

책에서 큰 못을 전선으로 감싸는 것이 제시되면, 선생님은 글에서의 전선은 절연된 것이며 그 의미하는 바가 무엇인지 알려 준다.

Gretchen 선생님은 연구에서 주로 유능한 독자들에게 사용되는 반면, 무능한 독자에게는 사용되지 않는 것으로 밝혀진 독해 기술들을 강조한다.

Gretchen 선생님은 읽으면서 특정 기술을 강조한 후, 종종 내용을 이해하기 위해 그 기술이 적용될 수 있는 문단을 학생들에게 제시한다.

Gretchen 선생님은 이해 전략을 본 보이고, 설명하고, 연습을 통해 적용해 보는 *이해의 명시적 교수법*이라 불리는 방법을 사용해 오고 있다. 이것의 토대가 되는 대부분의 연구들은 모든 연령대의 아주 뛰어난 독자들과 곤란을 겪는 독자들에게 사용되는 기술들을 비교한다. 2학년인 우수한 학생들 중에는 성인 독자들이 사용하는 이해 기법을 일부 사용할 수 있다. 이러한 연구를 끌어가는 강한 동인은 독해를 잘 하지 못하는 학생을 돕기 위한 방법을 찾고자 하는 것이다. 좋은 소식은 이러한 기술들이 가르쳐질 수 있다는 점이며, 이것이 바로 여기에서 다루고자 하는 내용이다.

독해에 어려움을 겪는 독자들을 위한 교과과정은 초등학교, 중학교, 중등학교 수준의 읽기, 쓰기, 문해력에 대한 국가 차원의 중요한 요구에 초점을 맞추고 있다 (Joyce& Calhoun의 두 번째 기회의 교과과정에 관한 설명을 참고한다. 2012, p. 106-

108). 정규 교육과정에서 개별 학생의 요구에 부합하기 위한 노력에도 불구하고 30% 정도의 학생들은 아직 필수적인 읽기, 쓰기 영역에서 어려움을 겪고 있다. 이러한 이유로 학생들을 위한 개입에 대한 반응(RTI: Response to Intervention)의 단계에서는 제2수준(Tier 2)의 보다 강력한 개입이 필요하게 된다. 읽기는 유치원 제1과정에서부터 가르쳐진다. 학생들이 어려움을 겪을 때, 담임 교사는 개인별 도움(제1수준)을 제공한다. 그 후 더 많은 도움이 필요한 학생들에 한해, 학생들이 가지고 있는 문제에 더 집중되고 맞춰진 제2수준이 개발되어 있다. 만약 여전히 성공하지 못했다면, 특성화된 학습 장애 치료법인 제3수준을 적용한다(이 용어에 익숙하지 않은 독자들은 여기서 잠깐 멈추고 인터넷을 검색해 보면 된다. Wikipedia의 이 주제에 관한 글을 참조해도 좋다).

제2수준(Tier 2)의 개입에서는 성공하는 것이 매우 중요하다. 그리고 이 성공은 단지 학생들 중 소수의 비율에만 해당되지 않는다. 기초 단계에서 실패의 패턴들은 개입을 필요로 한다. 학생들은 단지 그들의 학습 수준이 개선되어야 할 필요가 있을 뿐 아니라, 학교 교과과정과 이를 넘어서서 더 높은 수준을 배우기 위한 능력도 발달시킬 필요가 있다. 읽기에 어려움을 겪고 있는 독자들을 위해, 제2수준(Tier 2)의 프로그램은 읽고 쓰는 능력이 유능해지기 위한 두 번째 기회이다. 그리고 이 기회는 그들이 중학교 수준과 그 수준 이상을 성공했을 때 실제적인 보상으로 제공된다.

귀납적 교육과정, 독해에 대한 명시적 교수법, 그리고 규칙적이고, 폭넓은 읽기와 쓰기의 효과에 관한 연구에 기반을 두고 있는 Second Chance 프로그램의 경우, 전문적인 개발 설계에 대한 광범위한 연구도 이루어졌다. 대부분의 교사들은 복잡한 교육과정과 교수 모형을 첫 해에 능숙하게 수행할 수 있어야 한다. 그러므로, 이 프로그램은 어떤 교육구에서든지 독해에 어려움을 겪는 대부분의 학생들에게까지 성공적으로 사용될 수 있고, 그들의 언어과목 성취도를 상당히 개선시킬 수 있다. 결과적으로 유능한 학생이 더 많아지게 되면 그들의 미래 가능성이 바뀔 뿐 아니라 교실과 학교의 분위기가 바뀌게 된다.

읽기 이해 영역에서 명시적 수업의 발전

Russell Stauffer의 언급이 있은 지 25년 정도가 지난 후에 연구자들은 긴 글을 이해하기 위해 독자들이 사용하는 과정에 관해 본격적으로 살펴보기 시작했다. 이러한 연구는 지금도 계속되고 있지만, 1970년대 중반부터 1980년대가 특히 호황기였다. 비록 학생들이 어떻게 의미를 끌어내는지가 주요 관심사였지만, 이 연구의 연구자들은 염두에 두었던 계획이 있었다. 그들은 더 나은 이해 전략을 가르치고 그들을 보다 효과적으로 가르치는 것을 돕기 위한 명시적 수업 모형들을 설계하고 검증했다. 연구를 통해 학생들이 긴 글에서 의미를 구성하는 방법과 효율적인 독자와 덜 효율적인 독자의 차이에 대한 정보가 제공되면서 이러한 모형들은 개발되고 수정되었다.

독해 활동을 위한 배경 설명과 근거들은 몇 가지 측면이 있다. 첫째로, 학생의 학습에 대한 연구에 의하면 다수의 학생들이 이야기나 설명문에 들어 있는 의미를 발견하고 그들을 연결시키는 것에 어려움을 겪고 있다. 이러한 학생들 중 상당수는 관련된 단어들을 시각적으로 보는 능력을 가지고 있고 새로운 단어들이 너무 많지 않은 한 그 단어들을 읽을 수 있다. 하지만 글의 대부분의 내용에 대해서는 알지 못한다. 다른 말로 하면, 그들은 사실 독해를 하고 있는 것이 아니다. 그들은 그들이 이해하지 못하는 소리들을 내는 것이다. 이러한 삐걱거리는 모습은 지금도 여전한데, 약 1/3 정도 되는 학생들이 이해의 문제를 갖고 있고, 이 중 일부는 또 다른 문제를 가지고 있다(National Center for Educational Statistics, 2010 참조).

둘째로 1970년대와 1980년대에는 교실에서 교사가 어떻게 읽기를 가르치는지에 관한 좋은 연구들이 많이 있었으며, 여기에는 학생들이 글을 접할 때 이해를 구성해 가는 방법에 관해 가르치는 것도 포함되어 있다. 이러한 연구들은 대부분의 교사들이 그러한 수업을 많이 하지 않았다고 결론지었다. 소설의 경우 등장인물, 줄거리, 배경, 비문학일 경우 주제 등과 같은 내용을 학생들에게 물어본 교사가 많이 있었다. 그러므로 이해를 부분적으로는 평가했지만, 이해하는 방법에 대한 교수 목록은 가지고 있지 못했다. 다시 말해, 이해 영역에 대한 성취는 가르친 영역과 일치했다. 그런데 이 문제는 다른 교과에서도 발견되었다. 주로 발음중심어학 교수법과 기초 읽기 프로그램들이 같은 문제를 보였다. 사실 읽기 학습의 모든 측면에서 긍정적인 효과가 있는 교수 및 교육과정 모형이 다수 있음에도 그만큼 잘 활용되고 있지 못하다(예를 들어, Duffy, Roehler & Hermann, 1988과 Garner, 1987, Pressley, 2006 참조).

또 다른 측면은 뛰어난 독자들 중 대부분이 글의 내용을 이해하기 위해 유사한 기본 전략을 사용하고 있다는 것이다. 예컨대, 그들은 글을 읽으면서 자신이 글의 내용을 얼마나 이해하고 있는가를 주시했고, 내용을 완벽하게 이해하기 위해 끊임없이 노력했으며, 그 과정에서 다양한 기술을 사용했다. 독해력이 부족한 독자들 대부분은 글을 읽으면서 얼마나 정보를 얻고 있는가에 대해서는 관심이 없었고, 그저 읽어 내려가기만 했다. 이는 뛰어난 독자들이 사용하는 전략들을 학생들에게 가르칠 필요가 있다는 것을 시사해 준다(Scardamalia & Bereiter, 1984; Pearson & Dole, 1987 참조).

이와 유사한 연구에 의하면 학생들은 글을 읽을 때 전략을 사용하는 것을 의식하는 정도가 높을수록 이 전략들을 더 잘 배운다. 메타인지로 명명된 이것의 핵심은 새로운 것을 배울 때, 배우면서 원리를 이해하고 그 적용을 탐구하면 숙달을 촉진한다는 것이다(Pressley & Brainerd, 1987).

(용어에 대한 참고사항: 이 분야의 일부 학자들은 단순하고 복잡한 행동과 생각 모두를 *기능(skills)*이라는 용어로 지칭한다. 반면에, 다소 자동화된 행동을 기능으로 지칭하고, 독자들이 잠시 멈추어 무엇을 해야 할지를 의식적으로 결정하는 것을 *전략*이라는 용어로 지칭하는 학자도 있다. 이 책에서는 이 두 가지를 혼용하여 사용할 것이다. 물론 제시되는 기능과 전략의 복잡성 정도에 대한 설명도 덧붙일 것이다.)

수업 과정에서 본 보이기의 중요성을 강조하는 연구도 있다. 시연을 포함하는 수업은 단순히 학생이 할 일만 말해 주는 수업보다 더 효과적이다. 이것은 운동 기능을 학습하는 데 있어서도, 인지 기능을 학습하는 데 있어서도 사실이다. 하프 발리(공이 튀어 오르는 순간에 치는 것)를 여러 번 시연한 테니스 프로선수가 단지 학생들에게 하프 발리를 한 번 보여 주거나, 단지 연습하라고 한 선수보다 더 효과적이다. 방정식을 수립하는 과정을 여러 번 시연하고, 그 과정에서 원리를 설명한 수학 교사는 일부 과정을 한두 번 시연한 후 학생들에게 연습을 요구한 교사보다 더 효과적이다.

위의 측면들을 토대로 연구자들은 다음과 같은 이해 향상 방안을 도출했다.

- 이해력이 높은 독자가 사용하는 읽기 전략을 확인한다.
- 확인한 전략을 학생들이 모방할 수 있도록 수업을 조직한다.
- 학생들이 글을 읽으면서 이 전략들을 의식적으로 연습하도록 요구한다.
- 학생들이 이 전략을 사용하는지 살펴보고, 추가로 본 보이기 및 연습이 필요한 영역을 확인하고, 가장 효과적인 교수 모형인 경우에는 도움(비계)을 제공한다.
- 학생 스스로가 구문을 어느 정도 이해하고 있는지, 구문의 의미를 파악하는 능

력이 얼마나 향상되었는지를 측정할 수 있도록 한다. 달리 말하면, 학생은 자신의 성장 능력을 판단하는 것을 학습한다.

기본적으로, 교사는 학생을 행동 연구에서 동반자 관계를 느끼도록 한다. 처음에는 교사가 학생들을 강하게 이끌다가, 점차적으로 학생에게 통제권을 넘겨준다. 상호적 교수라고 한 접근법에서 Brown과 Palincsar(1984)는 본 보이기로 시작하여, 안내에 의한 연습을 거쳐서, 학습한 기능을 독자적으로 실행하도록 하는 과정을 특별히 강조했다.

능숙한 독자들이 구문을 이해할 때 사용했던 전략들을 살펴보자. 자료에는 글로 쓰인 부분뿐 아니라 삽화나 만화의 형태로 된 부분도 포함되어 있을 수 있으며, 이들도 이해될 필요가 있다.

최근 연구

Gersten, Fuchs, Williams, Baker(2001)의 연구와 Duke, Pearson, Strachan, Billman(2011)의 연구에서 여러 문헌을 끌어 모았는데, 여기에는 초 · 중등교육법 (www.ed.gov/esea)에 나와 있는 규제 기준을 쉽게 충족시킨 연구와 두 번째 수준의 학생들을 돕는 데 지원 가능한 여러 전략의 개발에 기여해 온 많은 연구가 포함되어 있다.

이해 전략의 특성

위의 연구들을 토대로 한 교수방법은 '이해 전략을 위한 명시적 수업', 짧게는 '명시적 수업'으로 불린다. 이 용어는 종종 직접적 수업(direct instruction)과 혼동되지만, 여기에는 매우 중요한 차이가 있다. 직접적 수업을 하는 교수자는 기능이나 지식을 가르칠 때, 큰 기능을 하위 기능들로 쪼개거나 지식을 여러 부분으로 나누어서 순차적으로 가르친다. 그러므로 결국 큰 기능은 단계적으로 습득된다는 것이다. 그러나 이해 기능은 이 같은 세분화가 힘들다. 글의 구문을 이해하기 위해 이러한 기술이 전체로 적용되듯이 전체로써 작동된다. 그러므로 명시적 수업 양식은 기능을 전체로 시연하며, 학습자는 하위 기능들을 조합하는 것이 아니라 그 기능 자체를 점차적으로 획득하게 된다. 다수의 명시적 수업이 의미를 찾아내는 데 있어 통합적인 접근방식으로 함께 작용한다. 그리하여 학생들은 이것들을 이해에 대한 조율된 전체적인 접근방식으로 이해하게 된다(Pearson & Gallagher, 1983; Pressley, 2006 참조).

이해 기능의 전체론적 특성이 갖는 장점은 상대적으로 작은 수라는 점이다. 따라서 전체적 이해기능에 수업의 초점을 맞출 수 있는 반면, 직접적 수업에서 분할은 교수와 학습의 긴 목록을 생성한다. 매주 하나의 전략을 20주에 걸쳐 가르쳤던 연구자들이 있었는데, 사실상 학습자는 그 중에서 어느 기능도 숙달할 수 없음을 확인했다.

다음은 중재 연구가 발전하면서 초점을 두었던 기능들이다.

지속적으로 이해 점검하기

지속적으로 이해를 점검하는 기능은 사실 능숙한 독자가 사용하는 반면, 평균적인 독자는 덜 사용하고, 미숙한 독자는 전혀 사용하지 않는다. 무엇보다도, 이 기능은 읽기를 시작하는 아동에게 가르쳐질 수 있어서, 유치원생과 초등학교 1학년생이 습득했을 때 이득이 많을 것이다. 이 기능은 모든 학년의 교육과정에서 중요한 차원이며, 숙달에 어려움이 있는 학생들은 제1수준(Tier 1) 프로그램에서 초기에 중요한 비계가 주어진다. 이 기능은 제2수준(Tier 2) 프로그램에서도 필수적이다. 독해력이 뛰어난 독자들은 심박수 감지기처럼 글을 읽을 때 메타인지적 사고가 작동하는데, 이는 이해가 어떻게 일어나고 있는지를 점검할 수 있게 한다.

이해 점검에서의 핵심적인 요소는 이야기나 구문을 이해하고 있는지, 그렇지 못하다면 어떤 조치를 취하는지에 대한 인식이지만, 요약하기 또한 중요한 복합 기능으로 지속적인 점검의 구성요소이다. 독해력이 뛰어난 독자들은 거의 대부분 주기적으로 요약하고, 그들이 배운 것을 판단한다. 요약하기를 효과적으로 배운 학생들은 소설이든 비소설이든 상관없이 그들이 읽은 내용을 더 잘 학습하고, 기억한다.

되짚기 전략

Scardamalia와 Bereiter(1984)는 Bird(1980)의 연구에서 독해력이 뛰어난 독자가 그들이 글을 얼마나 이해하고 있는가를 관찰하면서, 이해를 강화하고 내용을 명확히 하기 위해 글을 다시 보거나 읽는 중에 생겨난 질문들(예를 들어 "작은 소녀는 얼마나 작을까?")에 대답하려 노력하고, 크고 작은 것들로 이해를 채워 간다는 점을 찾아냈다.

"관찰자" 세우기

이 전략 역시 Bird의 연구에서 나온 것이다. 글을 읽을 때, 내용을 보다 명확하게 이해하기 위해서는 많은 정보가 필요하다. 이 전략은 더욱 많은 정보를 얻는 방안에 대해 생각하는 가운데 나온 것이다. 예를 들어 어떤 마을을 소개하면서 규모나 역사와 같이 흥미 있고, 유용한 정보에 대해 알려 주지 않는다면, 독자들은 빠진 내용을 알아내기 위해 촉각을 곤두세우게 될 것이다. 관찰자 세우기는 복잡한 기술이지만, 제공받은 정보 이외에 관련된 다양한 정보들을 알아낼 수 있는 아주 유용한 기술이다.

예측

예측은 초보 독자를 대상으로 교사가 "다음에는 무슨 일이 일어날 것 같나요?"라고 주기적으로 학생들에게 질문하도록 한 것에서 시작되었다. 예측은 이해의 한 요소인데, 다차원적인 전략이다. 저자가 정보를 제공하기 위해 비유와 대조라는 전략을 사용한다는 것을 의식한 학생이라면 그 다음에 비유의 어떤 요소로 진행될 것인지, 더 명확히 말하자면, 어떤 변화나 확장이 일어날 것인지, 또는 비유가 반복될 것인지를 예측할 수도 있을 것이다.

다른 전략들도 여러 가지 고려해 볼 수 있겠지만, 이러한 전략만으로도 학생의 이해를 도울 때 어떻게 작동하는지를 점검하기에는 충분하다. 두 명의 독자를 비교해 보자. 한 독자는 이해를 점검하지 않고, 요약을 하지 않으며, 긴 구절과 씨름하고 있으면서도 명확히 하기 위해 되짚어 보지 않으며, 앞서 생각하지 않으며, 읽은 것을 확인·확장시키지 않고, 예측을 하지 않는 독자이다. 또 다른 독자는 이 모든 것들을 하는 독자이다. 둘 사이에는 또 다른 차이점이 있다. 독해력이 부족한 독자는 일련의 메타인지적 사고가 결여되어 있고, 쉽게 이해할 수 있는 글도 수동적으로 받아들이고, 나머지는 결손으로 남겨 둔다. 이러한 분석은 능력은 있지만 이해 기능이 부족한 독자가 왜 읽기를 좋아하지 않을 가능성이 높고, 읽으려는 노력이 고통스러운 경험으로 다가오는지를 이해하는 데 도움이 된다.

요약

이 모형에 대한 탐구가 계속되면서, 이해의 교수를 위한 활용 목록에 추가된 것들이 있다(그림 16.1). 그 중에 "소리 내어 생각하기(thinking aloud)"는 중요한 혁신인데, 교사는 읽으면서 동시에 그들의 이해 과정에 대해 논의하고, 작동 중인 마음 속으로 학생들이 들어오도록 하여 이를 모방하도록 만든다. 그리고 이에 대한 논의가 뒤따르게 되는데, 궁극적으로 학생들은 책을 읽으면서 그들의 생각에 대해 논의하는 것을 배우게 된다. 이 전략은 교사와 학생이 이해와 글에 대한 생각을 자신의 고유한 양식으로 강화시키는 방법에 대해 함께 생각해 봄으로써 동반자 관계가 형성된다(Kucan & Beck, 1997 참조).

모형의 구조

교사가 학생에게 글을 읽어 주면서 주기적으로 잠시 멈추고 자신이 친숙하지 않은 단어나 구절을 이해하기 위해 사용하는 전략을 설명하고, 그 기법을 본 보이고 설명할 때 수업이 이루어진다. 읽은 다음에 학생들에게 구문을 제시하여 예시된 기능을 연습할 수 있는 기회를 제공한다. 그런 다음에 교사는 학생들에게 과제로 부과되거나 개별적으로 읽을 때 이 기법이 유용했던 또는 유용할 것으로 보였던 구문을 식별해 보라고 요청할 수 있다.

사회적 체제

교수 및 학습과 관련된 예화는 교사 주도적이지만, 연습에서는 학생이 강조된 내용을 사용할 기회를 사용하고 찾도록 한다.

반응의 원리

특히 학생들이 전략을 연습할 때, 교사는 학생들이 그 전략을 얼마나 잘 활용할 수 있는지를 관찰하고, 얼마나 빨리 본보기를 제공해야 하는지를 결정한다. 이해를 위한 기능을 본 보이는 시간은 어떤 것을 연습할 때마다 거의 항상 여러 차례 필요하다.

지원 체제

책, 책, 그리고 더 많은 책들이 필요하다. 그리고 교실에서 인터넷 검색을 활용한다면, 기술을 연습할 기회는 더 많아질 것이다. 전자칠판은 매우 유용한 도구이다.

교수적, 육성적 효과

여기서 초점은 이해 전략에 있으나, 이해하는 방법에 대해 학습을 공유하는 독자들의 공동체를 형성하는 것이 지속적인 육성의 노력이라는 것이다.

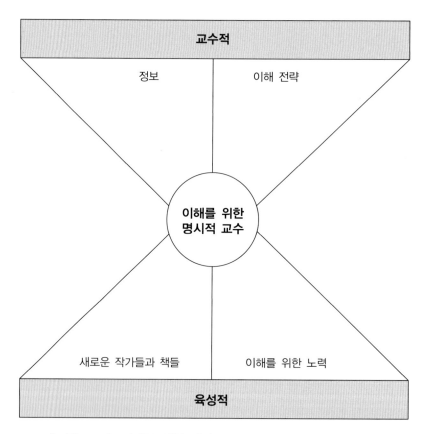

[그림 16.1] 이해를 위한 명시적 교수의 교수적, 육성적 효과

요약 도표 이해를 위한 명시적 교수

모형의 구조

교사는 읽기 중에 이해 전략을 본 보이고 설명한다. 이후에 연습 기회가 제공된다.

사회적 체제

교사 주도적이지만, 온화하다.

반응의 원리

학생이 전략을 습득하고 나면, 이해 기능에 대한 추가적인 수업 및 연습 제공 여부가 결정된다.

지원 체제

교실에 좋은 책을 비치하는 것이 매우 중요하며, 웹 검색을 하는 동안 시연하는 방법이 중요하므로, 프로젝터와 전자칠판이 유용하다.

제17장

완전 학습

아주 조금씩, 점차로, 완전 학습에 다가가기

한 번에 하나씩 학습할 수 있도록 시간을 허락한다면, 그리고 그 다음 또 하나, 그리고 또 하나, 그것들을 딛고 올라선다면, 반복되는 실패의 고리를 끊을 수 있을 것이다.

— *Berj Harootunian*이 *Bruce Joyce*에게

완전 학습은 John B. Carroll(1963, 1977)과 Benjamin Bloom(1971)이 제시한 수업 계획의 틀이다. 완전 학습은 더 많은 학생이 학교 교과에서 만족할 만한 수준의 성취를 얻을 가능성을 증가시키는 간결하고 흥미로운 방법을 제공한다. 최근 연구를 통해 완전 학습의 아이디어가 다듬어졌고, 최근의 수업공학으로 좀 더 실현 가능해졌다.

적성의 개념

완전 학습에서 이론의 핵심은 적성 개념에 대한 John Carroll의 흥미로운 관점에 기반을 두고 있다. 전통적으로, 적성은 학생의 성취와 밀접한 관련이 있는 특성으로 여겨져 왔다. 적성에 맞을수록 더 많이 학습한다는 것이다. 이와는 달리, Carroll은 적성을 주어진 자료를 습득하는 능력이라기보다는 습득하는 *데 걸리는 시간*으로 보았다. Carroll의 견해에 따르면, 특정 종류의 학습에 낮은 적성을 갖는 학생은 높은 적성을 갖는 학생에 비해 단지 습득하는 데 시간이 더 걸리는 것일 뿐이다.

이러한 견해는 적절한 수업 자료와 적절한 수업 방식 그리고 필요한 충분한 시간(학습할 기회)만 주어진다면, 거의 모든 학생이 주어진 과제를 습득하는 것이 가능하다고 주장한다는 점에서 매우 낙관적이다. 따라서, 적성은 본질적으로 학습자가 필요로 하는 시간을 알려 주는 지침이 된다. 서로 다른 적성을 가진 학습자로 구성되어 있을 때 수업 방식이 이에 맞춰진다면 좀 더 효과적으로 학습할 수 있기 때문에 적성은 수업이 *어떻게* 이루어질 것인지도 알려 준다(적성과 관련한 개념들은 모형을 선택하고 조정하는 데 도움이 된다). Carroll은 주어진 목표에 대한 해당 학생의 학습 성취도는 허용된 시간, 학생의 인내심, 수업의 질, 수업 이해력, 그리고 적성에 달려 있다고 했다. 수업 관리는 학생이 과제를 이해하기 위한 최적의 학습 시간을 부여받고, 좋은 수업의 혜택을 입고, 참아 내도록 유도되고, 도움을 받을 수 있도록 수업 과정과 수업 환경을 어떻게 조직할 것인지 결정하는 문제이다.

Bloom은 Carroll의 주장을 아래에 제시되는 특징을 포함하는 체계로 변형했다.

1. 교과의 습득은 그 과정이나 단원의 목적을 대표하는 일련의 주요 목표라는 용어로 정의된다.

2. 단원에서 자료는 상대적으로 보다 작은 학습 단원으로 나누어지며, 각 학습 단원은 각각 학습 목표를 동반하고, 완전 학습에 필수적인 더 큰 목표나 사고의 일부분이 된다.

3. 학습 자료가 그 다음으로 정해지고, 수업 전략(교수 모형)이 선택된다.

4. 각 단원에는 학생의 진도를 측정하고(형성평가), 학생 개개인이 갖고 있는 독특한 문제점을 확인하기 위한 간단한 진단검사가 포함되어 있다. 진도에 관한 정보는 강화 역할을 하도록 학생에게 알려 준다(정확한 수행 직후 칭찬과 격려

또한 강화 역할을 한다).

5. 검사 결과는 학생이 문제를 극복하도록 돕기 위한 보충 수업을 제공하는 데 활용된다.(Bloom, 1971, pp. 47-63)

수업이 이런 방식으로 관리된다면, Bloom은 학습시간이 적성에 맞게 조정될 수 있다고 믿었다. 진단검사를 통해 모든 학생의 진척 정도를 살피면서, 동시에 적성이 상대적으로 부족한 학생에게는 더 많은 시간과 피드백이 제공될 수 있다.

완전 학습 지지자들인 Bloom, Block 그리고 그 외 여러 학자들은 교사가 전통적인 집단 수업 절차를 변형하여 학생들이 좀 더 많은 학습시간을 갖도록 하고 형성평가 결과에 따라 적절한 개별 수업을 받도록 보장한다면 완전 학습이 실행될 수 있다고 믿는다(Carroll, 1963, 1971, pp. 37-41).

그러나, 현대 수업공학, 특히 자기-조절 멀티미디어 장치의 개발과 프로그램화된 학습 절차의 활용으로, 교육과정 개발자는 포괄적인 교육과정 체제를 만들었고, 전통적인 학교 조직에서는 가능하지 못했던 수준의 개별 학습이 가능해진 학교로 재조직하도록 만들었다.

초 · 중등학교 수업에 대한 체제 계획의 초기에 중요한 사례로는 개별처방수업(Individually Prescribed Instruction, IPI) 프로그램이 있는데, Baldwin-Whitehall 교육구와 연합하여 피츠버그 대학의 학습연구개발 센터(Learning Research and Development Center)에서 개발했다. IPI에서, 학생은 자신의 발휘된 숙련도, 학습 양식, 그리고 특정한 학습 필요에 따라, 매일 또는 수일 간격으로, 자신에게 처방된 학습 자료를 개별적으로 학습한다.

IPI는 교육과정 자료 개발에 체제 분석 절차를 적용하여 개발된 개별 단위의 교육과정을 잘 보여 준다. 이것은 IPI 계획자가 이 체제를 구축하는 데 사용한 단계를 잘 보여 주므로 유용한 사례 연구가 된다. 이러한 단계를 검토함으로써, 잠시 시간을 내어 개인이 수행 모형의 내부 작동 방식을 성찰하는지를 살펴본다.

이 체제는 다음을 위해 설계되었다:

1. 개별 학생이 특정 학습 순서에 있는 학습 단원을 자신의 학습 속도에 맞춰 공부할 수 있도록 한다.
2. 각 학생이 표현할 수 있는 정도로 숙달한다.

3. 자기 주도적이고 자기 지시적 학습을 개발한다.

4. 과정을 통한 문제 해결의 개발을 조장한다.

5. 학습의 자기 평가와 동기화를 격려한다.(Lindvall & Bolvin, 1966)

학습 과정 그리고 연관된 학습 환경에 대한 가정은 다음과 같다. 첫째, 학생에 따라 수업과 목표를 실행하고 능숙해지는 데 필요한 시간량은 서로 다르다. 둘째, 학생에게는 각자 필요로 하는 연습이 이루어질 수 있도록 보장하는 정도로 자신의 속도에 맞게 학습할 수 있는 학습방법이 제공되어야 한다. 셋째, 자율 학습, 개별 학습-중심 환경에서 학습할 때, 초등학생도 최소한의 교사 지시만으로도 학습이 가능하다. 이것이 효과적이 되려면, 학교는 필수적이고 적절한 학습 지원과 자료를 갖추어야 한다. 넷째, 새로운 학습 단원을 시작하려면, 이전 학습 단원의 선수조건을 충족시켜야 한다. 다섯째, 학생은 학습 진전 상황을 그릴 수 있도록 자주 평가받아야 한다. 이런 평가는 교사가 개별 학습에서 학생을 보조할 수 있는 방법을 개발하도록 도와준다. 여섯째, 교사가 학생 한 명이나 소집단 학생을 지도할 때가 등급을 매기고 기록을 정리하는 것 같은 학급 관리를 완료하는 업무 면에서 좀 더 효과적이다. 일곱째, 학생은 다른 학습 환경에서보다 자신의 학습에 대해 실제로 책임을 더 많이 진다. 마지막으로, 학생은 동료 학생을 가르치거나 동료 학생에게 배울 때 학습을 더 잘 향상시킬 수 있다(Lindvall & Bolvin, 1966, pp. 3–4). 개발은 중요하다. 어떤 교육과정 단원을 개발할 때에도, 우선 전체적인 수행 모형 ―목표―이 생성된다.

그 다음에, 성취 모형은 연속적으로 조직된 행동 목표로 나누어진다. IPI 계획자는 이러한 목표 목록이 프로그램의 다른 면에서 중요하고, 다음 특징을 지녀야 한다고 믿는다.

a. 각 목표는 학생이 할당된 과제와 기능을 습득했음을 보여 주기 위해 달성해야 할 것이 정확히 무엇인지를 알려 준다. 목표는 한 학기 정도의 짧은 기간 동안 일반적으로 평균 수준의 학생이 습득할 수 있는 것이어야 한다. 목표는 *이해하다, 인식하다, 알고 있다, 이해하다*와 같은 일반적 용어보다는 *해결하다, 진술하다, 설명하다, 나열하다, 기술하다*와 같은 행위 동사를 포함해야만 한다.

b. 목표는 의미 있게 연결된 내용으로 이루어져야 한다. 예를 들면, 수학에서 목표는 계산, 자리값, 덧셈, 뺄셈 등과 같은 영역으로 (전형적으로) 묶여야 한다.

이러한 집단으로 묶는 것은 수업 자료를 의미 있게 개발하고, 학생 성취를 진단하는 데 도움이 된다. 동시에, 집단으로 묶는다고 해서 여러 영역에 걸쳐 있는 목표가 설정될 가능성이 배제되지는 않는다.

c. 각각의 능력이나 영역 내에서, 목표는, 가능한 정도까지, 선행하는 목표를 기반으로 하고, 그 다음에 오는 목표의 선행조건이 되도록 하는 순서로 배열되어야 한다. 학습 목표가 능력의 "척도"를 구성하도록 하는 것을 목표로 한다.

d. 각 영역에서, 목표의 배열 내에서 각 목표를 의미 있는 연결 또는 단원으로 묶어야 한다. 이렇게 묶은 각 단원은 학습 진척을 나타내는 수준으로 지정되어, 학습을 끝맺는 지점을 나타내 준다. 학생이 그 영역에서 한 단원을 끝냈을 때, 다음 단원을 이어서 학습하거나, 영역을 바꿔서 단원을 학습하도록 하는 것이다(예를 들면, B 수준 학습이 끝난 후, 계속해서 C 수준의 학습을 진행하거나 B 수준의 뺄셈을 학습하도록 한다).(Lindall & Bolvin, 1966, p. 3)

시나리오

이란에서 온 여성

2010년 〈New York Times〉에, 작가인 Eric A. Taub는 최근에 미국으로 이민 온 영어를 사용하는 이란 여성을 만난 일화를 썼다. 어떻게 영어를 완벽하게 구사하는지 질문받았을 때, 그녀는 Rosetta Stone을 사용했다고 진술했다(Taub, 2010).

어학실습실

기계적인 요소로 매우 상이한 학습 환경을 제공하는 수업 체제의 또 다른 중요한 사례로는 어학실습실이 있다. *어학실습실*의 발전은 교육 현장에서 체제 분석, 과제 분석, 인공두뇌학 원리 등이 결합된 생생한 적용 사례에 해당된다. 어학실습실이 보편화되기 전에는, 교사가 25~35명의 학생들이 모인 교실에서 외국어 말하기 수업을 할 때 본보기가 되어야 했고, 학생들은 그 소리를 따라 하려고 노력했다. 이러한 상황에서는 수업 한 시간 동안 한 학생당 최대 1분 정도의 말하기 연습을 했을 뿐이고, 유창함이나 정확성을 계발하기에는 결코 충분치 않았을 것이다.

오늘날 일반적인 어학실습실에서 학습자들은 전자기기를 이용해서 듣고, 녹음하고, 음성 자료를 재생한다. 일반적인 물리적 장비에는 학생의 학습 장치와 교수자의 중앙 조정 화면이 포함한다. 이 화면을 통해, 교사는 다양한 내용의 자료들과 새로운 보충 프로그램을 공지할 수 있고, 개인, 일부 모둠, 혹은 전체 학급을 대상으로 수업 지도를 할 수도 있다. 교사는 또한 학생들의 수행 상황을 관찰할 수도 있다. 학생 공간은 개별적, 음향이 통제된 개인 열람실 형태로, 대개 헤드폰, 마이크, 녹음기 등을 갖추고 있다. 학생들은 헤드폰을 통해서 교사의 목소리나 녹음된 지시사항을 들으며, 따라 하고, 질문에 답하기도 하며, 수업에 따라 적절한 반응을 하기도 한다. 교수자는 또한 음성 자료와 함께 칠판, 교과서 혹은 다른 영상 자료들을 선택하여 사용할 수도 있다. 최신 기술은 다음과 같은 학생들의 수행을 거의 즉각적으로 할 수 있게 만들어 준다.

1. 헤드폰을 통해서 자신의 목소리를 보다 명확하게 들을 수 있다.
2. 자신의 말하기를 본보기와 즉시 비교해 볼 수 있다.
3. 피드백을 즉각적으로 받을 수 있다.
4. 학습할 항목을 따로 분리할 수 있다.
5. 특정 부분을 반복적으로 학습할 수 있다.
6. 수업 내용을 보다 정교하게 배열할 수 있다.

외국어 학습을 할 때에는 학습자가 어휘와 말하기 패턴을 반복적으로 듣는 것이 필요하다. 다양한 복잡성을 가진 새로운 조합에 대한 연습이 배열된다. 궁극적인 목표는 학생들이 듣고 있는 것을 쉽게 이해하게 만들고, 즉각적이고 적절한 반응을 이끌어 내는 것이다. 학생들의 관점에서 보면, 어학실습실은 정교하게 배열된 행동을 폭넓게 연습하고, 청각 모형에 맞춰 보고, 말하기의 유창성을 발전시키기 위한 근간의 역할을 하고 있다. 교수자의 관점에서 보면, 어학실습실은 보다 효과적인 어학 학습을 위한 장치(소프트웨어 및 하드웨어)를 제공해 주고 있다.

체제 분석에서 쓰는 전문용어로, 어학실습실은 수행 목적과 외국어 숙달의 필요에 기반한 인간 기계 체제의 발전을 상징한다. 어학실습실이 발전하기 전에는 꽤 잘 배열된 시각 자료를 제공할 수 있었다. 그러나 개인화된 음성 연습과 역동적인 피드백으로 이루어진 언어 훈련을 교사가 25명의 학생들을 데리고 혼자 교실에서 충족시키기는 어렵다. 전자 하드웨어와 소프트웨어가 지원한다면, 교수자는 보다 효과적으로 관찰(관리)하고, 진단과 지도를 할 수 있게 된다. 학생들은 즉각적이고, 직접적인 피드백을 받게 되고, 이는 학생들이 이상적인 수행과 자신의 수행을 비교할 수 있도록 해 주고, 스스로 교정하고 조정할 수 있도록 해 준다.

개인 컴퓨터로 접속하여 자기 학습을 할 수 있게 하는 프로그램들이 많이 나와 있다. 사운드 카드가 없는 컴퓨터라면, 발음을 지원하기 위해 표음식 철자가 사용된다. 사운드 카드가 있는 컴퓨터라면, 컴퓨터가 단어와 구문을 말해 준다. 그림-단어 귀납적 모형(5장)과 결합되었을 때, "말하는" 사전은 프랑스어 수업에서 유치원생들이 영어가 모국어인 초등학교 2~3학년 수준에 도달하도록 만들어 주었다.

일부 미국 학교들은 현재 어학실을 가지고 있다. 그러나 만약 웹에서 찾아본다면, 오프라인 어학실과 과정만큼이나 효과적인 Rosetta Ston 같은 가상 어학실을 찾아볼 수도 있다. 또한 초등 수준의 프랑스어 몰입을 위해서는 그림-단어 귀납적 모형이 기본이 되고 있는 BooksendLab의 유튜브 채널(www.youtube.com/user/BooksendLab)의 MIMI 실험을 찾아보라.

완전 학습은 광범위하게 조사되어 왔다. Slavin(1990)의 메타분석 연구는 일반적으로 완전 학습이 학습을 증진시키며, 교육과정 관련 시험에서도 일관적으로 효과적이라는 Kulik, Kulik, Bangert, Drowns 등의 분석(1990)에 동의했다(평균 수준이었던 학생들은 똑같은 자료로 세심하게 계획된 학습 목표와 수업 모듈 없이 공부한 통제 집단의 학생들과 비교했을 때 약 65% 정도의 높은 수준에 도달했다).

프로그램 수업

완전 학습 프로그램은 독학 자료를 설계하기 위한 체계와 프로그램 수업을 적용하는 경우가 많다. 이는 Skinner의 연구를 가장 직접적으로 적용한 경우이다. 완전 학습은 상당히 체계적인 자극 통제와 즉각적인 강화를 제공한다. 비록 Skinner의 초기 프로그램 수업 형식이 다양한 변형을 겪어 왔을지라도, 대부분의 적용은 세 가지 필수적인 특징을 가지고 있다. (1) 학생이 응답하도록 요구받은 질문 혹은 진술 항목의 서열; (2) 빈칸 채우기, 질문에 대한 답 회상하기, 다지 선답, 문제 해결 등의 양식에 따른 학생의 응답; (3) 프로그램 내에서 즉각적인 피드백 제공, 혹은 프로그램 교재의 다음 페이지나 분리된 창에서 응답 확인 제공.

프로그램 수업은 영어, 수학, 통계, 지리, 과학 등 다양한 과목에 성공적으로 적용되어 왔다. 프로그램 수업의 기술은 개념 형성, 주입식 교육, 창의성, 문제 해결 등과 같이 상당히 다양한 행동에 적용되어 왔다. 일부 프로그램들은 심지어 학생들이 귀납적 사고를 연상시키는 방식을 사용하여 개념을 발견하도록 유도하기도 한다.

프로그램 수업은 수년 동안 교사들이 별다른 효과 없이 사용해 왔던 전통적인 연습문제집 방식과 어떻게 다른 것일까? 연습문제집 방식 수업의 초점은 주의깊게 배열된 자료를 통한 행동 습득이라기보다는 연습에 있다(응답 유지). 연습문제집은 끝없이 자료를 반복적으로 복습하도록 하기 때문이다. 분명한 것은, 처음 행동이 성공적으로 습득되지 않았다면, 복습은 가치가 거의 없다는 것이다. 또한 끊임없는 복습의 강화 효과는 반드시 학습자가 이미 숙달한 자료들을 다시 보기 위해 돌아가는 것을 감소시켜야만 한다. 마지막으로, 대부분의 연습문제집은 오직 교사에 의한 정답만을 제공할 뿐 즉각적인 피드백을 제공하지 않는다.

요약

완전 학습은 간단하고, 낙관적이고, 명료하다. 완전 학습 체계를 형성하는 것은 세심한 발전을 일으킨다. 하지만 긍정적인 사회 분위기 속에서, 완전 학습 체계는 교사 주도 수업을 괴롭혀 왔던 수많은 학습 문제들에 직접적으로 접근한다. 이는 또한 교사가 격려하고 지지하는 역할을 맡게 하고, 학생들의 자존감에 긍정적 영향을 미친다.

개별 교사들이 완전 학습의 관점에서 가르칠 수 있다고 할지라도, 대부분의 적용은 팀에 의해 발전되어 왔고 교실에서의 활용에 대해 논의되어 왔다.

그러나, 빠른 피드백과 분명한 목표를 가지고 고도로 배열된 과제가 상당히 유용한 온라인 과정의 경우, 개발자들에게 있어 완전 학습 체계는 중요한 모형이다.

모형의 구조

모형의 구조는 간단하다. 목표는 초기에 분명하게 진술되고, 그 후 과제의 순서가 어떻게 각 과제를 성공적으로 완수할 수 있는지에 대한 정보와 함께 제공된다. 요약 평가가 수업 매 단원 끝 부분에 제공된다. 부수적으로, 단원은 상대적으로 짧거나 길수도 있는데, 긴 단원은 분절한다.

사회적 체제

학생들이 개별적으로 학습하는 것이 주도적이다. 그러나 학생들이 각자 필요한 시간은 다를 수 있으며, 분위기는 모두에게 긍정적이어야 한다는 것이 중요하다.

반응의 원리

교수자는 학생의 진전을 계속해서 파악하고 있어야 하며 학생이 과제를 완수하기 위해 애쓰거나 힘들어하는 것을 발견했을 때 격려해 주어야 한다. 교수자는 수업 체계에서의 단원들이 학습자들에게 적절한 수준으로 제공되도록 노력해야 한다.

적용

거의 모든 교육과정 영역은 숙달 관점에서 성취될 수 있는 내용을 담고 있다. 외국어 학습 체계는 음악, 컴퓨터 과학, 체제 내에서 풍부한 그래픽 등에서 빈번하게 숙달 틀과 초기 수업을 사용한다. 심지어 완전 학습 단원이 학생들의 사전 학습 지식과 맞아 떨어질 때, 학생들은 교수자의 지원에 대한 그들의 요구 정도가 상당히 다양할 것이다.

교수적, 육성적 효과

이 모형은 고도로 동기 부여된 학생들이 교수자의 세심한 지지가 수반되는 경우 좋은 성과를 내게 한다. 또한 학습자들이 더 높은 수준의 발전을 성취하고 긍정적인 학문적 자아 개념을 발달시킬 수 있게 해 준다(그림 17.1). 완전 학습 단원이 학생의 선행 지식과 잘 맞아떨어진다면, 그러한 학생들은 교수자의 지지에 대한 요구가 상당히 다양할 것이다.

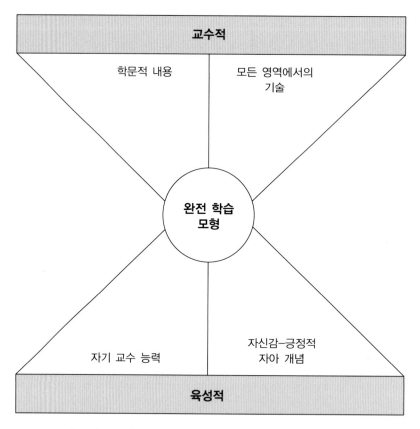

[**그림 17.1**] 완전 학습 모형의 교수적, 육성적 효과

제18장

직접 교수

응용 심리학의 적용

아동에게 단지 질문만 하기보다 질문하고 답하는 법을 가르치라는 아이디어는 나에게 혁명으로 다가왔다.

—20년 경력 교사가 Bruce Joyce에게

직접 교수는 효과적인 교사에 관한 연구에 기초하고 있지만, 그 기원은 행동주의 계열, 특히 훈련과 행동주의 심리학자의 사고에 있다. 훈련 심리학자들은 예컨대 잠수함 승무원이 되는 것과 같은 고도의 정확도와 타인과의 협업이 종종 필요한 복잡한 행동을 수행하도록 훈련하는 것에 집중해 왔다. 학습 상황에서 이들이 기여한 주요한 점은 과제 정의와 과제 분석이다. 이들이 제안한 수업 설계 원리는 학습자 수행을 목표와 과제로 개념화하고, 이 과제들을 보다 작은 세부 과제로 쪼개고, 각각의 세부 과제를 숙달하도록 하는 훈련 활동을 개발하여, 최종적으로 전체 학습 상황을 하나의 계열로 배열하여 하나의 세부 과제가 다른 세부 과제로 적절하게 전이되도록 하여 보다 높은 수준의 학습을 하기 전에 선수 학습이 이루어지도록 하는 것에 초점이 맞춰져 있다.

훈련 심리학자들이 수업의 설계와 계획을 강조하는 반면에 행동주의 심리학자들은 교사와 학생의 상호작용을 중요하게 생각한다. 이들은 모방, 강화, 피드백, 그리고 단계적인 접근법을 언급한다. 행동주의자들은 종종 그들의 접근법을 "강화와 안내에 의한 수행이 동반된 모방 학습"으로 지칭한다.

목표와 가정

직접 교수는 종합적인 교육 프로그램에서 제한적이지만 중요한 역할을 한다. 직접 교수를 비판하는 사람들은 이 접근법이 항상, 모든 교육목표, 또는 모든 학생에게 사용되지 않도록 주의해야 한다는 우리 모두가 동의하는 주의 사항을 언급한다. 이러한 주의와 경고에도 불구하고, 직접 교수는 상대적으로 굳건한 경험적 기록을 보이는데, 적당한 효과가 있다면 일관적이기도 하다. 자료기반 교육과정, DISTAR(Direct Instruction System for Teaching Arithmetic and Reading)는 사회학습이론(Becker, 1977 참조)에 기반하여 40여 년 전에 개발되었는데, 지금까지도 상업적인 프로그램으로 계속 사용되고 있으며, SRA/McGraw-Hill에서 발간되고 있다. DISTAR가 이런 유형의 유일한 프로그램은 아니지만, 근거이론을 바탕으로 세심하게 주의를 기울여 개발되었기 때문에 여기서 유용한 예시가 될 것이다. ≪Success for All≫(Slavin과 Madden, 2001 참조)에서도 일부에서 이와 유사한 원리를 사용하고 있다.

직접 교수를 위한 학습 환경

이 학습 환경의 가장 두드러지는 특색은 학문 중심, 고도의 교사의 지시와 통제, 학생의 발달에 대한 높은 기대, 시간관리 체제, 그리고 상대적으로 중립적인 감정의 분위기 등이다. 학문 중심은 학문적 과제 할당과 완료에 최상의 우선권을 둔다는 의미이다. 수업 중에 학문적 활동이 강조된다. 비학문적 재료, 예컨대 장난감, 게임, 퍼즐 등은 교사와 학생 간에 비학문적 상호작용, 즉 개인적 질문이나 개인적 관심사에 대한 논의 등이 이루어지도록 하는 것은 중요시되지 않거나, 꺼린다. 학문 중심이 강하면 학생에 대한 개입이 더 많이 이루어지고 결과적으로 성취도가 높게 나타난다는 연구들이 있다(Fisher et al., 1980; Madaus, Airasian, & Kellaghan, 1980; Rosenshine, 1985).

교사의 지시와 통제는 교사가 학습 과제를 선택 및 지정하고, 수업 중에 핵심 역할을 유지하고, 학생과의 비학문적 대화를 최소화하는 형태로 이루어진다. 학생에 대한 높은 기대와 학문적 발전에 관심을 가지고 있는 교사는 학문적으로 우수하고 학문적 발전에 적합한 행동을 요구한다. 이들은 학생들에게 학업의 양과 질 측면에서 더 많이 기대한다.

직접 교수의 목표 중 핵심이 되는 두 가지는 학생의 학습 시간을 최대화하고 교육 목표를 추구하는 데 있어 독립심을 계발하는 것이다. 학생의 성취와 연관된 것으로 밝혀진 교사 행동의 대부분이 사실은 학생의 과제 수행 시간 및 학생의 성공률과 관련되어 있고, 궁극적으로는 학생의 성취와 연관되어 있다. 그리하여 직접 교수에 포함되어 있는 행동들은 구조화된 학문지향적 학습 환경을 창출하기 위해 설계된다. 이 환경에서 학습자는 수업 중에 (과제에) 능동적으로 관여하고, 주어진 과제에서 높은 성공률(80% 이상의 숙달)을 경험할 것이다. 이 두 가지 조건하에서 학생이 사용한 시간이 *학문적 학습 시간(academic learning time, ALT)*이며, 이는 최대화되어야 한다.

마지막으로, 부정적 감정이 학생의 성취를 방해한다는 실제적 증거가 있다 (Rosenshine, 1985; Soar, Soar, & Ragosta, 1971). 교사들은 학문적 목표를 세우고, 학생의 행동을 비판하는 것과 같은 부정적 모습을 피해야 한다. 긍정적 감정이 학습 결과에 어떤 역할을 하는지에 대한 연구 결과는 그렇게 명확하지 않다. 칭찬을 많이 하는 것이 이로운 학생이 있기도 하며, 특정한 칭찬의 유형이 보다 효과적인 경우도 있다 (Brophy, 1981).

직접 교수 환경에서는 학습에 현저하게 초점을 두고, 학생이 대부분의 시간을 학문적 과제 수행에 사용하여 높은 성공률을 얻도록 한다. 사회적 분위기는 긍정적이어야 하고 부정적 감정을 피한다.

모형 소개

*직접 교수*라는 용어는 교사가 새로운 개념과 기능을 학생들에게 설명하고, 교사의 지도하에 연습(즉, 통제된 연습)을 실시하여 이해 정도를 평가하고, 교사의 안내하에 연습(안내에 의한 연습)을 계속하도록 격려하는 교수 유형을 지칭하기 위해 연구자들이 사용해 왔다.

새로운 자료를 제시하고 설명하기에 앞서 수업에 대한 틀을 구축하고 학생들에게 새 자료에 대해 관심을 갖도록 하는 것이 필요하다. 수업을 시작할 때 언급할 내용은 목표, 절차, 이어지는 학습 경험의 실제 내용을 명확히 하기 위해 구조화된다. 이러한 학습 안내는 학습 활동 중의 학생 참여가 증가하는 것과 전체 성취도와 관련되어 있다(1980; Fisher, C., Berliner, D., Filby, N., Marliave, R., Ghen, L., & Dishaw, M., 1980; Medley, 1977; Medley, Soar, & Coker, 1984). 이러한 학습 안내는 다양한 형태로 이루어질 수 있는데, (1) 전날에 수행했던 작업의 복습(Rosenshine, 1985)과 같이 학생이 갖고 있는 관련 지식 구조를 끌어내는 도입 활동(Anderson, Evertson, & Brophy, 1979), (2) 학습 목표에 대한 논의, (3) 수행되어야 할 과업에 대한 명확하고 명시적인 지시, (4) 학생들이 사용할 자료와 수업 중 관여하게 될 활동에 관한 언급, (5) 수업에 대한 개요 제시 등이 포함된다.

일단 학습 맥락이 설정되면, 새로운 개념과 기능을 제시하는 것으로 수업이 시작된다. 학생이 성공적으로 새 자료를 학습하느냐는 교사의 최초 설명이 얼마나 충실하게 이루어졌는지 그 질적 수준에 많이 관련되어 있다. 효과적인 교사는 비효과적인 교사에 비해 새 자료를 설명하고 시연하는 데 더 많은 시간을 사용한다(Rosenshine, 1985). 학습을 촉진하려면 (1) 한 번에 하나씩 숙달할 수 있도록 작은 단계로 새 자료를 제시하고, (2) 새 기능과 개념에 대한 다양하고 많은 사례를 제시하고, (3) 학습 과제를 모방하도록 하거나 설명을 곁들여 시연하고, (4) 주제에서 벗어나지 않고, (5) 어려운 부분은 설명을 다시 한다(Rosenshine, 1985). 개념 학습에 대한 연구에 의하면 새 개념을 가르칠 때 그 개념의 특성(속성)을 분명하게 식별하고, 규칙이나 정의(또는 기능 학습에서 단계의 순서)를 제공하는 것이 중요하다. 마지막으로, 개념이나 기능을 시각적으로 표현하고 언어적 설명을 곁들여 제시하는 것이 학생이 설명을 따라오도록 하는 데 도움이 된다. 나중에, 학습 과정의 다른 시점에서 시각적 표현 자료가 단서나 촉발 자극으로 사용되기도 한다.

설명 다음에 논의가 이루어지는데, 여기서 교사는 새 개념이나 기능에 대해 학생이 이해했는지를 확인한다. 이 과정에서 교사는 단순하게 학생이 이해했는지를 질문하거나 질문을 던진 후에 아무도 응답하지 않거나 또는 일부 학생만이 응답해도 모든 학생이 다음 작업으로 진행하는 데 충분한 정도로 이해한 것으로 간주하는 실수를 흔하게 한다. 효과적인 교사는 비효과적인 교사에 비해 학생의 이해를 확인하기 위한 질문을 더 많이 한다(Rosenshine, 1985). 이러한 질문은 구체적인 답이 요구되거나 그러한 답을 어떻게 알게 되었는지에 대한 설명을 요구한다. Rosenshine(1985)에 의하면, 효과적인 교사는 더 많은 질문을 할 뿐만 아니라 교사의 지도에 의한 연습과 가르치고 있는 새 자료를 반복해서 가르치는 데 더 많은 시간을 사용했다. 직접 교수에서 효과적인 질문 행동의 또 다른 측면으로는 다음과 같은 것들이 있다.

1. 발산적인 질문보다는 수렴적인 질문하기(Rosenshine, 1971, 1985)
2. 손을 들거나 목소리가 큰 학생이 아니라 모든 학생에게 응답할 기회가 주어지도록 하기. 이것은 특정의 순서, 예컨대 질문을 하기 전에 읽기 집단에 있는 학생의 이름을 부르거나 동시에 모두가 답하도록 하는 방식으로 가능할 것이다(Gage & Berliner, 1983; Rosenshine, 1985).
3. 시간을 많이 사용(75~90%)한 학생 중에서 질문하기(Rosenshine, 1985)
4. 직접 교수 중에 비학문적 질문 피하기(Rosenshine, 1985; Soar, Soar, & Ragosta, 1971)

교사가 질문을 시작하고 학생이 대답하게 되면 교사는 학생의 응답에 대해 피드백을 제공할 필요가 있다. 연구에 의하면 효과적인 교사는 비효과적인 교사에 비해 피드백을 더 잘 제공한다(Rosenshine, 1971). 이들은 실수가 교정되지 않은 채로 넘어가지 않도록 하며, 맞지 않게 응답한 학생에게 단순히 정답만을 제시하지 않는다. 이들은 응답을 수정하는 기법을 사용하거나 자료를 다시 가르친다. 더불어 효과적인 교사는 이러한 반복 활동 중에 속도를 빠르게 유지한다. 이들이 교정적 피드백을 제공하거나 다시 가르칠 때, 연습의 기회를 많이 제공하고 학생들의 다수가 응답할 기회를 가질 수 있도록 효율적으로 수행한다. 예컨대, 정답이 제시되고 나면, 교사는 단순히 새 질문을 제시한다. 학습의 초기 단계에 머뭇거리면서 정답을 제시하면, 교사는 빠르게 피드백을 제공한다("좋습니다. 'i'는 'c' 다음에 오는 'e' 앞에 위치한다는 것을 기억하세요"). 만약에 학생이 부주의하게 오답을 제시했다면, 교사는 교정적 피드백을 제공하고 다음으로 진행한다. 만약 이해하지 못하여 부정확하게 반응한 것으로 판단되면, 교사는 앞서의 시각적 표현 자료를 언급하는 것과 같은 암시나 단서를 제시해야 한다. 명료화와 응답을 더 좋게 만들기 위해서는 면밀히 살피는 것이 중요하다. 효과적인 피드백은 학문 지향적이며, 행동 지향적이지는 않다(Fisher et al., 1980). 이것은 또한 실질적으로 학생이 정확하게 수행한 것이 무엇인지를 알려 준다. 피드백은 칭찬과 결부될 수는 있으나 응답의 질을 기반으로 칭찬을 하는 것이 중요하다(Gage & Berliner, 1983). 학생에 따라 필요로 하는 칭찬의 양에 있어 차이가 있다. 학생 중에는, 특히 성취도가 낮은 학생들의 경우 칭찬을 많이 필요로 하는 반면에 그렇게 많이 필요치 않은 학생도 있다. 칭찬의 필요가 큰 학생일지라도 틀리게 응답한 것을 칭찬해서는 안 된다(Brophy, 1981).

요점은 학생이 구조화된 연습 과정에서 받는 피드백의 유형은 이후의 성공과 밀접하게 연계된다는 점이다. 피드백은 학생이 새 자료를 얼마나 잘 이해했는지, 어떤 실시가 있었는지를 알 수 있도록 돕는다. 피드백이 효과적이려면, 학문적, 교정적, 존중적, 그리고 받을 만한 것이어야 한다.

학생이 연습을 시작하기 전에 꼼꼼하게 설명하고 구조화된 연습과 피드백이 주어질 필요가 있다는 점은 명백하다. 그러나, 연구나 저자의 경험에 비춰볼 때 학생이 거의 설명이나 연습이 없이 교과서나 활동자료집으로 과업을 수행하도록 요구받는 경우가 종종 있다. 학생들은 읽거나 기능을 연습할 때 성공률이 높아야 한다. 그렇게 되려면, 학생들은 구조화된 연습 사례에서 90% 이상의 정확도를 달성했을 때에만 자유로운 연습으로 진행해야 한다.

일반적인 교실에서 학생들은 혼자서 과제를 수행하는 데 50~70%의 시간을 사용한다(Rosenshine, 1985). 이 정도의 시간이 학습에 맞춰져 생산적으로 사용되려면, 학생들은 학습 과제에 참여한 상태로 있어야 한다. 교사의 제시와 교사 주도의 연습에 의해 준비가 잘 되었을 때 참여가 잘 이루어진다. 제시된 것에 직접적으로 관련되고 교사 주도의 연습 바로 직후에 이루어지는 연습이 학생의 참여를 촉진한다. 학생이 과제를 수행하는 동안에 교사가 돌아다니면서 개별 학생과 짧게 접하면서 점검하는 것이 유용하다(Rosenshine, 1985).

연습

그 이름에서처럼, 이 교수 전략의 핵심은 연습 활동이다. 모형의 세 단계는 도움이 다양하게 주어지는 상황에서의 연습을 다룬다. 연습의 세 수준은 다음과 같은 방식으로 기능한다. 처음 새로운 기능이나 개념을 소개할 때, 교사는 학생 집단이 각 단계를 거쳐 이 문제를 해결하도록 이끈다. 틀린 연습을 기억하기 쉽고, 오류가 부정확한 정보를 강화하기 쉬운 초기 학습 단계에서 오류가 적게 발생하도록 하는 것이 핵심이다. 학생들은 고도로 구조화된 연습에 이어서 교사의 감독하에 자율적으로 연습한다. 이 시기에 학생들은 연습을 독립적으로 수행할 준비가 되어 있다. 즉, 도움이 이전처럼 가능하지 않은 조건하에서 연습할 준비가 되어 있다. 숙제는 독립적 연습의 사례에 해당된다. 연습의 진보에서 이 마지막 단계는 속달 수준이다. 학생들은 기능을 최소의 오류로 독자적으로 수행한다.

두 번째 원리는 각 연습 시간의 길이와 관련되어 있다. 연구에 의하면, 대체적으로 한 기능을 연습하는 데 시간을 더 들일수록 그것을 잊어버리는 데 더 많은 시간이 걸린다. *짧고, 집중적이고, 고도로 동기화된 연습은 긴 연습 시간에 비해 더 많이 학습하도록 한다.* 예컨대, 어린 학생의 경우 5~10분의 짧은 연습 시간이 하루 또는 여러 날에 걸쳐서 이루어질 때 30~40분 정도 길게 연습하는 것에 비해 더 효과적이다. 나이가 든 학생의 경우 더 긴 연습 시간을 소화할 수 있지만, 여러 번의 짧은 연습 시간과 진척에 대한 명확한 피드백이 주어질 때 기대했던 효과를 보게 된다.

세 번째 원리는 *연습의 초기 단계를 주시할* 필요가 있다는 것이다. 왜냐하면 이 단계에서 부정확한 수행이 학습을 방해할 것이기 때문이다. 학생들은 부정확한 절차가 기억 속에 자리잡지 않도록 교정적 피드백이 필요하다. 즉각적인 교정적 피드백(즉 정확하게 수행하는 방법에 대한 정보)은 수업 과정의 초기에 잘못된 개념을 되돌릴 것이다. 이것은 또한 학생이 즉각적인 피드백에 의한 확신을 갖고 연습을 하기 때문에 수행 불안을 줄인다. 초기 단계에 부정확한 수행을 잡아내는 것과 더불어 정확한 수행을 강화하는 것도 중요하다. 이 강화는 학생에게 결과에 대한 지식을 제공하여 새 학습을 보다 빠르게 자리잡게 한다.

학생이 현재의 연습 수준에서 80~90%의 *정확도*를 달성한 뒤에 다음 단계로 넘어가는 것이 연습의 네 번째 원리이다. 정확도에 주의를 기울이면 학생이 성공을 경험하고 실수를 반복하지 않도록 할 수 있다.

이어지는 지침은 *연습 분산*인데, 연습 시간을 일정 기간에 걸쳐 여러 번 나눠서 실시하는 것이다. 연습을 하지 않으면 새 정보의 80%가 24시간 이내에 잊혀진다. 일정 기간, 예컨대 4~5개월에 걸쳐 주기적으로 검토하게 되면, 새로운 지식 대부분을 유지할 수가 있다. 수업에서 흔히 저지르는 실수는 한 주제를 다루고, 끝낸 다음에 시험을 볼 때까지 그 정보나 기능을 다시는 검토하지 않는 것이다. 중요한 자료는 주기적으로 검토될 필요가 있다.

마지막으로, 일반적인 지침으로는 학습의 초기에 연습 시간은 시간적으로 서로 가까워야 한다는 것이 있다. 일단 학습이 독립적 수준에 이르면, 연습 시간은 점차적으로 시간적 거리가 멀어질 수 있다. 그리하여, 안내에 의한 연습 시간은 새 학습이 소개된 직후에 실시되어야 하고, 독립적으로 될 때까지 자주 계속해야 한다. 독립적인 수준에 이르면, 독자적 연습 시간의 간격을 더 멀리하도록, 예컨대 1, 2, 6, 그리고 15일 식으로 떨어뜨려 배치할 수 있다.

교수 모형

모형의 구조

직접 교수 모형은 안내, 제시, 구조화된 연습, 안내에 의한 연습, 독립적 연습 등 5단계의 활동으로 이루어져 있다. 그러나, 이 모형을 사용하기 전에 학생이 상이한 연습 조건에서 고도의 정확도를 달성할 수 있도록 선수 지식과 기능을 갖추고 있는지를 확인하는 지식과 기능에 대한 효과적인 진단이 이루어져야 한다.

1단계는 안내인데, 수업의 틀이 설정된다. 이 단계에서 교사의 기대가 학생에게 전달되고, 학습 과제를 명확히 하고, 학생의 책무성이 설정된다. 이 단계의 의도가 실현되는 데 있어 세 개의 하위 단계, (1) 교사가 수업의 목표와 수행 수준을 제시한다, (2) 교사가 수업의 내용과 선행 지식 또는 경험과의 관계를 기술한다, (3) 교사가 수업의 절차, 즉 수업의 여러 부분과 각 활동에서 학생의 책임을 논의한다 등이 특히 중요하다.

2단계는 제시인데, 새로운 개념 또는 기능을 설명하고, 시연을 보이고 사례를 제시하는 것이다. 자료가 새 개념이라면, 교사가 그 개념의 특성(또는 속성), 규칙 또는 정의, 그리고 여러 가지 사례를 언급하는 것이 중요하다. 자료에 새 기능이라면, 기능의 세부 단계와 그 단계의 사례를 식별하는 것이 중요하다(시연을 지나치게 적게 제시하는 것이 흔히 저지르는 또 다른 실수이다). 위의 두 가지 모두에서 정보를 구두 및 시각적으로 전달하여 학습의 초기 단계에 학생들이 시각적 표현을 참조할 수 있도록 하는 것이 중요하다. 또 다른 과제로는 학생들이 연습 단계에서 새 정보를 적용하기 전에 이해했는지를 확인하는 것이 있다. 교사가 설명했던 개념의 속성을 기억할 수 있는가? 교사가 보여 준 기능의 단계 수와 목록을 회상할 수 있는가? 이해에 대한 점검은 학생이 들었던 정보를 회상하거나 인지하도록 요구하는 것으로 이루어진다. 구조화된 연습에서 학생들은 이것을 적용할 것이다.

3단계인 구조화된 연습이 이어진다. 교사는 학생을 연습 사례들로 안내하여 각 단계를 수행하도록 한다. 일반적으로 학생들을 집단으로 연습하고 답을 써서 제출하게 한다. 이 엄밀한 기법을 완수하는 좋은 방법은 OHP를 사용하여 투명 용지(TP)에 연습 사례를 해 보여서 모든 학생들이 각 단계를 생성하는 것을 볼 수 있도록 하는 것이다. 이 단계에서 교사의 역할은 학생의 반응에 대해 피드백을 제공하고, 정확한 반응을 강화하고, 실수를 수정하고, 목표를 알려 주는 것이다. 연습 사례들을 수행하면서 그에 대해 언급함으로써 교사는 학생이 그것을 이해하고 반독립적 연습 단계 중에 자원으로 사용할 수 있도록 한다.

4단계, 안내에 의한 연습은 도움을 받으면서 스스로 연습하는 기회를 제공한다. 안내에 의한 연습은 교사가 학생이 범하는 오류의 정도와 유형을 측정함으로써 학습 과제를 수행하는 학생의 능력에 대한 평가를 할 수 있도록 한다. 이 단계에서 교사의 역할은 학생의 작업을 감독하고 필요하면 교정적 피드백을 제공하는 것이다.

5단계에서 독립적 연습에 도달한다. 학생이 안내에 의한 연습에서 85~90%의 정확도에 도달했을 때 이 단계가 시작된다. 독립적 연습의 목적은 새로운 학습의 유창성을 계발하는 것과 더불어 확실하게 파지하도록 하는 것이다. 독립적 연습에서 학생들은 도움 없이 스스로 연습하고, 지연된 피드백을 받는다. 독립적 연습 과업이 완료된 직후에 학생의 정확도 수준이 안정적으로 유지되는지 측정하고, 필요한 학생에게 교정적 피드백을 제공하기 위한 검토가 바로 이루어진다. 독립적 연습 활동은 시간과 연습 항목의 양적 측면에서 적을 수 있지만, 한번 해 보는 것으로 그쳐서는 안 된다. 앞에서 논의했듯이, 5~6회의 연습 시간이 1개월 또는 더 긴 기간에 걸쳐 분산되었을 때 파지가 유지될 것이다.

사회적 체제

사회적 체제는 고도로 구조화되어 있다. 그럼에도, 학생이 학습해야 할 것과 방법을 알게 하기 위한 수고가 있어야 한다. 학생의 집중적인 노력이 학습을 일으킬 수 있다.

반응의 원리

반응의 원리는 결과에 대한 지식을 제공하고, 학생이 스스로 속도를 조절하도록 도우며, 강화를 제공할 필요에 의해 통제된다. 지원 체제는 계열화된 학습 과제를 포함하는데, 이러한 과제는 때로 개별화 수업 팀에 의해 개발된 과제 세트만큼이나 정교화되어 있다.

적용

가장 일반적인 적용으로는 핵심 교과과정 영역의 기본 정보와 기능의 학습에서 찾아볼 수 있다. 직접 교수법 중심의 대규모 프로그램의 다수가 경제적으로 가난하고, 성취수준이 낮은 아동에게 맞춰져 있다. Head Start를 초등학교 학생들에게 확장한 연방정부 프로그램인 Follow Through 프로젝트의 평가에서, University of Oregon의 직접 교수법 모형이 인지적 및 정의적 측정에서 모두 유의미한 차이를 보였다(Becker, 1977). 전반적으로, 이 프로그램에 참여한 학생들은 프로그램을 시작하기 전에 읽기, 수학, 철자에서 전국적으로 25퍼센타일 이하에 속했는데, 3학년에서 50퍼센타일 또는 그 이상으로 향상되었다. 이 프로그램은 "교사가 읽기, 산수, 그리고 언어에서 세심하게 계열화된 매일의 수업을 사용함으로써 소집단, 대면 수업"을 강조했다(Becker, Engelmann, Carnine, & Rhine, 1981). "긍정적 자아 개념은 추상적인 성취 목표라기보다는 좋은 수업의 부산물로 여겨졌다"(Becker, 1977, pp. 921-922).

교수적, 육성적 효과

이 모형은 이름에서 암시하듯이 "직접적"이다. 이 모형은 학문적 내용을 체계적으로 다룬다. 속도 조절과 강화를 통해 동기를 생성하고 유지할 수 있도록 설계된다. 성공과 긍정적 피드백을 통해 자존감을 향상한다(그림 18.1).

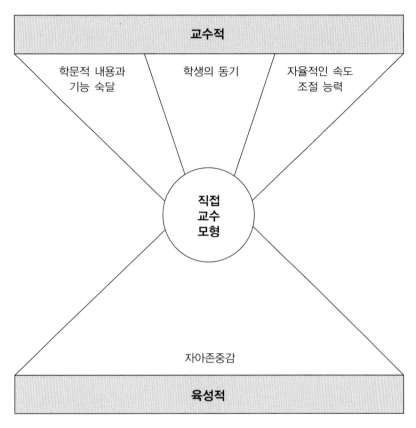

[**그림 18.1**] 직접 교수 모형의 교수적, 육성적 효과

요약 도표 직접 교수 모형

모형의 구조

- *1단계: 안내.* 교사는 수업의 내용을 설정하고, 이전 학습을 검토하고, 수업 목표를 세우고, 수업 절차를 설정한다.
- *2단계: 제시.* 교사는 새 개념과 기능을 설명/시연하고, 그 과제의 시각적 표현 자료를 제공하고, 이해를 확인한다.
- *3단계: 구조화된 연습.* 교사는 연습 사례를 치밀한 단계에 따라 학생 집단에게 제시하고, 학생들은 질문에 응답한다. 교사는 실수에 대한 교정적 피드백을 제공하고, 정확한 반응을 강화한다.
- *4단계: 안내에 의한 연습.* 학생은 반독립적으로 연습한다. 교사는 순회하면서 학생의 연습을 감독하고, 피드백을 제공한다.
- *5단계: 독립적 연습.* 학생은 교실이나 가정에서 독립적으로 연습한다. 피드백은 지연되어 제공된다. 독립적 연습은 일정 기간에 걸쳐 수차례 이루어진다.

사회적 체제

사회적 체제는 긍정적이다. 교사와 학생이 성취해야 할 지식을 공유하고, 성공을 위해 재검토와 2차 시도가 필요하다는 점에서 현실적이다.

반응의 원리

이 모형에서 반응은 학습의 진전과 밀접하게 관련이 있다. 지속적인 격려가 요구되지만, 습득에 대한 현실적인 칭찬도 동반되어야 한다.

제7부

학습의 조건, 학습 양식, 개념적 수준

우리는 교수 모형에 대한 지식을 함께 쌓아 나가면서, 이 교수 모형을 교육과 사회에서 나타나는 심각한 문제들에 적용해 보고, 교수-학습에 대한 지식의 발전에 대해 다시 생각해 본다. 또한 통합적인 복합성과 같은 성격 연구의 성과도 살펴본다. 그리고 새로운 것을 배울 때 불가피하게 느껴지는 불편함을 통해 무엇을 얻을 수 있는지를 본다. 왜냐하면 진정으로 좋은 교육은 새로운 정보, 이해, 기능을 접할 수 있게 하고, 사회를 개선하는 데 전념하게 만들어 주기 때문이다. 현재 우리가 처한 사회 환경 및 공동체, 국가 및 세계 환경은 우리로 하여금 모두를 위해 더 나은 삶의 질을 추구하도록 만든다.

제19장

교육과정의 개발

학습의 조건

차시, 교과목, 교과과정은 개념, 기능, 정보의 확인이 가능하도록 구성되어야 합니다.
개념, 기능, 정보는 향후 학습자의 일부가 될 것이며, 계속해서 재사용될 수 있습니다.
—사색적 관찰자

교과과정, 교과목, 단원, 차시를 계획하는 것은 좋은 교사가 갖추어야 할 필수 요건이
다. 19장에서는 이 분야의 전문가인 Robert M. Gagné의 틀을 수업 계획의 문제에 적
용해 볼 것이다.

교수-학습과 관련해 중요한 저서 중 하나가 Gagné의 《The Conditions of Learning》
(1965)이다. Gagné는 학습의 중요한 변수를 신중하게 분석하고, 이들 변수를 고려해
수업을 구성하는 방법을 소개하고 있다. '학습이라는 기회의 다양한 유형(varieties of
chance called learning)'에 대한 Gagné의 틀을 통해 우리는 학습 목표, 다양한 수행 유형
간의 상호작용을 분류하고 구체화할 수 있다. Gagné는 학습의 결과로 나타날 수 있는

6가지 유형의 수행을 제시하고 있다.

1. 구체적 반응(Specific responding)
2. 계열화(Chaining)
3. 다중 변별(Multiple discrimination)
4. 분류(Classifying)
5. 규칙 활용(Rule using)
6. 문제 해결(Problem solving)

수행의 유형

*구체적 반응*은 특정 자극에 구체적으로 반응하는 것을 의미한다. 1학년 담당 교사가 'dog'라고 적힌 카드(자극)를 보여 주고 아이들이 "dog"라고 대답하는 경우가 이에 해당한다. 구체적 반응은 매우 중요한 학습 유형으로, 우리가 갖고 있는 상당량의 정보가 구체적 반응에 기반을 두고 있다. 학생이 정확하고 구체적인 반응을 보일 수 있으려면, 사물 간의 관련성을 파악하고 있어야 한다. 앞의 예에서 'dog'라는 단어는 언어적 진술인 "dog"와 연계되어 있다. 여기서 학습의 증거로 우리가 설명하는 것은, 학생이 자극에 반응할 수 있다는 것이 그 수준의 학습을 했다는 점이다. 학습이 어떻게 완수되는지는 별개의 문제이다. 즉, 어떤 특정 교수 모형의 사용 여부가 중요하지 않듯 교사의 카드 사용 여부도 중요하지 않다.

*계열화*는 함께 연결되어 있는 일련의 반응을 의미한다. Gagné는 열쇠로 문을 여는 예와 한 언어에서 다른 언어로 번역하는 예를 들고 있다. 문을 열려면 여러 구체적인 반응(열쇠를 고르고 열쇠를 넣고 열쇠를 돌리는 일)을 보여야 한다. 그래야 문이 열린다. 영어에서 단어를 조합해 "How are you?"라는 의미 있는 구문을 만들 때 계열화가 사용된다. 마찬가지로 "How are you?"를 스페인어 "¿Cómo está usted?"로 번역할 때 일련의 구체적 반응이 나타나고 두 언어로 구문이 연결되면서 계열화가 나타난다.

*다중 변별*은 여러 구체적 반응과 계열을 학습하고, 이를 적절히 구분하는 방법을 의미한다. 다중 변별은 학습된 반응에 적용된다. 예를 들어 학습자가 색깔과 그 색깔

의 이름을 연결하는 법을 배울 때 집의 방이나 학교의 교실처럼 유사한 조건에 있는 여러 물건의 색깔을 식별하는 방법을 학습한다. 그 다음, 학습자는 상점 같은 다른 조건에서 색깔을 분류하고 적용해 본다(상점에서 파랑은 담요와 관련이 있다고 먼저 학습된 후 스웨터에 적용된다). 보다 복잡한 경우는 계열을 구분한 후 합치는 것이다. 마찬가지로, 언어를 배울 때 학습자는 단어와 구(계열)의 저장고를 만든다. 말할 때 학습자는 성, 수, 시제 등에 맞춰 대답을 한다. 다중 변별은 이전에 학습된 여러 종류의 계열을 관리하는 학습이다.

*분류*는 기능을 나타내는 유형에 사물을 할당하는 것이다. 동물과 식물, 자동차와 자전거를 구분하는 학습이 분류이다. 분류 과정의 결과로 나타나는 것이 *개념* *(concepts)*으로, 이는 사물과 사건을 비교하고 대조하며, 그 사이의 인과관계를 기술하는 생각이다. 언어를 배울 때 학습자는 '주어', '서술어', '구', '절', '품사' 등 그 언어의 구조와 관계된 개념을 만든다. 4~5세 정도의 어린 외국어 학습자는 명사와 형용사의 변경 같은 관계적 개념 등의 문법적 요소의 명칭을 모른 채 외국어를 학습한다.

*규칙 활용*은 행위가 내포하는 개념에 맞게 행동하는 능력을 의미한다. 예컨대, 단어의 철자가 어떻게 구성되는지에 대한 여러 개념들을 배우고, 철자를 말하는 행위를 할 때 규칙의 형태로 개념을 적용한다. 예를 들어, 학습자는 'sit'처럼 't'로 끝나고 자음 안에 모음이 들어 있는 단어에서, ing를 붙일 때 자음을 하나 더 붙인다는 규칙을 배운다. 이런 식의 단어에서 나타나는 일반적인 규칙인 것이다.

*문제 해결*은 학습자가 이전에 맞닥뜨린 적이 없는 어떤 문제에 여러 규칙을 적용하는 것을 의미한다. 문제 해결은 정확한 규칙을 선택해 조화롭게 규칙을 적용하는 것을 의미한다. 예를 들어, 아이가 시소에서 균형 잡는 법에 대한 여러 규칙을 배운 뒤, 한쪽에 무거운 물체를 가져다 놓는 경우가 여기에 해당한다.

학습 유형 촉진하기

Gagné는 6가지 학습 유형이 위계적 순서를 따르고 있다고 믿는다. 계열화 전에, 구체적 반응을 학습해야 하고, 다중 변별을 할 수 있으려면 먼저 계열화 과정을 거쳐야 한다. 분류는 다중 변별의 토대하에 이루어진다. 행동에 대한 규칙은 분류와 인과관계 수립을 통해 학습된 개념의 형태로 나타난다. 문제 해결을 위해서는 먼저 규칙 학습이 필요하다. 각 학습의 수준은 일정한 조건을 필요로 한다. 교수자의 임무는 적절한 교수 모형을 활용해 이들 조건을 제공하는 것이다.

구체적 반응을 촉진하기 위해 학생에게 자극이 주어진다. 이 때 학생의 주의를 끌고 적절한 반응을 유도할 수 있는 조건에서 자극이 주어지면, 반응이 강화된다. 교사가 'dog'라고 적힌 카드를 보여 주고 학생들이 "dog"라고 말하면, 교사는 미소를 지으며 "good"이라고 말한다. 이러한 활동을 하는 교사는 학생이 단어를 인식하는 법을 학습하고, 단어와 관련된 소리를 음성으로 발화할 수 있는 가능성을 지속적으로 높여 주게 된다. 앞서 8장과 10장에서 살펴본 기억 및 훈련 모형은 구체적 반응을 촉진하는 모형이다.

계열화를 용이하게 하려면, 일련의 신호를 제공하여 적절한 반응을 유도한다. 언어 교사는 "How are you? ¿Cómo está usted?"라고 말하고 학생들에게 따라서 하라고 한다. 반복이 충분히 이루어지면 학생은 계열화를 획득하고 그 표현에 유창해진다. 기억 모형, 선행 조직자, 귀납적 사고 모형은 계열화에 도움이 된다.

다중 변별을 촉진하려면, 예시 및 비예시 자극으로 연습하는 것이 필요하다. 이를 통해 학생은 변별하는 방법을 배운다. 예컨대, 학생들이 "How are you?"와 "Good morning"에 해당하는 스페인어 표현을 학습한다고 하자. 학생들은 주어진 상황에서 사용되는 표현을 식별할 수 있는 방법을 배워야 한다. 교수자는 학생들이 정확히 식별해 낼 때까지 예시 및 비예시 자극을 제공한다. 선행 조직자와 귀납적 추론이 다중 변별에 유용하다.

분류는 예시와 개념을 식별하는 기반을 점진적으로 배울 수 있도록 여러 형태의 예시와 개념을 제시할 때 습득된다. 개념 획득과 귀납적 사고가 분류에 적절하다.

규칙 활용은 개념을 상기시킨 후 여러 구체적인 상황에 적용하게 함으로써 촉진된다. 앞서 단어 철자를 가르치는 예에서, 학생은 ing를 붙일 때 마지막 자음을 하나 더 붙인다는 규칙을 상기하고, 적절한 예시 자료로 연습해 본다. 탐구 훈련을 통해 학생은 개념에서 규칙으로 나아가는 방법을 배울 수 있다. 개념 획득 및 귀납적 사고 모형도 적용 가능하다.

문제 해결은 주로 학생들 스스로 수행하는데, 그 이유는 문제 상황이 독특하기 때문이다. 특히 학생이 문제 해결에 필요한 규칙을 확보하고 있다는 것을 교수자가 알고 있는 경우, 학생이 바로 시도해 볼 수 있는 문제들을 제공받게 되면 문제 해결이 촉진된다. 탐구 훈련, 집단 조사, 창조적 사고법, 모의실험, 비지시적 교수 모형이 문제 해결 활동에 활용될 수 있다.

교수자의 기능

Gagné는 학습의 결과가 바로 학습자의 활동이라고 강조했다. 교수자의 기능은 학습자가 특정한 성과의 학습 성취 가능성을 향상시킬 수 있는 환경을 제공하는 것이다. 학습자가 필수적인 연관을 만들기 위해선 연습이 매우 중요하다. 그러나 그 필수적인 그 연관성을 만들도록 교수자에 의해 격려되었더라도 그 필연적인 연관성을 만드는 것은 바로 학습자이다. 교수자는 학생들의 활동을 대신할 수 없다. 우리는 이러한 Gagné의 의견에 완전히 동의한다.

교수자(혹은 교수 체제)는 다음의 교수 기능을 따른다.

1. 학습자에게 목표 알리기
2. 자극하기
3. 학습자의 주의 끌기
4. 이전 학습내용 회상 돕기
5. 수행을 이끌어 내는 조건 제공하기
6. 학습 절차 정하기
7. 학습 촉진과 지도하기

또한 교수자는 학생들이 배운 새로운 기술이나 지식을 다른 상황에도 적용할 수 있도록 학습내용을 일반화한다.

학습자에게 기대되는 목표를 알려 주는 것은 학생들에게 확실한 목표를 제공하는 데 있어 필수적이다. 예를 들어 교사가 "오늘 우리는 미국의 3명의 대통령에 대해 배울 겁니다. 그 분들의 이름, 그들이 살았던 곳, 무엇으로 유명한가에 대해 배울 겁니다." 그런 다음 교사는 Washington, Lincoln, Roosevelt의 사진을 보여 준다. 그들의 이름은 사진 밑에 써 있다. 사진과 이름을 가리키며 이름을 말하는 것은 학생들의 주의를 끌 것이다.

이전 학습내용의 회상을 위해서, 교사는 "어떻게 국가가 다양한 방식으로 성장하고 변하는가에 대해 토론했던 것을 기억하나요? 그 변화들이 무엇이었죠?"라고 말할 지도 모른다. 학생들은 나중에 배울 대통령들과 연관될 그들의 기억 속 내용에 도달 할 수 있다(회상할 수 있다). 학습 성취를 유도하기 위해서 교사는 학생들에게 세 대 통령의 이름을 대고, 그 각각의 삶에 대한 학습지를 읽도록 요구할지도 모른다. 그런 다음 그들이 배운 내용에 대해 학생들에게 물어볼 수 있다. 학습 유형이나 질문 주제 에 따라 다양한 절차들이 사용될 수 있다. 그러나 일반적으로 자극하고, 주목하게 하 고, 학습자들의 목표 이해를 돕고, 학습 성취를 유도하고, 그런 다음 학습내용의 일반 화 절차들이 주된 교수 과업이며 자연스러운 절차이다.

Gagné의 패러다임은 교수의 다양한 중요한 일반적인 원칙을 우리에게 상기시켜 주는데, 이는 학습자에게 요하는 목표 수준을 알리기, 일반화 돕기, 학습내용 적용이 다. 그는 우리가 학습을 통제할 수는 없지만 단지 특정 행동 유발의 가능성을 증가시 킬 수는 있다고 강조했다. 우리는 다른 것들과 밀접하게 연관된 것을 자극하고 학생 들에게 성취를(대답을) 요구할 수 있다. 그러나 학습지와 대답 사이에 연관을 만들어 내는 것은 바로 학습자이다(교수자가 학습지로 내용을 제공하고 관련된 내용을 물어 보지만 이것들을 연관시켜 받아들이는 것은 학습자이다).

그러나 근본적으로 외적인 학습조건을 서술된 바와 같이 통제했음에도 불구하고 수 업은 오직 중대하고 내적인 개별 학습 결과의 가능성을 높일 뿐이다. 잘 설계된 수업 은 확실히 그 가능성을 증가시킬 수 있다. 그리고 그렇게 함으로써, 전체 학습 절차를 더욱 확실하고, 예측 가능하고 효과적으로 만든다. 그러나 개개인의 신경 체계는 각자 자신만의 성취를 만들어 낸다. 물론 각 개인이 갖는 신경 체계 때문에 개인 차에 대한 연구가 필요하다(Gagné, 1965, pp. 291-313).

이러한 관점에서 교수 모형은 학생들에게 학습의 가능성을 바꿀 수 있는 구조를 가져다준다. 모형 구조는 학생들에게 과제를 주고, 교사의 반응은 특정 반응을 보이 도록 학생들을 이끌고, 사회 체계는 다른 사람들과의 특정 종류의 상호작용의 필요성 을 발생시킨다. 효과는 다양한 종류의 학습의 발생을 더 잘 일어나도록 하는 것이다.

Gagné의 위계이론은 우리가 다양한 교육의 목표에 적합한 모형을 선택하는 데 유 용하다. 또한 다양한 유형의 학습은 학생들이 학습에 참여할 때 반드시 제공되는 다 양한 개별적 모형과 주의집중에 의해서 촉진된다는 것을 상기시킨다. 예를 들어, 수

출과 수입 간 균형 같은 국제관계에 관한 문제를 귀납적 사고로 접근하는 학생들은 정보를 모으고(구체적 반응과 계열화), 그것을 조직하고(다중 변별과 분류), 그리고 문제 해결을 위해 이론을 성립한다(문제 해결).

국제교육에서의 수업 설계

Gagné의 위계이론을 적용해 보자. 초등학생부터 고등학생을 대상으로 한 국제교육에서의 교육과정을 설계해 보자. 이러한 복잡한 교육과정을 만들기 위해선 다양한 모형을 살펴보고 여러 모형의 사용을 고려해야 한다.

우리는 전체적인 목표를 다소 임의적으로 서술하면서 시작한다. 문제 해결 수준의 목표로 시작한다는 것에 주목하자. 이는 Gagné의 위계이론에서 다른 수준의 목표를 선정할 수도 있게 하기 때문이다. 계획에 있어 피해야 할 흔한 실수는 반응 수준에서 목표를 설정하고, 그런 다음 반응으로부터 더 복잡한 유형을 끄집어 내려고 노력한다는 것이다. 그보다는 가장 복잡한 수준에서(문제 해결) 목표를 설정하고 그런 다음 문제 해결을 가능하게 하기 위한 학습에 필요한 것이 무엇인지 결정해야 한다.

전체적 목표

사회과학 교육과정은 학생들이 인문지리학에 대한 실용적인 지식을 갖고, 세계에 직면한 중대한 문제들에 대해 생각하고, 다른 문화의 사람들과 생산적으로 상호작용할 준비가 되기를 요구한다. 이에 대한 근거는 개인적인 이해와 자국에 대한 이해, 전 세계의 발전과 경제적 경쟁력에 대한 사고를 위해 국제적 관점이 중요하다는 점이다. 특정 학년 수준에서 학생들은 지구본을 돌리며 국토에 대해 설명하고, 찾은 나라에 대해 상당한 수준의 정보를 갖게 되는 학습을 하고 졸업하도록 기대된다. 또 다른 학년 수준에서는 학생들이 몇몇의 대표 문화에 대한 상당한 지식을 갖고, 문화역사와 문화비교와 관련하여 세계와 국가에 대해 생각할 수 있기를 바란다. 하지만 또 다른 수준에서는 중요한 세계 문제의 해결책에 대해 생각해 보길 기대한다.

두 번째 목표는 심화된 읽기와 쓰기 교육과정에서 세계에 대한 연구를 활용하는 것이다. 특히 설명적 산문의 읽기와 쓰기가 이에 관련된다(이 목표는 모든 교육과정에 포함되어 있다).

조작적 목표 세우기

몇 가지 교수 모형은 교육 목적을 명확히 하고, 이를 바탕으로 교수 설계를 위한 목표를 세우도록 도와준다.

통합적 복합성, 인지 발달 및 자아 개념

개개인의 다양성에 중점을 둔 모형으로 시작해 보자. 전 세계와 그 다양한 문화의 이해는 학생들이 복잡한 문제에 관한 인식 발달과 문화 이해의 방법, 자기 문화와 다른 문화와의 개념을 조화시키는 방법을 찾기 위해 노력할 때 높은 수준의 통합적 복합성을 요구한다.

인지 발달 연구를 위한 체계는 각 연령에 적합한 다양한 목표들을 세우는 데 도움을 준다. 가장 어린 아이는 한두 개의 다른 문화에 관한 정보를 확실하게 수용할 수 있다. 그러나 문화적 영역에 관한 추상적인 생각은 다소 무리일 수 있다. 초등학생은 전 세계에 관한 인구통계학적 정보의 조작을 학습하고, 다양한 요인들 사이의 상관관계를 찾을 수 있다. 예를 들어 학생들은 나라의 부가 교육수준이나 비옥함 등과 연관되어 있는지 아닌지 물을 수 있다. 또 가시적이고 구체적인 다양한 주택, 가족 형태, 직업 등과 관련하여 문화를 비교할 수 있다. 중학교 학생들은 복잡한 다문화적 문제를 다루고, 더 추상적인 개념과 같은 다양한 것들과 관련하여 문화를 대조하고, 인구 성장이나 전쟁 위험, 세계 경제와 같은 특정 문제에 관해 다양한 나라들이 어떻게 대응하는지 추론할 수 있다.

자아 개념에 관한 연구는 여러 방법으로 도움을 준다. 첫째, 전체 교육과정은 학생들이 복잡한 내용을 배우고 통달하는 능력을 향상시키는 방향으로 행해져야 한다는 것이다. 둘째, 자기 이해가 매우 중요함을 상기시킨다. 세계 문화에 관한 생각은 실질적으로 이미 형성된 자기 이해적 관점과 일치하는 것이다. 즉, 학생들이 다른 문화와 연관시켜 자기 자신의 문화에 대해 생각하고 어떻게 문화적 가치가 생각과 행동에 영향을 미치는지 이해하도록 도와준다.

이 또한 교수 모형군의 관점에서 생각해 보자.

협동적 행동과 상호이해

사회적 모형은 학습자의 협력적인 학습 공동체 형성이라는 관점을 제공하고, 공동체가 함께 세계를 탐험하고 중요한 가치 질문을 드러내도록 도와준다. 역할극은 학생들이 탐구 과정으로써 그들만의 가치를 탐구하는 것을 도와준다. 법리학적 조사(13장 참조)는 우리가 그것을 명확히 함으로써 문제와, 다양한 대안들의 기초가 되는 가치 있는 입장에 접근하는 것을 도와준다.

학습 개념, 가설 설정과 검증

정보처리 모형은 다양한 사고 도구들과 관련된다. 개념의 발달을 위해서는 많은 정보를 처리하는 것이 필요하고, 관계에 대한 사고는 학생들이 검증해야 할 많은 가설을 부여할 것이다. 창조적 사고법은 학생들이 기존의 것을 깨고, 범세계적 문제와 국제적 관계를 위한 대안적 해결책을 만들도록 도울 것이다. 단어 연결법은 학생들이 친숙하지 않으나 많이 나타나는 용어를 습득하도록 도와주기 위한 것이다.

자기 활성화와 자기 주도성

개인적 모형을 제시한 저자들의 방법을 따른다면, 우리는 자기 주도적 탐구를 위해 많은 기회를 제공할 것이고, 학생들이 현재의 발달 수준에서 즉각적인 흥미나 작업만 따라가지 않고, 새로운 학습 영역에 관심을 가지고 학습의 "개인 최고기록"까지 스스로를 발전시킬 수 있도록 촉구할 것이다. 우리는 학생들의 감정을 주요한 연구 주제로 삼고, 지식이 개인에 의해 구성된 것임을 항상 인식할 것이다.

문해와 그림–단어 귀납적 모형

이번에는 그림–단어 귀납적 모형과 Gagné의 틀을 사용한 차시 계획 과정을 다음 시나리오를 통해 살펴보자.

▨▨▨ 시나리오 ▨▨▨

Hempshill Hall 초등학교의 Judith 선생님의 5학년 학생들은 독해 단어를 구성하고 있다. 학생들은 듣기, 말하기, 읽기에서 단어들의 구조(철자)를 분석하면서 발음공부로 공부를 시작한다.

아이들은 시골 풍경에 곰 인형이 있는 벽보를 마주하고 바닥에 앉아 있다(그림 19.1). 해당 벽보는 큰 전지의 중간에 붙여져 있다. Judith 선생님이 말했다. "우리는 이 그림에서 나오게 되는 단어를 통해 이번 주의 독해 단어를 얻게 될 겁니다. 그림을 잘 보고, 내가 한 명씩 호명하면, 나와서 그림의 물체를 가리키고, 그것이 무엇인지 말하면 됩니다. 그리고 선생님이 단어를 쓰고, 그림에서 해당 물체로 선을 그릴 겁니다. 이렇게 하면서 단어 읽는 것을 배우게 될 겁니다."

아이들은 그림을 공부한다. 조금 후에 Judith 선생님이 학생들이 함께 나누고 싶은 것을 찾았는지 질문한다. 학생들이 손을 들고 Judith 선생님은 Jessica를 지목했다.

Jessica는 일어나서 물체를 가리키며 말했다. "사다리(ladder)가 있어요." Judith 선생님이 사다리로부터 선을 긋고, 철자를 읽으면서 단어를 썼다. 선생님은 학생들이 주목하고 듣고 있을 때, "사다리(ladder)"의 철자를 다시 읽었다.

"이번에는 선생님이 철자를 다시 말할 테니, 따라 해 보세요." 선생님은 그렇게 하

[**그림 19.1**] 테디 베어

고, 또 다른 학생에게 단어를 물었다.

Brian이 "앉다(sit)"를 말하며 곰 인형을 가리켰다. "곰이 앉아 있어요(The bear's sitting)."

구체적 응답

Judith 선생님은 곰에서 선을 긋고 "곰이 앉아 있다."라고 썼다. 선생님은 단어의 각 철자를 쓰면서 읽고, 학생들이 차례로 단어를 고르게 하고, 말해 보게 하고, 철자를 대고, 철자를 따라 읽게 해 보았다. 선생님은 첫 번째 단어를 가리키며 물었다. "이 단어는 무엇이지요?"

"사다리(ladder)요." 학생들이 함께 대답했다.

"여러분이 이 단어를 보고서 기억이 안 난다면, 어떻게 해야 할까요?"

"그림 속에 사다리에 선을 그어요." 학생들이 대답했다.

"맞았어요. 그러면 이 단어는 무엇인가요?" 선생님은 the라는 단어를 가리켰다.

"the예요." 학생들이 다 함께 다시 대답했다. 선생님은 '곰이(bear's)'와 '앉아 있다(sitting)'도 같은 방법으로 분리하고, 전체 문장을 Nancy에게 읽어 보게 했다.

Nancy가 말했다. "곰이 앉아 있다(The bear's sitting)." 선생님이 물었다. "맞았다고 생각하는 사람?" 아이들은 손을 들었다. Judith 선생님은 계속해서 이러한 방식으로, 아이들로부터 단어를 끌어내고 개별 단어를 탐구하고 주기적으로 전체를 복습했다.

계열화

차시의 마지막에는 다음과 같은 단어 목록이 생기고, 아이들은 선생님이 가리키는 단어를 각각 읽을 수 있게 된다. Judith 선생님은 집에서 저녁에 부모님들과 함께 보는 책에서 배운 단어들을 알아볼 수 있는지 확인해 보도록 하고 수업을 마친다. 쉬는 시간 동안, 컴퓨터에 단어를 입력한 학생은 파일을 저장한다.

ladder	apple	leaf	bear
teddy bear	sitting bear	half-eaten	trunk
tree	apple tree	apple	trees
ate	basket	basketgrass	tree trunk
little trees	ladder	apple core	teddy
core	half-eaten apple	sit leaves	

다음 날, 아이들이 교실에 들어왔을 때, 몇몇 아이들은 그림으로 가서 단어들을 보고 각각 단어들을 말해 보고, 기억이 나지 않는 단어들은 해당 물건으로 연결선을 그려 본다. 그리고 다시 아이들은 다음 전지 옆에 앉고, Judith 선생님은 학생들이 단어와 관련성을 갖게 할 수 있도록 사진을 사용하여 단어를 읽어 준다.

다중 변별

Judith 선생님은 사진으로부터 얻어진 단어들의 파일을 가지고 큰 글자로 변경 및 프린트해서 각각의 아이들을 위해 단어 카드 묶음을 만든다. 이제 선생님은 아이들에게 그들의 묶음을 읽어 보게 하고, 만약 학생들이 단어를 기억하지 못하면, 전지에 가서 단어를 찾고 사진 속의 관련된 부분으로 연결해 보도록 한다.

많은 활동이 뒤따른다. 학생들은 단어를 보고 때로는 스스로 크게 말해 본다. 가끔 학생들은 선생님에게 묻기도 하고, 만약 학생들이 맞았다면 선생님은 스스로 사진에서 찾아보도록 했다. 곧 아이들은 단어 카드를 가지고, 전지에 단어를 적용하며 앉았다 일어났다를 반복하게 된다.

다중 변별 정교화

Judith 선생님은 사진을 전체적으로 나타내는 문장을 말해 보도록 했고, "곰 인형이 시골 풍경에 앉아 있다.", "사과가 사방에 있다."와 같은 문장이 나왔다. 한 아이가 질문했다. 사과 중앙을 가리키고 "누가 사과를 먹으려고 했을까요?"라고 궁금해했다. "곰 인형이 사과들을 먹을 수 있을까요?" Judith 선생님은 그 문장을 다시 말하고, 수업시간이 끝나기 전에 학생들은 함께 읽어 보았다.

분류

다음날 아침에 선생님은 학생들과 함께 큰 전지를 다시 복습한다. 그리고 선생님은 학생들의 단어 카드를 꺼내 보게 하고 철자가 어떻게 되는지에 따라 단어를 구성해 본다.

그들이 찾아낸 몇 가지 분류가 있다.

Jessica가 "'Tree'와 'trees'와 'ladder'는 두 개씩 같은 글자를 가지고 있어요." "대단해요! 그 글자들을 짚어 주겠니?" Jessica가 그렇게 했고. "누구 같은 이유로 단어를 같이 놓은 사람이 있을까? Nancy?" "저는 p가 두 개, d가 두 개 있어 'apple'과 'teddy'를 함께 놓았어요."

Brian도 "저는 'teddy'와 'ladder'가 중간에 'd'를 두 개씩 가지고 있어 같이 놓았어요."라고 덧붙였다. 선생님은 "함께 'apples'의 'apple'을 보자. 둘이 어떻게 같고, 다르지?" 몇몇 아이들이 손을 들었고 선생님은 Dylan을 지명했다. "s를 제외하고 철자가 같아요. 그리고 'apple'은 하나의 사과만을 말하고, 'apples'는 두 개의 사과에요."

규칙 활용

Judith 선생님은 왜 'tree'와 'trunk'가 함께 놓일 수도 있는지를 질문했다.

아이들은 몇 분간 고민하다가, 손을 들기 시작했다. Judith 선생님은 거의 대부분의 아이들이 생각해 낼 때까지 기다렸다가, Brendan을 지명했다. "아마도 'tree'와 'trunk'는 시작하는 소리가 같기 때문인 것 같아요." 그들은 Brendan의 대답에 대해 논의하고 선생님은 "소리가 같다."라고 적었다.

마침내 아이들은 전지 위의 단어들을 다시 한 번 읽었고, 오후 독해 시간에도 단어들을 찾아야 했다.

문제 해결

Judith 선생님은 그림-단어 귀납적 모형(5장 참조)이라는 전략을 사용했다. 이 모형은 아이들의 듣기와 말하기 단어들로부터 단어를 뽑아 내기 위한 것이고, 따라서 이러한 단어들이 학습되고 숙달될 수 있고, 분류를 통해서 발음 중심 교수법(phonics)의 기본을 다질 수 있다. 결국 단어 구별 문제를 풀고, 단어에 대한 시야를 개발하는 것이 학생들의 문제이다. 우리는 교수 모형을 사용해서 이러한 기술을 기를 수 있도록 도울 수 있다.

제20장

한계의 확장

불편함을 생산적으로 만들기

만약 우리가 너무 편안하다면, 우리의 성장은 멈춘다.
학생들은 편안함을 느끼는 영역 내에서 우리가 교수하기를 바라고 요구할 수 있다.
그러한 점에 대해 친절해 보자.
학생들이 불편함을 느끼며 배울 수 있도록 충분히 친절하게 도와주자.

— Herb Thelen이 Bruce Joyce에게

시나리오

일치와 불일치

첫 번째 학생: 그 사람은 계속해서 나에게 더 많은 생각을 하도록 요구합니다. 그는 나를 미치게 해요. 저는 12번도 넘게 모든 것을 적어야만 합니다.

두 번째 학생: 저는 거기서 행복합니다. 다른 사람은 저를 안절부절못하게 했어요. 그는 진한 파란색 연필을 사용하고, 제가 은유와 상징을 제거하길 원했어요.

첫 번째 학생: 이것은 마치 우리가 복도를 걸어 가는 동안에 우리의 인성을 바꾸어야
만 하는 것과 같아요.

두 번째 학생: 분명히, '그들'은 바뀌지 않을 겁니다.

이 시나리오는 너무나 흔한 슬픈 이야기이다. 이 장에서는, 학습 양식, 교수 양식,
교수 모형의 관계에 관해 명시적으로 다룰 것이다. 우리는 개인차와 다양한 모형을
통해 학생들을 생산적으로 가르치는 방법에 대한 일반적 입장을 제시할 것이다. 개
념 체계 이론(Harvey, Hunt & Schroeder, 1966; Hunt, 1971 참조)은 우리 사고의 아주
중요한 토대이다.

개인차는 성격의 독특성의 표현이라는 점에서 그 가치를 인정받아야 한다. 학습
양식은 이런 독특성의 교육 관련 표현이라는 점에서 중요하다. 개별적으로, 우리의
외형은 개별적 고유성을 부여한다. 그리고 함께 있을 때 그들은 또한 우리 문화의 풍
부함을 보여 준다.

우리는 아이들이 자신의 개별적 특성을 강화하고, 인성을 고무시킴과 동시에 우
리의 문화와 문화적 도구들을 전승할 수 있도록 공통의 교육을 제공할 수 있기를 바
란다. 학생들이 자신의 성장에 대한 조절력을 향상시킬 수 있도록 돕기 위해, 그 학생
들의 특성에 맞는 교수 레퍼토리를 사용할 필요가 있다.

교수 모형과 관련하여 두 가지 피해야 할 실수부터 살펴보자. 첫째는 교수 모형을
융통성 없이 고정된 것이라고 보고, 최고의 결과를 내기 위해 엄격하게 사용해야 한
다고 가정하는 것이다. 둘째는 각 학습자의 학습 양식이 바뀌거나 향상되기 어려운
고정된 것이라는 가정이다. 이러한 두 가지 오류는 어려움에 처하게 한다. 유연성 없
는 교수법이 융통성 없는 학생을 만나면 파괴적 충돌을 피할 수 없기 때문이다. 다행
스럽게 교수법은 융통성이 많이 있으며 학생들의 학습 능력 또한 다양하므로, 교수
모형은 적응적인 것이다.

우리가 그 동안 다루었던 교수 모형의 특성을 고려해 보자. 개인 모형군은 학생들
의 독특성으로 시작하며, 학생 자신이 스스로 성장을 책임질 수 있도록 돕는다. 사회
적 모형은 여러 다른 종류로 이루어진 생각과 성격의 상호작용으로 인한 동반 상승
효과에 의존한다. 집단 조사 모형은 학문적, 사회적 문제에 대한 다른 관점으로부터
배우고자 하는 열정이 외현적으로 생기게 한다. 행동주의 모형은 학생의 이전 성취

와 능력에 속도와 과제의 복잡성을 조절하는 기능을 교육 순서에 포함시킨다. 정보 처리 모형은 학생의 인지적 발달과 양식에 따라 수업을 조절하는 방법을 제공하고, 학습 능력과 생산적 적응 능력을 증진할 것이다. 중요한 것은 다양한 방식으로 학습 하기 위해서 학습자의 중요한 중심점을 포기할 필요가 없다는 점이다.

그리고 가장 중요한 논점은, 단지 정보, 개념, 기술 그리고 가치 분석과 내용의 목 적을 가르치기 위해 모형을 사용하는 것이 아니라, 학생들에게 그들 스스로를 교육 시킬 수 있는 각 모형의 전략을 사용할 수 있도록 가르쳐야 한다는 것이다. 이전 장에 서 학생들이 생각의 특정 방식을 배우도록 가르치는 방식으로 각각의 모형이 제시되 었다. 그 관점에서 각 교수 모형은 학생들이 그들의 현재와 미래의 문제에 접근하기 위한 양식의 확장을 돕는 학습 모형으로 보일 수도 있다.

하지만, 학생들을 새로운 내용과 학습 양식에 노출시켰다 해도 우리는 필연적 으로 학생들의 불편함을 초래하게 된다. 진정한 성장은 때로는 학습자들을 불편하 게 만들도록 요구하므로, 우리는 학생들이 그들의 불편함을 생산적으로 다룰 뿐 아 니라 그들을 위해 만들어진 익숙하지 않은 상황을 다룰 수 있게 도와주어야 한다.

불편함과 학습

나(Bruce Joyce)는 학습 양식과 교육 환경에 대한 논의에서 불편함이 왜 두드러지는 지를 보여 주는 개인적인 얘기로 시작하고자 한다. 나는 University of Chicago에서 Herbert Thelen의 ≪Education and the Human Quest≫(1960)의 복사본을 빌림으로써 그와 대화를 끝냈다. 나는 저녁 시간의 대부분을 그 책을 읽으며 보냈다. 다음날 우리 는 다시 한 번 이야기를 할 기회가 있었다. Thelen이 생성한 영향력 있는 생각들 중에 서 하나가 나를 가장 자극하고 불편한 상태에 빠지게 했다: 의미 있는 학습은 대개 불 편함을 동반하거나 불편함에 의해 억지로 하게 된다는 것이다.

종종 그는 이것을 다음과 같이 신랄하게 말하곤 했다. "학습자는 어떻게 반응해야 할지 모르면 배우지 못한다."(Thelen, 1960, p. 61) 많은 교육자들이 학생들이 스트레 스 없이 쉽고 편하게 배울 수 있는 방법들을 찾아다녔는데 Thelen은 학습자가 교수- 학습 사건이 일어나기 전에 자신의 목록에 없는 사고를 이해하거나, 기술을 수행할 수 있도록 하는 것이 바로 학습이 의미하는 바라는 명확한 딜레마를 기술했다. 이것을 다시 한 번 얘기해 보자. 만약 당신이 이미 어떤 것을 알고 있거나 기술을 가지고 있다면, 당신은 지식이나 기술이 필요할 때 그것을 불러낼 수 있다. 그렇지 않다면, 당신은 "무엇을 생각하거나 해야 할지를 모르는" 상황에 마주하게 된다. 따라서 만약 당신이 학습한다면, 당신은 변화했다는 것이다. 학습은 변화를 의미하는 것이다.

Thelen은 자신이 '집단 조사'라고 불렀던 교수법에서처럼 탐구 과정의 역동적 관점에서 이것을 바라본다. 집단 조사는 "학생들이 반응하고, 그들의 태도, 생각 그리고 인지 양식에 있어서의 기본적인 갈등을 발견할 수 있는 자극 상황"으로 시작된다(p. 8). 다시 말하면, 학생들은 현재 어리둥절하고 혼란스런 상황의 유형에 대처할 수 있도록 학습할(변화될) 필요가 있는 것이다.

이전의 여러 장에 걸쳐 우리는 다른 모형들을 검토하는 과정에서 이 참조 틀을 살펴보았다. 10장을 생각해 보면 탐구 훈련은 당황, 즉 우리의 현재 지식으로 수수께끼를 풀 수 없는 상황으로 시작한다. 아니면 우리가 과제를 생각하기 위해 유추를 사용하고, 우리의 현재 지식이 상황의 요구에 대응할 수 없는 딜레마를 해결하기 위해 배웠던 창조적 사고법에 대해 생각해 보자. 그림-단어 귀납적 모형에서 학생들이 이전에 알지 못했던 단어를 읽고 쓰도록 하고 그들이 이전에는 만들지 못했던 문장들을 만들도록 하며 탐구되기 전에는 그림에 들어 있음을 알지 못했던 내용을 찾아냈던 것을 떠올려 보자. 그러나, 성장이 "우리가 전에는 반응할 수 없었던 곳"으로 가는 것을 의미함을 받아들이고, 변화를 멀리하기보다 학습이라는 모험 속에서 편안함을 누리지 않는 한, 우리가 아직 가 보지 못했던 곳으로 가는 것은 우리를 불편하게 만들수 있다.

Thelen은 또한 학교교육이 반드시 순조롭고 편해야 한다는 믿음, 학습 과제는 학습자들에게 스트레스를 주지 않고, 쉬운 단계에 따라 움직여야 한다는 믿음으로 인해 심각하게 방해를 받고 있다고 생각했다. 따라서 그는 효과적인 학습 환경의 특성인 논쟁과 어렵고 불편한 과제를 많은 교실에서 줄이고자 하는 "편안함과 순응의 규준"에 대해 문제를 제기한다.

나의 첫 반응은 혼란스러움이었다. Thelen의 생각은 내가 학습자들이 부서지기 쉬운 존재이므로 지지하는 환경을 통해 보호하여 세상을 향해 나아갈 수 있을 정도로 편안함을 느껴야 한다고 배운 내용과 충돌하는 것으로 보였다. 어떻게 하면 학습자들을 편안하면서 동시에 불편하게 만들 수 있을까? 나는 Thelen에게 이 질문에 대해 물었지만 그는 단지 웃으며 이렇게 답했다. "이것이 바로 당신이 생각해 보아야 하는 복잡한 상황입니다."

다른 학문적 성향을 가진 심리학자들이 비록 이 용어를 항상 그대로 사용하지는 않았지만, 가끔씩 불편함의 개념을 다루어 왔다. 성격심리학자들이 그 예이다. 흔히 Carl Rogers에 대한 연구자들은 학습자들이 그들 스스로와 환경을 탐색해 보도록 안전한 환경을 제공하자는 그의 논점에 집중한다. 그러나 Rogers(1982)는 또한 학습자로서 우리의 자연적 성향은 우리가 이미 편안하다고 느끼는 영역 안에 우리 자신을 제한하는 경향이 있다는 것을 강조한다. 따라서 상담가와 교사의 가장 큰 과제는 학습자들이 공포로 가려져 있는 영역에 들어가도록 돕는 것이다. 학습자가 성장하려면 불편함을 인정해야 하고, 공포라는 장애물을 깨부수도록 돕는 과제를 설정해야 한다. 교육자의 과제는 단순히 학습자들을 제한하는 환경적 속박을 느슨하게 하는 것뿐 아니라 그들이 새로운 발전 후 다시 역동적인 탐구자가 될 수 있도록 돕는 것을 포함한다.

Maslow(1962)에 의하면 자아 실현은 위험을 감수하고 사람들이 모험하도록 하는 것뿐 아니라 익숙하지 않은 기술을 사용하기 위해 피할 수 없는 불편함을 참는 것을 포함한다. Maslow의 구인은 아동뿐만 아니라 성인들에게도 적용된다. 폭넓은 직원 개발 활동에 참여했던 교사들에 대한 4년간의 연구에서 교사의 자아 개념은 그들의 교실 환경에서 새로운 기술과 지식을 사용하는 능력을 예측하는 중요한 변수로 밝혀졌다(McKibbin & Joyce, 1980). 우리는 또 직원 개발의 중요한 성공요인이 새로운 능력 수준에서 기술과 지식을 사용하는 과정에서 수반되는 불편함을 생산적으로 다룰 수 있도록 돕는 것임을 알았다.

불편함의 역할과 이것을 생산적으로 다루기 위한 능력은 우리가 발달 단계 이론을 고려할 때 다른 모습으로 나타난다(Erikson, 1950; Harvey Hunt & Schroeder, 1961, Piaget, 1952 참조). 대부분의 발달 단계 이론은 단계를 통한 성장의 자연스러움을 강조할 뿐만 아니라 발달 정지의 가능성과 높은 단계의 발달에 도달했을 때 필요로 하는 순응에 대해서도 강조한다. Piaget의 이론을 생각해 보자. Piaget에 대한 연구자들은 새로운 정보에의 동화가 그 다음 발달 단계로 이끄는 순응을 필연적으로 강요한다는 Piaget의 견지에서 성장의 자연스러움을 받아들인다. 그러나 모든 사람이 Piaget의 단계처럼 위로만 발달하는 것은 아니다. 발달 지연도 가능할 수 있다. 다음 단계에 도달하는 데 필수적인 재배열을 불러일으키는 데 충분한 순응은 다음 수준의 핵심에 도달할 수 있도록 그 전 수준의 제한을 "놓아 버리는 것"이 요구된다. 만약 발달 단계의 주어진 수준의 편안함에 도전하지 않으면 학습자들은 인지 구조에서의 중요한 도약을 아마 행복하게 포기하게 될 것이다.

Hunt(특히 그가 1971년에 쓴 논문 참조)는 개념 체제 이론에서 환경과 발달의 상관성을 강조한다. 그는 발달의 한 단계에서 다음 단계로 진행이 촉진되는 동안, 사람들이 각 단계에서 효과적으로 기능할 수 있도록 해 주는 환경의 특징에 대해 설명한다.

만약 환경이 학습자의 발달 수준과 완벽하게 일치한다면, 학습자는 그 수준에 만족해하며 머물러 있으려 할 것이다. Hunt와 그의 동료들은 자극적인 언어를 사용한다. 환경이 지나치게 편안하고 "신뢰"할 만하다면, 학습자는 구체적 사고 단계에 만족해할 것이다. 구체적 사고 단계의 학습자는 새로운 정보를 통합시키고 새로운 개념 체제를 만들어 내는 능력에 한계가 있다. 익숙한 개념들은 학습자들로 하여금 세상을 "흑과 백"으로 보게 한다. 학습자들이 이러한 개념들에서 벗어나려면, 어떤 식으로든지 환경이 불만족스러워야 한다. Hunt의 발달에 대한 접근은 Thelen의 접근과는 매우 다르다. Hunt(1971)는 불편이 성장을 이끈다고 강력하게 말한다. 발달을 촉진하기 위해 교사는 의도적으로 학생과 환경을 어울리지 않게 만들어야 한다. 이렇게 하면 학생들은 개인의 익숙한 양식들을 쉽게 유지하지 못하고, 복잡성을 향하여 나아가게 된다(하지만 학생과 환경의 차이가 지나치게 커서는 안 된다. 왜냐하면 학습자의 개념 체제가 이러한 차이에 압도당해서는 안 되기 때문이다).

교사 훈련에 대한 연구는 교사가 새로운 교수법을 획득할 때 "불편함"을 느낀다는 것을 반복적으로 말해 주고 있으며, 이는 새로운 기술을 획득할 때의 성인들을 이해할 수 있도록 도와준다. 1968년부터 현재까지, 일련의 연구들이 교수 전략을 습득하는 교사에 대해 탐구하였다(Joyce, Peck, & Brown, 1981; Joyce & Showers, 2002; Joyce & Calhoun, 2010). 교사들은 다양한 교수 모형에 관한 이론 또는 기술들을 살펴보고, 여러 번 시연되는 것을 보고(15번 혹은 20번 정도, 연구자들은 믿게 되었다), 그 세밀하게 고안된 피드백과 함께 수십 번씩 연습함으로써 새로운 기술을 습득할 수 있었다. 그러나 교사들은 새로운 접근법을 사용하는 과정에서 상당한 불편을 경험했다(약 5% 혹은 10%). 소수 교사들만이 누군가의 도움 없이 불편을 다룰 수 있었다. 대부분의 교사들은 보조해 줄 인력이 없는 한 익숙하지 않은 전략을 결코 시도하지 않았다. 교사들은 처음 여섯 번 정도는 새로운 교수 전략을 시도했었다. 그러나 시도한 전략이 무엇이었든지 간에 교사들은 새로운 것을 사용하는 데 상당히 불편해했다.

새로운 전략을 시도하지 않는 것은 불편하기 때문이며, 부분적으로는 새로운 기술을 사용하기 위해 몸에 밴 익숙한 기술을 조정해야 하기 때문이며, 또 부분적으로는 새로운 기술에 노출된 학생들에게 그 기술과 관련된 보완적인 기술들을 가르칠 필요가 있기 때문이며, 또 부분적으로는 교사들이 오래된 전략에 비하여 새로운 전략에 확신을 느끼지 못하기 때문이다.

교사들은 연수를 통해 비교적 쉽게 새로운 전략들을 생성해 낼 수 있게 된 후에도 대다수가 이러한 전략들을 사용하지 않으려 했던 것으로 연구 결과가 나왔다. 그러나 새로운 전략들을 수차례 시도해 본 후에 교사들은 이 전략들을 사용하는 데 있어 편안함을 느꼈고, 열정을 가졌다. 이렇게 불편을 느끼는 시기를 보내는 데 필수적인 지원을 제공하는 것이 동료 연구 집단의 주요 기능 중의 하나이다.

개념적 수준(conceptual level, CL)은 새로운 전략을 획득하는 능력에 대한 예측 변인이다. 개념 수준이 높은 교사들은 새로운 모형들을 더 완전하게 숙달했으며, 그 모형들을 더 많이 사용하는 경향이 있었다(Joyce, Weil, & Wald, 1981). 개념 수준과 새로운 교수 전략을 학습하는 능력 간의 관계는 새로운 전략을 배울 때 동반되는 불편해하는 참석자의 감정을 어떻게 다루는지와 부분적으로 관련이 있다. 개념적으로 융통성이 좀 더 있는 교사들은 불편의 과정을 보다 효과적으로 다루었다. 그들은 학생들로부터 새로운 정보를 포함시켰고, 학생들이 느끼는 불편을 수용했으며, 가장 중요한 것은 새로운 교수 전략이 그들의 교실에 영향을 미칠 때까지 학습 과정을 잘 견디는 방법을 배웠다.

새로운 교수 전략을 사용하여 가르칠 때, 교사가 해야 할 중요한 일은 학습자들이 새로운 전략의 접근에 필요한 기술을 획득할 수 있도록 돕는 것이다. Hunt와 그의 동료들은 낯선 교수 전략에 대한 대응 과정을 조사했다(Harvery, Hunt, & Schroder, 1961). 이 연구자들은 학생들의 개념 수준이 다양한 것을 확인하고, 그들의 발달 수준에 적합한 교수 전략과 적합하지 않은 교수 전략을 적용했다. 거의 모든 학습자들이 다양한 교수 전략에 대응할 수 있었지만, 그 대응이 개인별로 상당히 달랐다. 구조를 매우 필요로 하는 학생들(낮은 개념 수준)은 구조가 느슨한 교수 전략에 더 불편함을 느꼈다. 반면에 독립적인 것을 선호하는 학습자들은 상당히 구조화된 교수 전략에 더 불편함을 느꼈다.

게다가 학생들은 자신이 선호하는 방식으로 행동하는 교사들을 "선호했다". 높은 수준의 구조화를 원하는 학생들은 그러한 구조와 학생들의 개성에 맞추어 전략을 적용하는 교사들을 "요청했다". 그런데 이상하게도, 학생들은 그들의 타고난 학습 양식에 어긋나는 교수 모형을 적용받았을 때, 더 긍정적인 태도를 가지고 불편을 극복할수 있었으며, 학습 환경과 생산적인 관계를 맺을 수 있도록 해 주는 기술을 개발할 수 있었다.

예를 들어, 타인과 어울리기를 좋아하는 사교적인 학생들은 사회적 모형들을 가장 편안해하므로 이를 활용하면 빠르게 효과를 볼 수 있다. 그러나, 덜 사교적인 학생들에게는 그들에게 편안하지 않은 모형이 필요하다. 이들을 위해서는 가장 편안한 모형이 아니라 다양한 기술을 발달시킬 수 있는 다양한 모형을 선택해야 하며, 그러한 모형들은 적어도 언뜻 봤을 때에도 그들의 학습 양식과 달라야 한다. 중요한 성장을 위해서는 불편이 필요하다라는 공식은 점점 발달하게 되었다. 만약 환경과 학생이 조화를 잘 이루고 있다면, 학생은 편안한 수준에서 작업하게 되므로 성장을 위한 도전이 필요하지 않을 것이다. 우리는 학생의 성장을 돕기 위해 역동적 불안정을 만들어 낼 필요가 있다. 교수법과 학생을 일치시켜서 학생의 불편을 최소화하는 방식보다, 얼마간은 불편을 겪겠지만 새로운 양상의 교수법을 학생에게 노출시키는 것이 우리의 일이다.

주변 학습자

학습자와 교육 환경에 대한 대부분의 문헌은 최적의 "편안함"을 위한 환경의 조정, 즉 학습자와 환경의 명확한 일치를 강조한다. 편안함의 정도를 최적으로 맞춘다는 개념은 흔히 학습 양식(뇌반구 우세성, 감각 양식, 다중 지능 등)에 대한 논의에서 많이 나타난다. 불편을 만드는 것이 가능한 일인지 생각해 보기 위하여, 가장 불편한 환경을 경험하고 있는 *주변 학습자*에 대해 논의해 보자. 현재 많은 교육자들이 이러한 주변 학습자들에 관심이 있으며, 이들을 위해 좀 더 생산적인 학교 환경을 만드는 방법을 찾고 있다(이 주제는 주로 *다양성*의 개념하에 논의되는데, 이상적인 주류에 부합되지 않는 학생들은 다가가기가 어렵게 여겨진다). 만약 우리가 주변이라는 개념을 고려한다면, 우리는 불편과 성장이라는 두 가지 쟁점을 바로 묶을 수 있다. 학습자와 교육 환경이 아주 미미하게 관련되어 있을 때, 우리는 환경을 변화시키고 "편안함에 대한 규준"을 다시 세우는 경향이 있다. 사실상 학습자들이 느끼는 불편함은 새로운 성장을 위해 어떻게 행동해야 하는가에 대한 단서일 수 있다.

주변이라는 상황은 학습자와 교육 환경이 서로 일치하지 않아서 학습자가 환경으로부터 이익을 얻기 어려울 때 존재하는 조건이다. 일부 환경은 학습자와 조금 관련이 있을지도 모른다. 그러나 다른 환경은 그렇지 않을 수도 있다. 주변의 범위는 이론상 *아무 것도 없는 것*(학습자들이 노출된 모든 환경이 그들에게 생산적인 경우)에서부터 *모든 것이 있는 것*(사실상 학습자들이 그들에게 생산적인 환경을 경험하지 못하는 경우)까지다. 교육자들은 환경을 만들어 낼 수는 있지만, 학습을 만들어 낼 수는 없다. 주어진 환경의 생산성을 고려할 때, 학습자 조건이 큰 변수가 되기 때문이다. 만약 학습자가 특정 환경의 경계에 있다면, 교육적 생산성은 저하될 수 있다. 더 나쁘게 말해, 만약 그 주변성이 매우 심하다면 심각한 부작용이 발생할 가능성이 커지게 된다. 그리고 학습자는 좌절하게 되며, 그 환경에서는 생산적일 수 없다는 것을 "학습"하게 될 것이다. 만약 지나친 좌절 경험으로 인하여 학습자가 이를 일반화하게 된다면, 학습자는 수업이 절망적이라는 교훈을 얻게 될 것이다.

학습자에 대한 가정

우리는 우리 학생들에 대해 어떻게 생각하는가? 우리는 다양한 관점에서 학생들을 생각한다. 각각의 관점은 학생들에 대한 가정을 가지고 있다.

문화화(Enculturation)

가정: 학습자들은 어느 정도 문화화되어 왔다. 미국 문화를 구성하는 행동 양식, 인공물, 각 나라의 문화를 구성하는 인지에 계속적으로 노출되어 왔기 때문이다. 보통 학습자는 평균보다 적은 어휘를 알고 있을 수도 혹은 그렇지 않을 수도 있다. 그러나 그들은 어휘를 소유하고 있고, 기본적인 언어 속성을 내면화해 왔으며, 문화 과정에 참여해 왔다. 그리고 사회 안에서 행동하며, 성인들을 관찰해 왔다. 즉, 학습자들은 우리와 문화적으로 다르지 않다. 문화적 경계 속에서 상대적으로 세련되지는 못할지라도 말이다. 그러나, 주변 학습자에 대한 설명들은 이들이 보통 교육 환경과 관련이 아주 적으며, 본질적으로는 하위 문화의 일원이며, 주류와 다르므로, 이방인으로 대해야 한다는 의미를 포함하고 있다. 이러한 말들은 거의 진실이 아니다. 인간은 문화를 학습하는 능력을 가지고 태어나며, 개인이 속한 사회의 주요 형태를 벗어난 문화 양식을 발달시키는 사람은 드물다.

지적 능력

Carroll(1977)과 Bloom(1971)은 지적 능력의 차이에 관한 분명한 입장을 가지고 있으며, 이들의 입장은 상당한 타당성을 가지고 있다. 이들의 입장은 이러하다. 현재 우리가 측정하는 지적 능력의 차이는 특정 학습 목표의 성취와 관련된 것으로 일시적인 것이다. 지적 능력에 관한 이 가정은 첫 번째 가정인 문화화와 관련이 있다. Carroll과 Bloom의 입장은, 다시 말하면, "낮은 지능"의 학습자는 아마 특정한 인지를 획득하기 위해 *상당히* 많은 시간이 필요할지도 모르지만 배울 수 있는 것과 관련해서는 문화적으로 다르지 않다는 것이다. 즉, 학습자는 우리의 일원이다. 우리들 중 누군가는 다른 사람들에 비해 교육 환경에 주어져 있는 일부 문화 요소를 습득하는 데 더 많은 시간이 걸린다. 우리는 주변 학습자도 주어진 상황에서 배울 수 있다는 낙관적인 가정을 할 수 있다. 다른 사람들에 비해 더 많은 시간이 필요할지도 모르지만 말이다.

낙인찍기

세 번째 가정은 특정한 교육 환경에서 무능력자로 사회적 낙인이 찍히게 된다는 것이다. 적응하지 못한 학습자는 다른 사람에 의해 사회적으로 낙인찍히고, 아마도 더 나쁜 영향은 문화적 규준을 내면화할 것이라는 점이다; 규준에 적응하는 데 실패하면, 학습자는 그 자신 스스로를 낙인찍을 것이다. 공식적 제도에서 보이는 것처럼, 교육은 주로 공개적인 활동이다. 그리고 사회의 강력한 힘은, 주변인적 상황에 처한 학습자를 공격한다. 이런 것이 잠재적 부작용이다. 주변인적 학습자는 두 번 상처를 받는다. 처음에는 좌절감을 느끼고, 다음에는 타인에 의해 낙인찍힌다(또는 스스로 낙인찍거나).

유연성

학습자에 대한 중요한 가정은 사람은 유연하다는 것이다. 사람은 고착되어 있지 않다. 그들은 성장하는 개체이고 상당한 적응 능력이 있다. 특정한 환경의 도움을 받거나 너무 불편하지 않다면 거의 모든 학습자는 아주 다양한 학습 환경과 관련된 잠재력을 갖고 있다.

학습 환경에 대한 가정

학습 환경은 문화적 관점에서 보면 서양 사회에 기원을 갖고 있는 기본적인 문화적 주제를 변형한 것이다. 바꿔 말하면, 교수 모형은 그 문화 내에서 다양성을 대표하지만, 문화적으로 다른 것이 아니다. 교수 모형은 속과 종이 같을 뿐만 아니라 같은 규준적 형태에 속하는 학자와 교사에서 비롯되었다. 그러므로, 교수 모형과 학습자는 같은 문화적 뿌리를 갖고 있다. 즉, 모든 학습 환경은 다양한 학생의 반응을 만들어 낸다. 어떤 학습 환경도 모든 학생들에게 정확히 동일한 효과를 나타낼 수 없다.

학습 환경을 학습자 간 차이에 반응하도록 설계한다면 적응적 학습 환경이 될 것이다. 교수 모형은 유연성이 없고 적용하기 힘든 형태로 학습자에게 단순히 적용해서는 안 된다. 적절하게 구성된 학습 환경은 고착된 것보다 유연한 것으로 비유된다. 학습 환경이 학습자의 특성에 따라 학습자를 유연하게 다루듯이 적절하게 구성된다면, 학습자는 학습 환경의 특징에 잘 적응할 것이다.

대안적 환경과 교육 결과

교수법 중의 일부는 특정 유형의 학습 결과가 나타날 가능성은 증가시키고 다른 결과가 나타날 가능성은 감소시킨다. 예를 들면, 탐구 훈련 모형과 역할극 모형을 비교해 보자. Shaftel의 역할극(Shaftel & Shaftel, 1967)은 학생이 자신의 가치를 검토하는 것이 가능하도록 설계되었다. Suchman의 모형인 탐구 훈련은 학생이 인과를 추론할 수 있는 능력을 키울 가능성을 증가시키도록 설계되었다. 이처럼, 모든 것들이 동일하고, Shaftels 모형이 학습 환경을 설계하는 데 사용된다면, 학생의 사회적 가치가 유용하게 될 가능성을 증가시킬 것이다. Suchman 모형이 사용된다면 학생이 인과를 추론할 수 있는 가능성을 좀 더 증가시킬 것이다. 이 두 모형이 교차되는 영역을 다루지는 않을 것이다. 그러나, 가치의 검토는 인과 추론 능력을 증가시킬 수 있으며, 활발히 수행되어 그렇게 되어야 한다. 이와 유사하게, Suchman 모형이 가치에 관한 인과를 추론하는 능력을 증가시킬 수 없다는 법칙은 없다. 어떤 주어진 순간에 Shaftels 모형은 인과 관계 추론을 가르치는 데 Suchman 모형보다 더 효과적이라는 것이 가능하거나, Suchman 모형이 사회적 가치에 접근하는 데 좀 더 효과적일 수 있다. 그러나, 오랜 기간에 걸쳐 볼 때는, 각 모형이 설계된 의도대로가 더 성공적일 것 같다. 그래서, 교육자가 학습 목표의 일정 범주 내에서 선택할 수 있는 모형의 레퍼토리를 갖고 있는 것이 현명하다.

주변성을 바로잡기 위한 해결책

주변인 학습자로 이제 돌아가 보면, 학습자가 어떤 주어진 학습 환경에 주변적 반응을 가질 때 어떻게 대처해야 할지를 고려하는 것이 문제이다. 주제 내에서 토론을 하기 위해서, 이전의 두 모형에 노출된 두 명의 학습자를 상상해 보자. 각 학습자는 한 환경에 긍정적으로 반응하고 다른 하나에는 그렇지 않았다. 어떻게 해야 할까?

이 예제에서, 각 학습자는 한 환경에서는 주변인이나 다른 환경에서는 주변인이 아니다. 하나는 상대적으로 수월한 방식으로 가치 학습에 관여할 것이고 다른 하나는 인과 추론을 할 능력을 증가시킬 것이라는 것을 추측할 수 있다. 아무것도 하지 않는다면, 두 명의 학습자 간의 차이는 아마도 더 증가할 것이다. 한 명은 가치의 학습을 더욱더 잘 할 것이고 다른 한 명은 추론 능력이 더욱더 나아질 것이다. 당분간, 왜 그런지에 관한 질문은 덮어 놓기로 한다. 즉, 각 학습자가 하나의 환경에는 반응하고 다른 하나에는 그렇지 않은 *이유*를 알아내는 것이 목적이 아니다. 그보다는 우리가 할 수 있는 것에 집중해 보자.

첫째, "가만히 있기"식 접근은 안 된다. 학습자가 비생산적이거나, 좌절감을 느끼거나, 혹은 생산을 혐오하는 상황 어느 쪽에도 놓이게 하는 것을 원치 않는다. 학습자를 문제가 되는 환경으로부터 벗어나게 하고, 좌절감을 제거하는 것 또한 거부한다. 학습자를 위해 불편한 모형을 제거하고 가장 편안한 모형이 무엇인지 정의한다. 긍정적인 면에서 보면, 거의 모든 학습자가 생산적으로 연관될 수 있는 교수 모형은 충분히 있다. 이미 그러한 예를 앞에서 진단해 보았다.

산업적 해결책

Hunt(1971)가 *산업적 해결책(industrial solution)*이라고 칭했던 것으로, 학습자를 최소한의 주변인이 되게 하는 교수적 접근법을 찾아서 사용하는 것이다. 이런 접근법은 어느 정도 실용적인 것으로 이해될 수 있다. 어떤 학습자들에게는 여러 종류의 목표를 성취하기 위해서 수업 모형을 선택할 기회를 제거하는 데 난점이 있음은 명백하다. 두 명의 학습자의 경우를 생각해 보자. Shaftel 모형은 가치의 학습을 증진하기 위해 멋들어지게 구성되었다. 주변인 학습자들에게는 가치의 학습을 위해 덜 멋지면서도 적절한 모형을 사용해야만 한다. 어떤 사용자에게는 단지 적정한 수준의 효율성 감소일 수 있지만, 오랜 기간에 걸친 많은 학습자를 고려해 볼 때, 산업적 해결책은 결손이 내재되어 있는 것이다.

그러나, 이것은 문제를 간과한 것이라기보다는 좀 더 효율적인 해결책이다. 또한 잘못 적용된 경우와 같은 큰 부작용이 일어날 가능성을 줄여 준다. 산업 모형의 성공은 학생과 학습 목표 둘 모두를 충족시킬 충분한 산업 모형을 발견할 수 있다는 가정을 기반으로 한다.

선택한 모형의 변경

다른 해결책은 모형을 학습자의 특성에 맞도록 조정하는 것이다. 특정한 학습자가 특정한 학습 환경에서는 왜 문제가 생기는지 그 이유를 알아낸 다음 환경의 특성을 변경해서 학습자가 적응하기 쉽도록 한다. 예를 들면, 초등 과학에서 탐구 훈련 모형을 사용한다고 가정해 보자. 이 모형이 불편한 학습자는 귀납적 추론의 모호성에 반응하는 것이 가능하다; 학습자는 정답에 바로 도달하기를 좋아한다. 그리고 틀릴 수도 있고 빠른 해결책을 제공하지도 않는 질문을 하는 것을 좋아하지 않는다. 탐구 훈련 연습의 과제 복잡성을 완화시키기 위해 단지 두세 개의 가능한 탐구 방안과 사고할 만한 지식을 가져올 수 있는 문제를 제시하는 것이다.

역할극을 하는 데 어려움이 있는 학습자는 문제를 해결해야 하는 상황을 만드는 동안 당황할 수 있고, "타인" 역할을 수행하는 데 어려움을 겪거나, 또는 가치 토론을 발견하는 것이 불편할 수 있다. 이런 어려움을 보완하려면, 이러한 것을 상대적으로 간단하고 직접적으로 만드는 방안을 안내하거나, 가치 분석에 필수적인 기능을 연습할 수 있도록 하는 것이다.

Hunt(1971)는 만약 학습자에게 "단일 모형을 적용한다"면 문제를 악화시킬 것이라고 지적했다. 학습자를 괴롭히는 것을 알아내기 위해 어려움을 선택했다면, 여러 가지 사항을 선택하여 환경을 변경할 수 있다. 비구조화된 구조를 증가시킬 수 있고, 고도로 구조화된 모형을 감소시킬 수 있고, 학습자에 의한 통제의 정도를 조절하고, 과제 복합성을 조작하고, 그리고 그 외의 다른 방식으로 그렇게 하지 않았다면 주변부에 있었을 사람을 위해 학습 환경을 안전하게 만드는 것이다.

이 해결책의 장점은 교사가 주어진 목적에 따라 "선택한 모형"을 계속 사용할 수 있도록 해 준다는 점이다. 즉, 특정 유형의 학습이 이루어지기 쉬운 모형의 견지에서 모형을 선택할 수 있도록 해 준다. 또한 학생들이 몹시 불편해할 가능성을 줄여 준다. 이 해결책은 학습자와 모형 간에 자연스러운 부조화가 극복하지 못할 만큼 큰 것은 아니라는 가정을 바탕으로 하고 있다. 학습자들은 교수 모형이 만들어진 동일한 문화의 구성원이기 때문에, 교사들은 어느 정도의 자신감을 가지고 개발된 도구를 환경에 도입하게 된다. 아주 다양한 교수 모형 내에서 기능하기 위한 역량이 부족한 학습자는 비교적 소수이다.

이 영역에 대해서는 연구가 많이 필요하다. 교수 모형들을 처음 접할 때, 학습자가 보이는 주변성의 다양한 수준에 따라 광범위한 모형을 어떻게 맞추어 조정할 수 있을지 연구해야 한다. 이와 같은 지식이 없다면, 교사는 얼마나 멀리 나아갈 수 있을지에 대한 불확실성을 떨쳐버릴 수 없다. 조화와 부조화에 관한 연구들이 일찍이 언급한 중요한 연구 결과 중 하나는 학생들이 환경에 미치는 영향을 조정하는 정도에 관한 것이다. 구조적인 것을 좋아하는 학생일수록 절차에 대해 더 많이 질문하고, 교수자에게 그들이 지금 무엇을 하고 있는지에 대한 보다 분명한 정보를 제공해 달라고 한다. 심지어 개방적인 모형일 때도 그렇다. 그들은 교사에게 주기적으로 그들에게 간섭해 줄 것을 요구하며, 진행되고 있는 것들을 다시 설명해 달라고 요구한다. 그들은 자신들의 지식의 입 크기에 맞게끔 교사가 모형을 한 입 크기로 나누어 주도록 만든다. 또 다른 학습자들은 정해진 구조성은 낮추고, 과제 복잡성에 따른 모호성을 증가시키면서 절차의 통제권을 쥐려고 한다. 이 책의 저자인 나는 이러한 연구들 중 일부에 참여했던 교사였으며, 많은 학습자들이 할 수만 있다면 교사들을 도와줄 것이라고 생각했었다. 학습자들은 생산적인 학습 환경을 갖고 싶어했고, 만약 교사가 그들에게 기회를 주었다면 교사와 함께 환경을 바꾸어 갔을 것이다.

학습자 유연성(flexibility) 훈련

주변성을 수정하기 위한 세 번째 해결책은 학습자에게 다양한 학습 환경에 대해 가르쳐 주는 것이다. 이전의 사례들을 유지하면서, 한 학습자에게 탐구 훈련과 관련하여 꼭 필요한 기술을 가르쳐 주었다. 다시, Hunt(1971)의 직접적인 모형 관련 기술 훈련에 대한 실험들은 이 영역에 대한 우리의 지식 중 상당 부분에 기여했다. 기술 훈련을 제공하려면, 학습자의 무엇이 학습자가 수업 모형에 대해 주변적 관계로 나아가게 하는지에 대한 진단이 이루어져야 한다. 이러한 훈련은 학습자가 그러한 환경 속에서 더욱 강력해질 수 있도록 도움을 제공한다. 교사 훈련에 대한 최근의 연구 중에 이 점에 대해 도움이 되는 것이 일부 있다. 모형이 교사가 계발한 습관적인 행태와 다르면 다를수록, 처음 그 모형을 사용하기 시작할 때 불편함이 더 커진다. 모형 실습과 모형 관련 기술 훈련을 합쳐서 실습하면 차이가 생긴다. 새로운 모형을 배우려는 교사를 지도할 때, 교사들은 그들이 어려움을 겪고 있는 특정한 부분을 확인하고, 우리들은 그들이 가진 특정 학습 문제들에 맞춘 직접적인 훈련을 제공한다(Showers, 1982a).

교사들은 학습자들이 환경과 관련한 기술들을 계발할 수 있도록 돕는 방법에 대해 배워야 한다. 학교에서 독특한 접근법으로 학습하는 학생들을 관찰하는 일은 흥미롭다. 또한 학습자들이 그들이 만든 환경에 더욱 효과적일 수 있도록 돕는 데 주목하는 것 역시 흥미롭다. 자기 주도적 활동을 강조하는 학교들은 학생들에게 자기 주도에 관여하는 방법을 가르쳐야만 한다. 고도로 계열화된 활동들을 갖춘 학습 실험실들은 학생들이 진단과 처방을 받고, 그러한 활동들에 관련되는 것을 배우도록 도와주어야 한다. 내가 가진 임상 경험의 일부는 상대적인 것이다. 이 책의 저자인 내가 Columbia University의 Teachers College에서 실험실 소장으로 있었을 때, 매우 다양한 모형을 운영해 보는 학습센터들을 구축했으며, 학습자들은 이 센터 안에서 이루어지는 활동들에 참여하기로 계약했다. 우리는 거의 모든 학습자들이 다양한 방법으로 학습하는 능력이 향상되었다고 확신하게 되었고, 그들은 그들에게 노출된 다양한 센터의 필요조건에 따라 그들의 학습 양식을 적응시켰다(Joyce & Clift, 1983).

만약 우리가 기술 훈련 접근을 심각하게 고려한다면, 우리는 학생들에게 적절히 다양한 범위 내에서 학습 환경에 참여하도록 가르치는 데 상당히 힘을 쏟을 것이다. 우리는 그들이 사실, 개념, 기술 등을 익힐 수 있도록 해 주고 정확하게 문제를 해결할 수 있도록 해 주는 학습 기술을 습득할 수 있도록 돕는다. 우리는 교육과정의 기본 기술로서 학습 기술을 포함하고, 교사로서 우리의 성공을 학생이 보다 효과적인 학습자가 되도록 돕는 우리의 능력으로 부분적으로나마 측정한다.

이러한 관점에서, 우리는 학습 환경과 관련하여 개인차를 새롭게 바라본다. 학습자가 특정 학습 환경에 불편해할 때, 우리는 학습자가 그 환경에 대해 더욱 잘 알 수 있도록 도와야 한다는 목표를 깨닫게 된다. 포기하기보다는, 학습자와 환경 사이에 생산적인 관계를 발전시키기 위해 필요한 특별한 지원과 연습을 학습자에게 제공하는 것이다. 따라서, 역할극에 어려움을 겪는 학습자는 그 기법을 사용하여 가치를 학습하는 것이 절대적으로 불가능할 것으로 보아서는 안 되며, 연습을 통해 능력을 발전시켜 나갈 수 있는 존재로 봐야 한다.

교사는 또한 발견적 학습법으로서 Carroll(1971)과 Bloom(1971)의 공식을 사용하여 속도를 조절한다. 교사는 모든 학습자들이 다양한 환경에서 이익을 얻을 수 있다고 가정한다. 그러나 어떤 학생은 다른 학생들에 비해 특정 환경에서 생산적이 되는 데 시간이 좀 더 필요할 것이다. 학습자가 주변성을 가지게 되는 이유 중의 하나는 그들이 환경에 익숙해지는 데 허용되는 것보다 더 빠른 속도로 작업할 것을 요구받기 때문이다. 비록 완전 학습이 대부분 초등학교에서의 기본적인 기술 범위 내에서 적용되고 있다고 할지라도, 우리는 그러한 원리들이 모든 형태의 학습 목표를 숙달하는 능력에 적합할 것이라 생각한다. 그러나, 일부 학습자들은 Carl Rogers의 이론에 부합되는 환경에 잘 적응하는 데 다소 더딜 수 있다. 또 다른 학습자들은 발산적 사고에 적절한 모형으로 그들의 사고방식을 적용하는 데 다소 느릴 것이다. 또 다른 학습자들은 개념 학습에 적절한 모형으로 개념을 획득하는 속도가 느릴 수도 있다.

주변성 학습자들을 위한 특별한 모형은 없다. 환경이 학습자의 특성에 맞추어 조정되고, 교사가 보다 효과적으로 학습하는 방법을 학생들에게 가르치는 데 집중한다면, 모든 학습자들은 이 문화의 일부가 되며, 현실적으로 상당히 광범위한 환경에 대해 배울 수 있다.

심각한 감각 장애를 가진 사람들과 함께 한 경험은 여기서 고려할 만한 사안을 제시한다. 교수 모형의 관점에서 볼 때 시각장애인이나 청각장애인을 위한 특별한 모형이 없다. 그들은 상당히 다양한 환경에 대해 배울 수 있고, 보다 중요한 것은 그 환경에서 이익을 얻을 수 있다는 것이다. 그들이 생산적으로 학습하도록 돕는 데 실패한다면 다양한 분야에서 그들이 성장할 기회를 막는 것이다. 점차적으로 더 다양해지는 환경에서의 학습 그 자체가 곧 성장이다. 그러한 성장이 학습을 위한 더 많은 가능성을 이끌 것이다.

성장 지능

학습자로서 우리의 특성은 흥미로운 모순을 내포하고 있다: 중요한 성장은 변화가 요구된다. 우리가 편안하게 사용하던 생각의 방식을 포기해야 하고, 익숙하지 않은 생각, 기술, 가치를 받아들이는 데 필요한 진통을 겪어 내야만 한다. 성장을 향한 욕구는 우리의 근성 안에 내재되어 있다. 우리는 발전을 향해 나아가게 되어 있다. 그러나 역설적이게도, 우리는 우리의 존재를 그 자체로 보존하려는 타고난 성향도 가지고 있다. 사실 향수는 성장하지 않고 변하지 않음에 대한 동경이다. 우리는 우리가 어리고 정식 교육을 받지 않았을 때 우리가 할 수 있었던 방식을 계속하고 싶어한다. 기묘하게도, 이에 대한 해답은 우리를 변하게끔 하는 환경을 조성하기 위해 불균형을 만드는 것이며, 특정 단계에서 우리의 모습을 버리는 것이 아니라, 그 단계 위에 생산적으로 구축하는 것을 학습함으로써 변하는 것이다. 우리에게 주는 Thelen의 조언이 맞다: 학습자들은 현재 상태를 뛰어넘어 다른 수준으로 성장을 지속할 구조물을 개발하기 위해 다양한 의견과 문제들에 직면해야 한다.

우리가 유아일 때, 변화의 과정은 우리 안에서 일어난다. 우리는 언어를 학습하려고 의도하지 않았지만 학습하게 되고 변화하게 된다. 우리가 걸을 거라고 기대하지 않았지만, 걷기는 이전에 갈 수 없었던 곳으로 우리를 이끈다. 그로부터 머지않아 우리는 우리의 문화를 배우고 우리가 영원히 거기에 머무를 수 있다는 것에 만족하는 상태에서 기능하기 시작한다. 교육의 목적은 우리가 성장을 위한 전제조건으로서 변화의 불균형을 인정할 수 있도록 조건을 형성하는 것이다. 이는 우리가 우리 자신을 넘어서서 보다 풍부한 이해를 향해 나아가고 우리 안에 있는 지혜를 받아들일 수 있도록 하기 위함이다. 우리가 우리 자신을 발전시키기 위한 여정에서 한 곳에만 머물러 있지 않는다면, 그러한 불편함은 당연히 받아들여야 하는 것이다.

Emily Calhoun과 나는 읽기를 힘들어하고 있는 4학년부터 12학년까지 학생들을 위해 "overage beginning readers" 교육과정을 개발해 왔다. 그 중의 약 절반은 학습장애를 가진 것으로 진단되었다. 우리는 이 교육과정을 "A Second Chance to Learn to Read"라고 부른다. 이 교육과정을 Alberta 지역의 the Northern Lights School에서 개발된 용어인 "Read to Succeed"라고 칭한 학교구도 있다(Joyce, Hrycauk, Calhoun, & Hrycauk, 2006). Second Chance는 학생들이 어휘 시야를 개발하고, 단어의 구조를 탐구하고, 광범위하게 읽고, 읽어서 배운 것을 쓰도록 가르치는 다각적인 접근방식이다. Second Chance에 참여하기 전, 학생들이 역사 과목에서 얻은 Grade Level Equivalent(GLE) 평균은 약 0.5였다. 1년 후, "일반적으로" 읽기를 어려워하는 학습자들과 학습장애를 가진 학습자들이 얻은 평균은 두 범주 모두 약 2.0 GLE였다. 이러한 사춘기 이전 그리고 사춘기에 실패했던 학생들이 새롭고 긍정적인 성취의 세계로 들어오게 되었다. 다시 말해, 우리의 교육과정은 초기 단계에 이러한 학생들에게 불편함을 발견하는 경험을 제공해야 한다. 그러나 그들은 불편함을 극복해야 하는데, 그렇지 않으면 제대로 작동하지도 않는 학습 전략을 계속 사용해야 할 것이다.

만일 우리 스스로가 성장하길 바란다면, 계속해서 동일한 설계를 사용할 때 우리의 연구 결과가 발전하지 않을 것이라는 사실을 배워야 한다.

우리는 모든 관련 학문과 하위 학문을 다루는 행동과학의 방법론에 대해 연구한 Abraham Kaplan(1964)의 관점에 끌리게 된다. 그는 그의 탐구를 소개하면서 이렇게 말했다.

이 책에는 인간에 대한 연구이든 다른 과학 분야이든 상관없이 "과학적 방법"의 정의가 포함되지 않을 것이다. … 왜냐하면 정의될 수 있는 것은 전혀 없다고 믿기 때문이다. … 누군가는 야구에서의 "방법"을 말할 수도 있다. 거기에는 던지고, 치고, 달리는 방법들이 있다. 그리고 수비하는 방법, 대타자와 구원 투수 같은 운영 전략도 있고, 신호, 지도, 집단 정신을 유지하는 방법도 있다. 더욱이 이 모든 것은 게임을 다 잘 하는 데 관련되어 있고, 이러한 방법들 각각은 셀 수 없이 많은 변형이 있다. 물론 우리는 경기하는 데 오직 한 가지 방법만이 있다고 말할 수도 있다. 공을 칠 때에는 득점하는 것이고, 치지 않을 때에는 득점을 막아야 하는 것이다. 그리고 "과학적 방법"에 대한 일반적이고 관념적인 정의도 이 진술문이 주는 정도의 도움이 될 뿐이다. … 만약 우리가 복잡성을 충분히 고려한다면, 나는 P. W. Bridgman이 말한 다음의 발언을 능가하기 어려울 거라고 생각한다. "과학자는 최선을 다하는 것 외에 다른 방법이 없다."(Kaplan, 1964, p. 27)

부록

동료 코칭 가이드

다음에는 교수 모형을 탐구할 때 교사들이 짝을 이뤄서 또는 개별적으로 사용할 수 있도록 동료 코칭 지침이 제시되어 있다. 이 양식들은 동료 코칭 집단의 구성원들이 서로 관찰하고 그 관찰 경험에서 도움을 얻고자 할 때 계획과 의사소통을 원활하게 할 것이다(동료 코칭 과정과 목적에 관한 정보는 Joyce와 Calhoun(2010)을 참조한다). 이 양식들은 연구집단의 구성원 간에 아이디어 공유를 촉진하기 위해서도 사용될 수 있다.

그러므로, 이 양식들은 동료 코칭 과정에서의 양쪽, 수업 차시를 계획하고 연출하는 교사와, 이 모형을 연구하고 학생의 반응을 이해하도록 동료를 돕는 짝 모두를 위해 마련된 것이다. 양쪽은 수업에 대한 실험에 지속적으로 관여하고 있다. 각각은 목적이 동일한데, 교사와 학생 간의 교류를 분석하는 능력과 정보와 개념을 학습하는 방법을 학생에게 가르치는 능력을 증진하고자 하는 것이다.

이 지침은 한 명이 교수 상황을 계획하고, 다른 한 명이 모형의 단계별로 학생의 반응을 관찰하고, 연구하면서 특정 수업 차시(한 시간 분량)에 대해 동료 코칭 팀(대개 2인) 간의 생산적인 교류가 이루어지도록 하기 위해 사용된다. 이 팀에서 전자가 교사, 후자가 관찰자로 지칭된다.

이 지침은 또한 수업 차시를 계획하는 것을 지원하고, 모형의 핵심이 되는 특징들에 대한 학생 반응을 관찰하는 데 초점을 맞추도록 하기 위해 사용된다. 교사는 계획을 명확하게 하기 위한 지침의 기재 사항들을 작성함으로써 관찰자를 준비시킨다. 관찰자는 관찰 목록표를 채우고, 그 결과를 교사와 논의한다. 양쪽은 모두 동반관계를 형성하여 학생의 반응을 연구하고, 학생이 보다 효과적으로 학습하도록 돕는 방법을 계획함으로써 이득을 얻게 될 것이다. 관찰자가 있는 이유는 가르치는 사람에게 더 잘 가르치는 방법을 코칭하기 위해서가 아니라(둘 모두 학습하고 있는 모형에 대해서는 초보자이다), 관찰을 통해 학습하고 자신의 짝에게 학생의 반응에 대한 정보를 제공하는 것으로 도움을 주기 위해서이다.

한 회기나 차시를 계획할 때에는, 지침서에서 "교사의 과제"로 표시된 곳까지 읽고, 필요에 따라 기입한다. 각 지침에서 "교사의 과제"는 각 모형에 대해 안내한다. 관찰자는 교사의 계획에 익숙해지고, 관찰된 것을 기록하기 위해 이 지침을 사용할 수 있다. 관찰자는 자신의 기능이 동료에게 전문가로서의 코칭을 하는 것이 아니라, 교사의 요청에 따라 학생을 관찰하고, 전체 과정을 관찰하여 자신의 교수에 대한 아이디어를 얻는 것임을 명심해야 한다. 이 교사는 관찰자를 위해 교수를 시연하고 있다는 점에서 코치인 것이다. 가르치면서 관찰되고 있는 사람이 코치가 되는 것이다.

동료 코칭 가이드: **선행 조직자**

수업을 시작하기 전에 교사는 관찰자가 집중해야 할 것에 대해 얘기한다. 이것들은 관찰을 위한 암시들이며, 나중에 논의로 이어진다. 교사와 관찰자는 학생이 반응하는 것을 지켜보는데, 이것에 초점을 두어 논의할 것이다.

교수 과정

대부분의 교수 차시는 내용과 과정에 대한 목표가 있다. 내용 목표는 정보, 개념, 이론, 사고의 방법, 가치, 그리고 학생들에게 경험에서 배우기를 기대하는 것이 포함된다. 과정 목표는 학습의 방법—학습력을 증가시키는 사회적이고 지적 과제의 수행이다. 교수 모형이 사용되는 경우 과정 목표는 모형에서 제시된 과제에 학생이 효과적으로 참여할 수 있도록 한다.

교사의 과제

관찰자에게 초점을 제시하기를 원하는가?

내용 목표

관찰자에게 이 수업 차시의 주요 목표가 되는 개념과 정보를 말한다. 어떤 유형의 정보가 학생에게 제시될 것인가? 어떤 개념이 정보를 조직하기 위해 제시될 것인가? 개념과 정보는 학생들에게 새로운 것들인가?

_____

_____

_____

_____

과정 목표

이 차시에서 관련되어 있는 과정 목표가 무엇인지 관찰자에게 알려 준다. 예컨대, 조직자를 이해하고 사용하는 방법, 자료를 개념 구조에 관련시키는 방법, 새 자료를 조직자에 묶는 방법, 또는 학습한 것을 새 정보와 기능에 적용하는 방법 등을 학생들이 학습하도록 돕는 것이다.

_____

_____

_____

_____

_____

1단계: 조직자 제시

이 모형의 핵심은 학생들이 습득하고자 하는 자료를 개념적으로 조작하도록 유도하기 위해 아이디어의 조직화를 사용하는 것이다. 교사는 자료를 지적 비계인 개념들로 조직하고, 이 개념을 학생들에게 제시하여 새 정보를 이것들에 관련시키거나, 익숙한 정보를 보다 강화된 개념 틀 안에 재구조화할 수 있도록 한다. 비록 일련의 주제들로 정보를 세심하게 조직하면 학습이 촉진되지만, 우리는 보다 상위에 있는 개념들을 조직하는 것을 마련하여, 학생들이 하나의 주제에만 정보를 연합하는 것을 뛰어넘어, 자료에 대해 자연스럽게 생각하는 것보다 훨씬 더 복잡한 수준에서 생각할 수 있도록 한다.

조직자(조직자 체제)를 기술하고, 학생들이 자료를 개념화하도록 어떻게 도울 것인지 논의한다. 조직자를 어떻게 제시할 것인가?

_____

_____

_____

_____

_____

2단계: 정보 제시

이 모형의 목적은 물론 추상화의 여러 단계, 즉 자료, 개념, 이론, 사고 체제 등에서 자료의 학습을 촉진하는 것이다. 모든 가능성이 열려 있다. 이 도구는 학생이 공식적 자원이나 환경으로부터 정보를 찾아 돌아다니고, 읽고 보면서 정보를 습득하는 능동적인 수신자의 역할을 부가한다. 이 정보는 독서, 강의, 필름이나 테이프, 다른 유형의 매개된 형태나 여러 형태의 조합을 통해 제시될 수 있다.

제시될 내용과 방법을 기술한다. 가장 학습되길 바라는 내용과 앞으로 어떻게 적용되기를 원하는지 기술한다.

_____

_____

_____

_____

_____

3단계: 조직자를 내용 제시와 연결

조직자에 의해 정의된 개념 구조는 제시된 정보와 통합되고, 학생 개인의 지적 구조와 부합되어야 한다. 학생이 연습을 통해 이러한 과제들을 대부분 혼자서 수행할 것이지만, 학생이 개념과 자료의 관계를 명시적으로 만들고 조직 구조를 성찰하는 기회를 제공하는 활동을 제시하는 것이 현명하다. 예를 들면, 우리는 조직자 중의 하나와 정보와의 관계를 보여 주고, 학생이 추가적인 관련성을 제안하도록 유도할 수 있다. 또는 학생에게 조직자를 자신의 언어로 고쳐서 이것들과 자료의 여러 측면들과의 관계를 제시하도록 요구할 수도 있다.

조직자와 제시된 자료를 연결하는 것과 더불어 조직 구조를 학생의 개념 구조에 통합할 가능성을 높이기 위해 어떻게 제시하고 과제를 어떻게 제공할 것인가?

4단계: 적용

정보는 간혹 학생에게 전조를 제시하여 어떤 기능을 학습하고(노래 부르는 것에 대한 학습을 촉진하기 위해 음표를 가르친다), 문제를 해결하는 것(기계학에 대한 지식은 지레 장치가 요구되는 문제에 적용될 수 있다)을 돕는다. 우리는 또한 학습한 것을 그 다음의 학습 과제에 적용한다(방정식의 일반적인 개념은 다수의 수학적 과제를 숙달하는 데 유용하다).

이 시점에 명시적인 적용 과제를 제시하고자 하는가? 만약 그렇다면, 그것을 간략히 기술한다.

_____

_____

_____

_____

_____

마지막으로, 관찰자에게 초점을 제시하고자 하는가? 그렇다면, 그것이 무엇인가?

_____

_____

_____

_____

관찰한 다음에, 이번 차시에 대한 관찰자의 분석에 관해 생각해 보자.

관찰자의 과제

1단계: 조직자 제시

첫째, 조직자에 대한 학생의 반응에 관하여 전반적인 견해를 적는다. 학생들이 그것을 흡수하는 것으로 보이는가? 조직자가 어떻게 기능하는지, 그들의 과제가 새 자료를 배우고 이 조직자에 관련시키는 것을 이해하는 것으로 보이는가?

_____

_____

_____

_____

2단계: 정보 제시

학생의 반응에 대해 견해를 적는다. 학생들이 학습한 것에 대해 명확히 알고 있는가? (학생의 관점에서 생각할 때) 조직자가 자료와의 관계에 있어서 어떻게 기능하는지가 명확한가?

_____

_____

_____

_____

_____

3단계: 조직자를 내용 제시와 연결

이 단계에 대한 견해를 적는다. 학생들이 조직 구조와 학습될 자료와의 관계에 관해 명확하게 알고 있는 것으로 보이는가?

_____

_____

_____

_____

4단계: 적용

적용 과제가 제시된다면 학생이 새 자료에 전이하는 능력에 대해 의견을 제시한다.

_____

_____

_____

_____

관찰 후 논의

대부분의 동료관계에서, 지도력은 공유된다. 교사는 가끔 탐색해야 할 중요한 쟁점을 가지고 있을 수도 있는데, 이러한 쟁점이 논의를 지배할 수도 있다. 학생의 반응 중에서 특정 부분이 관찰자의 주의를 끌기도 한다. 논의가 다음 차시를 계획하는 것으로 끝나기도 한다. 그렇지만, 논의가 무한대로 이루어지지 않도록 해야 한다. 20분이면 대개 관찰 후 논의에 충분하다.

동료 코칭 가이드: 협력 학습 조직

여기서 제시하는 다른 지침과는 달리, 이 양식은 교수의 계획과 관찰을 돕기 위한 것으로 특정의 교수 모형에 맞춰져 있지 않다. 그러므로, Robert Slavin(1983), 또는 David Johnson과 Roger Johnson(2009)에 의해 개발된 구체적인 협력 학습 전략이 다뤄진 것은 아니며, 철학이 비슷한 집단 조사(Sharan & Hertz-Lazarowitz, 1980b; Thelen, 1960)를 다루고 있는 것도 아니다. 집단 조사는 주요한 민주주의 과정 전략으로 다른 지침에서 다뤄진다. 그러나, 그 정신만은 맞다.

여기에서 초점은 특정 모형이 사용될 수 있는 협력적 조직을 수립하는 것에 있다. 학생들을 연구집단과 동료관계로 조직하는 것이 핵심이다. 이러한 집단은 예컨대 귀납적 학습 모형(제3장)을 사용하는 독립적인 영역을 공부할 수도 있다. 그리하여, 교실이나 다른 수업 현장에서 협력적 학습 조직은 교수의 여러 방식과 조합하여 활용될 수 있는 협력적 연구를 위한 환경을 제공한다.

이 지침은 여러 가지 선택사항을 기술하고 있으며, 교사가 이들 중에서 선택하거나 또 다른 것을 생성하도록 한다. 관찰자는 학생의 생산성을 분석하고, 다른 학생이 보다 생산적인 행동에 관여하도록 돕는 방식을 식별하려고 한다. 다음에 제시된 사례들은 귀납적 교수 모형을 참조하고 있다. 두 개의 지침을 동시에 사용하는 것이 유용할 것이다.

다른 모형이 사용될 때, 유사하게 사용한다면 협력 학습이 될 것이다.

짝과 팀 조직

본질적으로 우리는 학생들을 조직하여 교실에 있는 모두가 수업 과제를 함께 수행할 동료를 가지도록 하고자 한다. 예컨대, 학생 한 쌍은 귀납적 모형에 따라 작업하면서, 정보를 수집하고, 범주를 개발하고, 인과적 관계에 대한 추론을 만든다. 이 동료관계(장기간일 필요는 없다. 그러기도 하지만)는 팀으로 조직된다. 예컨대, 28명의 학생이 한 학급에 있다면, 4명을 한 팀으로 하여 7팀이 구성된다. 4명을 초과하여 팀을 구성하는 것은 권장되지 않는다. 이 팀들은 귀납적 모형을 사용하여 자료를 수집 및 조직하고, 추론을 만드는 데도 운용 가능하다. 동료관계(partnership)는 팀을 쉽게 조직하여, 작업을 분담할 수 있게 한다. 예컨대, 각 팀은 특정 자원에서 정보를 수집하고, 팀을 위해 그 정보를 자료군으로 축적한다. 이와 비슷하게, 팀의 자료군이 학급의 자료군으로 축적될 수 있다. 팀은 이러한 자료군으로 작업할 수 있고, 그 결과를 다른 팀의 결과와 비교 및 대조해 볼 수 있다.

팀의 구성과 동료관계는 학생 선택, 무작위 선택, 이질성과 잠재적 협력 작용을 최대화할 수 있는 교사 안내 선택 등과 같은 여러 가지 방법으로 조직될 수 있다.

팀에 대한 지시는 학습활동 전반에 걸쳐 학생들을 안내하는 명시적 절차로부터 학생들에게 조직의 대부분을 맡겨 두는 일반적인 절차에 이르기까지 다양하다. 다른 지침에서처럼 교사는 관찰자에게 계획에 대한 정보를 제공한다.

교사의 과제

관찰자에게 주안점을 제안하기를 원하는가?

이 교수 차시를 위해 학급을 어떻게 조직할 것인가? 어느 정도 크기로 얼마나 많은 집단이 만들어질 것인가?

_____

_____

_____

_____

구성원은 어떻게 결정될 것인가?

_____

_____

_____

_____

어떤 교수/학습 방법이 사용될 것인가? 특정 교수 모형을 사용하지 않을 것이라면 수업 전략은 무엇인가?

_____

_____

_____

_____

수업 차시 전반에 협력집단을 어떻게 활용할 것인가? 짝, 학습집단, 또는 전체 학급에게 협력적 과제로는 어떤 것이 제공될 것인가? 예컨대, 귀납적 수업이라면, 짝으로 자료를 수집, 분류, 추론하게 될 것이다. 또는 짝으로 자료를 수집하지만, 전체 학급의 것을 모아서 분류 활동을 할 수도 있다. 짝을 지어 단어, 시, 지도, 수치 자료와 계산, 또는 그 외의 자료를 공부할 수도 있을 것이다. 여러분의 계획은 무엇인가?

_____

_____

_____

_____

그리고, 관찰에 앞서 관찰자에게 주안점을 제공하기를 원하는가? 그렇다면, 그것이 무엇인가?

_____

_____

_____

_____

관찰자의 과제

계획을 충분히 숙지한 이후에 교실에서 학생들을 밀접하게 관찰할 수 있도록 상황 속으로 들어간다. 교수 차시 전체에 걸쳐서 이 학생들의 행동에 집중하고, 이들이 짝, 집단, 또는 다른 형태의 조직으로 과제를 수행하는지 살핀다. 이들의 수행에 대한 의견을 기록한다.

_____

_____

_____

_____

학생들이 수행해야 할 과제에 관하여 명확히 인지한 것으로 보였는가? 그렇지 않았다면, 학생들이 명확히 인지하지 못한 것이 무엇이었는지 식별할 수 있는가?

_____

_____

_____

_____

학생들에게 부여된 과제를 수행하기 위해 협력하는 방법을 알고 있었는가? 보다 생산적이 되려면 학생들이 알아야 할 것이 있는가?

_____

_____

_____

_____

학생들은 자신의 행동을 잘 통제하여, 과제에 집중하고, 분담하고, 자신의 차례를 지키는가? 팀 활동 관리의 시범을 보이게 함으로써 다른 학생들이 도움을 받을 수 있었는가?

_____

_____

_____

_____

학생들이 보여 준 지도력 유형은 무엇이었는가? 학생들이 한 명 또는 복수의 지도자를 인정했는가? 과정에 대해 논의했는가? 서로 존중했는가?

_____

_____

_____

_____

관찰 후 논의

교수 차시에 이어서 관찰자가 가까이 했던 협력집단의 작업과정에 대해 논의한다. 학생들의 생산성은 만족할 만한가? 관계는? 그렇지 않다면, 학생들이 보다 생산적이 될 수 있도록 돕기 위한 계획을 수립할 수 있을지 살펴본다. 다음을 명심한다:

1. 연습을 제공하는 것은 학생들이 생산적으로 작업하는 것을 배우도록 돕는 가장 단순하면서 강력한 방법이다. 협력집단으로 작업한 경험이 많지 않다면 특히 그렇다.

2. 집단의 규모가 작을수록 학생들은 자신의 행동을 더 쉽게 통제할 수 있다. 공부 집단의 규모가 줄면, 학생들은 대개 본인의 문제를 해결할 여지를 갖게 된다(이것은 성인도 마찬가지인데, 두 명으로 된 동료 코칭집단이 더 큰 집단보다 생산적이며, 7명 이상인 집단은 아무 것도 할 수가 없다).

3. 시연은 권고보다 더 도움이 된다. 교사는 집단에 참여하여 같이 작업하는 방법을 학생들에게 보여 줄 수 있다. 사실, 관찰자는 다음 차시에서 한 학습집단의 참여자가 될 수 있다.

4. 과제가 간단할수록 학생들이 관리하기가 더 쉽다. 복잡한 과제를 여러 개의 작은 과제로 나누면 학생들이 연습을 통해 기능을 계발하는 것이 가능하다.

5. 적절한 행동을 칭찬하면 결과가 좋다. 두 집단이 상이한 수준에서 수행할 때 생산적인 집단을 칭찬하고 더 생산적인 집단에 조용히 참여하여 이끌어 간다면 도움이 된다.

동료 코칭 가이드: **창조적 사고법**

이 지침은 차시에 관해 관찰자에게 안내하고 있는 교사를 위한 과제로 시작한다. 그 다음은 교수/학습 사례의 관찰자를 위한 지침이다. 이 사례 다음에 두 사람은 만나서 차시에 대해 의견을 나누고, 특히 모형의 단계별로 학생의 반응에 대해 논의한다.

교수 과정

대부분의 교수 사례는 내용과 과정 활동으로 되어 있다. 내용 목표는 학생들이 습득해야 할 구성요소(정보, 개념, 일반화, 관계, 기능)를 포함하고 있다. 과정 목표는 학생들이 모형의 인지적, 사회적 과제로부터 생산적으로 학습하기 위해 필요한 기능과 절차들이다.

교사의 과제

관찰자에게 주안점을 제공하기를 원하는가?

내용 목표

차시의 내용 목표를 기술한다. 이 활동으로부터 어떤 유형의 학습이 이루어질 것인가? 탐구될 영역의 특성은 무엇인가?

_____

_____

_____

_____

과정 목표

학생들은 이 모형에 익숙한가? 과정 중에서 연습이나 지침이 필요한 측면은 없는가? 그리고 이 차시에서 그 측면에 집중할 것인가?

_____

_____

_____

_____

1단계: 최초의 산출물

통상적으로 창조적 사고법은 특정 주제나 문제에 대하여 분류나 대안적 개념화나 해결책이 탐색될 수 있도록 하려는 목적으로 신선한 시각을 생성하기 위해 사용된다. 따라서, 일반적으로 학생에게 현재의 사고를 대표하는 산물을 제시하게 함으로써 시작된다. 학생들은 문제를 구성하고, 주제에 대해 말하거나 글로 작성하거나, 문제를 규정하거나, 관계를 나타내는 그림을 그리는 등과 같은 다양한 방법들이 있다. 이 단계의 기능은 당면 주제에 대한 현재의 생각을 파악할 수 있도록 하는 것이다. 탐구하고자 하는 영역에 대한 학생의 개념을 어떻게 끌어낼 것인지 기술한다. 이들을 안내하기 위해 어떤 말과 행동을 할 것인가?

_____

_____

_____

_____

_____

2단계: 직접적 및 개인적 비유

이 모형의 핵심은 학생들에게 제공되는 일련의 자극들과 최초의 산물을 비교(직접적 비유 연습)하고, 다양한 사람, 장소, 그리고 사물의 위치에 상징적으로 자신을 위치(개인적 비유 연습)하도록 유도하는 연습을 통해 최초의 생각으로부터 거리를 두도록 하는 것이다. 이러한 연습에서 생성된 비유 자료는 응축된 갈등으로 지칭되는 비유를 나중에 생성하는 데 사용될 것이다.

학생들이 직접적 및 개인적 비유를 만들도록 유도하기 위해 어떤 자극을 사용할 것인가? 학생들이 보다 독특하고, 놀라운 비교로 끌어가기 위해 따를 자료와 순서를 기술한다.

_____

_____

_____

_____

_____

3단계: 응축된 갈등과 모순적 비유

다음 과제는 학생들이 2단계에서 생성된 자료로 작업하여 응축된 갈등을 생성하도록 유도하는 것이다. 학생이 모형에 익숙하더라도 응축된 갈등을 정의하고, 다수의 사례들이 고도의 모순을 보여 주는 논리적 긴장을 명확하게 포함할 때까지 자료를 계속해서 도출하도록 하는 것에 대해 준비되어 있어야 한다.

3단계를 어떻게 시작하여 필요할 경우 응축된 갈등을 어떻게 설명할 것인지를 기술한다.

_____

_____

_____

_____

이제 학생들에게 중대한 긴장을 보여 주는 응축된 갈등 쌍을 선택하고, 이 긴장을 표현하는 비유들을 생성하도록 요구한다. 예컨대, "우아한 고문"의 사례를 제시하라고 요구할 수도 있다.

학생들에게 이러한 과제를 어떻게 제시할 것인지를 간략히 기술한다.

_____

_____

_____

_____

4단계: 새로운 산출물 생성

응축된 갈등과 그에 대한 비유는 최초의 문제 또는 주제를 다시 살펴볼 수 있는 자료를 제공한다. 최초의 자료를 다시 살펴보기 위해 단지 하나의 비유만 선택하거나 학생에게 선택하도록 하기도 한다. 또한, 다양한 시각이 유용할 때도 있다. 어떤 과정을 택하느냐는 최초 문제나 개념이 얼마나 복잡하고, 학생이 새로운 시각을 다루는 능력이 있느냐가 복합되어 결정된다. 예컨대, 중학교 사회교과 수업에서 국제관계에서의 문제에 대한 잠정적 해결안을 만들려고 노력하는 경우, 이 아주 복잡한 문제는 아마도 필수적이고 적절한 다중적 비유를 사용하여 다루어질 것이다. 이 문제를 재규정하고, 대안을 생성하기 위해 사용될 수 있는 다양한 비유를 학생들이 공유하고 측정하도록 돕는 과제는 사실 매우 복잡하다.

최초의 산출물을 다시 살펴보는 과제를 어떻게 제시할 것인지를 기술한다. 학생에게 어떤 질문을 할 것인가?

_____

_____

_____

_____

_____

이제, 새로운 산출물이 검토될 차례이다. 학생들이 개별적으로 또는 소집단으로 작업했다면, 각각의 산출물이 공유될 필요가 있다. 글로 기술된 것이라면 추가로 편집이 필요할 수도 있다. 교수 차시가 학습 주제의 결론이 아니라면, 대개 추가 학습으로 이어진다.

이 창조적 사고법의 산출물들이 어떻게 공유 및 사용될 것인지 기술한다. 읽기, 쓰기, 자료 수집, 또는 실험 실시 등을 추가로 하게 될 것인가?

_____

_____

_____

_____

_____

마지막으로 관찰자에게 주안점을 제시하기를 원하는가? 그렇다면, 그것이 무엇인가?

_____

_____

_____

_____

_____

관찰자의 과제

1단계: 최초의 산출물

최초 과제에 대한 학생의 반응에 대한 의견을 기록한다. 학생들의 개념화의 특성은
무엇인가?

_____

_____

_____

_____

_____

2단계: 직접적 및 개인적 비유

자극과 학생의 반응에 대한 의견을 기록한다. 학생들이 은유적으로 흥분하여 글자
그대로보다는 비유적 비교를 생성했는가?

_____

_____

_____

_____

_____

3단계: 응축된 갈등과 모순적 비유

응축된 갈등 개념에 대한 학생의 이해와 고품질의 사례들을 선택하는 능력에 대하여
논의한다. 또한, 모순적 비유를 생성하려는 시도의 산출물에 대한 견해를 기록한다.

_____

_____

_____

_____

_____

4단계: 새로운 산출물의 생성

학생들의 산출물에 대한 견해를 기록한다. 은유적 연습의 효과가 무엇이라고 생각하는가?

_____

_____

_____

_____

다음으로 새로운 산출물의 사용에 대한 견해를 기록한다. 학생들이 은유적 활동의 효과를 이해할 수 있는가? 학생들에게 추가 활동에 참여하도록 또는 생성하도록 요구한다면, 이러한 과제들을 대안적인 시각이나 방법을 개발하는 일종의 무대장치로 여기는가?

_____

_____

_____

_____

_____

학생의 훈련 요구에 대한 의견 기록

학습을 하는 사람은 학생이며, 학생이 이 모형의 인지적, 사회적 과제에 응답하는 능력이 더 좋을수록 학습이 이루어질 가능성이 더 높아진다. 혼자서 연습하면 기능을 형성할 것이므로 이러한 연습을 충분히 제공하고자 한다. 학생들이 이 모형의 구조에 대해 완전하게 익숙해진 후에 이를 수행하는 능력을 향상하기 위한 세부적인 훈련을 시작할 수 있다.

학생들이 활동에 개입했을 때의 기능에 대한 의견과 훈련이 유용할 것으로 생각되는 영역을 제안한다. 특히 비교하는 능력, 개인적 비유를 만들기 위해 요구되는 역할을 수행하는 능력, 그리고 응축된 갈등의 구조와 이를 사용하는 방법에 대한 이해에 대해 숙고한다. 경험 전체를 돌아보았을 때, 구체적인 과정에 대한 훈련이 고려될 영역이 있는가?

_____

_____

_____

_____

관찰 후 논의

논의를 충실히 하되, 교사와 관찰자가 이 모형으로 다음에 할 것과 현재 가르치는 단원에 대해 논의한다. 행운을 빈다.

동료 코칭 가이드: 개념 획득

이 지침은 개념 획득 모형을 숙달하기 위해 과업을 수행하는 과정에서 동료 코칭 짝들을 돕기 위해 설계되었다.

교수 과정

대부분의 수업에는 내용 목표와 과정 목표가 있다. 내용 목표는 학생이 습득해야 할 주제(사실, 개념, 일반화, 관계)를 알려 주는 반면, 과정 목표는 학생이 내용 목표를 달성하기 위해 필요로 하는 기능과 절차 또는 부차적인 사회적 목표(예컨대, 학습 과제에서의 협력)를 명시한다.

교사의 과제

관찰자에게 주안점을 제시하기를 원하는가?

내용 목표

차시의 목표가 되는 개념을 관찰자에게 알려 준다. 그 개념의 정의적 속성은 무엇인가? 학생에게 어떤 유형의 자료가 제공될 것인가? 그 정보나 개념이 학생에게 새로운 것인가?

_____

_____

_____

_____

과정 목표

학생들은 이 모형에 익숙한가? 이 과정에 대해 특별한 도움이나 훈련이 필요한 부문이 있는가?

_____

_____

_____

_____

1단계: 초점

초점은 학생이 검색해야 할 분야를 규정한다. 이렇게 함으로써 탐구와 관련이 적은 것들을 제거할 수가 있다. 간혹, 이 초점이 추상성의 수준 면에서 대표적인 사례보다 약간 높은 정도로 제시된다(예컨대, "문학도구"는 은유 개념을 위한 초점으로 활용될 수도 있다). 이러한 초점을 구성하는 것은 쉽지 않다. 개념 자체 또는 그 명칭을 그대로 명시할 수는 없다. 그렇지만, 학생들이 대표적인 사례들에 초점을 맞출 때 도움이 제공될 필요가 있다. 초점 질문을 아래에 진술한다.

_____

_____

_____

_____

2단계: 자료군 제시

자료군은 정적 및 부적 사례와 짝을 지어서 계획되어야 하고, 학생들이 정적 사례들을 비교하고, 부적 사례와 정적 사례를 대비시킴으로써 개념의 정의적 속성을 식별할 수 있도록 나열되어야 한다.

　대표적인 사례들의 특성을 기술한다(단어, 구문 문서 등인가?). 예컨대, 이것들은 19세기 그림의 복제품들이다. 이중 절반은 인상주의자(르느와르, 모네, 드가)가 그린 것이고, 나머지 절반은 실증주의, 낭만주의, 추상주의 그림이다.

_____

_____

_____

_____

　학생들이 자료군을 가지고 작업하면서 각 사례들을 검토하고 개념에 관한 가설들을 개발해야 한다. 학생들은 긍정적 사례들이 공통적으로 갖고 있는 속성이 무엇인지 자문해야 한다. 개념을 정의하는 것이 이러한 속성들이다. 대표적 사례를 제시할 때 해야 할 말과 어떻게 지칭할 것인지를 다음에 예시한다.

_____

_____

_____

_____

　　학생들에게 자신의 사고가 어떤 식으로 진행되는지를 기록하도록 하는 경우도 있다. 그렇게 하기를 원하는가?

_____

_____

_____

　　수업이 진행되면서, 학생이 아이디어를 형성하고 검증하는지에 관한 정보를 수집해야 한다. 학생들이 각자의 실제 가설을 공유하도록 하지 않고서 이것을 어떻게 수행하고 있는지를 물어볼 필요가 있다. 이러한 경우에 어떻게 말할 것인지를 아래에 기록한다.

_____

_____

_____

3단계: 사고와 가설 공유

학생들이 가설을 개발하고, 그것들에 대해 어느 정도 확신을 가지고 있는 것으로 여겨지면, 각자의 사고 진행 과정과 획득한 개념에 대해 기술하도록 한다.

　　이러한 과정을 언제 할 것인지 판단해야 한다. 어떻게 결정할 것이며, 어떤 말을 할 것인가?

_____

_____

_____

_____

4단계: 개념의 명칭 부여와 적용

일단 개념들에 대한 동의가 이루어지면(또는 다른 개념이 정당화되면), 명칭이 부여되어야 한다. 학생들이 명칭을 생성한 후에, 교사는 기술적 또는 일반적인 용어를 제시할 필요가 있을 수도 있다(예컨대, 이 유형을 "인상주의"라고 부른다). 학생들이 더 많은 사례에도 이 개념이 들어맞는지를 결정하기 위해서는 적용이 필요하며, 학생들이 스스로 사례를 찾을 수도 있다.

수업 다음에 제시되는 과제물이 대개 새로운 자료에 개념을 적용하는 것이 되기도 한다. 예컨대, 은유 개념이 소개되었다면, 학생들에게 문학작품을 읽고 그 안에서 은유가 사용된 것을 식별하도록 요구할 수도 있다.

이러한 과제물을 계획하고 있는가? 그렇다면 그 과제물을 간략하게 기술한다.

_____

_____

_____

_____

관찰자의 과제

1단계: 초점

교사가 초점 진술문을 제시했는가?

예 [   ]   아니오 [   ]

당신이 보기에 이 진술문이 학생들에게 명확했고, 학생들이 수업의 핵심 내용에 초점을 맞추도록 돕는 기능을 했는가?

충분히 [   ]   부분적으로 [   ]   전혀 [   ]

의견:

_____

_____

_____

_____

학생들은 1단계에 대해 어떻게 반응했는가? 학생들은 초점 문장에 주의를 기울이고, 그것을 사례들을 검증하는 데 적용했는가? 그렇지 않았다면, 구체적인 지시문을 제시할 필요가 있을까? 그 지시문은 어떠할까?

_____

_____

_____

_____

_____

2단계: 자료군 제시

학생들은 대표적인 사례들을 비교하고 대조했는가? 학생들은 바꿔야 할지도 모른다는 기대와 함께 가설을 생성했는가? 부적 사례를 사용하여 대안들을 제거했는가? 구체적인 훈련을 제공할 필요가 있는가, 있다면 어떤 것일까?

_____

_____

_____

_____

_____

3단계: 사고와 가설 공유

학생들은 자신의 생각을 보고할 수 있었는가? 학생들은 상이한 생각의 흐름이 유사한 또는 상이한 결과를 어떻게 만들어 내는지를 식별할 수 있었는가? 개념을 표현하는 명칭을 생성할 수 있었는가? 자기 자신의 사례를 찾아서 학습한 것을 적용하는 방법을 이해하는가? 구체적인 훈련을 제공할 필요가 있는가, 있다면 어떤 것일까?

_____

_____

_____

_____

_____

4단계: 개념의 명칭 부여 및 적용

학생들이 개념의 속성을 고려하면서 명칭을 얼마나 잘 부여할 수 있었는지, 그 명칭의 용도를 얼마나 효과적으로 제안했는지를 논의한다.

_____

_____

_____

_____

관찰 후 논의

교사: 분석을 위해 초점을 제시하기를 원하는가? 그렇다면, 그것이 무엇인가?

_____

_____

_____

_____

논의를 진행하면서 학생이 과정을 필요로 한다는 것이 주제가 되기도 한다. 이런 경우가 생기면, 학생의 수행을 향상하기 위해 우선적으로 살펴보아야 하는 방안이 연습으로 향상될 것인지를 고려할 필요가 있다. 즉, 모형을 단순히 반복하는 것도 학생들에게는 보다 적절하게 반응하는 것을 학습할 기회가 된다. 둘째, 학생들에게 모형의 인지적, 사회적 과제를 수행하는 데 요구되는 기능 자체를 바로 가르치기도 한다. 대부분의 논의는 훈련의 필요성과 그것들을 어떻게 다룰 것인지에 관한 것이 될 것이다.

동료 코칭 가이드: **탐구 훈련**

이 교수 차시 다음에 논의가 이어지고, 수업이 계획될 때 교사가 수행할 과제가 있다. 그 다음에 수업이 진행되면, 이 모형의 다양한 단계에 대한 학습자의 반응과 주로 관련되어 있는 관찰자의 과제들이 있다.

교수 과정

대부분의 수업에는 내용 목표와 과정 목표가 있다. 내용 목표는 학생이 습득해야 할 주제(사실, 개념, 일반화, 관계)를 알려 주는 반면, 과정 목표는 학생이 내용 목표를 달성하기 위해 필요로 하는 기능과 절차 또는 부차적인 사회적 목표(예컨대, 학습 과제에서의 협력)를 명시한다.

탐구 훈련의 내용 목표는 정보, 개념, 문제에 내포되어 있는 이론, 학생에게 제시되는 당혹스런 상황 등에 들어 있다. 학생들은 정보를 발견하고, 개념을 형성하고, 이론을 개발해야 한다. 이것들을 수행하는 기능들이 과정 목표이며, 협동적 문제 해결의 사회적 기능과 같은 것들이다.

교사의 과제

관찰자에게 주안점을 제시하기를 원하는가?

내용 목표

학생들이 이 과제로부터 무엇을 획득하기를 원하는가? 어떤 정보, 개념, 이론을 배우기를 원하는가?

_____

_____

_____

_____

과정 목표

학생들이 이 모형에 익숙한가? 학생들이 과정에 대하여 특별히 도움이나 훈련이 필요한 부분이 있는가? (예컨대, 질문하기를 통해 정보를 습득하는 방법을 아는가? 문제 해결 과제에서 동료와 협동적으로 작업할 수 있는가?)

_____

_____

_____

_____

1단계: 문제 직면

탐구 훈련 모형의 1단계에서 주요한 활동은 문제 제시이다.

　이 수업에서 사용될 문제와 이것을 어떻게 제시할 것인지를 기술한다.

_____

_____

_____

_____

2단계: 자료 수집과 검증

이 단계에서 학생들은 문제에 대한 정보를 수집하기 위해 질문을 제기한다. 이를 시작하면서 학생들이 사실들을 바로잡는 것과 가능한 인과적 관계를 생성하는 것을 얼마나 잘 구별할 수 있다고 생각하는가?

_____

_____

_____

_____

3단계: 실험

학생들이 자연스럽게 이 단계로 넘어가지 않는다면, 교사가 인과적 가설을 개발하기 시작하라고 지시하는 것으로 이 단계를 소개한다. 이 시점에서 학생들에게 할 말의 예를 기술한다.

_____

_____

_____

_____

4단계: 가능한 설명 구성

이제 학생들은 가설을 평가하여 현상에 대한 가장 가능성이 높은 설명이 무엇인지를 결정한다. 이 단계가 자연스럽게 이루어지지 않으면, 교사가 주도하여 시작한다. 이 것을 어떤 식으로 하겠는가?

_____

_____

_____

_____

이 단계를 주도해서 시작하는 방법을 예행연습한다.

_____

_____

_____

_____

학생들이 자료에 대하여 추론과 결론을 성공적으로 도출하면, 교사는 학생들을 한 단계 더 나아가게 하여 "만약에 … 한다면 무슨 일이 벌어질까?"와 같은 유형의 질문을 제시하여 자료로부터 결과를 예측하도록 할 수도 있다.

학생들에게 자료에 관하여 물어볼 가설적인 질문 사례를 한두 개 기술한다.

_____

_____

_____

_____

5단계: 탐구과정 분석

5단계에서 학생들은 탐구과정을 분석하고 그 향상 방법을 숙고해 보도록 이끌어진다. 이 활동은 교사에게 학생을 지도할 기회를 제공하며, 자료를 수집 및 검증하고, 개념을 형성하고, 가설을 개발하고 검증하기 위해 협동하여 작업하는 방법을 설명하고 본을 보인다.

관찰자의 과제

1단계: 문제 직면

학생들이 문제를 이해하여, 무엇이 알기 어려운 것인지 알고 있는가? 이것을 명료화하기 위한 질문을 할 수 있었는가, 그리고, 그것을 요약해 보라고 하면 할 수 있었는가?

_____

_____

_____

_____

2단계: 자료 수집과 검증

학생들이 이 단계에서 활용해야 하는 절차를 이해했다고 보는가? 사실 기반의 질문을 했는가, 교사가 그러한 질문을 하는 방법을 보여 주었을 때 반응할 수 있었는가? 학생들은 질문이 사실 기반인지, 이론 기반인지 구별할 수 있었는가? 학생들이 학습한 것을 얼마나 잘 토의하고 요약하고, 물어볼 질문들을 얼마나 잘 계획했는가? 서로의 말을 들어 주었는가?

_____

_____

_____

_____

3단계: 실험

학생이 정보를 조직하고 가설을 구성하는 능력에 대한 의견을 기록한다. 인지적 과제들에 대하여 반응하는 능력과 함께 사회적 행동을 기술한다.

_____

_____

_____

_____

4단계: 가능한 설명 구성

이 과제에 대한 학생의 반응을 논의한다. 가설을 분명하게 진술하고, 증거를 요약하고, 적절하다면, 모순되는 설명들을 평가할 수 있었는가?

_____

_____

_____

_____

학생들은 앞서의 범주화와 논의를 바탕으로 논리적인 예측을 할 수 있었는가?

_____

_____

_____

전체 수업에 대해 학생들의 반응은 어떠했는가? 학생들이 가장 편안하게 수행한 것은 무엇인가? 학생들이 곤경에 처했던 영역이 있었는가?

_____

_____

_____

_____

관찰 후 논의

교사: 논의를 위해 주안점을 제시하기를 원하는가? 그렇다면, 그것이 무엇인가?

_____

_____

_____

_____

_____

관찰자: 학생들이 이 활동에 참여했을 때 보여 준 기능들에 대해 의견을 기록하고, 훈련이 유용할 것으로 여겨지는 영역을 제안한다.

종종 논의가 학생들의 기능에 대한 문제로 되돌아가기도 한다. 학생의 수행을 향상시키기 위해 살펴볼 첫 번째 대안은 연습으로 수행이 향상될 수 있느냐이다. 즉, 모형을 단순히 반복하는 것으로도 학생들은 보다 적절하게 반응하는 것을 배우는 기회가 된다. 둘째, 학생들이 이 모형의 인지적, 사회적 과제를 다루는 데 필요한 기능들을 직접 가르쳐 준다.

논의가 종료될 때쯤, 관찰자와 교사는 다음 차시 계획을 마음에 두게 된다.

동료 코칭 가이드: **암기 보조하기**

지난 30년 동안, 학생이 정보를 습득하고 파지하는 것을 돕기 위한 전략에 대한 연구와 개발이 갱신되어 왔다. 소위 암기법의 과학은 다수의 놀라운 결과들을 생성했다 (Pressley, Levin, & Delaney, 1982).

기계적인 반복 암기(파지가 될 때까지 반복적으로 되풀이하는 것)는 최근까지 학생들이 정보를 기억하기 위해 배운 주요한 방법이었으며, 학생들과 상호작용할 때 교사가 사용한 주요 방법이었다. 사실, 기계적인 암기법은 이렇게 사용되어 많은 사람들의 마음 속에 기억의 행위로 식별되어 왔다. 기억하기 위해서는, 기계적으로 반복하는 것이 당연시되었었다.

암기 전략

자료를 되풀이하는 것이 대부분의 암기 전략의 한 측면으로 여겨져 왔지만, 자료가 학습되고 파지될 가능성을 크게 증가시키는 다수의 다른 절차들도 사용되고 있다. 이러한 절차들은 학습될 자료에 따라 여러 가지 방식으로 조합된다. 대부분의 절차들은 새로운 자료와 익숙한 자료 간의 연상관계를 만들도록 돕는 것이다. 이러한 절차들 중의 일부가 아래에 제시되어 있다.

학습될 정보 조직하기

본질적으로 정보가 더 조직될수록, 학습과 파지가 그만큼 더 쉬워진다. 정보는 범주로 조직될 수 있다. 개념 습득, 귀납적, 선행 조직자 모형은 학생들이 기억하도록 돕기 위해 범주 안에서 자료를 연합하도록 돕는다. 잘 알려져 있는 철자 자료집에 들어 있는 다음의 단어 목록을 고려해 보자. 다음 단어들은 철자 자료집에서 아동에게 제시된 순서로 나열되어 있다.

soft	plus	cloth	frost	song
trust	luck	club	sock	pop
cost	lot	son	won	

학생들에게 시작, 끝, 모음의 포함 유무로 이 단어들을 분류해 보라고 요청한다고 해 보자. 범주화 활동은 학생이 단어를 세밀히 살피고, 유사한 요소를 포함하고 있는

단어들을 연상하도록 한다. 학생들은 각 범주화에서 드러난 범주들에 명칭을 부여할 수 있고("c" 집단과 "st" 집단), 집단의 공통적인 속성에 추가적인 주의를 기울인다. 그들은 또한 서로 부합되는 단어들("pop song" "soft cloth" 등)을 연결할 수 있다. 그들은 다음으로 한 번에 한 범주의 철자들을 되풀이하는 것으로 진행할 수 있다. 동일한 원리는 다른 유형의 자료, 예컨대 숫자로 된 사실들에도 적용된다. 범주가 학생들에게 제시되든 아니면 학생들이 범주를 생성하든 관계없이 그 목적은 동일하다. 또한 정보가 마음에 있는 범주로 선택될 수 있다. 이전의 목록은 겉으로 보기에는 거의 무작위로 되어 있다. 의도적이고 체계적으로 다양한 유형의 정보를 제시하는 목록은 조직하는 것이 더 쉽다(적어도 그 안에는 암묵적인 범주들이 이미 들어 있다).

학습될 정보 배열하기

연속으로, 특히 연속에 의미가 있을 경우에, 정보를 학습하면 동화와 파지가 더 쉽다. 예컨대, 호주의 주 이름을 학습하고자 한다면, 같은 것(면적이 가장 큰 것)으로 시작하여 동일한 순서로 진행하는 것이 더 쉽다. 연도별로 정리된 역사적인 사건들이 무작위로 분류된 사건들보다 학습하기 더 쉽다. 순서는 단순히 정보를 조직하는 또 다른 방법이다. 학생들에게 철자 단어들의 목록을 알파벳 순으로 배열하도록 할 수 있다.

정보를 익숙한 소리에 연결하기

미국의 주 이름을 학습한다고 가정해 보자. Georgia는 "George", Louisiana는 "Louis", Maryland는 "Mary" 등으로 연결할 수 있다. 주 이름을 범주화하는 것 또는 크기별로 배열하는 것 또는 지역으로 배열하는 것은 보다 많은 연상 관계를 제공한다.

정보를 시각적 표현과 연결하기

Maryland는 "marriage", Oregon은 "gun", Maine은 파열된 상수도 "본관(main)" 등의 그림과 연결될 수 있다. 글자와 숫자들은 익숙한 소리와 이미지를 불러일으키는 것과 연결될 수 있다. 예를 들면, one은 "bun"과 한 소년이 작은 빵(bun)을 먹고 있는 그림과 연결될 수 있고, b는 "bee", 그리고 벌(bee) 그림과 연결될 수 있다. 이러한 연결들은 반복해서 사용될 수 있다. "April is the cruelest month, breeding lilacs out of the dead land"라는 싯구는 봄에 피는 꽃들 위에 잔인하게 감겨져 있는 험악한 용수철을 생각하면 쉽게 기억된다.

정보를 연상된 정보와 연결하기

사람의 이름을 동일한 이름, 유사한 이름, 그리고 유사한 개인 정보를 가진 유명인사와 같은 정보에 연결하면 그 자체를 되풀이하는 것으로 이름을 기억하는 것보다더 쉽다. Louis(Louis Armstrong)는 Jacksonville(그의 출생지) 너머로 어렴풋이 보인다(loom). 방위와 그 이름이 영국에 기원을 두고 있음(New South Wales)을 생각하면서호주의 주들을 학습하는 것이 그 자체를 순서대로 학습하는 것보다 더 쉽다.

정보를 생생하게 만들기

정보를 생생하게 만드는 도구들도 유용하다. Lorayne과 Lucas는 "우수꽝스런 연상"을선호하는데, 정보가 말도 안 되는 연상과 연결된 것을 말한다("저 바보 둘이 자신의쌍둥이 둘을 업고 있으니, 실제로는 넷이다" 등). 극화와 생생한 묘사(5+5=10임을 묘사하기 위해 2개의 농구팀에 있는 선수를 세도록 하는 것)를 사용하기를 선호하는 사람들도 있다.

되풀이하기

되풀이하기(연습)는 항상 유용하다. 학생들에게는 결과의 지식이 유익하다. 이전에기억이 요구되는 과제에서 성공하지 못했던 학생들에게는 상대적으로 짧은 과제를수행하고, 성공했을 때 명확하고, 시의적절한 피드백이 필요하다.

교사의 과제

관찰자에게 주안점을 제공하기를 원하는가?

머릿속 암기 계획

교사의 과제는 이러한 원리들이 학생들에게 유익하도록 하는 활동을 생각해 내는 것이다. 최소한 부분적으로라도 이러한 원리들로 조직될 수 있는 교수/학습 차시는 학습될 정보를 포함해야 한다. 교사와 학생 모두 아주 높은 수준의 숙달이 기대된다는점이 명확해야 한다(학생들은 모든 정보를 학습하려고 해야 하고, 이를 영속적으로파지해야 한다).

특정 교과과정 영역에서 학생이 정해진 시간 내에 학습할 정보를 식별한다.

_____

_____

_____

암기를 촉진하기 위해 어떤 원리를 강조할 것인가?

_____

_____

_____

이러한 원리들이 정보가 학생들에게 제시될 때 사용될 것인가? 그렇다면, 어떻게 사용될 것인가?

_____

_____

_____

되풀이 연습과 피드백은 어떻게 다뤄질 것인가?

_____

_____

_____

관찰자의 과제

교수/학습 차시 동안, 관찰자는 상황에 들어가서 소수의 아동(약 6명 정도) 행동을 관찰할 수 있도록 한다. 주어진 과제에 대한 학생의 반응에 집중한다.

과제에 대한 학생 반응에 대한 의견을 기록한다. 목표들을 명확히 알고 있는 것으로 보이는가?

_____

_____

_____

학생들에게 제시된 인지적 과제에 관여하는가?

_____

_____

_____

이러한 과제를 성공적으로 수행할 수 있는가?

_____

_____

_____

진척 상황을 의식하는 것으로 보이는가?

_____

_____

_____

관찰 후 논의

논의는 학생들이 어떻게 반응했고, 보다 효과적으로 반응하도록 도운 방법에 초점을 맞춘다.

연습은 대개 학생이 추가의 지시를 받지 않고서도 보다 생산적으로 반응할 수 있도록 한다. 지시가 필요하면, 시연이 유용하다. 즉, 교사는 학생들이 소량의 자료를 사용하여 과제들을 살펴보도록 이끈다.

과제들은 학생이 다룰 수 있는 수준으로 간략하게 만들어질 수 있다. 학생들은 학습 과제에 암기법의 원리들을 적용하는 기법 목록을 갖추어야 한다. 이 과정을 학생 스스로 의식하고 독립적으로 수행하도록 해야 한다. 따라서 학생들이 과제의 특성과 왜 그러한 과제들이 적합한지를 이해하도록 돕는 것이다.

동료 코칭 가이드: **역할극**

교수 과정

대부분의 수업에는 내용 목표와 과정 목표가 있다. 내용 목표는 학생이 습득해야 할 주제(사실, 개념, 일반화, 관계)를 알려 주는 반면, 과정 목표는 학생이 내용 목표를 달성하기 위해 필요로 하는 기능과 절차 또는 부차적인 사회적 목표(예컨대, 학습 과제에서의 협력)를 명시한다.

교사의 과제

관찰자에게 주안점을 제시하기를 원하는가?

내용 목표

어떤 문제가 학생들에게 제시될 것인가, 또는 어떤 영역 안에서 학생들이 문제를 구성할 것인가? 그 문제 또는 가치관들의 영역이 학생들에게 새로운 것인가?

_____

_____

_____

_____

_____

과정 목표

학생들이 이 모형에 익숙한가? 학생들이 과정에 대해 특별히 도움이나 훈련이 필요한 부분이 있는가?

_____

_____

_____

_____

_____

1단계: 준비

역할극은 사회적 문제로 시작한다. 이 문제는 학생들 간의 상호작용이나 인접한 장소에서의 다른 사람과의 상호작용 중의 것이거나, 실제 또는 학생이 생성한 인간관계 상황일 수도 있다. 이 문제는 그들의 삶 속에서 단순히 탐색이 요구되는 것일 수도 있다.

이 문제를 학생들에게 어떻게 제시할 것이며 그것을 개발하도록 어떻게 도울 것인가?

_____

_____

_____

_____

_____

2단계: 참가자 선택

수행을 위한 참가자(극 출연자와 관찰자)의 선택 방법을 기술한다.

_____

_____

_____

_____

_____

3단계: 최초의 상연을 위한 연기장면 생성

이것을 어떻게 할 것인가? 첫 번째 상연에서 가치의 특정 측면을 부각시키기를 원하는가?

_____

_____

_____

_____

_____

4단계: 관찰자 준비

출연자들이 식별되고, 줄거리가 생성되면, 관찰자가 준비된다.

관찰자에게 무엇에 주목하라고 할 것인가?

_____

_____

_____

_____

_____

5단계: 상연

학생들이 처음으로 문제를 상연한다.

6단계: 논의

필요하다면, 공이 굴러가도록 뭔가를 말해야 할 수도 있다. 무엇이라고 하겠는가?

_____

_____

_____

_____

_____

7, 8단계: 상연 반복

이 시점부터, 5단계와 6단계가 수차례의 상연과 함께 반복된다. 교사는 학생들이 가치 문제를 분명히 제시하도록 한다.

9단계: 분석과 일반화

교사가 판단하기에 자료가 충분히 생성되었으면 토론이 이루어진다. 이는 가치에 대한 입장을 드러내고, 논쟁이나 갈등을 하기보다는 가치를 기반으로 특정 문제 유형을 다룰 수 있도록 하는 관점을 생성할 수 있는 논의이다(필요하다면 협동 학습 형태가 이 단계에의 참여를 최대화하기 위해 사용될 수 있다).

9단계를 시작하기 위해 학생들에게 줄 지시문을 준비한다.

_____

_____

_____

_____

_____

관찰자의 과제

1단계: 준비

학생들에게 문제가 명확한 것으로 보였는가? 그들이 문제의 특성과 그것이 표현한 인간 관계 문제 유형을 이해할 수 있었는가? 학생들이 이 상황에서 출연자들과 그들이 어떻게 연기하는지를 식별할 수 있었는가? 학생들은 문제의 여러 측면을 볼 수 있는가?

_____

_____

_____

_____

_____

2단계: 참여자 선택

학생들이 선택된 것에 대해 어떻게 반응했는가? 학생들이 준비가 되었고 하고 싶어 했는가?

_____

_____

_____

_____

_____

3단계: 최초의 상연을 위한 연기장면 생성

학생들이 그럴듯하고, 유의미한 줄거리를 생성할 수 있었는가? 학생들이 겪은 어려움이 있었다면 기록한다.

_____

_____

_____

_____

_____

4단계: 관찰자 준비

관찰자들이 무엇을 해야 하는지 이해한 것으로 보였는가? 이 상연에 주목할 준비가 된 것으로 보였는가?

_____

_____

_____

_____

5단계: 상연

학생들이 역할을 잘 연기했는가? 그들이 맡은 입장을 공감한 것으로 보였는가? 관찰자들이 주의를 기울이고, 진지했는가? 역할을 맡은 연기자 또는 관찰자가 겪은 어려움에 대한 의견을 기록한다.

_____

_____

_____

_____

6단계: 논의

학생들이 갈등의 특성과 개입되어 있는 가치를 분석할 수 있었는가? 자신의 가치에 대한 입장을 드러냈는가? 논쟁의 기교, 기능, 가치에 관해 혼란해하지는 않았는가?

_____

_____

_____

_____

7, 8단계: 상연 반복

상연과 논의를 계속 반복하는 중 학생들의 수행에 대한 의견을 기록한다. 학생들이
가치에 대한 입장을 점차적으로 식별할 수 있었는가?

9단계: 분석과 일반화

9단계에서 핵심이 되는 가치 분석을 다루는 학생의 능력에 대한 의견을 기록한다.

_____

_____

_____

_____

_____

관찰 후 논의

교수 차시 이후에 서로 코칭을 주고받은 짝은 이 모형에 보다 효과적으로 학생들이
반응하도록 돕는 방법에 대해 논의할 수도 있다. 초기의 시도들이 우스꽝스럽고 연
습이 대개 도움이 된다는 것을 명심한다. 또한, 특정 시기에 다뤄져야 하는 쟁점을 단
순화하기 위해 문제가 조정될 수도 있다. 이 모형의 단계들을 학생들에게 시연하는
것이 도움이 된다. 코칭 동료들이 관찰자 역할 또는 출연자 역할을 맡아서 학생들에
게 모형을 제시할 수도 있고, 두 교사가 함께 시연할 수도 있다.

논의의 결과를 요약하고, 논의에서 도달한 한두 가지 주요 결론을 제시하여 다음
에 이 모형을 수행할 때 해야 할 것을 안내하도록 한다.

_____

_____

_____

_____

동료 코칭 가이드: **귀납적 사고**

교수 과정

대부분의 교수 차시에는 내용과 과정에 대한 목표가 있다. 내용 목표는 정보, 개념, 이론, 사고의 방법, 가치, 그리고 학생들에게 경험에서 배우기를 기대하는 다른 실체가 포함된다. 과정 목표는 내용 목표나 부차적인 사회적 목표(예컨대, 학습 과제에서의 협동)를 달성하기 위해 학생이 필요로 하는 기능과 절차를 명시한 것이다.

귀납적 사고를 위한 내용 목표는 자료군에 내재되어 있는 정보와 개념 안에 들어 있다. 학생들은 자료군에 들어 있는 항목들을 항목들의 하위 군에 공통적으로 들어 있는 속성별로 범주로 구분한다. 예를 들면, 자료군이 식물들로 구성되어 있으면 잎의 유형(크기, 질감, 잎맥 형태, 모양, 잎이 줄기에 연결된 형태 등)별로 분류될 수 있다. 이 자료군에 대한 내용 목표는 구체적인 식물들에 관한 정보와 유형학의 구축에 대한 정보를 포함한다. 과정 목표는 협동적 문제 해결에서의 사회적 기능과 함께 이 학문 영역의 과학적 기능(관찰과 분류)을 학습하는 것이 된다.

교사의 과제

관찰자에게 초점을 제시하기를 원하는가?

내용 목표

학생들이 이 분류 과제로부터 무엇을 습득하기를 원하는가? 자료군의 주요 속성이 무엇이라고 생각하는가? 이 군에서 어떤 범주를 드러내게 할 것인가?

과정 목표

학생들은 이 모형에 익숙한가? 이 모형에서 별도의 도움이나 훈련이 필요한 측면이 있는가? (예를 들면, 학생들이 공통적인 속성으로 항목을 묶는 방법을 이해하고 있는가? 학생들은 분류 과제에서 동료와 협력하여 작업할 수 있는가?)

1단계: 자료 수집 및 제시

귀납적 사고 모형에서 1단계의 주요 활동은 자료군의 수집과 제시이다. 교사는 자료군을 제시할 수도 있고, 학생들에게 범주로 구분할 자료를 수집하도록 지시할 수도 있다. 학생에 의해 조사될 자료는 아주 중요한데, 학생들이 수업에서 배울 정보의 대부분을 대표하기 때문이다. 자료 수집과 제시 중의 선택은 매우 중요하다. 학생들이 잎을 수집한다면 제시된 경우와는 상이한 자료군이 얻어질 것이다. 자료군이 수집되거나 학생에게 제시된 후에 교사는 관련 있는 속성에 학생들이 관심을 갖게 하도록 함으로써 분류 활동을 위한 조건을 설정하기를 원할 수도 있다. 예를 들어, 자료가 식물이라면, 교사는 학생들이 잎의 유형별로 분류하도록 함으로써 관찰 영역을 줄여 주고자 할 수도 있다. 다른 한편으로, 교사는 조건을 제한하지 않고, 학생들이 공통적인 속성별로 분류하도록 지시하기를 원할 수도 있다. 일반적으로, 지시문이 개방적일수록 결과는 더 좋다.

자료군에 들어 있는 항목들은 한 범주에 포함될 수도 있고, 여러 범주에 포함될 수도 있다. 자료의 분류에 관하여 여러 가지 지시문으로 실험하고, 얻어지는 범주에 있어서의 차이를 관찰하기를 원할 수도 있다. 일반적으로 자료군에 있는 항목들이 복수의 범주에 속할 수 있다는 가능성을 열어 두는 것이 더 많은 활력을 불러일으킨다.

이 수업에서 사용될 자료군을 기술한다. 자료군을 제공할 것인가 아니면 학생들에게 자료를 수집하도록 할 것인가? 후자라면, 학생들이 어떤 정보 원천을 사용할 것인가?

2단계: 개념 형성

일단 자료군이 수합되고, 계수되고, 학생들에게 자료를 묶는 절차에 대하여 지시가 주어지고 나면, 교사는 묶는 활동의 역학에 주의를 기울일 필요가 있다. 학생들은 혼자서, 짝으로, 소집단으로 또는 대집단으로 작업할 수 있다. 혼자서 작업하는 것은 최소한의 사회적 기능이 요구되고, 소집단에서 작업하는 것은 가장 많은 사회적 기능이 요구된다. 목표 중의 하나가 학생이 자신의 범주를 단호하게 옹호하면서도 집단의 합의를 위해 필요하다면 타협도 하면서 협동적으로 작업하는 것을 계발하는 것이라면, 학생들은 이러한 기능을 계발하기 위한 지시와 연습이 필요할 것이다. 이 교사가 전체 학급을 하나의 집단으로 분류 활동을 작업하게 하려고 한다면, 이 교사는 부주의하게 범주가 학생들에게 제공되지 않도록 주의해야 한다. 범주로 구분하는 활동을 위해 학생들을 짝으로 묶는 것은 모든 학생들이 이 과제에 능동적으로 관여하도록 하는 가장 단순한 방법이다. 그렇지만, 교사가 짝이 보고한 내용을 기록하고 종합하는 동안 모든 학생의 참여를 유지하는 데 상당한 기능을 사용해야 한다. 교사는 이 활동을 여러 가지 방법으로 조직하는 것을 실험해 보고자 할 것이다. 각 과정의 장단점들이 논의될 수 있고, 문제가 동료 코칭자에 의해 해결될 수 있다.

범주 구분 활동을 위해 학생들을 조직할 방법을 기술한다.

_____

_____

_____

_____

또한, 학생에게 제공하거나 수집하도록 했던 자료를 분류하도록 어떻게 지시할 것인지 기술한다.

_____

_____

_____

_____

학생들이 한 자료군에 들어 있는 항목들의 집단들에 붙인 이름 또는 명칭은 대개 그 집단을 정확하게 기술하지만, 기술적 또는 과학적 이름과 일치하지는 않는다. 예를 들면, 학생들은 한 잎 집단에 대해 "jagged edges(톱니모양 테두리)"로 명명할 수도 있는데, 기술적 용어는 "serrated edges(톱니모양 테두리)"이다. 교사는 적절하다면 기술적, 과학적 용어를 제공하고자 하는데, 먼저 학생이 자신의 명칭을 제시하도록 한 후에 해야 한다.

일부 수업에서 내용 목표는 2단계를 종료하면 성취될 것이다. 교사가 학생이 정보를 범주로 조직하고, 명명하는 것으로 그 정보를 학습하여 그 자료에 대한 개념적 통제를 가능하게 하고자 할 때, 교사는 여기서 멈출 수도 있다. 학생이 자료군 안에 무엇이 있는지를 알고, 알아채지 못한 속성이 무엇인지를 배우는 것이 목표일 때에는 집단으로 묶는 활동만으로도 충분할 것이다. 그러나, 목표가 2단계에서 형성된 개념의 해석과 적용일 경우에 귀납적 사고 모형의 나머지 단계들이 적합하다. 이 모형의 나머지 단계들은 자료군에 내재된 정보와 개념을 더 처리하도록 하는 것으로 대개 수행되어야 한다.

3단계: 자료 해석

3단계의 목적은 학생들이 2단계에서 형성한 범주 간, 그리고 범주 중의 가능한 관계를 이해하도록 돕는 것이다. 학급은 이러한 유형의 논의에서 생산적으로 작업하려면 공통의 범주를 필요로 한다.

교사는 학생들이 2단계에서 생성한 개별 집단에 대한 기술문을 제거하면서 이 집단들 간의 유사점과 차이점에 학생들의 사고의 초점을 맞추는 질문을 제시한다. 교사는 "왜" 질문을 함으로써 집단들 간의 인과관계를 개발하고자 한다. 이 단계의 성공은 2단계에서 범주 구분 활동을 얼마나 면밀히 했는가에 달려 있다. 이 단계는 상대적으로 시간이 짧다.

계획하는 동안에는 학생들이 어떤 집단을 구성할 것인지를 알 수 없겠지만, 구성할 것으로 보이는 가능한 범주들을 추측해 보고, 이러한 집단들 간의 인과관계를 탐색하도록 할 예시 질문을 두 개만 기록한다.

만약에 학생들이 주어진 자료에 관한 추론과 결론을 성공적으로 끌어내면, 교사는 그들을 한 단계 더 밀어붙여서, "만약에 … 한다면 무슨 일이 벌어질까?"와 같은 질문을 제시하여 자료로부터 결과를 예측하도록 요구하려고 할 수도 있다.

이 자료군에 관하여 학생들에게 묻고자 하는 가설적 질문을 한두 가지 기술한다.

관찰자의 과제

1단계: 자료 수집 및 제시

자료는 하나하나 숫자를 붙여서 나열하면 묶기가 쉽다. 예를 들면, 교사는 각 식물 아래에 숫자가 적힌 카드를 놓아서 학생들이 식물의 이름(학생들은 이것을 아직 모른다)보다는 1번, 4번, 7번, 14번 식물을 논의하여 공통 속성들을 공유하게 된다.

교사/학생들이 자료를 범주로 구분하려고 하기 전에 번호를 붙였는가?

_____

_____

_____

2단계: 개념 형성

학생들이 범주 구분 활동 중에 활용해야 했던 준거와 절차를 이해한 것으로 보였는가? 교사가 무심코 "정확한" 집단들이 무엇인지를 암시하는 단서를 주었는가?

_____

_____

_____

학생들은 범주 구분 활동을 생산적으로 수행했는가?

_____

_____

_____

교사가 학생들이 짝으로, 또는 소집단으로 수행하도록 했다면, 다른 집단이 자신들의 범주를 공유할 때 학생들은 귀를 기울였는가?

_____

_____

_____

학생들은 범주들로 항목을 묶을 때 사용한 속성들을 설명할 수 있었는가?

_____

_____

_____

_____

　　학생들은 자신들의 범주에 그 범주들이 구성될 때 사용된 속성을 반영하여 명칭
을 제시할 수 있었는가?

_____

_____

_____

_____

3단계: 자료 해석
학생들이 집단 간의 가능한 인과관계를 논의할 수 있었는가?

_____

_____

_____

_____

　　교사가 자료를 넘어서서 그 자료에 관하여 추론과 결론을 내리도록 학생들에게
요구했는가?

_____

_____

_____

_____

　　그렇게 했다면, 학생들이 그렇게 할 수 있었는가?

_____

_____

_____

_____

학생들이 추론과 결론을 내릴 수 없었다면, 동료가 그렇게 하는 데 도움이 될 만한 아이디어를 생각하여 공유할 수 있는가?

관찰 후 논의

교사: 분석을 위한 주안점을 제시하고자 하는가? 그렇다면 그것이 무엇인가?

학생의 수행을 증진하기 위해 탐색할 만한 첫 번째 방안은 연습으로 향상될 것인지이다. 즉, 이 모형을 단순히 반복하는 것도 학생이 보다 적절하게 반응하는 것을 배울 기회가 된다. 둘째, 학생에게 이 모형의 인지적, 사회적 과제를 다루는 데 필요한 기능을 직접 가르쳐 주는 것이다.

이 시점에서 교사와 관찰자 모두 학생들이 활동에 개입할 때의 기능에 대한 의견을 제시하고, 훈련이 유용한 영역을 제시할 수도 있다. 특히 속성으로 묶고, 집단을 정확하게 기술하거나 특징적인 속성들을 종합한 명칭을 제시하는 능력, 집단 간의 가능한 인과관계에 대한 이해, 그리고 범주에 관한 추론과 결론을 끌어내는 능력을 생각해 본다.

동료 코칭 가이드: **그림-단어 귀납적 모형**

PWIM 모형을 연구하는 동료 코칭자들은 순환 과정에 주목하며, 이것들은 대개 3주 또는 그 이상 걸린다.

PWIM 순환 주기의 시작일: _____

학급 개요(학년, 학생 수, 특이점): _____

교사의 과제

관찰자에게 초점을 제시하기를 원하는가?

A. 자신의 그림을 기술한다 — 실제로 이것을 공유한다.

_____
_____
_____
_____
_____

B. 그림에서 추출한 단어를 목록으로 제시한다.

_____
_____
_____
_____
_____

첫 번째 회기 후에 그림-단어 표와 단어군에 추가된 단어들

_____
_____
_____
_____

C. 학생들이 생성한 단어들 또는 구문들의 범주 사례들

_____

_____

_____

_____

_____

D. 수업에서 강조하기 위해 선택한 범주 또는 개념 사례들
　음성학적 분석 범주 또는 개념들

_____

　구조적 분석 범주 또는 개념들

_____

　내용 범주 또는 개념들

_____

　기타:

_____

E. 그림으로부터 학생들이 생성한 제목들

_____

_____

_____

_____

_____

F. 학생들이 생성한 문장들

_____

_____

_____

_____

_____

G. 학생의 아이디어로부터 구성된 정보를 제공하는 문단 중 하나

_____

_____

_____

_____

_____

메시지를 전달하기 위해 아이디어들을 합치는 방법에 관하여 학생들과 함께 소리 내어 생각하기 방법을 반드시 사용한다.

H. 학생 작업 결과(들): 학생 작업 결과를, 가용하다면, 동료 코칭 짝과 함께 하는 시간과 학급 공동체인 팀과 함께 하는 지정된 시간에 반드시 가져간다. 전체 학급의 또는 집단의 작업 결과를 가져갈 수도 있겠지만, 공동 연구를 위해서는 전체 학급보다는 더 정식으로, 그리고 더 분석적으로 반응을 살핀 6명의 작업 결과를 가져가길 권한다.

I. 만약에 PWIM 순환 주기에 일반 서적을 사용했다면, 책제목, 저자, 그리고 사용한 전략(가능하다면)을 열거한다.

_____

_____

_____

_____

PWIM 순환 주기에서의 차시 수

_____

PWIM 순환 주기 종료일

_____

이 PWIM 순환 주기에서 동료 코칭자와 계획한 횟수

_____

이 PWIM 순환 주기에서 동료 코칭자와 함께 여러분과 여러분의 동료가 서로에게 시연을 한 횟수

_____

PWIM: 학생의 수행 연구하기

강조점: 단어 습득

그림–단어 귀납적 모형 연구의 일환으로 정식으로 학습을 분석한 6명 학생 소개

1. 이름: _____ 생일: _____ 성별: 남, 여
학습 경험 등과 같은 이 학생을 이해하는 데 도움이 될 만한 기타 정보

_____

_____

_____

_____

2. Name _____ 생일: _____ 성별: 남, 여
학습 경험 등과 같은 이 학생을 이해하는 데 도움이 될 만한 기타 정보

_____

_____

_____

_____

3. Name _____ 생일: _____성별: 남, 여
학습 경험 등과 같은 이 학생을 이해하는 데 도움이 될 만한 기타 정보

_____

_____

_____

_____

4. Name _____ 생일: _____성별: 남, 여
학습 경험 등과 같은 이 학생을 이해하는 데 도움이 될 만한 기타 정보

_____

_____

_____

_____

5. Name _____ 생일: _____성별: 남, 여
학습 경험 등과 같은 이 학생을 이해하는 데 도움이 될 만한 기타 정보

_____

_____

_____

_____

6. Name _____ 생일: _____성별: 남, 여
학습 경험 등과 같은 이 학생을 이해하는 데 도움이 될 만한 기타 정보

_____

_____

_____

_____

	성별	총 단어 수	평가일	읽은 단어 수	총 단어 수	평가일	읽은 단어 수	달성도
1								
2								
3								
4								
5								
6								

참고문헌과 관련 자료

Achieve, Inc. (2013). *Next generation science standards.* Washington, DC: Author. Retrieved from www.achieve.org/next-generation-science-standards.

Adey, P., with Hewitt, G., Hewitt, J., & Landau, N. (2004). *The professional development of teachers: Practice and theory.* London, UK, and Boston, MA: Kluwer.

Adey, P., & Shayer, M. (1990). Accelerating the development of formal thinking in middle and high school students. *Journal of Research in Science Teaching, 27(3),* 267—285.

Adkins, D. C., Payne, F. D., & O'Malley, J. M. (1974). Moral development. In F. N. Kerlinger & J. B. Carroll (EdsD, *Review of research in education.* Itasca, IL: Peacock.

Akiki. (1989). *My five senses.* New York: HarperCollins.

Alexander, P., & Judy, J. (1988). The interaction of domain-specific and strategic knowledge in academic performance. *Review of Educational Research, 58(4),* pp. 375—404.

Alfasi, M. (1998). Reading for meaning: The efficacy of reciprocal teaching in fostering reading comprehension in high school students in remedial reading classes. *American Educational Research Journal, 35(2),* 309—332.

Allington, R. (2002). *Big brother and the National Reading Curriculum.* Portsmouth, NH: Heinemann.

Almy, M. (1970). *Logical thinking in second grade.* New York, NY: Teachers College Press.

Anderson, H., & Brewer, H. (1939). Domination and social integration in the behavior of kindergarten children and teachers. *Genetic Psychology Monograph, 21,* 287—385.

Anderson, L. M., Evertson, C. M., & Brophy, J. E. (1979). An experimental study of effective teaching in first grade reading groups. *Elementary School Journal, 79(4),* 191—223.

Anderson, L. W., Scott, C., & Hutlock, N. (1976). *The effect of a mastery learning program on selected cognitive, affective, and ecological variables in grades 1 through 6.* Paper presented at the annual meeting of the American Educational Research Association, San Francisco, CA.

Anderson, R. (1983). A consolidation and appraisal of science meta-analyses. *Journal of Research in Science Teaching, 20(5),* 497—509.

Anderson, R., Kahl, S., Glass, G., Smith M., & Malone, M. (1982). *Science meta-analysis project.* Boulder, CO: University of Colorado Laboratory for Research in Science and Mathematics Education.

Antil, L., Jenkins, J., Wayne, S., & Vadasy, P. (1998). Cooperative learning: Prevalence, conceptualizations, and the relation between research and practice. *American Educational Research Journal, 35(3),* 419—454.

Applebee, A., Langer, J., Jenkins, L., Mullis, I., & Foertsch, M. (1990). *Learning to write in our nation's schools.* Washington, DC: U.S. Department of Education.

Aristotle. (1912). *The works of Aristotle* (J. A. Smith & W. D. Ross, Eds.). Oxford, UK: Clarendon Press.

Arlin, M. (1984). Time variability in mastery learning. *American Educational Research Journal, 21(4),* 103—120.

Arlin, M., & Webster, J. (1983). Time costs of mastery learning. *Journal of Educational Psychology, 75(3),* 187—196.

Aronson, E., Blaney, N., Stephan, C., Sikes, J., & Snapp, M. (1978). *The jigsaw classroom.* Beverly Hills: Sage.

Aspy, D. N., & Roebuck, F. (1973). An investigation of the relationship between student levels of cognitive functioning and the teacher's classroom behavior. *Journal of Educational Research, 65(6),* 365−368.

Aspy, D. N., Roebuck, F., Willson, M., & Adams, O. (1974). *Interpersonal skills training for teachers.* (Interim Report No. 2 for NIMH Grant No. 5P0 1MH 19871.) Monroe, LA: Northeast Louisiana University.

Atkinson, R. C. (1975). Memnotechnics in second language learning. *American Psychologist, 30,* 821−828.

Augustine. (1931). *The city of God.* (J. Healy, Trans.). London, UK: J. M. Dent.

Ausubel, D. P. (1960). The use of advance organizers in the learning and retention of meaningful verbal material. *Journal of Educational Psychology, 51,* 267−272.

Ausubel, D. P. (1963). *The psychology of meaningful verbal learning.* New York, NY: Grune & Stratton.

Ausubel, D. P. (1968). *Educational psychology: A cognitive view.* New York: Grune and Stratton.

Ausubel, D. P. (1980). Schemata, cognitive structure, and advance organizers: A reply to Anderson, Spiro, and Anderson. *American Educational Research Journal, 17(3),* 400−404.

Ausubel, D. P., & Fitzgerald, J. (1962). Organizer, general background, and antecedent learning variables in sequential verbal learning. *Journal of Educational Psychology, 53,* 243−249.

Baer, J. (1993). *Creativity and divergent thinking.* Hillsdale, NJ: Erlbaum.

Baker, R. G. (1983). *The contribution of coaching to transfer of training: An extension study.* Doctoral dissertation, University of Oregon.

Bakei; R. G., & Showers, B. (1984). *The effects of a coaching strategy on teachers' transfer of training to classroom practice: A six-month followup study.* Paper presented at the annual meeting of the American Educational Research Association, New Orleans, LA.

Bandura, A. (1969). *Principles of behavior modification.* New York, NY: Holt, Rinehart & Winston.

Bandura, A. (1971). *Social learning theory.* New York, NY: General Learning.

Bandura, A., & Walters, R. (1963). *Social learning and personality.* New York, NY: Holt, Rinehart & Winston.

Barnes, B. R., & Clausen, E. U. (1973). The effects of organizers on the learning of structured anthropology materials in the elementary grades. *Journal of Experi mental Education, 42,* 11−15.

Barnes, B. R., & Clausen, E. U. (1975). Do advance organizers facilitate learning? Recommendations for further research based on an analysis of 32 studies. *Review of Educational Research, 45(4),* 637−659.

Barnett, W. S. (2001). Preschool education for economically disadvantaged children: Effects on reading achievement and related outcomes. In S. B. Neuman & D. K. Dickinson (Eds.), *Handbook of early literacy research* (pp. 421−443). New York, NY: Guilford.

Barron, F. (1963). *Creativity and psychological health: Origins of personal vitality and creative freedom.* Princeton, NJ: Van Nostrand.

Barron, R. R. (1971). *The effects of advance organizers upon the reception, learning, and retention of general science concepts.* (DHEW Project No. IB-030.)

Bascones, J., & Novak, J. (1985). Alternative instructional systems and the development of problem-solving in physics. *European Journal of Science Education, 7(3),* 253−261.

Baumert, J., Kunter, M., Blum, W., Brunner, M., Voss, T., Jordan, W., et al. (2010). Teachers' mathematical knowledge, cognitive activation in the classroom, and student progress. *American Educational Research Journal, 47(1),* 97−132.

Baveja, B. (1988). *An exploratory study of the use of information-processing models of teaching in secondary school biology classes.* Ph.D. thesis, Delhi University.

Baveja, B., Showers, B., & Joyce, B. (1985). *An experiment in conceptually-based teaching strategies.* Saint Simons Island, GA: Booksend Laboratories.

Beatty, A., Reese, C., Persky, H., & Carr, P. (1996). *NAEP 1994 U.S. history report card.* Washington, DC: U.S. Department of Education.

Becker, W. (1977). Teaching reading and language to the disadvantaged−What we have learned from field research. *Harvard Educational Review, 47,* 518−543.

Becker, W., & Carnine, D. (1980). Direct instruction: An effective approach for educational intervention with the disadvantaged and low performers. In B. Lahey & A. Kazdin (Eds.), *Advances in child clinical psychology* (pp. 429−473). New York, NY: Plenum.

Becker, W, & Gersten, R. (1982). A followup of follow through: The later effects of the direct instruction model on children in the fifth and sixth grades. *American Educational Research Journal, 19(1),* 75−92.

Becker, W., Engelmann, S., Carnine, D., & Rhine, W. (1981). In W. R. Rhine (Ed.), *Making schools more effective.* New York, NY: Academic Press.

Bellack, A. (1962). *The language of the classroom.* New York, NY: Teachers College Press.

Bencke, W. N., & Harris, M. B. (1972). Teaching self-control of study behavior. *Behavior Research and Therapy, 10,* 35−41.

Bennett, B. (1987). *The effectiveness of staff development training practices: A metaanalysis.* Ph.D. thesis, University of Oregon.

Bennett, L., & Berson, M. (Eds.). (2007). *Digital age: Technology-based K-12 lesson plans for social studies. NCSS Bulletin 105.* Silver Spring, MD: National Council for the Social Studies.

Bennis, W. G., & Shepard, H. A. (1964). Theory of group development. In W. G. Bennis, K. D. Benne, & R. Chin (Eds.), *The planning of change: Readings in the applied behavioral sciences.* New York, NY: Holt, Rinehart & Winston.

Bereiter, C. (1984a). Constructivism, socioculturalism, and Popper's World. *Educational Researcher, 23(7),* 21−23.

Bereiter, C. (1984b). How to keep thinking skills from going the way of all frills. *Educational Leadership, 42,* 1.

Bereiter, C. (1997). Situated cognition and how to overcome it. In D. Kirshner & W. Whitson (Eds.), *Situated cognition: Social, semiotic, and psychological perspectives* (pp. 281−300). Hillsdale, NJ: Erlbaum.

Bereiter, C., & Bird, M. (1985). Use of thinking aloud in identification and teaching of reading comprehension strategies. *Cognition and Instruction, 2(2),* 131−156.

Bereiter, C., & Englemann, S. (1966). *Teaching the culturally disadvantaged child in the preschool.* Englewood Cliffs, NJ: Prentice-Hall.

Bereiter, C., & Kurland, M. (1981−82). Were some follow-through models more effective than others? *Interchange, 12,* 1−22.

Berger, P., & Luckmann, T. (1966). *The social construction of reality.* Garden City, NY: Doubleday.

Berman, P., & McLaughlin, M. (1975). *Federal programs supporting educational change: Vol. 4. The findings in review.* Santa Monica, CA: Rand Corporation.

Biemiller, A. (2000, Fall). Teaching vocabulary early, direct, and sequential. *International Dyslexia Quarterly Newsletter, Perspectives, 26(4),* 206–228.

Bird, M. (1980). *Reading comprehension strategies: A direct teaching approach.* Doctoral dissertation, The Ontario Institute for Studies in Education.

Bishop, M. (2000). *Tunnels of time.* Regina, Saskatchewan: Coteau Books.

Block, J. W. (1971). *Mastery learning: Theory and practice.* New York, NY: Holt, Rinehart & Winston.

Block, J. W. (1980). Success rate. In C. Denham & A. Lieberman (Eds.), *Time to learn.* Washington, DC: Program on Teaching and Learning, National Institute of Education.

Bloom, B. S., ed. (1956). *Taxonomy of educational objectives. Handbook I: Cognitive domain.* New York, NY: McKay.

Bloom, B. S. (1971). Mastery learning. In J. H. Block (Ed.), *Mastery learning: Theory and practice.* New York, NY: Holt, Rinehart & Winston.

Bode, B. (1927). *Modern educational theories.* New York, NY: Macmillan.

Bonsangue, M. (1993). Long term effects of the Calculus Workshop Model. *Cooperative Learnzng, 13(3),* 19–20.

Boocock, S. S., & Schild, E. (1968). *Simulation games in learning.* Beverly Hills, CA: Sage.

Borg, W. R., Kelley, M. L., Langer, P., & Gall, M. (1970). *The rninicourse.* Beverly Hills, CA: Collier-Macmillan.

Borman, G. D., Slavin, R. E., Cheung, A., Chamberlain, A., Madden, N., & Chambers, B. (2005). Success for all: First year results from the national randomized field trial. *Educational Evaluation and Policy Analysis, 27(1),* 1–22.

Bradford, L. P., Gibb, J. R., & Benne, K. D. (Eds.). (1964). *T-Group theory and laboratory method.* New York, NY: Wiley.

Bredderman, T. (1983). Effects of activity-based elementary science on student outcomes: A quantitative synthesis. *Review of Educational Research, 53(4),* 499–518.

Brookover, W, Schwitzer, J. H., Schneider, J. M., Beady, C. H., Flood, P. K., & Wisenbaker, J. M. (1978). Elementary school social climate and school achievement. *American Educational Research Journal, 15(2),* 301–318.

Brooks, J. G., & Brooks, M. G. (1993). *The case for constructivist classrooms.* Alexandria, VA: Association for Supervision and Curriculum Development.

Brophy, J. E. (1981). Teacher praise: A functional analysis. *Review of Educational Research, 51,* 5–32.

Brown, A. (1985). Reciprocal teaching of comprehension strategies (Technical Report No. 334). Urbana-Champaign, IL: University of Illinois Center for the Study of Reading.

Brown, A. L. (1995). Guided discovery in a community of learners. In K. McGilly (Ed.), *Knowing, Learning, and Instruction* (pp. 393–451). Hillsdale, NJ: Erlbaum.

Brown, A., & Palincsar, A. (1989). Guided, cooperative learning individual knowledge acquisition. In L. Resnick (Ed.), *Knowing, learning, and instruction* (pp. 234–278). Hillsdale, NJ: Erlbaum.

Brown, C. (1967). *A multivariate study of the teaching styles of student teachers.* Ph.D. dissertation, Teachers College, Columbia University.

Brown, C. (1981). The relationship between teaching styles, personality, and setting. In B. Joyce, L. Peck, & C. Brown (Eds.), *Flexibility in t eaching* (pp. 94–100). New York, NY: Longman.

Bruce, W. C., & Bruce, J. K. (1992). *Learning social studies through discrepant event inquiry.* Annapolis, MD: Alpha Press.

Bruner, J. (1961). *The process of education.* Cambridge, MA: Harvard University Press.

Bruner, J., Goodnow, J. J., & Austin, G. A. (1967). *A study of thinking.* New York, NY: Science Edition.

Burkham, D., Lee, V., & Smerdon, B. (1997). Gender and science learning early in high school: Subject matter and laboratory experiences. *American Educational Research Journal, 34(2),* 297−331.

Burns, S., Griffin, P., & Snow, C. (1998). *Starting out right.* Washington, DC: National Academy Press.

Calderon, M., Hertz-Lazarowitz, R., & Tinajero, J. (1991). Adapting CIRC to multiethnic and bilingual classrooms. *Cooperative Learning, 12,* 17−20.

Calhoun, E. (1997). *Literacy for all.* Saint Simons Island, GA: The Phoenix Alliance.

Calhoun, E. (1998). *Literacy for the primary grades: What works, for whom, and to what degree.* Saint Simons Island, GA: The Phoenix Alliance.

Calhoun, E. F. (1994). *How to use action research in the self-renewing school.* Alexandria, VA: Association for Supervision and Curriculum Development.

Calhoun, E. F. (1999). *Teaching beginning reading and writing with the picture word inductive model.* Alexandria, VA: Association for Supervision and Curriculum Development.

Calhoun, E. (2004). *Using Data to Assess Your Reading Program.* Alexandria, Virginia: Association for Supervision and Curriculum Development.

Calkins, L. (2000). *The art of teaching reading.* Boston: Pearson.

Calkins, L. & Harwayne, S. (1987). *The writing workshop: A world of difference.* New York, NY: Heinemann.

Cambourne, B. (2002). Holistic, integrated approaches to reading and language arts instruction: The constructivist framework of an instructional theory. In A. Farstrup & J. Samuels (Eds.), *What research has to say about reading instruction.* Newark, DE: International Reading Instruction.

Cameron, J., & Pierce, W. (1994). Reinforcement, reward, and intrinsic motivation: A meta-analysis. *Review of Educational Research, 64(2),* 363−423.

Can, N. (2010). *The Shallows.* New York, NY: Norton.

Carroll, J. B. (1963). A model of school learning. *Teachers College Record, 64,* 722−733.

Carroll, J. B. (1964). *Language and thought.* Englewood Cliffs, NJ: Prentice-Hall.

Carroll, J. B. (1971). Problems of measurement related to the concept of learning for mastery. In J. H. Block (Ed.), *Mastery learning: Theory and practice.* New York, NY: Holt, Rinehart & Winston.

Carroll, J. B. (1977). A revisionist model of school learning. *Review of Educational Research, 3,* 155−167.

Chall, J. S. (1983). *Stages of reading development.* New York, NY: McGraw-Hill.

Chamberlin, C., & Chamberlin, E. (1943). *Did they succeed in college?* New York, NY: Harper & Row.

Chesler, M., & Fox, R. (1966). *Role-playing methods in the classroom.* Chicago, IL: Science Research Associates.

Chin, R., & Benne, K. (1969). General strategies for effecting change in human systems. In W Bennis, K. Benne, & R. Chin (Eds.), *The planning of change* (pp. 32−59). New York, NY: Holt, Rinehart & Winston.

Clark, C., & Peterson, P. (1986). Teachers' thought processes. In M. Wittrock (Ed.), *Handbook of research on teaching* (pp. 225−296). New York, NY: Macmillan.

Clark, C., & Yinger, R. (1979). *Three studies of teacher planning.* (Research Series No. 55.) East Lansing, MI: Michigan State University.

Clark, H. H., & Clark, E. V. (1977). *Psychology and language: An introduction to psycholinguistics.* New York, NY: Harcourt, Brace, Jovanovich.

Clauson, E. V., & Barnes, B. R. (1973). The effects of organizers on the learning of structured anthropology materials in the elementary grades. *Journal of Experimental Education, 42,* 11−15.

Clauson, E. V., & Rice, M. G. (1972). *The changing world today.* (Anthropology Curriculum Project Publication No. 72-1.) Athens, GA: University of Georgia.

Coiro, J. (2011). Talking about reading: Modelling the hidden complexities of online reading comprehension. *Theory into Practice 50(2),* 107−115.

Coleman, J. S., Campbell, E. O., Hobson, C. J., McPortland, J., Mood, A. M., Weinfield, E. D., et al. (1966). *Equality of educational opportunity.* Washington, DC: U.S. Government Printing Office.

Collins, K. (1969). The importance of strong confrontation in an inquiry model of teaching. *School Science and Mathematics, 69(7),* 615−617.

Comenius, J. (1967). *The great didactic.* Brasted, Kent, UK: Russell and Russell Publishing.

Cook, L., & Cook, E. (1954). *Intergroup education.* New York, NY: McGraw-Hill.

Cook, L., & Cook, E. (1957). *School problems in human relations.* New York, NY: McGraw-Hill.

Cooper, L., Johnson, D. W., Johnson, R., & Wilderson, F. (1980). The effects of cooperative, competitive, and individualistic experiences on interpersonal attraction among heterogeneous peers. *Journal of Social Psychology, 111,* 243−252.

Cornelius-White, J. (2007). Learner-centered teacher-student relationships are effective: A meta-analysis. *Review of Educational Research, 77(1),* 113−173.

Counts, G. (1932). *Dare the school build a new social order?* New York, NY: John Day.

Courmier, S., & Hagman, J. (Eds.). (1987). *Transfer of learning.* San Diego, CA: Academic Press.

Crosby, M. (1965). *An adventure in human relations.* Chicago, IL: Follet Corporation.

Cunningham, J. (2002). The national reading panel report. In R. Allington (Ed.), *Big Brother and the national reading curriculum.* Portsmouth, NH: Heinemann.

Cunningham, J., & Stanovich, K. (1998). What reading does for the mind. *American Educator,* Spring/Summer, 1-8.

Cunningham, P. M. (1990). The names test: A quick assessment of decoding ability. *The Reading Teacher, 44,* 124−129.

Cunningham, P. M. (2005). *Phonics they use: Words for reading and writing* (4th Ed.). Boston: Pearson/Allyn & Bacon.

Daane, M., Campbell, J., Grigg, W., Goodman, M., & Oranje, A. (2005). *The Nation's Report Card.* Washington, DC: National Center for Educational Statistics.

Dale, P. (2007). *Ten in the bed.* Cambridge, MA: Candlewick.

Dalton, M. (1986). *The thought processes of teachers when practicing two models of teaching.* Doctoral dissertation, University of Oregon.

Dalton, M., & Dodd, J. (1986). *Teacher thinking: The development of skill in using two models of teaching and model-relevant thinking.* Paper presented at the annual meeting of the American Educational Research Association, San Francisco, CA.

de Jong, T., and van Joolingen, W. (1998). Scientific discovery learning with computer simulations of conceptual domains. *Review of Educational Research, 68(2),* 179−201.

Deal, T. E., & Kennedy, A. A. (1984). *Corporate cultures: The rites and rituals of corporate life.* Boston, MA: Addison-Wesley.

Deshler, D., & Schumaker, J. (2006). *Teaching adolescents with disabilities.* Thousand Oaks, CA: Corwin.

Dewey, J. (1910). *How we think.* Boston, MA: Heath.

Dewey, J. (1916). *Democracy and education.* New York, NY: Macmillan.

Dewey, J. (1920). *Reconstruction in philosophy.* New York, NY: Holt.

Dewey, J. (1937). *Experience and education.* New York, NY: Macmillan.

Dewey, J. (1956). *The school and society.* Chicago, IL: University of Chicago Press.

Dewey, J. (1960). *The child and the curriculum.* Chicago, IL: University of Chicago Press.

Dickinson, D. K., McCabe, A., & Essex, M. J. (2006). A window of opportunity we must open to all: The case for preschool with high-quality support for language and literacy. In D. K. Dickinson & S. B. Neuman (Eds.), *Handbook of early literacy research: Vol. 2* (pp. 11−28). New York, NY: Guilford.

Downey, L. (1967). *The secondary phase of education.* Boston, MA: Ginn and Co.

Duffelmeyer, F. A., Kruse, A. E., Merkley, D. J., & Fyfe, S. A. (1994). Further validation and enhancement of the Names Test. *The Reading Teacher, 48(2),* 118−128.

Duffy, G. (2002). The case for direct explanation of strategies. In C. Block & M. Pressley (Eds.), *Comprehension instruction* (pp. 28−4 1). New York, NY: Guilford.

Duffy, G. (2009). *Explaining reading: A resource for teaching concepts, skills, and strategies* (2nd Ed.). New York, NY: Guilford.

Duffy, G., Roehler, E., Sivan, E., Racklife, G., Book, C., Meloth, M., et al. (1987). The effects of explaining the reasoning associated with using reading strategies. *Reading Research Quarterly, 22,* 347−367.

Duffy, G., Roehler, L., & Herrmann, B. (1988). Modeling mental processes helps poor readers become strategic readers. *The Reading Teacher, 41,* 762−767.

Duke, N., & Pearson, P. D. (undated). *Effective practices for developing reading comprehension.* East Lansing, MI: College of Education, Michigan State University.

Duke, N., Pearson, P. D., Strachan, S., & Billman, A. (2011). Essential elements of fostering and teaching reading comprehension. In A. E. Farstrup & S. J. Samuels (Eds.), *What research has to say about reading instruction* (pp. 48−93). Newark, DE: International Reading Association.

Dunn, R., & Dunn, K. (1975). *Educators' self-teaching guide to individualizing instructional programs.* West Nyack, NY: Parker.

Durkin, D. (1966). *Children who read early.* New York, NY: Teachers College Press.

Durkin, D. (1978/1979). What classroom observations reveal about reading comprehension instruction. *Reading Research Quarterly, 14(4),* 481−533.

Eastman, P. D. (1961). *Go, Dog, Go.* New York, NY: Random House.

Edmonds, R. (1979). Some schools work and more can. *Social Policy, 9(5),* 28−32.

Ehri, L., Nunes, S., Stahl, S., & Willows, D. (2001). Systematic phonics instruction helps students learn to read. *Review of Educational Research, 71(3),* 393−447.

Ehri, L. C. (1999). *Phases of acquisition in learning to read words and instructional implications.* Paper presented at the annual meeting of the American Educational Research Association. Montreal, Canada.

Ehri, L. C. (2005). Learning to read words: Theory, findings, and issues. *Scientific Studies of*

Reading, 9(2), 167−188.

Elefant, E. (1980). Deaf children in an inquiry training program. *Volta Review, 82,* 271−279.

Elementary Science Study (ESS). (1971). *Batteries and bulbs: An electrical suggestion book.* New York, NY: Webster-McGraw-Hill.

Elkind, D. (1987). *Miseducation: Preschoolers at risk.* New York, NY: Knopf.

Ellis, A., & Harper, R. (1975). *A new guide to rational living.* Englewood Cliffs, NJ: Prentice-Hall.

El-Nemr, M. A. (1979). *Meta-analysis of the outcomes of teaching biology as inquiry.* Boulder, CO: University of Colorado.

Emmer, E., & Evertson, C. (1980). *Effective classroom management at the beginning of the year in junior high school classrooms.* (Report No. 6107.) Austin, TX: Research and Development Center for Teacher Education, University of Texas.

Emmer, E., Evertson, C., & Anderson, L. (1980). Effective classroom management at the beginning of the school year. *Elementary School Journal, 80,* 219−231.

Englert, C., Raphael, T., Anderson, L., Anthony, H., and Stevens, D. (1991). Making Strategies and Self-Talk Visible: Writing Instruction in Regular and Special Education Classrooms. (1991). *American Educational Research Journal, 28(2),* 337−372.

Englemann, S., & Osborn, J. (1972). *DISTAR language program.* Chicago, IL: Science Research Associates.

Erikson, E. (1950). *Childhood and society.* New York, NY: Norton.

Estes, W E. (Ed.). (1976). *Handbook of learning and cognitive processes: Volume 4: Attention and memory.* Hillsdale, NJ: Erlbaum.

Farstrup, A. E., & Samuels, S. J. (Eds.). *What research has to say about reading instruction.* Newark, DE: International Reading Association.

Fisher, C. W., Berliner, D. C., Filby, N. N., Marliave, R., Ghen, L. S., & Dishaw, M. (1980). Teaching behaviors, academic learning time, and student achievement: An over view. In C. Denham & A. Lieberman (Eds.), *Time to learn.* Washington, DC: National Institute of Education.

Flanders, N. (1970). *Analyzing teaching behavior.* Reading, MA: Addison-Wesley.

Flavell, I. H. (1963). *The developmental psychology of Jean Piaget.* Princeton, NJ: Van Nostrand Reinhold.

Flesch, R. (1955). *Why Johnny can't read.* New York, NY: Harper Brothers.

Flint, S. (1965). *The relationship between the classroom verbal behavior of student teachers and the classroom verbal behavior of their cooperating teachers.* Doctoral dissertation. New York, NY: Teachers College Press.

Fromm, E. (1941). *Escape from freedom.* New York, NY: Farrar & Rinehart.

Fromm, E. (1955). *The sane society.* New York, NY: Rinehart.

Fromm, E. (1956). *The art of loving.* New York, NY: Harper.

Fuchs, D., Fuchs, L., Mathes, P., & Simmons, D. (1997). Peer-assisted learning strategies. *American Educational Research Journal, 34(1),* 174−206.

Fuchs, L., Fuchs, D., Hamlett, C., & Karns, K. (1998). High-achieving students' interactions and performance on complex mathematical tasks as a function of homogeneous and heterogeneous pairings. *American Educational Research Journal, 35(2),* 227−267.

Fullan, M. (1982). *The meaning of educational change.* New York, NY: Teachers College Press.

Fullan, M. G., Bennett, B., & Bennett, C. R. (1990). Linking classroom and school improvement. *Educational Leadership, 47(8),* 13−19.

Fullan, M., & Park, P. (1981). *Curriculum implementation: A resource booklet.* Toronto, ON: Ontario Ministry of Education.

Fullan, M., & Pomfret, A. (1977). Research on curriculum and instruction implementation. *Review of Educational Research, 47(2),* 335−397.

Gage, N. L. (1979). *The scientific basis for the art of teaching.* New York, NY: Teachers College Press.

Gage, N. L., & Berliner, D. (1983). *Educational psychology.* Boston: Houghton Muffin.

Gagné, R. (1965). *The conditions of learning.* New York, NY: Holt, Rinehart & Winston.

Gagné, R., & White, R. (1978). Memory structures and learning outcomes. *Review of Educational Research, 48(2),* 137−222.

Garan, E. (2002). Beyond the smoke and mirrors: A critique of the National Reading Panel report on phonics. In R. Allington (Ed.), *Big brother and the National Reading Curriculum* (pp. 90−111). Portsmouth, NH: Heinemann.

Garan, E. (2005). Murder your darlings: A scientific response to the voice of evidence in reading research. *Phi Delta Kappan, 86(6),* 438−443.

Gardner, H. (1983). *Frames of mind: The theory of multiple intelligences.* New York, NY: Basic Books.

Garner, R. (1987). *Metacognition and reading comprehension.* Norwood, NJ: Ablex.

Gaskins, I., & Elliot, T. (1991). *Implementing cognitive strategy instruction across the school.* Cambridge, MA: Brookline Books.

Gentile, J. R. (1988). *Instructional improvement: Summary and analysis of Madeline Hunter's essential elements of instruction and supervision.* Oxford, OH: National Staff Development Council.

Gersten, R., Fuchs, L., Williams, J., & Baker, S. (2001). Teaching reading comprehension strategies to children with learning disabilities: A review of research. *Review of Educational Research, 71(2),* 279−320.

Giese, J. R. (1989). *The progressive era: The limits of reform.* Boulder, CO: Social Science Education Consortium.

Gilham, N. (2011). *Genes, Chromosomes, and Disease.* FT Press.

Glade, M. E., & Giese, J. R. (1989). *Immigration, pluralism, and national identity.* Boulder, CO: Social Science Education Consortium.

Glaser, R. (Ed.). (1962). *Training research and education.* Pittsburgh, PA: University of Pittsburgh Press.

Glass, G. V. (1975). Primary, secondary, and meta-analysis of research. *Educational Researcher, 7(3),* 33−50.

Glynn, S. M. (1994). *Teaching science with analogies.* Athens, GA: National Reading Research Center, University of Georgia.

Goffman, I. (1986). *Gender advertisents.* New York, NY: Harper.

Good, T., Grouws, D., & Ebmeier, H. (1983). *Active mathematics teaching.* New York, NY: Longman.

Goodlad, J. (1984). *A place called school.* New York, NY: McGraw-Hill.

Goodlad, J., & Klein, F. (1970). *Looking behind the classroom door.* Worthington, OH: Charles A. Jones.

Gordon, W. J. J. (1955, December). *Some environmental aspects of creativity.* Paper delivered to the Department of Defense, Fort Belvoir, VA.

Gordon, W. J. J. (1956). *Creativity as a process.* Paper delivered at the First Arden House

Conference on Creative Process.

Gordon, W J. J. (1961). *Synectics.* New York, NY: Harper & Row.

Graves, M. (2006). *The Vocabulary Book: Learning & Instruction.* New York, NY: Teachers College Press.

Graves, M. F., Juel, C., & Graves, B. B. (2001). *Teaching reading in the 21st century* (2nd Ed.). Boston: Allyn & Bacon.

Graves, M. F., Watts, S. M., & Graves, B. B. (1994). *Essentials of classroom teaching: Elementary reading methods.* Boston: Allyn & Bacon.

Greenberg, J. (2006) *Biological Sciences Curriculum Study: Blue Version—A Molecular Approach.* Glencoe, IL: McGraw-Hill.

Gunning, T. (1998). *Best books for beginning readers.* Boston, MA: Allyn & Bacon.

Halberstam, D. (1998). *The children.* New York, NY: Random House.

Halberstam, D. (2002). *Firehouse.* New York, NY: Hyperion.

Hall, G. (1986). *Skills derived from studies of the implementation of innovations in education.* Paper presented at the annual meeting of the American Educational Research Association, San Francisco, CA.

Hall, G., & Loucks, S. (1977). A developmental model for determining whether the treatment is actually implemented. *American Educational Research Journal, 14(3),* 263—276.

Hall, G., & Loucks, S. (1978). Teacher concerns as a basis for facilitating and personalizing staff development. *Teachers College Record, 80(1),* 36—53.

Hanson, R., & Farrell, D. (1995). The long-term effects on high school seniors of learning to read in kindergarten. *Reading Research Quarterly, 30(4),* 908—933.

Hart, B., & Risley, T. R. (1995). *Meaningjül diffrrences in the everyday experience of young American children.* Baltimore, MD: Paul H. Brookes.

Harvey, O. J., Hunt, D., & Schroeder, H. (1961). *Conceptual systems and personality organization.* New York, NY: Wiley.

Hawkes, E. (1971). *The effects of an instruction strategy on approaches to problem-solving.* Unpublished doctoral dissertation, Teachers College, Columbia University.

Hertz-Lazarowitz, R. (1993). Using group investigation to enhance Arab-Jewish relationships. *Cooperative Learning, 11(2),* 13—14.

Hill, H., Rowan, B., & Ball, D. (2005). Effects of teachers' mathematical knowledge for teaching on student achievement. *American Educational Research Journal, 42(2),* 371—406.

Hillocks, G. (1987). Synthesis of research on teaching writing. *Educational Leadership, 44(8),* 71—82.

Hoetker, J., & Ahlbrand, W. (1969). The persistence of the recitation. *American Educational Research Journal, 6,* 145—167.

Holloway, S. D. (1988). Concepts of ability and effort in Japan and the United States. *Review of Educational Research, 58(3),* 327—345.

Hopkins, D. (1987). *Improving the quality of schooling.* London, UK: Falmer Press.

Hopkins, D. (1990). Integrating staff development and school improvement: A study of teacher personality and school climate. In B. Joyce (Ed.), *Changing school culture through staff development. 1990 Yearbook of the Association for Supervision and Curriculum Development.* Alexandria, VA: ASCD.

Hrycauk, M. (2002). A safety net for second grade students. *Journal of Staff Development, 23(1),* 55—58.

Huberman, M., & Miles, M. (1984). *Innovation up close.* New York, NY: Plenum.

Huhtala, J. (1994). *Group investigation structuring an inquiry-based curriculum.* Paper presented at the annual meeting of the American Educational Research Association, New Orleans, LA.

Hullfish, H. G., & Smith, P. G. (1961). *Reflective thinking: The method of education.* New York, NY: Dodd, Mead.

Hunt, D. E. (1970). A conceptual level matching model for coordinating learner characteristics with educational approaches. *Interchange: A Journal of Educational Studies, 1(2),* 1−31.

Hunt, D. E. (1971). *Matching models in education.* Toronto, ON: Ontario Institute for Studies in Education.

Hunt, D. E. (1975). The B-P-E paradigm in theory, research, and practice. *Canadian Psychological Review, 16,* 185−197.

Hunt, D. E., Butler, L. F, Noy, J. E., & Rosser, M. E. (1978). *Assessing conceptual level by the paragraph completion method.* Toronto, ON: Ontario Institute for Studies in Education.

Hunt, D. E., & Joyce, B. (1967). Teacher trainee personality and initial teaching style. *American Educational Research Journal, 4,* 253−259.

Hunt, D. E., & Sullivan, E. V. (1974). *Between psychology and education.* Hinsdale, IL: Dryden.

Hunter, I. (1964). *Memory.* Hammondsworth, Middlesex: Penguin Books.

International Reading Association. (1998). *Position statement on phonemic awareness and the teaching of reading.* Newark, DE: Author.

International Reading Association & The National Association for the Education of Young Children. (1998). *Position statement on learning to read and write: Developmentally appropriate practices for young children.* Newark, DE: International Reading Association.

Ivany, G. (1969). The assessment of verbal inquiry in elementary school science. *Science Education, 53(4),* 287−293.

Johnson, D., Johnson, R., & Holubec, E. (1994). *Circles of Learning.* Alexandria, VA: Association for Supervision and Curriculum Development.

Johnson, D. W., & Johnson, R. T. (1974). Instructional goal structure: Cooperative, competitive, or individualistic. *Review of Educational Research, 44,* 213−240.

Johnson, D. W., & Johnson, R. T. (2009). An educational psychology success story: Social interdependence theory and cooperative learning. *Educational Research, 38(5),* 365−379.

Joyce, B., Bush, R., & McKibbin, M. (1982). *The California Staff Development Study: The Januaiy report.* Sacramento: The California Department of Education.

Joyce, B., & Calhoun, E. (1996). *Learning experiences in school renewal: An exploration of five successful programs.* University of Oregon, Eugene, OR: ERIC Clearinghouse on Educational Management.

Joyce, B., & Calhoun, E. (2010). *Models of professional development.* Thousand Oaks, CA: Corwin Press.

Joyce, B., Calhoun, E., & Hrycauk, M. (2003). Learning to read in kindergarten. *Phi Delta Kappan, 85(2),* 126−132.

Joyce, B., Calhoun, E., Jutras, J., & Newlove, K. (2006). Scaling up: The results of a literacy curriculum implemented across an entire 53-school education authority. Paper presented at the Asian Pacific Educational Research Association, Hong Kong.

Joyce, B., Hrycauk, M., Calhoun, E., & Hrycauk, W (2006). The tending of diversity through a robust core literacy curriculum: Gender, socioeconomic status, learning disabilities, and ethnicity. Paper presented at the Asian Pacific Educational Research Association, Hong Kong.

Joyce, B., & Showers, B. (2004). *Student achievement through staff development.* Alexandria, VA: Association for Supervision and Curriculum Development.

Joyce, B., Weil, M., Calhoun, E. (2009). *Models of Teaching.* Boston, MA: Pearson Education.

Juel, C. (1988). Learning to read and write. *Journal of Educational Psychology, 80(4),* 437−447.

Juel, C. (1992). Longitudinal research on learning to read and write with at-risk students. In M. Dreher & W. Slater (Eds.), *Elementary school literacy: Critical issues* (pp. 73−99). Norwood, MA: Christopher-Gordon.

Kagan, S. (1990). *Cooperative learning resources for teachers.* San Juan Capistrano, CA: Resources for Teachers.

Kahle, J. (1985). *Women in science: A report from the field.* Philadelphia, PA: Falmer Press.

Kahle, J., & Meece, R. (1994). Research on gender issues in the classroom. In D. L. Gabel (Ed.), *Handbook of research on science teaching and learning* (pp. 542−557). New York, NY: MacMillan.

Kamii, C., & DeVries, R. (1974). Piaget-based curricula for early childhood education. In R. Parker (Ed.), *The preschool in action.* Boston, MA: Allyn & Bacon.

Kaplan, A. (1964). *The conduct of inquiry.* San Francisco, CA: Chandler.

Karplus, R. (1964). *Theoretical background of the science curriculum improvement study.* Berkeley, CA: University of California Press.

Kay, K. (2010). 21st Century Skills: Why they matter, what they are, and how we get there. In Bellanca, J., & Brandt, R. (Eds.), *21st Century skills: Rethinking how students learn* (pp. xiii−xxi). Bloomington, IN: Solution Tree Press.

Keyes, D. K. (2006). Metaphorical voices: Secondary students' exploration into multidimensional perspectives in literature and creative writing using the synectics model. Unpublished doctoral dissertation, University of Houston.

Kilpatrick, W. H. (1919). *The project method.* New York, NY: Teachers College Press.

Klauer, K., & Phye, G. (2008). Inductive reasoning: A training approach. *Review of Educational Research, 78(1),* 85−123.

Klein, S. (1985). *Handbook for achieving sex equity through education.* Baltimore, MA: Johns Hopkins University Press.

Klinzing, G., & Klinzing-Eurich, G. (1985). Higher cognitive behaviors in classroom discourse: Congruencies between teachers' questions and pupils' responses. *Australian Journal of Education, 29(1),* 63−74.

Knapp, P. (1995). *Teaching for meaning in high-poverty classrooms.* New York, NY: Teachers College Press.

Knowles, M. (1978). *The adult learner: A neglected species.* Houston, TX: Gulf.

Kohlberg, L. (1966). Moral education and the schools. *School Review, 74,* 1−30.

Kohlberg, L. (1976). The cognitive developmental approach to moral education. In D. Purpel & K. Ryan (Eds.), *Moral education... It comes with the territory.* Berkeley, CA: McCutchan.

Kohlberg, L. (Ed.). (1977). *Recent research in moral development.* New York, NY: Holt, Rinehart & Winston.

Kramarski, B., & Maravech, Z. (2003). Enhancing mathematical reasoning in the classroom: The effects of cooperative learning and metacognitive training. *American Educational Research Journal, 40(1),* 281−310.

Kucan, L., & Beck, I. (1997). Thinking aloud and thinking comprehension research: Inquiry, instruction, and social interaction. *Review of EducationalResearch, 6(3),* 271−299.

Kuhn, D., Amsel, E., & O'Loughlin, M. (1988). *The development of scientific thinking skills.*

New York, NY: Academic Press.

Kulik, C. C., Kulik, J. A., & Bangert-Drowns, R. L. (1990). Effectiveness of mastery learning programs: A meta-analysis. *Review of Educational Research, 60,* 265–299.

Lavatelle, C. (1970). *Piaget's theory applied to an early childhood education curriculum.* Boston, MA: American Science and Engineering.

Lawton, J. T. (1977a). Effects of advance organizer lessons on children's use and understanding of the causal and logical "because." *Journal of Experimental Education, 46(1),* 41–46.

Lawton, J. T. (1977b). The use of advance organizers in the learning and retention of logical operations in social studies concepts. *American Educational Research Journal, 14(1),* 24–43.

Lawton, J. I., & Wanska, S. K. (1977a). Advance organizers as a teaching strategy: A reply to Barnes and Clawson. *Review of Educational Research, 47(1),* 233–244.

Lawton, J. T., & Wanska, S. K. (1977b, Summer). The effects of different types of advance organizers on classification learning. *American Educational Research Journal, 16(3),* 223–239.

Levin, J. R., McCormick, C., Miller, H., & Berry, J. (1982). Mnemonic versus nonmnemonic strategies for children. *American Educational Research Journal, 19(1),* 121–136.

Levin, J. R., Shriberg, L., & Berry, J. (1983). A concrete strategy for remembering abstract prose. *American Educational Research Journal, 20(2),* 277–290.

Levin, M. E., & Levin, J. R. (1990). Scientific mnemonics: Methods for maximizing more than memory. *American Educational Research Journal, 27,* 301–321.

Levy, D. V., & Stark, J. (1982). *Implementation of the Chicago mastery learning reading program at inner-city elementary schools.* Paper presented at the annual meeting of the American Educational Research Association, New York, NY.

Lewin, T. (1998, December 6). U.S. colleges begin to ask, Where have the men gone? *The New York Times,* pp. 1, 28.

Lindvall, C. M., & Bolvin, J. O. (1966). *The project for individually prescribed instruction.* Oakleaf Project. Unpublished manuscript, Learning Research and Development Center, University of Pittsburgh.

Linn, M., & Hyde, J. (1989). Gender, mathematics, and science. *Educational Researcher, 18(8),* 17–19, 22–27.

Lippitt, R., Fox, R., & Schaible, L. (1969a). *Cause and effect: Social science resource book.* Chicago, IL: Science Research Associates.

Lippitt, R., Fox, R., & Schaible, L. (1969b). *Social science laboratory units.* Chicago, IL: Science Research Associates.

Locke, J. (1927). *Some thoughts concerning education* (R. H. Quick, Ed.). Cambridge, UK: Cambridge University Press.

Lorayne, H., & Lucas, J. (1974). *The memory book.* Briercliff Manor, NY: Lucas Educational Systems.

Lortie, D. (1975). *Schoolteacher.* Chicago, UK: University of Chicago Press.

Loucks, S. F., Newlove, B. W., & Hall, G. E. (1975). *Measuring levels of use of the innovation: A manual for trainers, interviewers, and raters.* Austin, TX: Research and Development Center for Teacher Education, University of Texas.

Loucks-Horsley, S. (2003). *Designing professional development for teachers of science and mathematics.* Thousand Oaks, CA: Corwin Press.

Lucas, J. (2001). *Learning how to learn.* Frisco, TX: Lucas Educational Systems.

Lucas, S. B. (1972). *The effects of utilizing three types of advance organizers for learning a biological concept in seventh grade science.* Doctoral dissertation, Pennsylvania State University.

Luiten, J., Ames, W., & Ackerson, G. A. (1980). A meta-analysis of the effects of advance organizers on learning and retention. *American Educational Research Journal, 17,* 211−218.

Lunis, N., & White, N. (1999). *Being a scientist.* New York, NY: Newbridge Educational Publishing.

Maccoby, E., & Jacklin, C. (1974). *The psychology of sex differences.* Stanford, CA: Stanford University Press.

Madaus, G. F., Airasian, P. W., & Kellaghan, T. (1980). *School effectiveness: A review of the evidence.* New York: McGraw-Hill.

Madden, N. A., & Slavin, R. E. (1983). Cooperative learning and social acceptance of mainstreamed academically handicapped students. *Journal of Special Education, 17,* 171−182.

Mahoney, M., & Thoresen, C. (1972). Behavioral self-control: Power to the person. *Educational Researcher, 1,* 5−7.

Maloney, D. (1994). Research on problem-solving: Physics. In D. L. Gabel (Ed.), *Handbook of research on science teaching and learning* (pp. 327−354). New York: MacMillan.

Martin, M. O., Mullis, I. V. S., Foy, P., in collaboration with Olson, J. F., Erberber, E., Preuschoff, C., & Galia, J. (2008). *TIMSS 2007 international science report: Findings from lEA's Trends in International Mathematics and Science Study at the fourth and eighth grades.* Chestnut Hill, MA: TIMSS & PIRLS International Study Center, Boston College. Available from *http://timss.bc.edu/timss2007/intl_reports.html.*

Maslow, A. (1962). *Toward a psychology of being.* New York, NY: Van Nostrand.

Mastropieri, M. A., & Scruggs, T. E. (1991). *Teaching students ways to remember.* Cambridge, MA: Brookline Books.

Mastropieri, M. A., & Scruggs, T. E. (1994). *A practical guide for teaching science to students with special needs in inclusive settings.* Austin, TX: Pro-Ed.

Mayer, R. F. (1979). Can advance organizers influence meaningful learning? *Review of Educational Research, 49(2),* 371−383.

McCarthy, B. (1981). *The 4mat system: Teaching to learning styles with right/left mode techniques.* Barrington, IL: Excel.

McDonald, F. J., & Elias, P. (1976a). *Beginning teacher evaluation study: Phase II, 1973−74. Executive summary report.* Princeton, NJ: Educational Testing Service.

McDonald, F. J., & Elias, P. (1976b). *Executive summary report: Beginning teacher evaluation study, phase II.* Princeton, NJ: Educational Testing Service.

McGill-Franzen, A., Allington, R., Yokoi, I., & Brooks, G. (1999). Putting books in the room seems necessary but not sufficient. *Journal of Educational Research, 93,* 67−74.

McGill-Franzen, A. (2001). In S. Neuman & D. Dickinson (Eds.), *Handbook of early literacy research* (pp. 471−483). New York, NY: Guilford Press.

McGill-Franzen, A., & Allington, R. (1991). The gridlock of low achievement. *Remedial and Special Education, 12,* 20−30.

McGill-Franzen, A., & Allington, R. (2003). Bridging the summer reading gap. *Instructor, 112(8),* 17−19.

McGill-Franzen, A., & Goatley, V. (2001). Title I and special education: Support for children who struggle to learn to read. In S. Neuman & D. Dickinson (Eds.), *Handbook of early literacy research* (pp. 471−484). New York, NY: Guilford.

McGill-Franzen, A., Lanford, C., & Killian, J. (undated). *Case studies of literature-based textbook use in kindergarten.* Albany, NY: State University of New York.

McKibbin, M., & Joyce, B. (1980). Psychological states and staff development. *Theory into Practice, 19(4),* 248–255.

McKinney, C., Warren, A., Larkins, G., Ford, M. J., & Davis, J. C. III. (1983). The effectiveness of three methods of teaching social studies concepts to fourth-grade students: An aptitude-treatment interaction study. *American Educational Research Journal, 20,* 663–670.

McNair, K. (1978/1979). Capturing in-flight decisions. *Educational Research Quarterly, 3(4),* 26–42.

Medley, D. M. (1977). *Teacher competence and teacher effectiveness.* Washington, DC: American Association of Colleges of Teacher Education.

Medley, D. M. (1982). Teacher effectiveness. In H. Mitzel (Ed.), *Encyclopedia of educational research* (pp. 1894–1903). New York, NY: Macmillan.

Medley, D. M., Coker, H., Coker, J. G., Lorentz, J. L., Soar, R. S., & Spaulding, R. L. (1981). Assessing teacher performance from observed competency indicators defined by classroom teachers. *Journal of Educational Research, 74,* 197–216.

Medley, D., Soar, R., & Coker, H. (1984). *Measurement-based evaluation of teacher performance.* New York, NY: Longman.

Merrill, M. D., & Tennyson, R. D. (1977). *Concept teaching: An instructional design guide.* Englewood Cliffs, NJ: Educational Technology.

Metz, K. E. (1995). Reassessment of developmental constraints on children's science instruction. *Review of Educational Research, 65(2),* 93–127.

Miles, M., & Huberman, M. (1984). *Innovation up close.* New York, NY: Praeger.

Millar, G. (1956). The magical number seven, plus or minus two: Some limits on our capacity to process information. *Psychological Review, 63,* 81–87.

Minner, D., Levy, A., & Century, J. (2009). Inquiry-based science instruction—What is it and does it matter? Results from a research synthesis years 1984–2002. *Journal of Research in Science Teaching 47(4),* 474–496.

Mitchell, L. S. (1950). *Our children and our schools.* New York, NY: Simon & Schuster.

More, T. (1965). *Utopia.* New York, NY: Dutton.

Morris, R. (1997, September). How new research on brain development will influence educational policy. Paper presented at Policy Makers Institute, Georgia Center for Advanced Telecommunications Technology. Atlanta, GA.

Nagy, W., & Anderson, P. (1987). Breadth and depth in vocabulary knowledge. *Reading Research Quarterly, 19,* 304–330.

Nagy, W., & Anderson, R. (1984). How many words are there in printed English? *Reading Research Quarterly, 19,* 304–330.

Nagy, W., Herman, P., & Anderson, R. (1985). Learning words from context. *Reading Research Quarterly, 20,* 233–253.

Natale, J. (2001). Early learners: Are full-day kindergartens too much for young children? *American School Board Journal, 188(3),* 22–25.

National Center for Education Statistics. (2011). *The Nation's Report Card: Reading 2011* (NCES 2012-457). Washington, DC: U.S. Department of Education, Institute of Education Sciences. Available from *http://nces.ed.gov/nationsreportcard.pdf/main2011/ 201245 7.pdf*

National Council for the Social Studies. (2010). *National curriculum standards for social studies:*

A framework for teaching, learning, and assessment. Silver Spring, MD: Author. (See also *www.socialstudies.org/standards/introduction.*)

National Governors Association Center for Best Practices & Council of Chief State School Officers. (2010a). *Common core state standards for English language arts & literacy in history/ social studies, science, and technical subjects.* Washington, DC: Authors. Retrieved August 24, 2012, from *www.corestandards.org/assets/CCSSI_ELA%20St.*

National Governors Association Center for Best Practices & Council of Chief State School Officers. (2010b). *Common core state standards for English language arts and literacy in history/social studies, science, and technical subjects: Appendix A: Research supporting key elements of the standards and glossary of key terms.* Washington, DC: Authors. Retrieved from *www. core standards.org/assets/Appendix_A.pdf*

National Governors Association Center for Best Practices & Council of Chief State School Officers. (2010c). *Common Core State Standards for English language arts and literacy in history/social studies, science, and technical subjects: Appendix B: Text exemplars and sample performance tasks.* Washington, DC: Authors. Retrieved from *www.corestandards.org/assets/ Appendix_A.pdf*

National Governors Association Center for Best Practices & Council of Chief State School Officers. (2010d). *Common Core State Standards for English language arts and literacy in history/social studies, science, and technical subjects: Appendix C: Samples of student writing.* Washington, DC: Authors. Retrieved from *wwwcorestandards.org/assets/Appendix_A.pdf*

National Governors Association Center for Best Practices & Council of Chief State School Officers. (2010e). *Common Core State Standards for mathematics.* Washington, DC: Authors. Retrieved from *www.corestandards.org/assets/CCSSI_Math %Standards.pdf*

National Research Council. (2012). *A framework for K–12 science education: practices, crosscutting ideas, and core ideas.* Washington, DC: The National Academies Press.

Neill, A. S. (1960). *Summerhill.* New York, NY: Holt, Rinehart & Winston.

Neuman, S., & Dickinson, D. (Eds.). (2001). *Handbook of early literacy research.* New York, NY: Guilford Press.

New Standards Primary Literacy Committee. (1999). *Reading and writing: Grade &v grade.* Pittsburgh, PA: National Center on Education and the Economy and the University of Pittsburgh.

Newby, T. J., & Ertner, P. A. (1994). *Instructional analogies and the learning of concepts.* Paper presented at the annual meeting of the American Educational Research Association, New Orleans, LA.

NGSS Lead States. (2013). *Next generation science standards: For states, by states.* Washington, DC: The National Academies Press.

Nicholson, A. M., & Joyce, B. (with D. Parker & F Waterman). (1976). *The literature on inservice teacher education.* (JSTE Report No 3.) Syracuse, NY: National Dissemination Center, Syracuse University.

Nucci, L. P. (Ed.). (1989). *Moral development and character education.* Berkeley, CA: McCutchan.

Oakes, J. (1986). *Keeping track: How schools structure inequality.* New Haven, CT: Yale University Press.

Oczkus, L. (2010). *Reciprocal teaching at work.* Newark, DE: International Reading Association.

OECD. (2007). Science competencies for tomorrow's world. *OECD briefing note for the United States.* Retrieved from *www.oecd.org/dataoecd/16/28/39722597.pdf*

OECD. (2009). *OECD programme for international student assessment (PISA) 2009 results.* Retrieved from *www.oecd.org/edu/pisa/2009.*

Oliver, D. W., & Shaver, J. P. (1971). *Cases and controversy: A guide to teaching the public issues series.* Middletown, CT: American Education Publishers.

Oliver, D., & Shaver, J. P. (1966/1974). *Teaching public issues in the high school.* Boston, MA: Houghton Muffin.

Olson, D. R. (1970). *Cognitive development: The child's acquisition of diagonality.* New York, NY: Academic Press.

Parker, L., & Offer, J. (1987). School science achievement: Conditions for equality. *International Journal for Science Education, 8(2),* 173−183.

Pavlov, I. (1927). *Conditioned reflexes: An investigation of physiological activity of the cerebral cortex* (G. V. Anrep, Trans.). London, UK: Oxford University Press.

PBS Teacherline. (2005). An introduction to underlying principles and research for effective literacy instruction. PBS Electronic Catalog. Washington, DC: Author.

Pearson, P. D., & Dole, J. A. (1987). Explicit comprehension instruction: A review of research and a new conceptualization of instruction. *The Elementary School Journal, 88(2),* 151−165.

Pearson, P. D., & Gallaghei; M. C. (1983). University of Illinois at Urbana-Champaign. Center for the Study of Reading.

Perkins, D. N. (1984). Creativity by design. *Educational Leadership, 42(1),* 18−25.

Perls, F. (1968). *Gestalt therapy verbatim.* Lafayette, CA: Real People Press.

Peterson, P., & Clark, C. (1978). Teachers' reports of their cognitive processes while teaching. *American Educational Research Journal, 15(4),* 55 5−565.

Peterson, P., Marx, R., & Clark, C. (1978). Teacher planning, teacher behavior, and student achievement. *American Educational Research Journal, 15(4),* 417−432.

Phenix, P. (1961). *Education and the common good.* New York, NY: Harper.

Piaget, J. (1952). *The origins of intelligence in children.* New York, NY: International University Press.

Piaget, J. (1960). *The child's conception of the world.* Atlantic Highlands, NJ: Humanities Press.

Piksulski, J., with Taylor, B. (1999). *Emergent literacy survey/K−2.* Boston, MA: Houghton Muffin.

Pinnell, G. S. (1989). Helping at-risk children learn to read. *Elementary School Journal, 90(2),* 161−184.

Pinnell, G. S., Lyone, C. A., Deford, D., Bryk, A., & Seltzer, M. (1994). Comparing instructional models for the literacy education of high-risk first graders. *Reading Research Quarterly, 29(1),* 9−38.

PISA 2006: Science competencies for tomorrow's world. (2007). *OECD briefing note for the United States.* Retrieved from *wwwoecd.org/dataoecdll6/28/39722597.pdf*

Plato. (1945). *The Republic* (F. M. Cornford, Trans.). New York, NY: Oxford University Press.

Pollack, G. (1975). *Leadership in discussion groups.* New York, NY: Spectrum.

Pressley, M. (1977). Children's use of the keyword method to learn simple Spanish words. *Journal of Educational Psychology, 69(5),* 465−472.

Pressley, M. (1995). *Cognitive strategy instruction that really improves student performance.* Cambridge, MA: Brookline.

Pressley, M. (2002). Metacognition and self-regulated comprehension. In A. Farstrup & J. Samuels (Eds.), *What research has to say about reading instruction* (pp. 291−310). Newark, DE: International Reading Association.

Pressley, M. (2006). *What the future of reading research could be.* Paper presented at the International Reading Association's Reading Research, Chicago, IL.

Pressley, M., & Brainerd, C. (Eds). (1985). *Cognitive learning and memory in children.* New York, NY: Springer-Verlag.

Pressley, M., & Dennis-Rounds, J. (1980). Transfer of a mnemonic keyword strategy at two age levels. *Journal of Educational Psychology, 72(4),* 575−607.

Pressley, M., & Levin, J. R. (1978). Developmental constraints associated with children's use of the keyword method of foreign language learning. *Journal of Experimental Child Psychology, 26(1),* 359−372.

Pressley, M., Levin, J. R., & Delaney, H. D. (1982). The mnemonic keyword method. *Review of Educational Research, 52(1),* 61−91.

Pressley, M., Levin, J. R., & McCormick, C. (1980). Young children's learning of foreign language vocabulary: A sentence variation of the keyword method. *Contemporary Educational Psychology, 5(1),* 22−29.

Pressley, M., Levin, J., & Ghatala, F. (1984). Memory-strategy monitoring in adults and children. *Journal of Verbal Learning and Verbal Behavior, 23(2),* 270−288.

Pressley, M., Levin, J., & Miller, G. (1981a). How does the ke ord method affect vocabulary, comprehension, and usage? *Reading Research Quarterly, 16,* 213−226.

Pressley, M., Levin, J., & Miller, G. (198 lb). The keyword method and children's learning of foreign vocabulary with abstract meanings. *Canadian Psychology, 35(3),* 283−287.

Pressley, M., Samuel, J., Hershey, M., Bishop, S., & Dickinson, D. (1981). Use of a mnemonic technique to teach young children foreign-language vocabulary. *Contemporary Educational Psychology, 6,* 110−116.

Purkey, S., & Smith, M. (1983). Effective schools: A review. *Elementary School Journal, 83(4),* 427−452.

Purpel, D., & Ryan, K. (Eds.). (1976). *Moral education: It comes with the territory.* Berkeley, CA: McCutchan.

Qin, Z., Johnson, D. W., & Johnson, R. I. (1995). Cooperative versus competitive efforts and problem solving. *Review of Educational Research, 65(2),* 82−102.

Resnick, L. B. (1987). *Education and learning to think.* Washington, DC: Academic Press.

Resta, P., Flowers, B., & Tothero, K. (2007). The presidential timeline of the 20th century. *Social Education, 71(3),* 115−119.

Rhine, W. R. (Ed.). (1981). *Making schools more effective: New directions from follow through.* New York, NY: Academic Press.

Richardson, V. (1990). Significant and worthwhile change in teaching practice. *Educational Researcher, 19(7),* 10−18.

Rimm, D. C., & Masters, J. C. (1974). *Behavior therapy: Techniques and empirical findings.* New York: Academic Press.

Ripple, R., & Drinkwater, D. (1981). Transfer of learning. In H. F. Mitzel (Ed.), *Encyclopedia of educational research* (Vol. 4, pp. 1947−1953). New York, NY: Free Press, MacMillan.

Roberts, J. (1969). *Human relations training and its effect on the teaching-learning process in social studies.* (Final Report.) Albany, NY: Division of Research, New York State Education Department.

Roebuck, F., Buhler, J., & Aspy, D. (1976). *A comparison of high and low levels of humane teaching/learning conditions on the subsequent achievement of students identified as having learning difficulties.* (Final Report: Order No. PLD68 16-76 re the National Institute of

Mental Health.) Denton, TX: Texas Woman's University Press.

Rogers, C. (1961). *On becoming a person.* Boston, MA: Houghton Muffin.

Rogers, C. (1969). *Freedom to learn.* Columbus, OH: Merrill.

Rogers, C. (1971). *Client centered therapy.* Boston, MA: Houghton Muffin.

Rogers, C. (1981). *A way of being.* Boston, MA: Houghton Muffin.

Rogers, C. (1982). *Freedom to learn in the eighties.* Columbus, OH: Merrill.

Rolheiser-Bennett, C. (1986). *Four models of teaching: A meta-analysis of student outcomes.* Ph.D. thesis, University of Oregon.

Romberg, T. A., & Wilson, J. (1970). *The effect of an advance organizer, cognitive set, and postorganizer on the learning and retention of written materials.* Paper presented at the annual meeting of the American Educational Research Association, Minneapolis, MN.

Rosenholtz, S. J. (1989). *Teachers' workplace: The social organization of schools.* White Plains, NY: Longman.

Rosenshine, B. (1985). Direct instruction. In T. Husen & T. N. Postlethwaite (Eds.), *International Encyclopedia of Education* (Vol. 3, pp. 1395−1400). Oxford, UK: Pergamon Press.

Rosenshine, B., & Meister, C. (1994). Reciprocal teaching: A review of the research. *Review of Educational Research, 64(4),* 479−530.

Rousseau, J. J. (1983). *Eniile.* New York, NY: Dutton. (Original work published 1762.)

Rowe, M. B. (1969). Science, soul, and sanctions. *Science and Children, 6(6),* 11−13.

Rowe, M. B. (1974). Wait-time and rewards as instructional variables: Their influence on language, logic, and fate control. *Journal of Research in Science Teaching, 11,* 81−94.

Rutter, M., Maughan, R., Mortimer, P., Oustin, J., & Smith, A. (1979). *Fifteen thousand hours: Secondary schools and their effects on children.* Cambridge, MA: Harvard University Press.

Sadker, M., & Sadker, D. (1994). *Failing at fairness.* New York, NY: Touchstone (Simon & Schuster).

Sanders, D. A., & Sanders, J. A. (1984). *Teaching creativity through metaphor.* New York, NY: Longman.

Sanders, W., & Rivers, J. (1996). *Cumulative and residual effects of teachers on future student academic achievement: Research progress report.* Knoxville, TN: University of Tennessee Value-Added Research and Assessment Center.

Sarason, S. (1982). *The culture of the school and the problem of change* (2nd ed.). Boston, MA: Allyn & Bacon.

Scanlon, R., & Brown, M. (1969). *In-service education for individualized instruction.* Unpublished manuscript. Philadelphia, PA: Research for Better Schools.

Scardamalia, M., & Bereiter, C. (1984). Development of strategies in text processing. In H. Mandl, N. Stein, & T. Trabasso (Eds.), *Learning and comprehension of text* (pp. 370−406). Hillsdale, NJ: Erlbaum.

Schaefer, R. (1967). *The school as a center of inquiry.* New York, NY: Harper & Row.

Schaubel, L., Klopfer, L. F., & Raghavan, K. (1991). Students' transition from an engineering model to a science model of experimentation. *Journal of Research on Science Teaching, 28(9),* 859−882.

Schlenker, R. (1976). Learning about fossil formation by classroom simulation. *Science Activities, 28(3),* 17−20.

Schmuck, R. A., & Runkel, P. J. (1985). *The handbook of organizational development in schools* (3rd ed.). Palo Alto, CA: Mayfield Press.

Schmuck, R. A., Runkel, P. J., Arends, R., & Arends, J. (1977). *The second handbook of organizational development in schools.* Palo Alto, CA: Mayfield Press.

Schön, D. (1982). *The reflective practitionei* New York, NY: Basic Books.

Schrenker, G. (1976). *The effects of an inquiry-development program on elementary schoolchildren's science learning.* Ph.D. thesis, New York University.

Schroeder, H. M., Driver, M. J., & Streufert, S. (1967). *Human information processing: Individuals and groups functioning in complex social situations.* New York, NY: Holt, Rinehart & Winston.

Schroeder, H. M., Karlins, M., & Phares, J. (1973). *Education for freedom.* New York, NY: Wiley.

Schutz, W. (1967). *Joy: Expanding human awareness.* New York, NY: Grove Press.

Schutz, W. (1982). *Firo.* New York, NY: Holt, Rinehart & Winston.

Schutz, W., & Turner, F. (1983). *Body fantasy.* Irvington, IL: Irvington Press.

Schwab, J. (1965). *Biological sciences curriculum study: Biology teachers' handbook.* New York, NY: Wiley.

Schwab, J. (1982). *Science, curriculum, and liberal education: Selected essays.* Chicago, IL: University of Chicago Press.

Schwab, J., & Brandwein, P. (1962). *The teaching of science.* Cambridge, MA: Harvard University Press.

Shaftel, F., & Shaftel, G. (1967). *Role playing of social values: Decision making in the social studies.* Englewood Cliffs, NJ: Prentice-Hall.

Shaftel, F., & Shaftel, G. (1982). *Role playing in the curriculum.* Englewood Cliffs, NJ: Prentice-Hall.

Sharan, S. (1980). Cooperative learning in small groups: Recent methods and effects on achievement, attitudes, and ethnic relations. *Review of Educational Research, 50(2),* 241−271.

Sharan, S. (1990). *Cooperative learning: Theory and research.* New York, NY: Praeger.

Sharan, S., & Hertz-Lazarowitz, R. (1980a). Academic achievement of elementary school children in small-group versus whole-class instruction. *Journal of Experimental Education, 48(2),* 120−129.

Sharan, S., & Hertz-Lazarowitz, R. (1980b). A group investigation method of cooperative learning in the classroom. In S. Sharan, P. Hare, C. Webb, & R. Hertz-Lazarowitz (Eds.), *Cooperation in education* (pp. 14−46). Provo, UT: Brigham Young University Press.

Sharan, S., & Hertz-Lazarowitz, R. (1982). Effects of an instructional change program on teachers' behavior, attitudes, and perceptions. *Journal of Applied Behavioral Science, 18(2),* 185−201.

Sharan, S., & Shaulov, A. (1990). Cooperative learning, motivation to learn, and academic achievement. In S. Sharan (Ed.), *Cooperative learning: Theory and research* (pp. 173−202). New York: Praeger.

Sharan, S., Slavin, R., & Davidson, N. (1990). The IASCE: An agenda for the 90's. *Cooperative Learning, 10,* 2−4.

Sharon, S., & Shachar, H. (1988). *Language and learning in the cooperative classroom.* New York, NY: Springer-Verlag.

Shaver, J. P. (1995). Social studies. In G. Cawelti (Ed.), *Handbook of research on improving student achievement* (pp. 272−300). Arlington, VA: Educational Research Service.

Showers, B. (1980). *Self-efficacy as a predictor ofteacher participation in school decision-making.* Ph.D. thesis, Stanford University.

Showers, B. (1982a). *A study of coaching in teacher training.* Eugene, OR: Center for

Educational Policy and Management, University of Oregon.

Showers, B. (1982b). *Transfer of training: The contribution of coaching.* Eugene, OR: Center for Educational Policy and Management, University of Oregon.

Showers, B. (1984). *Peer coaching and its effect on transfer of training.* Paper presented at the annual meeting of the American Educational Research Association, New Orleans, LA.

Showers, B. (1985). Teachers coaching teachers. *Educational Leadership, 42(7),* 43−49.

Showers, B. (1989, March). *Implementation: Research-based training and teaching strategies and their effrcts on the workplace and instruction.* Paper presented at the annual meeting of the American Educational Research Association, San Francisco, CA.

Showers, B., Joyce, B., & Bennett, B. (1987). Synthesis of research on staff development: A framework for future study and a state-of-the-art analysis. *Educational Leadership, 45(3),* 77−87.

Showers, B., Joyce, B., Scanlon, M., & Schnaubelt, C. (1998). A second chance to learn to read. *Educational Leadership, 55(6),* 27−31.

Shymansky, J., Kyle, W., & Alport, J. (1983). The effects of new science curricula on student performance. *Journal of Research in Science Teaching, 20(5),* 387−404.

Sigel, I. E. (1969). The Piagetian system and the world of education. In J. Hunt (Ed.), *Intelligence and experience.* New York, NY: Ronald.

Sigel, I. E., & Hooper, F. H. (1968). *Logical thinking in children.* New York: Holt, Rinehart & Winston.

Sill, C. (2013). *About birds.* Atlanta, GA: Peachtree.

Simon, A., & Boyer, E. G. (1967). *Mirrors for behavior: An anthology of classroom observation instruments.* Philadelphia, PA: Research for Better Schools, Inc.

Sitotnik, K. (1983). What you see is what you get: Consistency, persistence, and mediocrity in classrooms. *Harvard Educational Review, 53(1),* 16−31.

Sizei; T. R. (1985). *Horace's compromise: The dilemma of the American high school.* Boston, MA: Houghton Muffin.

Skinner, B. F. (1953). *Science and ht.Lman behavior.* New York, NY: Macmillan.

Skinner, B. F. (1957). *Verbal behavior.* New York, NY: Appleton-Century-Crofts.

Skinner, B. F (1968). *The technology of teaching.* Englewood Cliffs, NJ: Prentice-Hall.

Skinner, B. F (1971). *Beyond freedom and dignity.* New York, NY: Knopf.

Skinner, B. F (1978). *Reflections on behaviorism and society.* Englewood Cliffs, NJ: Prentice-Hall.

Slavin, R. E. (1977a). How student learning teams can integrate the desegregated classroom. *Integrated Education, 15(6),* 56−58.

Slavin, R. E. (1977b). *Student learning team techniques: Narrowing the achievement gap between the races.* (Report No. 228.) Baltimore, MD: Center for Social Organization of Schools, Johns Hopkins University.

Slavin, R. E. (1977c). A student team approach to teaching adolescents with special emotional and behavioral needs. *Psychology in the Schools, 14(1),* 77−84.

Slavin, R. E. (1983). *Cooperative learning.* New York, NY: Longman.

Slavin, R. E. (1991). Are cooperative learning and "untracking" harmful to the gifted? *Educational Leadership, 48(6),* 68−70.

Slavin, R. E., & Madden, N. (2001). *One million children: Success for all.* Thousand Oaks, CA: Corwin Press.

Slavin, R., Madden, N., Dolan, L., & Wasik, B. (1996). *Every child, every school: Success for all.* Thousand Oaks, CA: Corwin.

Slavin, R. E., Madden, N. A., Karweit, N., Livermon, B. J., & Dolan, L. (1990). Success for all: First-year outcomes of a comprehensive plan for reforming urban education. *American Educational Research Journal, 27,* 255–278.

Smith, D. (2012). *State of the world atlas.* New York, NY: Penguin.

Smith, L., & Keith, P. (1971). *Anatomy of an innovation.* New York, NY: Wiley.

Smith, M. L. (1980). *Effects of aesthetics educations on basic skills learning.* Boulder, CO: Laboratory of Educational Research, University of Colorado.

Snow, C., Burns, M., & Griffin, P. (Eds.). (1998). *Preventing reading difficulties in young children.* Washington, DC: National Academy Press.

Soar, R. S. (1973). *Follow through classroom process measurement and pupil growth (1970–71).* (Final Report.) Gainesville, FL: College of Education, University of Florida.

Soar, R. S., Soar, R. M., & Ragosta, M. (1971). *Florida climate and control system: Observer's manual.* Gainesville, FL: Institute for Development of Human Resources, University of Florida.

Social Science Consortium. (1971, 1972, 1973). *Data handbook.* Boulder, CO: Author.

Spaulding, R. L. (1970). *E. I. P* Durham, NC: Duke University Press.

Stallings, J. (1980). Allocating academic learning time revisited: Beyond time on task. *Educational Researcher, 9,* 11–16.

Stallings, J. (1985). A study of implementation of Madeline Hunter's model and its effects on students. *Journal of Educational Research, 78,* 325–337.

Stauffer, R. (1969). Directing reading maturity as a cognitive-learning process. New York, NY: Harper and Row.

Stauffer, R. (1970). *The language-experience approach to the teaching of reading.* New York, NY: Harper and Row.

Stayer, J. (1989). A summary of research in science education. *Science Education, 70(3),* 245–341.

Steinbeck, J. (1952). *East of Eden.* New York: Viking.

Stenhouse, L. (1975). *An introduction to curriculum research and development.* London, UK: Heinemann.

Stenhouse, L. (1980). *Curriculum research and development in action.* London, UK: Heinemann.

Steinberg, R. (1986). Synthesis of research on the effectiveness of intellectual skills programs. *Educational Leadership, 44,* 60–67.

Stevens, R. J., & Slavin, R. E. (1995). The cooperative elementary school: Effects on students' achievement, attitudes, and social relations. *American Educational Research Journal, 32(2),* 321–351.

Stevenson, H. W., Lee, S., & Stigler, J. W. (1986). Mathematics achievement of Chinese, Japanese, and American children. *Science, 231,* 693–699.

Stevenson, H. W., & Stigler, J. (1992). *The learn jug gap.* New York, NY: Summit Books.

Stone, C. L. (1983). A meta-analysis of advance organizer studies. *Journal of Experi mental Education, 51(4),* 194–199.

Suchman, R. (1981). *Idea book for geological inquiry.* Chicago, IL: Trillium Press.

Sullivan, E. (1967). *Piaget and the school curriculum: A critical appraisal.* (Bulletin No. 2.) Toronto, ON: Ontario Institute for Studies in Education.

Sullivan, E. V. (1984). *A critical psychology: Interpretations of the personal world.* New York, NY: Plenum.

Swartz, S., & Klein, A. (1997). *Research in reading recovery.* Portsmouth, NH: Heinemann.

Taba, H. (1966). *Teaching strategies and cognitive functioning in elementary school children.*

(Cooperative Research Project 2404.) San Francisco, CA: San Francisco State College.

Taba, H. (1967). *Teacher's handbook for elementary school social studies.* Reading, MA: Addison-Wesley.

Taub, E. (2010). The web way to learn a language. *New York Times,* October 27. Technology, p. 1.

Taylor, C. (Ed.). (1964). *Creativity: Progress and potential.* New York, NY: McGraw-Hill.

Tennyson, R. D., & Cocchiarella, M. (1986). An empirically based instructional design theory for teaching concepts. *Review of Educational Research, 56,* 40−71.

Tennyson, R., & Park, O. (1980). The teaching of concepts: A review of instructional design research literature. *Review of Educational Research, 50(1),* p. 55−70.

Thelen, H. (1954). *Dynamics of groups at work.* Chicago, IL: University of Chicago Press.

Thelen, H. (1960). *Education and the human quest.* New York, NY: Harper & Row.

Thelen, H. (1981). *The classroom society: The construction of education.* New York, NY: Halsted Press.

Thompson, C. (2013). *Smarter than you think.* New York, NY: The Penguin Group.

Thoreson, C. (Ed.). (1973). *Behavior modification in education.* Chicago, IL: University of Chicago Press.

Thorndike, E. L. (1911). Animal intelligence: An experimental study of the associative process in animals. In *Psychological Review, 8*(Suppl. 2). New York, NY: Macmillan.

Thoinndike, E. L. (1913). *The psychology of learning: Volume II: Educational psychology.* New York, NY: Teachers College.

Tobias, B. (1993). *Overcoming math anxiety.* New York, NY: Norton.

Tobin, K. (1986). Effects of teacher wait time on discourse characteristics in mathematics and language arts classes. *American Educational Research Journal, 23(2),* 191−200.

Torrance, E. P. (1962). *Guiding creative talent.* Englewood Cliffs, NJ: Prentice-Hall.

Torrance, F. P. (1965). *Gifted children in the classroom.* New York, NY: Macmillan.

Urdan, T., Midgley, C., & Anderman, E. (1998). The role of classroom goal structure in students' use of self-handicapping strategies. *American Educational Research Journal, 35(1),* 101−102.

Vance, V. S., & Schlechty, P. C. (1982). The distribution of academic ability in the teaching force: Policy implications. *Phi Delta Kappan, 64(1),* 22−27.

Vellutino, F., & Scanlon, D. (2001). Emergent literacy skills, early instruction, and individual differences as determinants of difficulties in learning to read: The case for early intervention. In S. Neuman & D. Dickinsons (Eds.), *Handbook of early literacy research* (pp. 295−321). New York, NY: Guilford.

Vellutino, F., Scanlon, D., Spay, F., Small, S., Chen, R., Pratt, A., et al. (1966). Cognitive profiles of difficult-to-remediate and readily-remediated poor readers. *Journal of Educational Psychology, 88,* 601−638.

Voss, B. A. (1982). *Summary of research in science education.* Columbus, OH: ERIC Clearinghouse for Science, Mathematics, and Environmental Education.

Vygotsky, L., (1986). *Thought and Language.* Cambridge: MA: MIT Press.

Wade, N. (2002, June 18). Scientist at work/Kari Stefansson: Hunting for disease genes in Iceland's genealogies. *The New York Times,* p. 4.

Wadsworth, B. (1978). *Piaget for the classroom teacher.* New York, NY: Longman.

Walberg, H. J. (1985). *Why Japanese educational productivity excels.* Paper presented at the annual meeting of the American Educational Research Association, Chicago, IL.

Walberg, H. J. (1986). What works in a nation still at risk. *Educational Leadership, 44(1),* 7−11.

Walberg, H. J. (1990). Productive teaching and instruction: Assessing the knowledge base. *Phi Delta Kappan, 71(6),* 70−78.

Wallace, K. (2000). *Born to be a butteifly.* New York: Dorling Kindersley.

Wallace, R. C., Lemahieu, P. G., & Bickel, W. E. (1990). The Pittsburgh experience: Achieving commitment to comprehensive staff development. In B. Joyce (Ed.), *Changing school culture through staff development.* Alexandria, VA: Association for Supervision and Curriculum Development.

Walston, J., & West, J. (2004). *Full-day and half-day kindergarten in the United States.* Washington, DC: U.S. Department of Education, National Center for Education Statistics.

Wasik, B. A., & Slavin, R. E. (1993). Preventing early reading failure with one-to-one tutoring: A review of five programs. *Reading Research Quarterly. 28(2),* 186−207.

Watson, J. B. (1916). The place of conditioned reflex in psychology. *Psychological Review, 23,* 89−116.

Watson, J. B., & Rayner, R. (1921). Conditioned emotional reactions. *Journal of Experimental Psychology, 3,* 1−14.

Weikart, D. (Ed.). (1971). *The cognitively oriented curriculum: A frameu'ork for preschool teachers.* Washington, DC: National Association for Education of Young Children.

Weil, M., Marshalek, B., Mittman, A., Murphy, J., Hallinger, P. & Pruyn, J. (1984). *Effective and typical schools: How different are they?* Paper presented at the annual meeting of the American Educational Research Association, New Orleans, LA.

Weinstein, G., & Fantini, M. (Eds.). (1970). *Toward humanistic education: A curriculum of affect.* New York, NY: Praeger.

Wentzel, K. (1991). Social competence at school: Relation between social responsibility and academic achievement. *Review of Educational Research, 61(1),* 1−24.

Wertheimei; M. (1945). *Productive thinking.* New York, NY: Harper.

White, B. Y. (1993). ThinkerTools: Causal models, conceptual change, and science education. *Cognition and Instruction, 10(1),* 1−100.

White, S. (2002). *Developmental Psychology as a Human Enterprise.* Worcester, Massachusetts: Clark University Press.

Whitehead, A. (1929). *The aims of education.* New York, NY: Macmillan.

Wiederholt, J. L., & Bryant, B. (2001). *Gray oral reading tests.* Austin, Texas: Pro-Ed.

Wilford, J. (2013). Scull fossil suggests simpler human linkage. *The New York Times.* October 17, 2013, Science, p. 1.

Wilson, C. D., Taylor, J. A., Kowalski, S. M., & Carlson, J. (2010). The relative effects and equity of inquiry-based and commonplace science teaching on students' knowledge, reasoning, and argumentation. *Journal of Research in Science Teaching, 47(3),* 276−301.

Wing, R. (1965). *Two computer-based economic games for sixth graders.* Yorktown Heights, NY: Board of Cooperative Educational Services, Center for Educational Services and Research.

Wolfe, P., & Brandt, R. (1998). What do we know from brain research? *Educational Leadership, 56(3),* 8−13.

Wolpe, J. (1969). *The practice of behavior therapy.* Oxford, UK: Pergamon Press.

Wood, K., & Tinajero, J. (2002, May). Using pictures to teach content to second language learners. *Middle School Journal,* 47−51.

Worthen, B. (1968). A study of discovery and expository presentation: Implications for teaching. *Journal of Teacher Education, 19,* 223−242.

Xue, Y., & Meisels, S. (2004). Early literacy instruction and learning in kindergarten. *American Educational Research Journal, 41(1),* 191−229.

Young, D. (1971). Team learning: An experiment in instructional method as related to achievement. *Journal of Research in Science Teaching, 8,* 99−103.

Zhao, Y, Lei, J., Yan, B., Lai, C., & Tan, H. (2005). What makes the difference: A practical analysis of research on the effectiveness of distance education. *Teachers College Record, 107(8),* 1836−1884.

Ziegler, S. (1981). The effectiveness of cooperative learning teams for increasing cross-ethnic friendship: Additional evidence. *Human Organization, 40,* 264−268.

관련 NAEP 및 기타 미국 정부 보고서

Campbell, F., & Ramey, C. (1995). Cognitive and school outcomes for high-risk African-American students at middle adolescence: Positive effects of early intervention. *American Educational Research Journal, 32(4),* 743−772.

Campbell, J., Donahue, P., Reese, C., & Phillips, G. (1996). *NAEP 1994 reading report card for the nation and the states.* Washington, DC: U.S. Department of Education.

Campbell, J., Voelki, K., & Donohue, P. (1997). *Report in brief NAEP 1996 trends in reading progress.* Washington, DC: National Center for Educational Statistics.

Donahue, P. (1999). 1998 NAEP Reading Report Card for the Nation and the States. Washington, DC: U.S. Department of Education.

Donahue, P., Flanagan, R., Lutkus, A., Allen, N., & Campbell, J. (1999). *1998 NAEP reading report card for the nation and the states.* Washington, DC: U.S. Department of Education.

Donahue, P, Flanagan, R., Lutkus, A., Allen, N., & Campbell, J. (2001). *The national report card: Fourth grade reading 2000.* Washington, DC: U.S. Department of Education, Office of Educational Research and Improvement, National Center for Educational Statistics.

National Assessment of Educational Progress. (2004). *Reading Highlights, 2003.* Washington, DC: National Center for Educational Statistics.

National Assessment of Educational Progress (NAEP). (1992). *The reading report card.* Washington, DC: National Center for Educational Statistics, U.S. Department of Education.

National Center for Education Statistics. (2000). *The condition of education.* Washington, DC: U.S. Department of Education.

National Institutes of Education. (1975). *National conference on studies in teaching (Vols. 1−10).* Washington, DC: U.S. Department of Health, Education and Welfare.

National Reading Panel (2000). *Teaching children to read: An evidence-based assessment of the scientific research literature on reading and its implications for reading instruction.* Rockville, MD: National Institute of Child Health and Human Development.

National Center for Educational Statistics (1998). Long term trends in reading performance. NAEP Facts. Washington, DC: Office of Educational Research and Improvement, U.S. Department of Education.

National Reading Panel. (1998). *Teaching children to read.* Washington, DC: U.S. Department of Education.

O'Sullivan, C., Reese, C., & Mazzeo, J. (1997). *NAEP 1996 Science report card for the nation and the states.* Washington, DC: U.S. Department of Education.

Reese, C., Miller, K., Mazzeo, J., and Dossey, J. (1997). *NAEP 1996 mathematics report card for the nation and the states.* Washington, DC: U.S. Department of Education.

U.S. Department of Education. (1998). *NAEP Facts, 3(1),* 1.

Weiss, I. R. (1978). *Report of the 1977 national survey of science, social science, and mathematics education. National Science Foundation.* Washington, DC: U.S. Government Printing Office.

저자들의 그 외 출판물

Calhoun, E. (1997). *Literacy for all.* Saint Simons Island, GA: The Phoenix Alliance.
Calhoun, E. (1998). *Literacy for the primary grades: What works, for whom, and to what degree.* Saint Simons Island, GA: The Phoenix Alliance.
Calhoun, E. F. (1999). *Teaching beginning reading and writing with the picture word model.* Alexandria, VA: Association for Supervision and Curriculum Development.

Joyce, B. (1999). Reading about reading. *The Reading Teacher,* May, 1999.
Joyce, B., & Calhoun, E. (2010). *Models of professional development.* Thousand Oaks, CA: Corwin Press.
Joyce, B., & Calhoun, E. (2012). *Realizing the promise of 21st century education.* Thousand Oaks, CA: Corwin Press.
Joyce, B., Calhoun, E., Carran, N., Simser, J., Rust, D., & Halliburton, C. (1996). University town. In B. Joyce & E. Calhoun (Eds.), *Learning experiences in school renewal.* Eugene, Ore.: ERIC Clearinghouse for Educational Management.
Joyce, B., Calhoun, E., & Hopkins, D. (1998). *Models of learning: Tools for teaching.* Buckingham, UK: Open University Press.
Joyce, B., Calhoun, E., & Hopkins, D. (1999). *The new structure of school improvement.* Buckingham, UK: Open University Press.
Joyce, B., Calhoun, E., & Hopkins, D. (2000). *The new structure of school improvement.* Philadelphia, PA: The Open University Press.
Joyce, B., Calhoun, E., & Hrycauk, M. (2001). A second chance for struggling readers. *Educational Leadership, 58(6),* 42−47.
Joyce, B., Calhoun, E., Jutras, J., & Newllove, K. (2006). Scaling up: The results of a literacy curriculum implemented across an entire 53-school education authority. A paper delivered to the Asian Pacific Educational Research Association. Hong Kong.
Joyce, B., & Clift, R. (1984). The Phoenix agenda: Essential reform in teacher education. *Educational Researcher, 13(4),* 5−18.
Joyce, B., & Harootunian, B. (1967). *The structure of teaching.* Chicago: Science Research Associates.
Joyce, B., Hersh, R., & McKibbin, M. (1983). *The structure of school improvement.* New York, NY: Longman.
Joyce, B., Hrycauk, M., Calhoun, E., & Hrycauk, W. (2006). The tending of diversity through

a robust core literacy curriculum: gender, socioeconomic status, learning disabilities, and ethnicity. A paper delivered to the Asian Pacific Educational Research Association. Hong Kong.

Joyce, B., Hrycauk, M., & Calhoun, E. (2001). A second chance for struggling readers. *Educational Leadership, 58(6),* 42—47.

Joyce, B., McKibbin, M., & Bush, R. (1983). *The seasons of professional life: The growth states of teachers.* Paper presented at the annual meeting of the American Educational Research Association, Montreal.

Joyce, B., Murphy, C., Showers, B., & Murphy, J. (1989). School renewal as cultural change. *Educational Leadership, 47*(3), 70—78.

Joyce, B., Peck, L., & Brown, C. (1981). *Flexibility in teaching.* New York, NY: Longman.

Joyce, B., & Showers, B. (1980). Improving inservice training: The message of research. *Educational Leadership, 37,* 163—172.

Joyce, B., & Showers, B. (1981a). *Teacher training research: Working hypothesis for program design and directions for further study.* Paper presented at the annual meeting of the American Educational Research Association, Los Angeles.

Joyce, B., & Showers, B. (1981b). Transfer of training: The contribution of coaching. *Journal of Education, 163,* 163—172.

Joyce, B., & Showers, B. (1982). The coaching of teaching. *Educational Leadership, 40(1),* 4—10.

Joyce, B., & Showers, B. (1983). *Power in staff development through research on training.* Washington, DC: Association for Supervision and Curriculum Development.

Joyce, B., & Showers, B. (2002). *Student achievement through staff development* (3rd ed.). Alexandria, VA: Association for Supervision and Curriculum Development.

Joyce, B., Showers, B., & Bennett, B. (1987). Synthesis of research on staff development: A framework for future study and a state-of-the-art analysis. *Educational Leadership, 45(3),* 77—87.

Joyce, B., Weil, M., & Wald, R. (1981). Can teachers learn repertoires of models of teaching? In B. Joyce, L. Peck, & C. Brown, *Flexibility in teaching.* New York, NY: Long-man.

Joyce, B., & Wolf, J. (1996). Readersville: Building a culture of readers and writers. In B. Joyce and E. Calhoun (Eds.), *Learning experiences in school renewal.* Eugene, OR: The ERIC Clearinghouse in Educational Management.

Joyce, B., Wolf, J., & Calhoun, E. (1993). *The self renewing school.* Alexandria, VA: Association for Supervision and Curriculum Development.

찾아보기

역자 소개

박인우
서울대학교 교육학과 졸업
미국 Florida State University 대학원 교육공학 Ph. D.
한국교육방법학회 회장
(현) 고려대학교 교육학과 교수
parki@korea.ac.kr

이용진
고려대학교 교육학과 졸업
동대학원 교육학 박사과정 수료
미국 Syracuse University 대학원 교육공학 Ph. D.
(현) 고려대학교 대학교육개발원 연구교수
eduist@korea.ac.kr

교수모형 9판

발행일 2017년 3월 15일 초판 발행

저자 Bruce Joyce, Marsha Weil, Emily Calhoun | **역자** 박인우, 이용진

발행인 홍진기 | **발행처** 아카데미프레스 | **주소** 413-756 경기도 파주시 문발동 출판정보산업단지 507-9

전화 031-947-7389 | **팩스** 031-947-7698 | **이메일** info@academypress.co.kr

웹사이트 www.academypress.co.kr | **출판등록** 2003. 6. 18. 제406-2011-000131호

ISBN 979-11-6136-001-0 93370

값 28,000원